ACTION

BAND 69

WILLIAM R. FORSTCHEN

ONE SECOND AFTER

Aus dem Amerikanischen
von Vincenzo Benestante und Sabina Trooger

FESTA

Die amerikanische Originalausgabe *One Second After*
erschien 2009 im Verlag Forge (Tom Doherty Associates LLC).

1. Auflage Februar 2019

Literarische Agentur: Thomas Schlück GmbH, 30827 Garbsen
Titelbild: Arndt Drechsler
Lektorat: Elisabeth Bösl

ISBN 978-3-940626-719-6
eBook 978-3-940626-720-2

Meiner Tochter Meghan Marie Forstchen gewidmet … und all denjenigen, die sie beschützen, damit sie in Frieden aufwachsen kann. Und meinem Vater John Joseph Forstchen, der mich lehrte, was im Leben wirklich Wertschätzung verdient.

DANKSAGUNG

In gewisser Weise ist jedes Buch das Werk anderer – all jener, die mich als Kind inspirierten und mich lehrten, Lehrer, Schriftsteller und Vater zu werden. Diejenigen unter Ihnen, die in den Jahren des Kalten Krieges mit Science-Fiction aufgewachsen sind, werden sich an *Alas, Babylon* erinnern, und auch an die Filme *Testament* und *Das letzte Ufer*. Die Albträume dieser Zeit verwirklichten sich in meiner Kindheit nicht, und heute fragt man sich, ob die in diesen Werken zum Ausdruck gebrachten Warnungen womöglich mit dazu beigetragen haben, dass dies nicht geschah. Ihr Einfluss auf mich wird im vorliegenden Buch deutlich, und ihre Warnungen bezogen sich damals auf unmittelbar gegenwärtige Gefahren, genau wie die in diesem Buch ausgesprochene Warnung hier und jetzt eine potenzielle Wirklichkeit darstellt.

Ein besonderer Dank gilt meinem Freund Newt Gingrich, der freundlicherweise das Vorwort zu diesem Buch schrieb und mich während des kreativen Prozesses ermutigte, beriet und mit entscheidenden Kontaktpersonen bekannt machte. Bill Sanders, Captain der U. S. Marine, gehört zu den weltweit führenden Experten für die in diesem Buch angesprochene Thematik, und es war Newt, der mich ihm vorstellte. Während meiner Arbeit an diesem Projekt waren sowohl sein Fachwissen als auch seine Freundschaft von unschätzbarem Wert. Ich muss betonen, dass Captain Sanders sich stets äußerst professionell verhielt und manchmal auf meine Fragen strikt entgegnete: »Das darf ich nicht beantworten – Ende der Diskussion«. Alle Fakten, mit denen er mich unterstützte und dieses Buch bereicherte, sind öffentlich zugänglich und nicht als Staatsgeheimnisse klassifiziert. Auch der Abgeordnete Roscoe Bartlett, ein wahrer Diener seines Staates und Vorsitzender einer Regierungskommission zur Einschätzung der Gefahr durch elektromagnetische Impulse, war mir eine große Inspiration.

Ein alter Freund, der vielleicht nicht in diese Danksagung zu passen scheint, ist der Schriftsteller Jean Shepherd. Nur wenige Menschen erinnern sich heute noch an seinen Namen, aber fast jeder kennt seinen berühmten Film über ein weihnachtliches Familientreffen während der Weltwirtschaftskrise. Seine Schriften und seine Rundfunksendung inspirierten mich, als ich unweit der Stadt New York aufwuchs, und durch eine glückliche Fügung des Schicksals wurde er später in Maine mein Nachbar. Als Schriftstellerneuling erlebte ich mit Jean einige unglaublich kostbare Momente und werde nie vergessen, wie er mir damals sagte: »Schreib über das, was du kennst, mein Junge.« Nach so vielen Büchern, die in der Vergangenheit oder in der Zukunft spielen, begann ich nun zum ersten Mal mit dem Schreiben eines Romans, der in der Gegenwart spielt; und es war Jeans Ratschlag, der mir den Weg zu dieser Geschichte wies, die in meiner Heimat spielt. Black Mountain, Asheville und das Montreat College, wo ich Geschichte unterrichte, sind reale Orte. Da dieses Buch eine fiktive Geschichte erzählt, sind die handelnden Personen natürlich ebenfalls fiktiv, aber dennoch erkennen sich meine Freunde und Nachbarn vielleicht ein wenig in den Figuren wieder. Ihnen allen gilt meine tiefste Dankbarkeit für ihre langjährige Freundschaft. Besonders danke ich dem Polizeipräsidenten Jack Staggs für seine Einsichten sowie meinem Hausarzt und unserem Apotheker – jedes Mal, wenn wir uns über diese Geschichte unterhielten, lief es uns kalt den Rücken hinunter. Und wie immer danke ich auch Bill

Butterworth (W.E.B. Griffin Jr.), einem der besten Lektoren und Freunde, die man sich nur wünschen kann.

Wie immer gilt mein Dank auch dem Montreat College und den Tausenden von Studenten, die ich dort über die Jahre unterrichtet habe, die ich innig liebe und die mir ebenfalls eine Inspiration gewesen sind; ebenso wie einigen meiner Kollegen, dem Präsidenten unseres Colleges sowie dem Kuratorium; insbesondere meinem langjährigen, engen Freund und Omaha-Beach-Kriegsveteranen Andy Andrews. Ich danke auch dem Personal eines nahe gelegenen Pflegeheims, das meinen Vater und mich liebevoll durch das letzte Jahr seines Lebens begleitet hat. Jeder, der dort arbeitet, ist im wahrsten Sinn des Wortes ein Schutzengel.

Ohne gute Lektoren, Verleger und Agenten kann ein Schriftsteller nicht wirken. Tom Doherty wird meiner Ansicht nach immer zu den Besten seines Faches gehören. Bob Gleason half mir trotz gelegentlicher kleiner Unstimmigkeiten, dieses Buch immer weiter voranzutreiben, und ich bin ihm dankbar. Und was die Agenten angeht, die an dieses Buch geglaubt haben: Eleanor Wood, Josh Morris und Kevin Cleary – euch allen kann ich nur »Danke« sagen. Dann gibt es noch jemand ganz Besonderen: Dianne St. Clair, die immer an mich geglaubt hat und immer im richtigen Moment für mich da war. Auch Brian Thomsen sage ich »Danke für alles«.

Ein Wort zum Abschluss: Ich hoffe, dass dieses Buch sich niemals bewahrheiten möge. Die Bedrohung ist real, erschreckend real, und je mehr Zeit man sich nimmt, sich mit ihr auseinanderzusetzen, Experten zu befragen und vor allem, einen Sinn für die Weltgeschichte zu entwickeln, desto erschreckender wird sie. Oft kommt der Moment des Absturzes vom Gipfel gerade dann, wenn ein Volk oder eine Nation sich am sichersten fühlt. Der entsetzte Aufschrei »Die Barbaren stehen vor den Toren!« erschallt allzu oft völlig überraschend wie aus dem Nichts, und er ist häufig der letzte Ausruf, der jemals gehört wird. Es gibt heute Menschen auf der Welt, die uns dies wünschen und sich dafür einsetzen, es wahr werden zu lassen. Wie Thomas Jefferson sagte: »Der Preis für die Freiheit ist unaufhörliche Wachsamkeit.«

Ich bete dafür, dass die Kritiker späterer Jahre, wenn meine Zeit sich dem Ende zuneigt, dieses Buch als ein Werk närrischer Fantasie bezeichnen mögen. Das würde mich tief befriedigen, denn es würde bedeuten, dass die Wachsamkeit aufrechterhalten wurde und dass meine Tochter und alle, die ich liebe, die Welt, über die ich schreibe, niemals kennenlernen werden.

William R. Forstchen
Black Mountain, North Carolina
Juli 2008

VORWORT

von Newt Gingrich
1995–1999 Sprecher des Repräsentantenhauses

Obwohl dieses Buch ein Roman ist – eine erfundene Geschichte – basiert es doch auf Fakten; es ist vielleicht eine »Future History«. Es soll jeden von uns zum Denken anregen und uns nach Möglichkeit sogar aufrütteln. Das sage ich aufgrund meiner eigenen, jahrzehntelangen Beschäftigung mit der äußerst realen Bedrohung der amerikanischen Sicherheit durch die spezifische Waffe, über die Bill Forstchen in *One Second After* schreibt.

Seit dem 11. September 2001 widmen wir einer breiten Palette eventueller Bedrohungen unserer Nation große Aufmerksamkeit; etwa weiteren Entführungen von Passagierflugzeugen, biologischen und chemischen Angriffen, sogar der Gefahr einer »schmutzigen Bombe« bis hin zur stets gegenwärtigen Möglichkeit einer Atomexplosion im Zentrum einer unserer Hauptstädte.

Aber nur wenige Menschen sprechen von der schrecklichen, überwältigenden Bedrohung durch einen EMP, die Abkürzung für *electromagnetic pulse weapon* – einer elektromagnetischen Impulswaffe. Tatsächlich haben die meisten noch nie davon gehört.

Mein Freund William Sanders, Captain der US-Kriegsmarine, ist einer der führenden Experten in den USA für diese spezifische Waffe und schrieb das Nachwort zu diesem Buch. Unter Verwendung von Dokumenten, die nicht als Staatsgeheimnisse eingestuft sind, wird er in allen

Einzelheiten erklären, wie eine solche Waffe funktioniert. An dieser Stelle sei nur kurz erwähnt, dass eine Atombombe, wenn sie über der Erdatmosphäre gezündet wird, eine »Impulswelle« erzeugen kann, die sich mit Lichtgeschwindigkeit ausbreitet und in jedem elektronischen Gerät auf der Erdoberfläche, das sie berührt, einen Kurzschluss verursacht. Das wäre, als würde ein Superblitz neben Ihrem Haus einschlagen und Ihren Computer vernichten; nur unendlich viel schlimmer, denn er würde unsere ganze Nation treffen, höchstwahrscheinlich ohne Vorwarnung, und könnte unser komplexes Stromnetz und alles, was daran angeschlossen ist, komplett vernichten. Dies ist eine reale Bedrohung, eine sehr reale, die mir und vielen anderen seit Jahren große Sorgen bereitet.

Über die Jahre haben mein Freund Bill Forstchen und ich gemeinsam sechs historische Romane geschrieben. Inzwischen kenne ich ihn sehr gut. Er erhielt seinen Doktorgrad für Geschichte an der Purdue Universität, sein Spezialgebiet ist die Geschichte der Militärtechnologie, und das hier beschriebene Szenario ist keine bloße Ausgeburt seiner Fantasie. Tatsächlich wurde dieses Buch in einem Gespräch zwischen Bill und mir geboren, das vor einigen Jahren stattfand und in dem er zum Schluss erklärte, er habe das Gefühl, einen Roman über diese Bedrohung schreiben zu müssen, um die Öffentlichkeit aufzurütteln.

Wie bereits gesagt, sehe ich dieses Buch als eine erschreckende »Future History«, die durchaus wahr werden könnte. Bücher dieses Genres haben ihre eigene, bedeutende Tradition. H.G. Wells schrieb erschreckend präzise Prophezeiungen über die Ereignisse, die als Erster und Zweiter Weltkrieg in die Weltgeschichte eingegangen sind. Zwei der großen Klassiker über den Kalten Krieg, *Alas, Babylon* und der Film *Testament,* gaben uns einen tief bewegenden Einblick in das, was mit normalen Bürgern geschehen würde, wenn zwischen uns und der Sowjetunion jemals Krieg ausgebrochen wäre. Bill gibt gern zu, dass ihm die beiden oben erwähnten Klassiker als Modelle für dieses Buch dienten. Ich aber vergleiche es gern mit der vielleicht berühmtesten »Geschichte der Zukunft« unserer modernen Zeit: *1984* von George Orwell. Wenn man zugelassen hätte, dass das Böse in Form von totalitären Reichen nach dem Zweiten Weltkrieg auf den Trümmern Europas aufgeblüht wäre, dann hätte sich jene Zukunftshistorie womöglich als wahr erwiesen. Durch sein Buch sorgte Orwell für eine Bewusstwerdung dieser Gefahr, die uns vielleicht vor dem »großen Bruder« und der Gedankenpolizei bewahrt hat.

Ich hoffe und glaube, dass Bills Roman Ähnliches bewirken kann. Bisher haben sich nur wenige Regierungsmitglieder und Persönlichkeiten des öffentlichen Lebens offen mit der Bedrohung auseinandergesetzt, die schon eine einzige Atomwaffe in den Händen eines zu allem entschlossenen Feindes bedeutet, wenn dieser sie dazu benutzt, einen massiven elektromagnetischen Impuls auszulösen. Ein solches Ereignis würde unsere komplizierte, empfindliche Hightech-Gesellschaft innerhalb eines einzigen Augenblicks vernichten und uns in eine Existenz zurückschleudern, die der des Mittelalters ähnelt. Millionen würden bereits innerhalb der ersten Woche sterben – vielleicht auch Sie, der Sie dies gerade lesen, falls Sie von bestimmten Medikamenten abhängig sind; ganz zu schweigen von den Grundbedürfnissen unseres Lebens, etwa nach Nahrung und sauberem Wasser.

Der Ort, über den Bill schreibt, existiert wirklich, denn er hat diese Geschichte in seiner Heimatstadt und in dem College, an dem er unterrichtet, angesiedelt. Ich erinnere mich an die Gespräche, die wir führten, während er diesen Roman schrieb. Mehr als einmal war er über das, was er erforscht und entdeckt hatte und jetzt in Romanform für jedermann lesbar aufschrieb, zutiefst verstört. Am meisten erschütterte ihn, wie er mir sagte, die immer wiederkehrende Vorstellung von seiner halbwüchsigen Tochter inmitten dieser albtraumhaften Realität; und ich glaube, Sie werden beim Lesen dieses Buches diesen sehr persönlichen Aspekt deutlich erkennen. Auch ich war tief betroffen, denn ich habe zwei Enkelkinder. Genau wie er sich wünscht, seine Tochter vor diesem Schicksal zu bewahren, wünsche ich mir, meine Enkel zu beschützen und ihnen ein Amerika zu hinterlassen, das vor solchen Bedrohungen sicher ist.

Die Bedrohung ist real, und wir als Amerikaner müssen dieser Bedrohung die Stirn bieten, uns auf sie vorbereiten und sie zu verhindern wissen. Denn wenn wir das nicht tun, wird das Amerika, das wir kennen, wertschätzen und lieben, »eine Sekunde danach« für immer verschwunden sein.

Denn ich bin der Tod geworden,
der Zerstörer der Welten.

KAPITEL EINS

Black Mountain, North Carolina, 14:30 Uhr

John Matherson nahm die Plastiktüte von der Ladentheke. »Bist du sicher, dass ich die Richtigen habe?«

Nancy, die Besitzerin des Ivy Corner, lächelte. »Keine Sorge, John. Sie hat sie schon vor Wochen ausgesucht. Gib ihr eine Umarmung und einen dicken Kuss von mir. Kaum zu glauben, dass sie heute schon zwölf wird.«

John nickte seufzend, während er die mit zwölf Beanie Babys gefüllte Tüte betrachtete – eine Puppe für jedes Lebensjahr seiner Tochter Jennifer, die heute vor zwölf Jahren zur Welt gekommen war.

»Ich hoffe, dass sie die mit 13 immer noch haben will«, sagte er. »Gott steh mir bei, wenn der erste Junge vor der Tür steht und mit ihr ausgehen will.«

Die beiden lachten und Nancy nickte zustimmend. John durchlitt diese Situation bereits mit seiner 16-jährigen Tochter Elizabeth, und deshalb – aber auch aus vielen anderen Gründen – wünschte er, die kostbare Zeit, in der sie noch sein »kleines Mädchen« sein würde und an die sich jeder Vater später liebevoll erinnert, noch um ein paar Tage, Wochen oder Monate verlängern und festhalten zu können.

Es war ein wunderschöner Frühlingstag. Die Kirschbäume, die die Straße säumten, standen in voller Blüte, und eine sanfte Brise wirbelte die rosafarbenen Blütenblätter durch die Luft, während er die Straße hinaufging, vorbei an Doktor Kellors Praxis, den Antiquitätenläden, der neuen, etwas düster anmutenden Kunstgalerie, die im letzten Monat eröffnet hatte, den üblichen Schnickschnack- und Andenkenläden und auch dem nostalgisch eingerichteten Eiscafé – der Preis von anderthalb Dollar pro Kugel war jedoch durchaus zeitgemäß. Danach kam Bensons Laden für gebrauchte und seltene Bücher, und John zögerte. Er hätte gern ein paar Minuten hineingeschaut und zog sein Handy hervor, um auf die Uhr zu sehen.

14:30 Uhr. Ihr Bus würde um drei ankommen, also hatte er heute keine Zeit, hier bei einer Tasse Kaffee über Bücher und Geschichte zu plaudern. Walt Benson erspähte ihn und hielt einladend eine Tasse hoch, aber John schüttelte verneinend den Kopf und deutete auf sein Handgelenk, obwohl er nie eine Armbanduhr trug. Er setzte seinen Weg zu seinem Talon-Geländewagen fort, den er vor Taylors Eisen- und Gemischtwarenhandlung an der Ecke geparkt hatte.

John hielt inne und blickte einen Moment auf die Straße zurück.

Ich lebe in einem verdammt idyllischen Gemälde von Norman Rockwell, dachte er zum tausendsten Mal.

Hier zu landen … das hätte er sich früher niemals vorstellen können; er hatte es nie geplant und nicht einmal gewollt. Vor acht Jahren hatte er an der Militärakademie in Carlisle, Pennsylvania Militärgeschichte unterrichtet und Vorlesungen über asymmetrische Kriegsführung gehalten. Damals war er sehr darauf erpicht gewesen, endlich in den Rang eines Brigadier Generals aufzusteigen.

Doch dann hatten sich zwei Dinge ereignet. Seine Beförderung war mit einer Berufung zum Verbindungsoffizier bei der NATO in Brüssel bestätigt worden – eine ziemlich gute Position und höchstwahrscheinlich die Abrundung seiner Karriere. Und dann war Mary einige Tage nach seiner Beförderung mit bleichem Gesicht und fest zusammengepressten Lippen von einem Arztbesuch zurückgekehrt und hatte drei Worte gesagt: »Ich habe Brustkrebs.«

Der Kommandant in Carlisle war Bob Scales gewesen, ein alter Freund und der Patenonkel von Johns Tochter Jennifer, und er hatte die Bitte verstanden, die John an ihn richtete. John hätte die Beförderung gern angenommen, aber könnte er nicht im Pentagon stationiert werden? Dann wären sie in der Nähe der Johns Hopkins Klinik und obendrein nicht weit von Marys Familie entfernt gewesen.

Das ging jedoch nicht. Es gab ohnehin viele Budgetkürzungen. O ja, im obersten Kommandostab brachte man ihm viel Verständnis und Mitgefühl entgegen, aber er musste den Posten in Brüssel annehmen, wenn er seinen Generalsstern haben wollte. Vielleicht würden sie in einem Jahr eine Position in den Staaten für ihn finden.

Nachdem er mit Marys Arzt gesprochen hatte, reichte John seinen Rücktritt ein. Er wollte Mary in ihre Heimat bringen, wie sie es sich wünschte – nach Black Mountain in North Carolina. Das Chapel Hill Krebstherapiezentrum lag ganz in der Nähe.

Als John Black Mountain erwähnte, erwiesen sich Bobs Verbindungen als gut, sogar als erstaunlich gut. Ein einziger Telefonanruf genügte – die »alten Seilschaften« wurden zwar als politisch unkorrekt verachtet, aber sie existierten und halfen, wenn Not am Mann war. Der Präsident des Montreat College in Marys Heimat in North Carolina brauchte tatsächlich »plötzlich« einen Vizedirektor für das Ressort »Akademische Entwicklung«. John hasste zwar diese bürokratische Tätigkeit, bei der es um Studentenimmatrikulation ging, aber es gelang ihm, sie zu überleben, bis schließlich vor vier Jahren eine Professur mit Aussicht auf Unkündbarkeit in der Geschichtsfakultät frei wurde, die man ihm übertrug.

Die Tatsache, dass der Collegepräsident Don Hunt sein

Leben Bob Scales verdankte, der ihn 1970 aus einem Minenfeld herausgeholt hatte, war ein starker Pluspunkt für John, der unter Freunden nicht übersehen werden konnte. Don hatte ein Bein verloren, Bob bekam für die Rettung Dons einen weiteren Bronze Star, und beide Männer waren seitdem enge Freunde, die sich stets auch um diejenigen kümmerten, die dem anderen wichtig waren.

Mary durfte also endlich nach Hause, nachdem sie John 20 Jahre lang überallhin begleitet hatte: vom Hauptquartier in Benning nach Deutschland, nach Okinawa, nach der nervenaufreibenden *Operation Desert Storm,* anschließend ins Pentagon. Dann ein Jahr – ein wunderbares Jahr – an der Akademie in West Point und schließlich drei weitere Jahre in Carlisle, wo er Dozent gewesen war. Im Grunde seines Herzens war John Geschichtslehrer, und vielleicht hatte der unbekannte Paragrafenreiter im Personalbüro des Pentagons ihm sogar einen Gefallen getan, als er sein Versetzungsgesuch in die Vereinigten Staaten abwies.

Und so waren sie in Marys Heimat, nach Black Mountain in North Carolina, zurückgekehrt. John hatte keine Sekunde gezögert, Mary ihren Wunsch zu erfüllen; er nahm seinen Abschied vom Militär, verzichtete auf seine Beförderung und zog mit ihr in dieses idyllische Fleckchen in den Bergen North Carolinas.

Als er nun über die Hauptstraße blickte, verlor er sich einen Moment lang in seinen Erinnerungen. Nächste Woche jährte sich Marys Tod zum vierten Mal – vier Jahre waren seit ihrem letzten, langsamen, erschöpfenden Spaziergang auf dieser Straße vergangen, auf der sie als Kind ausgelassen herumgerannt war.

Es war wirklich ein Städtchen wie von Norman Rockwell gemalt. Während dieses letzten Spaziergangs waren sie alle aus ihren Läden gekommen, denn jeder kannte Mary, jeder wusste, was los war, und wollte sie begrüßen, sie umarmen, sie küssen, und alle wussten, dass dies der Abschied war, aber niemand sprach es aus. John würde die liebevollen Gesten niemals vergessen.

Er verdrängte diese Gedanken. Sie gingen ihm immer noch zu nah, und Jennifers Schulbus würde in 20 Minuten ankommen.

Er stieg in seinen Talon, ließ den Motor an, bog in die State Street und fuhr in Richtung Osten. Er liebte den Anblick der State Street, die sich, gesäumt von weiteren Läden, in Kurven durch die Stadt wand. Fast alle Gebäude bestanden aus rotem Backstein und stammten aus der Zeit der vorletzten Jahrhundertwende.

Das Städtchen war einst aufgrund des Booms der Tuberkulose-Sanatorien eine blühende Gemeinde gewesen. Als sich in den frühen 80er-Jahren des 19. Jahrhunderts endlich die Eisenbahn ihren Weg durch die Berge im Westen North Carolinas gebahnt hatte, waren die Tuberkulosekranken die Ersten gewesen, die hierher geströmt waren. Zu Tausenden kamen sie in die Sanatorien, die auf jedem sonnenbeschienenen Berghang wie Pilze aus dem Boden schossen. In den frühen 1920er-Jahren gab es bereits ein Dutzend solcher Kliniken im Umland von Asheville, der großen Kreisstadt 18 Kilometer westlich von Black Mountain.

Dann kam die Wirtschaftskrise. In Black Mountain schien die Zeit stehen zu bleiben, und als nach dem Krieg die Antibiotika aufkamen, leerten sich die Sanatorien. Dadurch blieben in Black Mountain all die schönen Gebäude unverändert erhalten, die in anderen Städten längst Einkaufszentren gewichen waren. Der Fortschritt war an Black Mountain vorbeigegangen.

Nun gab es dort, wo die Sanatorien gewesen waren, Konferenzzentren diverser Kirchen und Ferienlager für Kinder. Auch Johns College war auf einem solchen hoch gelegenen Gelände errichtet worden, das die Einheimischen »Cove« nannten. Es war ein kleines College mit höchstens 600 Studenten, und die meisten stammten aus kleinen Dörfern in North oder South Carolina; nur einige wenige kamen aus Atlanta, Georgia oder Florida. Manchen Jugendlichen machte die relative Abgeschiedenheit schwer zu schaffen, aber die Mehrzahl gab widerstrebend zu, dass sie die Gegend liebten. Es war eine wunderschöne Hochschulanlage, nirgends lauerten Gefahren und rings um das Grundstück wand sich ein alter Holzfällerweg, der direkt auf den Gipfel des Mount Mitchell führte. Reißende Bäche in der Nähe waren ideal zum Kajakfahren, und die dichten Wälder hießen alle willkommen, die unter Umgehung der relativ strengen Collegeregeln Partys feiern wollten.

In den 1980er-Jahren war auch das Städtchen schließlich wieder zum Leben erwacht, aber glücklicherweise waren die Architektur und das Ambiente des ausgehenden 19. Jahrhunderts erhalten geblieben. Im Sommer und Herbst drängten sich nun auf den Straßen Touristen und Tagesausflügler, die aus Charlotte oder Winston-Salem heraufkamen, um der sengenden Hitze der Täler zu entfliehen. Außerdem bewohnten dann Hunderte von Sommer-Mietern die sogenannten Cottages im Cove, die teilweise von alteingesessenen, wohlhabenden Südstaatler-Familien erbaut worden waren und eher Herrenhäusern als Sommerhäuschen glichen.

Genau das waren die Mitglieder von Marys Familie gewesen: traditionelle Südstaatler mit Geld. »Me-ma« Jennie, Marys Mutter, nach der Jennifer benannt war, hielt immer noch stur an ihrem Haus oben im Cove fest, obwohl »Papa« Tyler nun mit Krebs im Endstadium in einem nahen Pflegeheim lag.

John fuhr weiter in Richtung Osten und der Verkehr der Autobahn I-45, der aus dem Bergeinschnitt bei Swannanoa kam, dröhnte zu seiner Linken an ihm vorbei. Die alteingesessenen Bewohner des Städtchens schäumten immer noch vor Wut über diese »verdammte Straße«. Vor dem Bau der I-45 war Black Mountain ein verschlafenes Südstaaten-Fleckchen gewesen. Mit der Autobahn kamen die Erschließung, der Verkehr und die Fluten der Wochenend-Touristen; geliebt von der Handelskammer, mühsam toleriert von allen Ansässigen.

John blieb noch anderthalb Kilometer nach der Stadtgrenze auf der alten Landstraße, die parallel zur I-45 verlief, bis er rechts in einen ungepflasterten Feldweg einbog. Dieser wand sich in Serpentinen einen Hügel hinauf, von dem man auf die ganze Stadt hinunterblickte. Ein alter Witz der Gegend lautete: »Du weißt, dass du einen echten Bergbewohner besuchst, wenn er dir sagt: ›Bieg in den Feldweg ein‹.«

Obwohl er in New Jersey aufgewachsen war, freute sich John immer noch darüber, dass er nun im Süden auf einem Berghang wohnte, zu dem nur ein Feldweg führte; mit einem Ausblick, der mehr wert war als alles Geld der Welt.

Das Haus, das Mary und er gekauft hatten, war Teil einer der ersten Neubausiedlungen der Gegend. Hier gab es noch keine gesetzlichen Baubestimmungen, und deshalb standen am Fuß des Hügels mehrere Wohnwagen sowie eine alte Hütte, in der Connie Yarborough lebte, eine wunderbare, urwüchsige Nachbarin, die immer noch keinen Anschluss an das städtische Strom- und Wassernetz wollte. Neben ihr betrieb der exzentrische Jim Bartlett, ein Relikt aus den 60er-Jahren, eine VW-Reparaturwerkstatt. Auf seinem Grundstück drängten sich Dutzende verrosteter Käfer, Lieferwagen und sogar einige nostalgisch-kostbare VW-Busse und Karmann-Ghias.

Das Haus selbst, das John und Mary aufgrund ihrer gemeinsamen Liebe zu Tolkien »Bruchtal« getauft hatten, bot einen weiten Blick auf das Tal unter ihnen. In der Ferne sah man die Skyline von Asheville, umrahmt von der Gebirgskette der Great Smoky Mountains. Der Blick ging nach Westen, sodass Mary ihre geliebten Sonnenuntergänge genießen konnte.

Wenn John versuchte, Freunden den Ausblick zu beschreiben, sagte er immer: »Seht euch einfach den Film *Der letzte Mohikaner* an. Eine halbe Stunde von ihm wurde hier gedreht.«

Es war ein relativ modernes Haus mit einem hohen Dach, und die Westwand, die sich über die ganze Breite des Hauses vom Schlafzimmer über das Wohnzimmer bis zum Esszimmer erstreckte, war ganz aus Glas. Das Ehebett stand noch immer so, dass man hinaussehen konnte, denn Mary hatte die Welt draußen beobachten wollen, während ihr das Leben entglitt.

Er bog in die Auffahrt ein. Die beiden »Narren« Ginger und Zach, zwei Golden Retriever, wunderschöne Tiere – und beide so dumm wie Brot –, die sich auf der Veranda vor dem Schlafzimmer gesonnt hatten, sprangen auf und bellten wie wahnsinnig, als sei er ein Eindringling. Wäre John jedoch wirklich ein Eindringling gewesen, hätten sie voller Angst die Schwänze eingezogen und auf den Teppich in Jennifers Zimmer gepinkelt, in das sie sich geflüchtet hätten.

Die zwei Narren rannten durch das Schlafzimmer und dann durch das Fliegengitter der vorderen Verandatür, deren untere Hälfte ein Witz war, denn das Drahtgeflecht war längst zerfetzt. Hätte John das Gitter ersetzt, hätte es höchstens ein paar Tage gehalten, bevor die Narren abermals hindurchgerannt wären und es wieder zerstört hätten. John hatte diesen Kampf schon vor Jahren aufgegeben.

Auf die Idee, die Tür abzuschließen, kam John schon längst nicht mehr. Dies war Black Mountain. So merkwürdig es sich anhören mochte, aber die Leute hier sperrten selten irgendetwas ab. Sie ließen ihre Autoschlüssel stecken, die Kinder spielten am Abend auf der Straße, und es gab immer noch Paraden am Unabhängigkeitstag und zu Weihnachten sowie das alljährliche, absolut lächerliche Tannenzapfen-Festival, inklusive der Krönung einer Miss Tannenzapfen. Papa Tyler hatte seine Tochter Mary in einem Frühstadium von Johns Umwerben schrecklich blamiert, indem er John voller Stolz ein Foto von ihr als Miss Tannenzapfen 1977 zeigte. In Black Mountain gab es auch immer noch einen Eiscremewagen, der an den Sommerabenden bimmelnd durch die Stadt fuhr ... Der Alltag hier unterschied sich gewaltig von Johns Kindheit in den Außenbezirken von Newark in New Jersey.

Ein Auto parkte am Ende der Auffahrt. Es gehörte Me-ma Jennie, Marys Mutter.

Me-ma Jennie selbst saß hinter dem Steuer ihres wunderbaren und höchst extravaganten 1959er Ford Edsel. Ford hatte den Grundstein zum Vermögen der Familie gelegt, denn die Tylers besaßen eine Kette Autohäuser in North und South Carolina, die schon seit der Zeit Henry Fords existierte. Im Haus oben im Cove hing sogar ein gerahmtes Foto, das aus der Zeit vor dem Ersten Weltkrieg stammte und Marys Urgroßvater zusammen mit Henry Ford bei der Eröffnung einer Autohandlung in Charlotte zeigte.

In der Gesellschaftsschicht ihrer Familie galt es zwar als unschicklich, sich allzu geschäftsmäßig zu geben, und Jennie zog ohnehin die Rolle der hochkultivierten Südstaatler-Lady vor, aber John wusste, dass sie in jüngeren Jahren das Geschäft ebenso versiert geführt hatte wie ihr Mann.

John parkte neben dem Edsel. Jennie legte das Buch weg, das sie gelesen hatte, und stieg aus.

»Hallo, Jen.«

Sie hasste es, wenn ihr Nordstaatler-Schwiegersohn, der ohnehin nicht ihre erste Wahl als Ehemann ihrer einzigen Tochter gewesen war, Ausdrücke wie »Mutti«, »Mutter«, »Mama«, »Me-Ma« oder gar »Oma«, den schlimmsten aller Kosenamen, gebrauchte. Dies hatte sich jedoch mit der Zeit gemildert; besonders, nachdem John ihr Mädchen wieder zu ihr nach Hause gebracht hatte.

John stieg ebenfalls aus und Jennie reckte ihre Wange zum Begrüßungskuss empor, denn mit ihrer Größe von

1,57 Meter wurde sie von dem bulligen, 1,93 Meter großen John weit überragt. Sie berührte sanft seinen Arm und drückte ihn liebevoll.

»Ich dachte, du würdest es nicht schaffen, rechtzeitig hier zu sein. Sie kann jeden Moment kommen.«

Jens Stimme hatte immer noch nicht den rauen oder quiekenden Klang einer alten Frau. John fragte sich, ob sie sich jede Nacht vor einen Spiegel stellte und rezitierte, um sich die wunderbare, sehr weibliche Sprachmelodie einer jungen Südstaatlerin zu bewahren. Dieser Akzent verfolgte ihn immer noch. Marys Stimme hatte genauso geklungen, als sie sich vor 28 Jahren auf der Duke University kennengelernt hatten. Manchmal schossen ihm heute noch Tränen in die Augen, wenn Jen im Zimmer nebenan war und nach den Mädchen rief.

»Wir haben noch Zeit. Warum hast du nicht im Haus gewartet?«

»Mit den beiden Kötern? So wie die an einem hochspringen, hätten sie meine Strümpfe ruiniert.«

Ginger und Zach sprangen John in der Tat bellend an und tanzten aufgeregt um ihn herum, wobei sie Jen instinktiv ignorierten. Obwohl sie so dumm waren, spürten die Hunde immer, wenn man sie nicht mochte, auch wenn derjenige sich noch so charmant gab.

John beugte sich ins Auto, nahm die Tüte mit den Beanie Babys heraus und ging zu der Steinmauer, die den Pfad zum Haus an beiden Seiten säumte. Dort fing er an, die Puppen Seite an Seite aufzustellen.

»Also wirklich, John, ist sie nicht allmählich ein bisschen zu groß für so was?«

»Noch nicht, nicht mein kleines Mädchen.«

Jen lachte leise.

»Du kannst die Zeit nicht ewig aufhalten.«

»Ich kann's aber versuchen, oder?«, versetzte er mit einem Grinsen.

Sie lächelte traurig.

»Was glaubst du, was Tyler und ich über dich dachten, als du zum ersten Mal in unser Haus gekommen bist?«

Er streckte seine Hand aus und berührte liebevoll ihre Wange.

»Ihr habt mich sofort ins Herz geschlossen.«

»Dich? Einen Nordstaatler? Dass ich nicht lache! Tyler hat sogar mit dem Gedanken gespielt, dich mit seiner Schrotflinte zu verjagen. Und als du das erste Mal über Nacht geblieben bist …«

Selbst nach all den Jahren wurde er bei dieser Erinnerung immer noch rot. Jen hatte ihn und Mary um zwei Uhr morgens in einer »unangemessenen« Situation auf dem Wohnzimmersofa überrascht. Zwar hatte sich die Unangemessenheit in Grenzen gehalten, aber es war trotzdem ein peinlicher Moment, den Jen ihn niemals vergessen ließ.

Er rückte die Puppen zurecht und trat zurück, um sie prüfend zu mustern, wie ein Armeeausbilder eine Reihe neuer Rekruten. Der rot-weiß-blaue »Patriotenbär« auf der rechten Seite hätte eigentlich auf dem Platz des Fahnenträgers in der Mitte stehen müssen.

Er hörte das ratternde Geräusch des Schulbusmotors, als der Fahrer den Gang wechselte und die alte Route 70 verließ, um den Hügel hinaufzufahren.

»Da kommt sie«, rief Jen aufgeregt.

Sie ging zum Edsel zurück, beugte sich durch das offene Autofenster und nahm eine flache, elegant verpackte und mit einer roten Schleife verzierte Schachtel heraus.

»Schmuck?«, fragte John.

»Natürlich, sie ist ja jetzt zwölf. Eine standesgemäße junge Dame sollte mit zwölf Jahren eine goldene Halskette besitzen. Genau wie ihre Mutter in dem Alter.«

»Ja, ich kann mich an die Kette erinnern«, sagte er mit einem Grinsen. »Sie trug sie in der Nacht, die du mich nie vergessen lässt. Und damals war sie 20.«

»Du Scheusal«, sagte Jen leise und schlug ihn leicht auf die Schulter. Er tat so, als sei es ein überaus schmerzhafter Hieb gewesen.

Ginger und Zach hatten aufgehört, um John herumzuspringen, und spitzten die Ohren. Sie hatten den herannahenden Schulbus gehört, dessen Bremsen am Fuß der Auffahrt quietschten. Seine gelbe Farbe war durch das Frühlingslaub der Bäume gerade noch sichtbar.

Wie zwei Blitze rannten die Hunde los, jagten in halsbrecherischer Geschwindigkeit die Auffahrt hinunter und bellten wie verrückt. Sekunden später hörte John das Gelächter von Jennifer und Patricia, der ein Jahr älteren Nachbarstochter, und von Patricias großem Bruder Seth, der in die elfte Klasse ging.

Die Mädchen rannten die Auffahrt hinauf und Seth warf einen Stock, wodurch die Hunde kurz abgelenkt wurden. Sie setzten an, das Stöckchen zu jagen, aber dann drehten sie sich gleichzeitig um und hetzten hinter den Mädchen her. Seth winkte und ging auf die andere Straßenseite zu seinem Haus.

John spürte, wie Jens Hand sich in seine schob.

»Genau wie ihre Mutter«, flüsterte sie mit erstickter Stimme.

Ja, er konnte Mary in Jennifer deutlich erkennen. Schlank wie eine Gerte, fast schon mager, mit schulterlangen, blonden Haaren; immer noch ein etwas schlaksiges kleines Mädchen. Sie verlangsamte ihren Lauf etwas und streckte eine Hand nach einem Baum aus, als wollte sie sich abstützen. Patricia drehte sich um und wartete auf sie. John spürte das Aufflackern der Sorge und wollte zu ihr gehen, obwohl er es besser wusste. Jen hielt ihn zurück.

»Du bist überfürsorglich«, flüsterte sie. »Sie muss selbst damit fertig werden.«

Die kleine Jennifer kam wieder zu Atem und spähte, etwas blass geworden, den Hang hinauf. Als sie sah, dass ihr Vater und ihre Großmutter auf sie warteten, breitete sich ein strahlendes Lächeln auf ihrem Gesicht aus.

»Me-Ma! Und du bist auch noch mit dem Edsel gekommen! Können wir eine Spazierfahrt machen?«

Jen ließ Johns Hand los und beugte sich vor, als Jennifer auf ihre Großmutter zurannte. Sie umarmten einander.

»Wie geht's meinem Geburtstagsmädchen?«

Sie umarmten sich erneut und Jen bedeckte Jennifers Gesicht mit Küssen: genau zwölf Stück, die sie einzeln abzählte. Pat erblickte die aufgereihten Beanie Babys, lächelte und sah John an.

»Guten Tag, Mr. Matherson.«

»Wie geht's dir, Pat?«

»Ich glaube, sie muss sich testen«, flüsterte Pat.

»Das hat noch Zeit.«

»Daddy!«

Jennifer stürzte sich in seine Arme. Er hob sie hoch und umarmte sie so heftig, dass sie lachen musste. Dann stöhnte sie: »Du brichst mir ja den Rücken!«

Er ließ sie los und sah ihre Augen, als sie an ihm vorbeiblickte und die aufgereihten Beanie Babys entdeckte … und tatsächlich: Das Funkeln, das darin aufblitzte, war immer noch kindlich.

»Der Patriotenbär! Und Ollie Ostrich!«

Als sie anfangen wollte, die Puppen einzusammeln, warf John Jen ein triumphierendes Lächeln zu, als wollte er sagen: »Siehst du, sie ist immer noch mein kleines Mädchen.«

Jen nahm die Herausforderung an, trat neben Jennifer und hielt ihr die flache Schachtel hin.

»Herzlichen Glückwunsch zum Geburtstag, Liebes.«

Jennifer riss das Papier ab. Ginger meinte, das Papier sei ein Geschenk für sie, schnappte es sich und verschluckte es halb. Sie rannte los und Zach jagte hinter ihr her.

Als Jennifer die Schachtel öffnete, wurden ihre Augen groß.

»Oh, Me-ma.«

»Es ist Zeit, dass mein Mädchen eine Halskette aus echtem Gold bekommt. Vielleicht kann deine Freundin dir helfen, sie anzulegen.«

John betrachtete das Geschenk. *Mein Gott, die muss ein Vermögen gekostet haben! Schwer, fast so dick wie ein Bleistift.* Jen sah ihn aus dem Augenwinkel an, bereit, jede Kampfansage anzunehmen.

»Du bist jetzt eine junge Dame«, verkündete Jen, als Pat Jennifer half, die Halskette anzulegen und den Verschluss zu schließen. Dann nahm sie einen kleinen Spiegel aus ihrer Handtasche und hielt ihn hoch.

»Oh, Oma … sie ist wunderschön.«

»Ein wunderschönes Geschenk für eine wunderschöne junge Dame.«

John stand einen Moment lang schweigend daneben. Er wusste nicht, was er sagen sollte, als sein kleines Mädchen in den Spiegel sah und den Kopf leicht anhob wie eine erwachsene Frau, um das Gold zu bewundern.

»Süße, ich glaube, du solltest deinen Blutzucker kontrollieren. Du schienst mir etwas kurzatmig, als du den Hügel heraufkamst«, sagte John schließlich. Seine Worte klangen gewichtig und zerstörten die Stimmung.

»Ja, Daddy.«

Jennifer lehnte sich an die Wand, legte den Rucksack ab und nahm ihr Zuckermessgerät heraus. Es war eines der neuen, digitalen Modelle, bei denen es nicht nötig ist, sich in die Fingerkuppe zu piksen. Nur ein sanfter Stich in den Arm. Mit ihrer freien Hand spielte sie abwesend mit der Kette, während sie auf die Anzeige wartete.

142 … relativ hoch.

»Ich glaube, du solltest etwas Insulin nehmen«, sagte John.

Sie nickte.

Jennifer lebte nun schon seit zehn Jahren mit ihrer

Zuckerkrankheit. John wusste, dass dies der Hauptgrund für seinen übertriebenen Beschützerdrang war. Als sie noch ein Kleinkind gewesen war, hatte es ihm jedes Mal, wenn er ihr in den Finger piksen musste, fast das Herz zerrissen. Der bloße Anblick von ihm oder Mary mit dem Testgerät in der Hand hatte tränenreiches Protestgeheul ausgelöst.

Alle Ärzte hatten gesagt, dass Jennifer so bald wie möglich lernen musste, sich selbst zu kontrollieren, und dass John und Mary sich zurückhalten sollten – schon als sie erst sieben, acht Jahre alt war. Sie sollte selbst die Anzeichen erkennen, sich selbst testen und ihr Medikament von sich aus einnehmen. Mary war wesentlich besser damit fertig geworden als John; vielleicht aufgrund ihrer eigenen Krankheit. Jen, mit ihrer starken Persönlichkeit, hatte die gleiche Einstellung.

Eigenartig. Ich bin 20 Jahre lang Soldat gewesen, habe auch aktiv Kämpfe erlebt, aber die einzigen Verluste waren Iraker, nie meine eigenen Männer. Ich wurde darauf trainiert, mit allem fertig zu werden, aber wenn es um den Diabetes meiner eigenen Tochter geht, ein verdammt aggressiver Typ 1, haben mich meine Nerven immer im Stich gelassen. Ich war zäh, verdammt gut in meinem Job, von meinen Männern respektiert, aber wenn es um mein eigenes Mädchen geht, bin ich weich wie ein Wackelpudding.

»Drinnen gibt es noch mehr Geschenke«, sagte John. »Geht ruhig schon hinein. Sobald deine Schwester nach Hause kommt und deine Freunde auftauchen, können wir unsere Party feiern.«

»Ach, Paps, hast du Elizabeths Nachricht nicht bekommen?«

»Welche Nachricht?«

»Hier, Dummerchen.«

Sie reckte sich hoch und zog sein Handy heraus, das

hinter einem Päckchen Zigaretten in seiner Hemdtasche steckte. Sie war drauf und dran, die Zigaretten aus der Packung zu zerren, um sie zu zertrampeln oder zu zerbrechen, aber ein warnender Blick ihres Vaters hielt sie davon ab.

»Eines Tages, Daddy«, seufzte sie. Dann drückte sie einige Tasten seines Handys und reichte es ihm zurück.

»Komme später heim. Bin mit Ben unterwegs«, zeigte der Bildschirm an.

»Sie hat dir und mir in der Mittagspause gesimst.«

»Gesimst?«

»Ja, Daddy, eine SMS. Alle machen das jetzt.«

»Was ist gegen einen Anruf einzuwenden?«

Sie sah ihn an, als käme er aus vorsintflutlichen Zeiten, und ging ins Haus.

»Gesimst?«, fragte Jen.

John hielt das Handy so, dass sie die Anzeige sehen konnte.

Jen lächelte.

»Du solltest anfangen, Elizabeth gründlicher zu beaufsichtigen«, sagte sie. »Nur für den Fall, dass dieser Ben Johnson nach seinem Großvater kommt.«

Sie gluckste, als sei eine alte Erinnerung hochgekommen.

»Das brauchst du mir nicht zu sagen.«

»Selbstverständlich nicht, Colonel.«

»Eigentlich ziehe ich ›Herr Doktor‹ oder ›Herr Professor‹ vor.«

»Ein Doktor ist jemand, der irgendwelche Dinge in einen hineinsteckt. Ein Professor … tja, die kamen mir immer etwas merkwürdig vor. Entweder waren sie Lüstlinge, die den Mädchen nachjagten, oder sie waren langweilige, verstaubte Typen. Hier im Süden hört sich ›Colonel‹ am besten an. Es klingt irgendwie männlicher.«

»Wie auch immer, ich bin nicht mehr im aktiven Dienst. Ich bin Professor, also einigen wir uns auf John.«

Jen sah einen Moment lang zu ihm auf. Dann trat sie neben ihn, stellte sich auf die Zehenspitzen und küsste ihn sanft auf die Wange.

»Ich kann verstehen, wieso mein kleines Mädchen sich damals in dich verliebt hat, John. Und du wirst deine beiden noch früh genug an irgendwelche pickligen Jungen verlieren, also halte die Kleine ruhig fest, solange du kannst.«

»Du hast mir dabei nicht gerade geholfen, als du ihr diese Halskette umgehängt hast. Wie viel hat sie gekostet? 1000? 1500?«

»So ungefähr, aber eine Dame sagt nie die Wahrheit über ihre Schmuckkäufe.«

»Bis die Rechnung kommt und der Ehemann sie bezahlen muss.«

Eine peinliche Stille entstand. Er wusste, dass er etwas Geschmackloses gesagt hatte. Hätte er so etwas in Marys Gegenwart ausgesprochen, hätte sie ihm gehörig den Kopf gewaschen und ihm klargemacht, dass Frauen unabhängig seien, und zum Teufel mit Männern und Rechnungen … Tatsächlich hatte Mary die Finanzen der Familie bis in die letzten Wochen vor ihrem Tod verwaltet.

Und was Tyler anging – der wusste nicht einmal mehr, was eine Rechnung überhaupt war, und das tat weh – egal, wie selbstständig sich Jen gab.

»Ich gehe wohl besser«, sagte Jen.

»Es tut mir leid, ich habe es nicht so gemeint.«

»Schon in Ordnung, John. Lass mich zum Pflegeheim fahren und ein bisschen Zeit mit Tyler verbringen. Zur Party bin ich wieder da.«

»Jennifer hat sich auf eine Fahrt in deinem Monster-Auto gefreut.«

»Der Edsel, mein lieber junger Mann, war seiner Zeit um eine Generation voraus.«

»Und die größte Blamage in der Geschichte der Ford

Autowerke. Mein Gott, sieh dir nur den Kühlergrill an. Er ist potthässlich.«

Das Geplänkel entspannte sie ein wenig. In ihrer enormen Garage standen sechs Autos. Einige waren neueren Datums, aber es gab auch einen originalen Ford Model A, der auf Blöcken ruhte. Die Krönung war jedoch ein taubenblaues 1965er Mustang Cabrio. An diesem hingen jedoch unangenehme Erinnerungen. Als John und Mary noch miteinander ausgingen, hatte sie ihre Eltern dazu überredet, ihnen das Auto für eine Spritztour auf dem Blue Ridge Parkway nach Mount Mitchell zu leihen – und John war damit auf den Winnebago-Campingbus eines älteren Ehepaars aufgefahren.

Niemand war verletzt worden, aber das Auto hatte einen Totalschaden und Tyler musste Tausende hineinstecken, um es restaurieren zu lassen. Er hatte geschworen, dass niemand außer ihm und Jen es jemals wieder fahren würde, und Jen hielt sich immer noch an diese Regel.

»Dieser Edsel wird immer und ewig laufen, Schätzchen. Informiere dich einmal bei eBay, wie viel er wert ist. Bestimmt unendlich viel mehr als dieses Geländeding, das du fährst.«

Er lehnte an der Steinmauer, während Jen »das Monster« wendete und mit halsbrecherischer Geschwindigkeit die Auffahrt hinunterbrauste. Die Mauer war warm von der Nachmittagssonne. Die Beanie Babys standen immer noch aufgereiht da, und das tat John ein bisschen weh. *Sie hätte zumindest den Patriotenbär oder Ollie Ostrich mit hineinnehmen können.*

Tatsächlich hörte er Jennifer und Pat drinnen über die Halskette reden, bis die Stereoanlage eingeschaltet wurde. Irgendwelche seltsamen weiblichen Heullaute ertönten. Britney Spears? Nein, die war ja jetzt nicht mehr in, Gott sei Dank. Er konnte nicht feststellen, was es war, außer, dass es ihm nicht gefiel. Pink Floyd oder manche der alten

Sachen, die seine Eltern gehört hatten, wie Frank Sinatra oder Glenn Miller, oder, noch besser: die Chieftains – das war mehr sein Stil. Er nahm eines der Beanie Babys. Den Patriotenbären.

»Tja, mein Freund, ich schätze, wir beide werden bald ausgemustert«, sagte John.

Wieder an die Mauer gelehnt, genoss er den Ausblick und die Ruhe des Augenblicks, die nur durch das entfernte Dröhnen des Verkehrs auf der I-40 und den Lärm aus dem Haus gestört wurde.

Ginger und Zach kehrten vom Herumtollen auf dem Feld hinter dem Haus zurück und plumpsten hechelnd vor seine Füße.

Der Duft des Flieders hing schwer in der Luft. Wer den Frühling wirklich erleben wollte, musste in diesen Bergen leben. Unten im Tal standen die Kirschbäume in voller Blüte; aber hier, nur einige Hundert Meter höher, platzten die Knospen gerade erst auf, während der Flieder bereits blühte. Rechter Hand, etwa 16 Kilometer entfernt, trug der Gipfel vom Mount Mitchell noch eine Schneekrone. Dort oben hockte immer noch der Winter.

»›Als der Flieder noch im Vorhof blühte …‹«

Der Duft ließ John immer an Walt Whitmans Totenklage für Abraham Lincoln denken. Und dies erinnerte ihn daran, dass heute der zweite Dienstag des Monats war, der Abend, an dem die Bürgerkriegstafelrunde im Keller der Methodistenkirche stattfand. Es würde eine weitere ausgelassene Zusammenkunft mit den üblichen lärmenden Debatten werden, und wie immer würden die anderen Mitglieder ihn, ihren einzigen Nordstaatler, »Yankee« nennen und es genießen, ihn aufzuziehen.

Dann läutete das Handy. Er zog es aus der Tasche und erwartete, dass es Elizabeth war. Die durfte sich auf etwas gefasst machen, weil sie sich jetzt erst meldete! Wie konnte sie es wagen, ihre kleine Schwester an ihrem Geburtstag im

Stich zu lassen, um sich mit diesem pickligen, ständig geilen Johnson-Jungen wegzuschleichen, der nur aus grapschenden Händen bestand …

Doch die Ortsvorwahl des Anrufers war 703 … und John erkannte die folgenden drei Zahlen: das Pentagon.

Er klappte das Handy auf und nahm das Gespräch an.

»Hallo, Bob.«

»John, wie geht's dir? Wo ist meine Patentochter?« Letzteres mit einer recht annehmbaren Imitation von Marlon Brando als »Der Pate«.

Bob Scales, inzwischen zum Lieutenant General befördert, war Johns ehemaliger Vorgesetzter in Carlisle und ein verdammt guter Freund. Er war Jennifers Patenonkel, und obwohl er nicht italienischer Abstammung war wie »Der Pate«, sondern irisch-katholischer, nahm er die Verantwortung sehr ernst. Er und seine Frau Barbara kamen meist drei- bis viermal im Jahr zu Besuch. Als Mary starb, hatten sich beide Urlaub genommen und einige Wochen hier verbracht, um John zur Seite zu stehen. Sie hatten keine eigenen Kinder und betrachteten Jennifer und Elizabeth gern als Ersatz.

»Sie wird erwachsen«, sagte John traurig. »Ihre Großmutter hat ihr eine goldene Halskette geschenkt, die bestimmt mindestens einen Tausender gekostet hat, und die war ihr viel wichtiger als die Beanie Babys und die Pokémon-Karten, die im Haus noch auf sie warten. Ich habe für die Schulferien sogar Eintrittskarten für Disney World gekauft und will sie ihr beim Abendessen geben, aber jetzt frage ich mich, ob ihr das noch dasselbe bedeutet.«

»Du meinst dasselbe wie damals, als du mit ihr das letzte Mal dort warst? Als sie sechs war und Elizabeth zehn? Mann, natürlich wird es diesmal anders sein, aber du wirst trotzdem erleben, dass das kleine Mädchen wieder zum Vorschein kommt, sogar bei Elizabeth. Wie geht es ihr übrigens?«

»Ich spiele mit dem Gedanken, nachher ihren Freund zu erschießen.«

Bob brüllte vor Lachen.

»Vielleicht ist es besser, dass ich keine Töchter habe«, antwortete er schließlich. »Söhne dagegen …«

Seine Stimme erstarb einen Moment lang.

»Hey, lass mich kurz mit Jennifer sprechen, ja?«

»Klar.«

John ging ins Haus und rief nach Jennifer, die aus ihrem Schlafzimmer stürzte und nach dem Handy griff. Sie trug immer noch die verdammte Goldkette.

»Hallo, Onkel Bob!«

John tippte ihr auf die Schulter. »Hast du dein Insulin genommen?«

Sie nickte und wanderte munter plaudernd durch das Haus. John sah aus dem Fenster auf die Berge jenseits des Tals. Es war ein wunderschöner, makelloser Frühlingstag. Seine Stimmung hob sich. Einige Freunde von Jennifer würden bald zu einer kleinen Party eintreffen. John plante, auf der Terrasse Hamburger zu grillen, und dann würden die Kinder in Jennifers Zimmer spielen. Am Wochenende hatte er den Pool gereinigt. Obwohl die Wassertemperatur nur knapp 20 Grad betrug, könnte es ja sein, dass einige Kinder hineinspringen wollten.

Wenn es dunkel wurde, würde er sie nach Hause scheuchen und zu seinem Tafelrundentreffen gehen, und vielleicht konnte er sich dann später am Abend wieder in den Artikel über die Unterschiede zwischen General Robert E. Lee und General Ulysses S. Grant als Gegner und strategische Befehlshaber vertiefen, den er für die Zeitschrift *Civil War Journal* schreiben musste … nicht gerade eine intellektuelle Herausforderung, aber das Honorar betrug immerhin 500 Dollar; und überdies gab der Artikel einen guten Eintrag in seiner Vita ab, wenn er nächstes Jahr sein Unkündbarkeitsgesuch einreichte. Er konnte heute lange aufbleiben, denn seine erste Vorlesung morgen war erst um elf Uhr.

»Daddy, Onkel Bob will dich sprechen.«

Jennifer kam aus ihrem Zimmer und hielt ihm das Handy entgegen. John nahm es und gab ihr einen schnellen Kuss auf den Kopf und einen spielerischen Klaps, als sie weglief. Sekunden später verdoppelte sich die Lautstärke der verdammten Stereoanlage in ihrem Zimmer.

»Ja, Bob?«

»John, ich muss auflegen.«

Bobs Stimme klang angespannt. Im Hintergrund glaubte John Stimmen zu hören, die aufgeregt schrien. Er war sich allerdings nicht sicher, da Jennifers Musik so laut war.

»In Ordnung, Bob. Kommst du nächsten Monat runter?«

»Hör zu, John, es ist etwas passiert. Es gibt ein Problem. Ich muss …«

Die Verbindung brach ab.

Im selben Augenblick hörte der Deckenventilator allmählich auf, sich zu drehen, und Jennifers Stereoanlage verstummte. In seinem Büro ging sein Computer aus, und auch das grüne Licht seines 19-Zoll-Monitors erlosch. Ein lautes Zirpen ertönte: das Signal dafür, dass die Alarm- und Feuermeldeanlagen des Hauses ausgefallen waren. Dann verstummte auch dieses Warnsignal.

»Bob?«

Nur Stille. John klappte das Handy zu.

Verdammt. Stromausfall.

»Daddy?« Das war Jennifer.

»Mein CD-Player ist ausgegangen.«

»Ja, Liebes.« *Gott sei Dank,* dachte er bei sich. »Stromausfall.«

Sie sah ihn etwas enttäuscht an, als sei er irgendwie dafür verantwortlich oder als bräuchte er nur mit den Fingern zu schnipsen, um ihren CD-Spieler wieder zum Leben zu erwecken. Dabei wäre er schwer versucht gewesen, den verdammten CD-Player für immer ins Jenseits zu befördern, wenn es in seiner Macht gestanden hätte.

»Und meine Geburtstagsfeier? Pat hat mir eine CD geschenkt und ich wollte sie anhören.«

»Keine Sorge, meine Süße. Ich rufe die Stromgesellschaft an. Wahrscheinlich hat ein Transformator den Geist aufgegeben.«

Er nahm das Festnetztelefon zur Hand … Stille. Kein Freizeichen.

Als das letzte Mal so etwas passiert war, hatte ein Betrunkener am Fuß des Hügels mit seinem Auto einen Telefonmasten umgefahren und dadurch den Strom gekappt. Natürlich war der Besoffene einfach unverletzt davongetorkelt.

Das Handy. John klappte es wieder auf und begann, Nummerntasten zu drücken … nichts.

Verdammt.

Das Handy war auch tot. Er legte es auf den Küchentisch.

Rätselhaft. Der Akku war anscheinend genau in dem Moment leer gewesen, als Bob aufgelegt hatte. Mist, und ohne Strom konnte John ihn nicht wieder aufladen, um die Stromgesellschaft anzurufen.

Er sah zu Jennifer hinüber, die ihn erwartungsvoll anstarrte, als würde er jetzt sofort alles wieder in Ordnung bringen.

»Kein Problem, Süße. Sie sind bestimmt schon dabei, den Schaden zu beheben, und außerdem ist es ein wunderschöner Tag; du musst dir diesen Müll sowieso nicht anhören. Warum kannst du nicht Mozart oder Debussy mögen, so wie Pat?«

Pat sah ihn unbehaglich an und ihm wurde bewusst, dass er soeben eine erzieherische Todsünde begangen hatte: Vergleiche niemals deine Tochter mit einer ihrer Freundinnen.

»Na los, geht nach draußen und jagt die Hunde herum. Bis zum Abendessen ist der Strom bestimmt wieder da.«

KAPITEL ZWEI

Tag 1, 18:00 Uhr

Während er die vier Hackfleischsteaks auf dem Grill umdrehte – zwei für sich und je eins für Jennifer und Pat –, sah John über seine Schulter den Mädchen zu, die auf dem Feld oberhalb des Hauses mit den Hunden Fangen spielten. Es war ein schöner Anblick: die Spätnachmittagssonne, die acht Apfelbäume in voller Blüte, die Mädchen, die über die ihnen entwischenden Hunde lachten. Ginger, der jüngere und verrücktere der beiden Golden Retriever, stieß Jennifer durch den Schwung ihres Sprunges zu Boden, als Jennifer versuchte, die Frisbee-Scheibe so hoch zu halten, dass die Hündin sie nicht erreichen konnte. Vergnügtes Kreischen erklang, als die zwei Hunde und die zwei Mädchen zu einem balgenden Knäuel verschmolzen.

Schon seit Monaten trug er keine Armbanduhr mehr; das Handy war nun seine Uhr. Er sah durch das Küchenfenster auf die Standuhr: Es war fast 18 Uhr. Die anderen Kinder hätten längst eintreffen müssen. Es war ausgemacht, dass sie nur für eine kurze Feier vorbeikommen würden, denn morgen war Schule, also würde die Party um 19:30 Uhr zu Ende sein. Bis jetzt war niemand gekommen. Außerdem hatte er Jen längst zurück erwartet.

Er zündete sich eine Zigarette an und rauchte sie schnell, denn eine Zwölfjährige konnte einem mit ihrer »Hör endlich auf zu rauchen, Daddy«-Kampagne erstaunlich auf die Nerven gehen. Rasch warf er die nur halb gerauchte Camel über das Terrassengeländer.

Die Hamburger waren fertig und er stellte sie auf dem Terrassentisch bereit, bevor er in die Küche ging, den Kühlschrank aufmachte, den Kuchen herausnahm und zwölf Kerzen daraufsteckte.

Zurück auf die Terrasse.

»Essen!«

Die Hunde reagierten schneller als die Mädchen. Sie rasten über das Feld zurück, umkreisten den Tisch und setzten sich in ihrer üblichen Bettelpose daneben. Pat und Jennifer kamen kurz nach ihnen zurück.

»He, Daddy, da ist was Eigenartiges.«

»Was denn?«

»Horch mal.«

Er lauschte einen Moment lang. Es war ein ruhiger Frühlingsabend; alles war still, bis auf das Zirpen einiger Vögel und das entfernte Bellen eines Hundes … ganz nett eigentlich.

»Ich höre nichts.«

»Genau das meine ich. Man hört keinen Verkehr von der Autobahn.«

Er wandte sich zur Straße um. Sie war zwar wegen der Bäume nicht zu sehen, aber seine Tochter hatte recht: Da war alles absolut still. Als er das Haus gekauft hatte, war dies die einzige Enttäuschung gewesen. Er hatte bei der Hausbesichtigung nicht daran gedacht, aber schon in der ersten Nacht war das ständige Grollen von der nur einen Kilometer entfernten Autobahn nicht zu überhören gewesen. Nur im Winter, während eines Schneesturms, oder nach einem Unfall war es so still.

»Die Straße muss wegen eines Unfalls gesperrt sein.«

Das war wegen der langen Serpentinensteigung von Old Fort hinauf keine Seltenheit. Alle ein bis zwei Monate versagten die Bremsen eines Lastwagens, der dann hinabrollte; oder ältere Leute in einem 14 Meter langen Wohnmobil verloren die Kontrolle über ihr Fahrzeug, wenn sie über das kurvenreiche Gefälle von den Bergen nach Piemont hinunterfuhren. Einmal war die Straße wegen eines Unfalls mehr als einen Tag lang in beide Richtungen gesperrt gewesen, als ein Lastwagen umgekippt war und giftige Chemikalien ausgelaufen waren.

»Das haben wir zuerst auch gedacht, Mr. Matherson, aber es ist ganz komisch da unten. Es gibt keinen Stau, nur lauter liegen gebliebene Autos überall. Man kann es von oben auf dem Hügel sehen.«

»Was meinst du?«

»Genau so ist es, Daddy. Ein Haufen Autos, manche am Straßenrand, manche in der Mitte, aber kein Stau – als ob sie alle einfach angehalten hätten.«

Er hörte nur halb zu, während er die Hamburger auf Brötchen legte und sie den Mädchen servierte.

»Wahrscheinlich war der Unfall weiter weg und man hat den Leuten gesagt, sie sollen anhalten und warten.«

Die Mädchen nickten und fielen über ihre Hamburger her. Er aß seinen ersten schweigend und lauschte. Es war fast unheimlich. Man müsste doch irgendetwas hören – eine Polizeisirene, falls ein Unfall geschehen war. Außerdem müssten die Autos auf der alten Route 70 noch fahren. Normalerweise benutzten die Notfahrzeuge die alte Route 70, wenn die Autobahn gesperrt war, um zum Unfallort zu gelangen; und diese war dann erst recht verstopft, weil die Leute versuchten, die Autobahn zu umfahren. Auf jeden Fall dröhnten sonst um diese Zeit unfehlbar die verflixten Jefferson-Jungen, die oben auf dem Hügel wohnten, mit ihren verfluchten Geländewagen lärmend durch die Wälder.

Und dann blickte er auf und fröstelte plötzlich.

Um diese Zeit hätte der Himmel voller Kondensstreifen der hoch fliegenden Passagierflugzeuge sein müssen, denn über ihnen befand sich für die meisten Flüge, die aus dem Nordosten kamen, die Einflugschneise nach Atlanta.

Normalerweise sah man zu jeder Tages- und Nachtzeit mindestens zwei bis drei Flugzeuge. Doch jetzt war der Himmel makellos blau, ohne auch nur die Spur eines Kondensstreifens.

Dieses Frösteln … es erinnerte ihn an den 11. September 2001. Wie ruhig es an dem Nachmittag gewesen war – alle Leute zu Hause vor dem Fernseher, und am Himmel kein einziges Flugzeug.

Er stand auf, ging an die Ecke des Geländers und hielt eine Hand schützend über die Augen, damit ihn die Spätnachmittagssonne nicht blendete. In Richtung Craggy Dome brannte es. Der Rauch stieg senkrecht auf und es sah aus, als brannten mindestens zweieinhalb Hektar. Ein weiterer Brand wütete viel weiter weg, auf dem entfernten Kamm der Smokies.

Im Dorf Black Mountain schien sich nichts zu rühren. Normalerweise konnte er, bevor das Laub im Sommer zu dicht wurde, die roten und grünen Lichter der Verkehrsampel an der Ecke State Street und Hauptstraße sehen. Sie war aus, nicht einmal das Warnblinklicht funktionierte.

Er sah wieder auf die Standuhr im Haus. Um diese Uhrzeit kam sonst der »Millionen-Dollar-Zug« vorbei. Er wurde so genannt, weil er Steinkohle im Wert von einer Million Dollar aus Kentucky zu den Kraftwerken bei Charlotte beförderte. Als die Mädchen noch klein waren, war es ein ständiges Ritual gewesen, zu den Gleisen hinunterzufahren und dem Lokführer zuzuwinken, während die fünf schweren Diesellokomotiven, donnernd vor Kraft, ihre Fracht im Kriechtempo zum Tunnel des Swannanoa Gaps zogen.

Die Stille wurde durch ein heiseres Grollen unterbrochen, als Jen in ihrem Monster-Edsel die Auffahrt hinauffuhr.

Sie parkte neben seinem Talon, stieg aus und kam auf ihn zu.

»Total verrückt«, sagte sie. »Der Strom im Pflegeheim ist

ausgefallen. Und ihr solltet mal die Autobahn sehen. Die Autos stehen einfach still. Nichts bewegt sich.«

»Stromausfall im Pflegeheim? Was ist mit dem Notaggregat?«, fragte John. »Das müsste sich doch automatisch einschalten.«

»Tja, die Lichter im Heim sind ausgegangen. Und zwar *alle*.«

»Sie müssen aber einen Notgenerator haben, das ist eine gesetzliche Bestimmung«, sagte John.

»Er ist jedenfalls nicht angesprungen. Irgendjemand meinte, es sei vielleicht ein Relais kaputt und sie würden einen Elektriker rufen. Es ist trotzdem besorgniserregend. Sie mussten den Patienten, die auf Sauerstoffzufuhrgeräte angewiesen sind, stattdessen Sauerstoffflaschen geben, weil die Pumpen in allen Zimmern versagten. Tylers elektrische Nahrungspumpe versagte ebenfalls.«

»Geht es ihm gut?«

»Er war mit der Nahrungsaufnahme sowieso fast fertig, also war es nicht so schlimm. Das Personal sagte, das wäre schon in Ordnung. Dann ging ich auf den Parkplatz, und da war immer noch die ganze Tagschicht; alle Krankenschwestern und das Verwaltungspersonal, und alle drehten verzweifelt ihre Zündschlüssel in den Anlassern. Nichts sprang an … nur mein alter Freund, den du ›Monster‹ nennst, schnurrte ins Leben. Ich musste doch zu meinem kleinen Mädchen, und das Monster war zuverlässig wie immer.«

Sie nickte stolz zu ihrem Edsel hinüber.

»Können wir eine Spazierfahrt machen und alles ansehen, Oma?«, fragte Jennifer.

»Was ist mit deiner Party?«

»Sonst ist keiner gekommen«, sagte sie traurig.

Oma Jen bückte sich und küsste das Mädchen auf den Kopf.

»Du liebe Güte, Kind, du bist ja ganz dreckig.«

»Sie haben oben auf dem Feld gespielt.«

»Und dabei hast du deine Halskette getragen?«, rief Jen entsetzt.

John schnitt eine Grimasse. Eigentlich hätte er dafür sorgen müssen, dass Jennifer die Kette ablegte, bevor sie mit den Hunden herumtobte. Wäre die Kette kaputtgegangen oder hätte sie sie gar beim Balgen mit den Hunden verloren – es wäre eine Riesenkatastrophe gewesen.

»Möchtest du einen Hamburger, Jen?«

Sie schüttelte den Kopf.

»Ich habe keinen Hunger.«

»Nimm zumindest ein Stück Kuchen.«

»Okay.«

Er ging zurück in die Küche, zündete die zwölf Kerzen auf der Torte an, natürlich eine Diabetikertorte ohne Zucker, und trug sie nach draußen, während er »Happy Birthday« sang. Pat und Jen stimmten ein.

Nun wurden die anderen Geschenke aufgemacht: Eine Geburtstagskarte von Bob und Barbara Scales mit einem Gutschein für Amazon im Wert von 100 Dollar; und auch die Beanie Babys, die John auf dem Tisch aufgestellt hatte, kamen zu Ehren. Jennifer nahm den Patriotenbären unter den Arm und öffnete das immense Kuvert – halb so groß wie sie selbst –, das John in der vergangenen Nacht gebastelt hatte. Es enthielt eine Kollage aus Fotos von Disney World und eine gemalte Eintrittskarte. »Ticket für Jennifer, Daddy – ach ja, und auch für Elizabeth« stand in der Mitte.

Das kam in der Tat gut an und jetzt war es an ihm zu sagen: »He, drück nicht so fest, du brichst mir ja das Genick!«

Schließlich ging die kleine Feier zu Ende. Es war nach sieben und Pat machte sich auf den Weg ins Tal. Jennifer und die Hunde begleiteten sie nach Hause.

»Ich schätze, heute Abend fällt das Tafelrundentreffen aus«, sagte John und spähte zum Städtchen hinüber. Jen half ihm, die Geschirrspülmaschine zu beladen, obwohl sie beide wussten, dass sie sie nicht einschalten konnten.

»Was, glaubst du, ist da los?«, fragte Jen, und er konnte eine Spur Nervosität in ihrer Stimme heraushören.

»Wie meinst du das?«

»John, es erinnert mich irgendwie an den 11. September. Diese Stille. Aber damals hatten wir Strom; wir konnten die Nachrichten sehen. Die vielen Autos im Stau ...«

John erwiderte nichts. Er hatte einen Verdacht, aber der war im Moment zu beunruhigend, um näher darauf einzugehen. Er wollte glauben, dass es nur eine skurrile Kombination von Zufällen war; ein Stromausfall, der vielleicht nur ortsgebunden war. Genug, um die meisten Flüge wegen fehlender Radarkontrolle zu stornieren. Vielleicht hatte es heftige Sonnenaktivitäten gegeben, stark genug, um einen weitflächigen Kurzschluss zu verursachen. So etwas war ja vor einigen Jahren in Kanada geschehen.

Ihm kam ein Gedanke.

»Lass uns dein Monster anwerfen.«

»Warum?«

»Das wirst du schon sehen.«

Sie gingen zum Auto und John setzte sich auf den Beifahrersitz. Jen drehte den Zündschlüssel, der Motor sprang sofort an. Schon nach den wenigen Stunden der Stille war das Geräusch ermutigend.

Er schaltete das Radio ein. Es war ebenfalls ein altes Modell und hatte Drehregler statt Knöpfen zum Drücken. Das leicht vergilbte Sichtfenster zeigte sogar die zwei kleinen Dreiecke, die die Einstellung der alten Zivilschutzfrequenz markierten.

Störgeräusche, nichts als Störgeräusche, von einem Ende der Skala zum anderen. Die Abenddämmerung brach allmählich herein – die Zeit, in der die meisten Mittelwellen-Sender sich verabschiedeten; aber die großen Sender, die genügend Geld für die erhöhten Lizenzgebühren der FCC hatten, müssten jetzt eigentlich auf 50.000 Watt schalten. Das war die Intensität des Signals, das bei stabilen atmosphärischen Verhältnissen mindestens die Hälfte des nationalen Sendegebiets erreichte.

Er erinnerte sich, wie er damals als Teenager in seinem 1969er VW Käfer die lange Fahrt von New Jersey nach Durham in North Carolina zur Duke Universität gemacht hatte. Er hatte die Zeit totgeschlagen, indem er an den Radiodrehreglern spielte, und in Chicago war er auf WGN gestoßen, jenen seltsamen »Country and Western«-Sender aus Wheeling in Indiana, dessen Klagelieder über Frauen und Kleinlaster ihm so fremdartig erschienen waren. Und die ganze Nacht hindurch hatte er, wenn die atmosphärischen Bedingungen günstig waren, WOR aus New York empfangen können, und mitten in der Nacht sogar seine Lieblingssendung mit Jean Shepherd.

Jetzt gab es nur Stille.

»Du siehst besorgt aus, Colonel.«

Er sah sie an, überrascht von dem Ton, in dem sie »Colonel« gesagt hatte.

»Bestimmt ist es nichts Ernstes. Nur besonders starke Sonnenaktivität, weiter nichts.«

Das schien sie zu erschrecken und sie sah zum westlichen Horizont hinüber, wo die Sonne nun tief über den Gipfeln der Smokies hing.

»Sie explodiert doch nicht etwa, oder?«

Er lachte.

»Meine liebe Schwiegermutter, wenn sie explodiert wäre, würden wir sie dann immer noch sehen?«

Etwas verlegen schüttelte sie den Kopf.

»Ein mächtiger Sturm auf der Sonnenoberfläche erzeugt starke, gebündelte Stöße unterschiedlich starker Radioaktivität. Treffen sie auf die Atmosphäre, werden zum Beispiel die Nordlichter ausgelöst.«

»Die habe ich noch nie gesehen.«

»Weil du keine Yankee bist. Manchmal ist ein Sonnensturm so intensiv, dass er elektrische Ladungen in die Erdatmosphäre entlädt, die dann Kurzschlüsse in elektronischen Geräten verursachen.«

»Aber die Autos?«

»Die meisten Autos haben heutzutage eingebaute Computerkomponenten. Das würde erklären, warum deines immer noch läuft, obwohl die anderen alle lahmgelegt sind.«

»Die Leute hätten ihre alten Fords behalten sollen«, sagte sie mit einem nervösen Lächeln.

»Lass uns losfahren«, sagte er leise. »Ich mache mir Sorgen um Elizabeth. Fahren wir in die Stadt und suchen sie.«

»Klingt gut.«

Sie legte den Gang ein und fuhr los. Am Ende der Auffahrt sah er Jennifer und rief nach ihr. Sie rannte erfreut auf das Auto zu, kletterte über ihren Vater hinweg und setzte sich zwischen ihn und ihre Großmutter. So war es vor 40 Jahren, begriff er. Mutter und Vater unterwegs auf einer Spazierfahrt, das Kind zwischen ihnen. Keine Schalensitze, außer in Sportwagen, und der Sprössling weder auf den Rücksitz verbannt noch angeschnallt.

John hoffte nur, dass John Barker, der Polizeichef von Black Mountain, sie nicht erwischte. Obwohl John inzwischen endlich offiziell als »Hiesiger« galt, hätte es passieren können, dass Barker ihnen einen Strafzettel verpasste, wenn er schlecht gelaunt war.

Sie erreichten den Fuß des Hügels und die alte Route 70 war leer, bis auf ein paar verlassene Autos am Straßenrand. Aber auf der Autobahn standen tatsächlich, wie Jennifer es beschrieben hatte, »ein Haufen Autos« herum: teils auf den Banketten, teils mitten auf den Fahrspuren, alle bewegungslos. Es war allerdings kein Stau, sondern sah eher so aus, als hätten die Fahrer einfach ihre Motoren ausgeschaltet und ihre Autos ausrollen lassen. Fast alle Wageninsassen waren ausgestiegen und einige schauten ihnen nach, als der Edsel in die Route 70 einbog und parallel zur Autobahn in Richtung Stadt fuhr.

»Da ist Elizabeth!«, rief Jennifer und zeigte die Straße hinunter.

Da ging sie tatsächlich – mit dem verfluchten Johnson-Jungen, der seinen Arm um ihre Taille gelegt hatte. Das heißt, eigentlich nicht um die Taille, sondern tiefer, fast auf ihren Hintern. Als er den herannahenden Edsel sah, zog Ben seine Hand schnell weg. Jen fuhr an den Straßenrand und John stieg aus.

»Wo zum Teufel habt ihr beiden gesteckt?«, schrie er.

»He, Paps, ist das nicht verrückt?«, sagte Elizabeth und deutete lächelnd auf die Autobahn.

Sie hatte ihr bestes Trickbetrügerinnen-Strahlen aufgesetzt. Ihr Kopf war leicht geneigt und der Ausdruck in ihren blauen Augen sagte: »Entspann dich, Paps.« Sie spielte jeden Trick aus. Sie war ein 16-jähriges Spiegelbild ihrer Mutter und wusste ganz genau, dass sie ihn damit zum Schmelzen bringen würde. In diesem Moment erweckte sie damit außerdem seinen gewaltigen Beschützerinstinkt.

Er richtete seine Aufmerksamkeit auf Ben. Er war Mitglied der Pfadfindergruppe gewesen, in der John einige Jahre lang als Vizeleiter ausgeholfen hatte. So betrachtet war Ben ein netter, intelligenter Junge, der später nur deshalb aus der Truppe ausschied, weil es in der neunten Klasse nicht mehr »cool« war, Pfadfinder zu sein. Ein guter Junge, dessen Vater Mitglied der Tafelrunde war.

Aber in diesem Augenblick war Ben ein junger Mann, dessen Hand fast auf dem Hintern seiner Tochter gelegen hatte – und der Geier allein wusste, wo er sie in den letzten zwei Stunden sonst noch angefasst hatte.

»Es ist meine Schuld, Mr. Matherson«, sagte Ben und trat einen Schritt vor. »Elizabeth und ich sind nach der Schule nach Asheville ins Einkaufszentrum gefahren. Wir wollten etwas Besonderes für Jennifer besorgen.«

»Was habt ihr mir gekauft?«, erkundigte sich Jennifer aufgeregt.

»Wir haben es im Auto gelassen«, antwortete Elizabeth. »Dad, es war ganz komisch, das Auto starb ein paar Kilometer westlich der Stadt einfach ab, in der Nähe unserer Kirche. Es war echt seltsam. Also sind wir zu Fuß gegangen.«

John starrte Ben kalt an und der Junge begegnete seinem Blick, ohne die Augen zu senken.

Der Junge war in Ordnung, erkannte John. Weder wich er Johns Blick aus noch versuchte er, sich wie ein Besserwisser zu geben. Er wusste, dass John ihn beobachtet hatte, und war bereit, sich dem väterlichen Zorn zu stellen. Elizabeth und Ben waren seit der Mittelschule befreundet, beide spielten in der Schulkapelle, und jetzt – nun, es war offensichtlich, dass sich diese Freundschaft während der letzten Monate zu »etwas anderem« entwickelt hatte.

Als er Ben betrachtete, erinnerte sich John allerdings auch daran, wie er selbst mit 17 gedacht hatte und was damals die Hauptmotivation seines Lebens gewesen war. Jen sah John an, den Anflug eines wissenden Grinsens im Gesicht.

»Ben, wie geht's deinem Opa?«

»Gut, danke, Ma'am. Wir waren letzten Samstag am Flat Creek angeln. Sie hätten die Bachforelle sehen sollen, die er rausgeholt hat: fast einen halben Meter lang! War für ihn die Krönung des Tages!«

Jen lachte.

»Ich weiß noch, wie ich mit ihm zum selben Bach angeln gegangen bin. Er hat immer den Wurm für mich auf den Haken gespießt.« Sie schauderte. »Gott, wie ich es hasste, das selbst tun zu müssen. Grüß ihn von mir.«

»Das werd' ich tun, Ma'am.«

»Sollen wir dich nach Hause bringen?«, fragte John, dessen Ärger nachgelassen hatte.

»Nein, Sir, es ist nicht weit.« Er deutete mit dem Kopf auf die andere Seite der Autobahn. »Ich kann von hier direkt rübergehen.«

»Okay, Ben. Deine Eltern machen sich inzwischen bestimmt Sorgen, also geh jetzt nach Hause.«

»Ja, Sir. Es tut mir leid, Sir. … He, Zwerg, alles Gute zum Geburtstag.«

»Danke, Ben.« Wie die meisten jüngeren Schwestern war Jennifer in den Freund ihrer großen Schwester verknallt. Und da Ben ein kluger und, wie John nun ungern zugeben musste, auch ein guter Junge war, mochte er Jennifer.

»Gute Nacht, Elizabeth.«

Es gab einen peinlichen Augenblick, als die beiden einander in die Augen sahen. Elizabeth errötete leicht. Ben wandte sich ab, ging zum Autobahnzaun und kletterte in wenigen Sekunden darüber.

John schaute ihm nach, als er die Fahrbahn überquerte. Einige der Leute, die bei ihren Autos standen, kamen auf Ben zu und John beobachtete alles gespannt und bewegungslos. Ben deutete in die Richtung der Ausfahrt nach Black Mountain und ging weiter. John atmete erleichtert auf.

»Hallo, Entschuldigung!«

John blickte wieder zum Zaun, über den Ben geklettert war. Eine Frau in einem schicken dunkelgrauen Kostüm und mit schulterlangen, glänzend blonden Haaren erklomm die grasbedeckte Böschung. Ihr Gang war wegen ihrer hohen Absätze etwas unbeholfen.

»Ja, Ma'am?«

»Können Sie mir sagen, was passiert ist?«

Als sie auf John zuging, verließen auch ein halbes Dutzend andere Menschen ihre Autos und näherten sich dem Zaun.

»Es tut mir leid, Ma'am, aber ich weiß auch nicht mehr als Sie.«

»Ich fuhr ganz normal«, sagte sie und deutete auf einen liegen gebliebenen BMW 330 auf der nach Westen führenden Fahrspur, »und plötzlich ging der Motor aus, genau wie bei allen anderen hier.«

»Ich weiß es nicht genau«, wiederholte John. Er wählte seine Worte vorsichtig, da nun immer mehr Menschen auf ihn zukamen, darunter vier Männer Ende 20 oder Anfang 30, groß und ungeschlacht, die wie Bauarbeiter aussahen. Irgendein unbestimmbarer Instinkt erwachte in ihm, als sich die Männer der Frau von hinten näherten.

»Hey, Mann, wieso läuft dein Auto noch?«, fragte einer von ihnen. Er war beinahe so groß wie John, stämmig und muskulös.

»Ich weiß nicht, warum. Es läuft einfach.«

»Irgendwie komisch, oder? Alle Autos hier draußen geben den Geist auf und deine alte Blechkiste läuft.«

»Ja, das ist irgendwie komisch.«

»Was hast du gemacht, damit es läuft?«

»Es ist einfach angesprungen, das ist alles«, sagte John leise und fixierte den Mann mit festem Blick.

»Sir, könnten Sie mich vielleicht in die Stadt fahren?«, fragte die Frau.

John betrachtete den Zaun, über den Ben mit solcher Leichtigkeit geklettert war. Er erhaschte einen Blick auf Ben, der gerade den Maschendrahtzaun auf der anderen Autobahnseite überstiegen hatte und nun im Laufschritt in die Richtung seines Hauses eilte.

Immer mehr Leute näherten sich: ein älteres Paar, eine Frau mit einem ungefähr sechsjährigen Kind, eine Gruppe Jugendlicher und ein übergewichtiger Mann in einem teuren Geschäftsanzug mit offenem Kragen und gelockerter Krawatte. Ein Lastwagenfahrer auf der Gegenspur war ausgestiegen und schlenderte langsam auf John zu.

»Ma'am, ich glaube nicht, dass Sie über den Zaun kommen«, sagte John und wies auf den Maschendrahtzaun zwischen ihnen. »Bis zur Ausfahrt 64 sind es nur etwa anderthalb Kilometer.« Er deutete Richtung Westen. »Nehmen Sie nicht die Ausfahrt 65, denn da unten befindet sich nur ein kleiner Lebensmittelladen.«

Er deutete auf die nur einige Hundert Meter entfernte Ausfahrt 65. Die Abzweigung lag kurz vor einer Kurve über eine Eisenbahnbrücke.

»Gehen Sie zur Ausfahrt 64. Sie können sie zu Fuß in 20 Minuten erreichen. Dort gibt es zwei Motels, eines davon ist ein Holiday Inn mit einem guten Restaurant. Sie können dort bestimmt ein Zimmer bekommen, bis diese Situation geklärt ist.«

»John?«, flüsterte Jen hinter ihm. »Hilf ihr.«

Er streckte seinen Arm diskret nach hinten aus und spreizte die Finger, um seiner Schwiegermutter zu signalisieren, ihre Klappe zu halten.

In vielerlei Hinsicht hatten ihn die acht Jahre, die er hier inzwischen ansässig war, tatsächlich verändert. Frauen wurden grundsätzlich mit »Ma'am« angeredet und man öffnete ihnen die Tür, egal wie jung oder alt sie waren. Falls ein Mann öffentlich eine Frau in unpassender Weise ansprach und ein anderer Mann in der Nähe war, konnte es durchaus zu einer Schlägerei kommen. Die Frau im Kostüm sah John flehend an. Es widersprach Johns Lebenseinstellung und einer langjährigen, psychologischen Konditionierung, ihre Bitte abzulehnen.

Zu seiner Überraschung schwang nun außerdem etwas mit, an das er noch vor zehn Minuten niemals gedacht hätte. Seit Marys Tod hatte er ein paar Flirts gehabt, sogar eine kurze Affäre mit einer Professorin der staatlichen Universität, aber im Grunde seines Herzens konnte er sich nicht wirklich öffnen. Mary war ihm immer noch zu nah. Die Frau auf der anderen Seite des Zauns war attraktiv, ihre

Haltung verriet Professionalität, sie war Anfang bis Mitte 30, und ein schneller Blick auf ihre linke Hand verriet ihm, dass sie keinen Ring trug. In einer früheren Version seines Selbst, in der Zeit vor Mary, hätte er den Zaun bestimmt niedergerissen, um zu dieser Frau zu gelangen und ihr Retter zu werden. Selbst jetzt war John fast versucht, das zu tun.

Aber jetzt war noch »etwas anderes« im Spiel; ein Instinkt, der tiefer saß. Irgendetwas war passiert. Er war immer noch nicht sicher, was, aber es gab zu viele Unstimmigkeiten: der Stromausfall, lahmgelegte Autos (mit Ausnahme des Edsels), keine Flugzeuge. Irgendetwas stimmte nicht. Und in diesem Moment erwachten, zum ersten Mal seit Langem, seine »großstädtischen Überlebensinstinkte«.

Da er während der 60er- und 70er-Jahre in einer Arbeitergegend von Newark in New Jersey aufgewachsen war, hatte John früh gelernt zu überleben. Er war erst sieben Jahre alt gewesen, als die großen Aufstände von 1967 auch Newark trafen und eine ganze Generation lang jeglichen Gedanken an die sogenannte »menschliche Brüderlichkeit« im Keim erstickten. Italo-Amerikaner hielten sich an ihresgleichen, Polen und Iren ebenso, Latinos blieben unter sich, Schwarze ebenfalls; und wehe dem, der sich nach Einbruch der Dunkelheit in der falschen Gegend befand. Selbst tagsüber war das nicht ganz ungefährlich gewesen.

In diesem Augenblick war die Autobahn zur »falschen Gegend« geworden. Die Art, wie die vier Bauarbeiter dastanden und ihn und das Auto anstierten – das einzige Auto mit einem Motor, der immer noch lief –, ließ seine innere Alarmglocke schrillen. Einer der vier war offensichtlich betrunken, und John schätzte ihn als aggressiv ein.

Irgendetwas stand kurz vor einer Veränderung; irgendetwas hatte sich bereits in den letzten paar Stunden verändert. Wäre John allein gewesen, hätte er es vielleicht riskiert, denn die Chancen standen gut, dass nichts schiefging. Aber er war Vater. Seine beiden Mädchen und seine Schwiegermutter saßen im Auto.

»Komm schon, Kumpel«, sagte einer der Arbeiter mit einem leicht spöttischen Unterton in der Stimme. »Los, hilf der Frau. Wir heben sie über den Zaun, dann klettern wir selber drüber und du nimmst uns auch mit.«

Sie drehte sich zu den vier Männern um.

»Ich brauche Ihre Hilfe nicht«, sagte sie kalt.

Der Betrunkene lachte leise.

John fühlte sich, als säße er in der Falle; besonders, als er einen schnellen Seitenblick auf Jennifer wagte. Angenommen, das Auto würde gestohlen – bis nach Hause wäre es ein weiter Fußweg.

In diesem Moment fing er den Blick des Lastwagenfahrers auf. Der Mann nickte kaum merklich und schob seine rechte Hand, die lässig hinter seinem Rücken gebaumelt hatte, nach vorn. Er hielt eine kleinkalibrige Handfeuerwaffe. John erstarrte unwillkürlich, aber der Gesichtsausdruck des Lastwagenfahrers sagte: *Es ist okay, mein Freund. Ich habe hier alles unter Kontrolle.*

John sah wieder die Frau an.

»Es tut mir leid, Ma'am, aber ich muss meine Töchter nach Hause bringen. Gehen Sie einfach die kurze Strecke nach Westen, dort bekommen Sie etwas zu essen und eine Unterkunft.«

»Scheißkerl«, knurrte der Besoffene und machte Anstalten, über den Zaun zu klettern.

»Steigt ein, Mädchen«, bellte John, und seine Töchter zögerten keine Sekunde. Die Türen knallten zu. John näherte sich dem Auto rückwärts. Der Besoffene hatte Schwierigkeiten mit seiner Kletterpartie und John setzte sich auf den Fahrersitz, legte den Rückwärtsgang ein und drückte das Gaspedal durch.

»Du Arschloch, wir wollen doch nur mitfahren!« Der

Mann, der nun halb vom Zaun hing, zeigte John den Stinkefinger.

Mit durchgedrücktem Gaspedal fuhr John die ganze Strecke bis zur Abzweigung in ihre Straße im Rückwärtsgang. Dort wechselte er in den Vorwärtsgang und raste den Feldweg hinauf.

»John Matherson, ich fasse es einfach nicht, dass du diese Frau so hast stehen lassen. Besonders mit diesen Männern dort.«

»Ich habe eine Familie«, sagte John kalt, wobei er im Rückspiegel Jennifer und Elizabeth ansah, die schweigend auf dem Rücksitz saßen. Er spürte ihre lautlose Anklage: *Daddy war feige.* Er schüttelte den Kopf und sagte nichts weiter.

Er parkte in der Auffahrt und die Hunde sprangen aufgeregt um ihn herum, doch dann spürten sie seine Stimmung und wandten ihre Aufmerksamkeit Jennifer und Elizabeth zu.

»Es wird dunkel, Mädchen. Erinnert ihr euch an den Orkan letztes Jahr, und wie wir uns damals alle in meinem Schlafzimmer verschanzt haben? Das machen wir heute Nacht auch. Elizabeth, geh und hol die Gaslaterne, du weißt ja, wie man sie anzündet. Jennifer, du hilfst ihr.«

»Komm schon Paps, ich glaube, du übertreibst.«

»Tu einfach, was ich dir sage, bitte«, sagte er langsam und nachdrücklich.

»Ja, gut.«

Die Mädchen gingen auf die Haustür zu und Jennifer löcherte Elizabeth mit Fragen über ihr Geburtstagsgeschenk.

»Und, Elizabeth, wenn du die Laterne angezündet hast, hilfst du Jennifer mit ihrer Spritze. Nehmt das Insulin nicht länger aus dem Kühlschrank als unbedingt nötig.«

»In Ordnung, Paps.«

»Dann füttert ihr die Hunde.«

»Geht klar, Dad.«

Die Mädchen gingen ins Haus. John suchte in seiner Tasche nach einer Zigarette, fand eine und zündete sie an.

»Fährst du jetzt zurück und hilfst dieser Frau?«

»Nein.«

Jen schwieg einen Moment.

»Das hätte ich nicht von dir gedacht, John.«

»Ich weiß, dass ich das Richtige tue. Wenn ich zur Autobahn zurückfahre, könnten diese Mistkerle das Auto klauen.«

»Aber was ist mit der Frau? Ist sie dir egal?«

Er sah Jen streng an.

»Was zum Teufel willst du damit sagen?«

»Die Frau. Und da war noch eine andere, mit einem Kleinkind. Sie könnten vergewaltigt werden.«

Er schüttelte den Kopf.

»Nein, noch nicht. Richtig böse waren die Kerle nicht. Der Besoffene war außer Kontrolle und das Großmaul wollte nur vor seinen Kumpels und der Frau angeben. Aber es wirkt tatsächlich seltsam, dass unser Auto läuft und die anderen nicht, und wenn ich jetzt zurückfahre, kommen sie nur in Versuchung, es zu stehlen. Oder, noch schlimmer, ich würde dazu verdonnert, die ganze Nacht einen Pendeldienst für alle zu veranstalten, die auf der Autobahn gestrandet sind, und dabei würden mir bestimmt noch mehr aggressive Betrunkene begegnen.

Aber Vergewaltigung? Nein. Dazu sind zu viele Menschen dort noch zu anständig. Alle anderen sind nüchtern und der Lastwagenfahrer hatte eine Schusswaffe. Die hast du vielleicht nicht gesehen, aber er wird für Ordnung sorgen. Die Frau und die anderen werden nicht in Gefahr sein. Ich würde mir darüber noch keine Sorgen machen.«

»Noch?«

Er seufzte, schüttelte den Kopf, ließ seine Zigarettenkippe zu Boden fallen und zündete sich eine neue an.

»Ich möchte, dass du heute Nacht hierbleibst, Jen. Das würde die Mädchen sehr freuen.«

»Machst du dir meinetwegen Sorgen?«

»Ehrlich gesagt, ja. Der Gedanke, dass du im Dunkeln allein mit dem Monster durch die Gegend fährst, gefällt mir nicht.« Er klopfte auf die Motorhaube des Edsels, während er sprach.

»Gut, ich bleibe.«

Er sah auf sie herunter, überrascht, dass sie ihm keine Gegenargumente auftischte von wegen sie müsse die Katze füttern oder irgendeine andere Ausrede. Es war zu dunkel, um ihr Gesicht zu sehen, aber in ihrer Stimme hörte er Angst.

»Es ist so dunkel«, flüsterte sie.

Er sah sich um. Es war *stockdunkel.* Es gab kein einziges Licht unten im Dorf, außer hie und da das Flackern einer Gaslaterne und vielleicht einiger Kerzen. Auch die Häuser auf der Anhöhe rings um das Tal waren dunkel. Keine reflektierten Scheinwerfer von der Autobahn, kein greller Schein der taghellen Flutlichter der Tankstellen an der Ausfahrt, und kein einziges Licht deutete die Silhouette von Asheville an. Nur ein dumpfes, rotes Glühen oben auf dem Berghang bei Craggy Dome, anscheinend von dem Feuer.

Die Sterne über ihnen strahlten mit atemberaubender Pracht. Seit seiner Stationierung in der Wüste von Saudi-Arabien hatte er keinen solchen Sternenhimmel mehr gesehen … jedenfalls bevor die Ölfelder in Flammen aufgingen. Es gab absolut kein Streulicht; nichts, was die Sterne hätte überstrahlen können. Es war großartig und, wie er fand, auch beruhigend.

»Geh schon rein, Jen. Ich komme gleich nach.«

Sie verließ ihn zögernd. Nun sah er den Schein der Gaslaterne im Inneren des Hauses. Einen Moment später hörte er sogar Gelächter, was ihn ermutigte.

Er rauchte seine zweite Zigarette zu Ende, ließ die Kippe fallen und sah zu, wie die Glut auf der gepflasterten Auffahrt langsam erstarb.

Er öffnete die Tür seines Autos, stieg ein und versuchte, den Motor zu starten. Nichts. Nicht einmal ein Stottern des Anlassers, keine Armaturenbeleuchtung. Nichts.

Er griff unter den Sitz, zog eine schwere Taschenlampe hervor, die sechs Batterien der Größe D benötigte, und schaltete sie ein. Sie funktionierte.

Als er ins Haus kam, hatten die Mädchen bereits ein Spiel aus dem »Camping« gemacht.

»Paps, Jennifers neues Zuckermessgerät funktioniert nicht«, sagte Elizabeth.

»Was?«

»Das neue Messgerät. Ich habe aber das alte gefunden und wir haben das benutzt. Alles in Ordnung.«

»Gut, Liebes.«

Irgendwie schrillten bei dieser Tatsache weitere Alarmglocken in seinem Inneren. Das neue Gerät war ein Wunder der Technik mit einem eingebauten Computer, der die letzten Blutzuckerwerte speicherte, sodass man sie auf jeden anderen Computer herunterladen konnte. In der kommenden Woche sollte sie eines der neuen Insulinpumpenimplantate bekommen … Irgendetwas sagte ihm, er solle froh sein, dass dies nicht bereits geschehen war.

»Okay.«

Elizabeth wollte sich abwenden. John holte tief Luft.

»Elizabeth?«

»Ja, Paps?«

»Äh … wegen dir und Ben …« Plötzlich war es ihm peinlich. »Gibt es … du weißt schon … gibt es irgendetwas, worüber wir reden sollten?«

»Also wirklich, Dad. *Jetzt?*«

»Du hast recht. Mach es deiner Schwester gemütlich und dann geht ihr zu Bett.«

»Aber Daddy, es ist doch noch nicht mal acht!«

»Es ist wie bei dem Orkan. Damals sind wir vier Tage lang schlafen gegangen, wenn es dunkel war, und mit dem Sonnenaufgang aufgestanden.«

»Schon gut.«

Er sah in sein Schlafzimmer und bemerkte zu seiner Freude, dass Jennifer gerade auf der Seite des immensen Wasserbetts, die sie auserkoren hatte, ihre neuen Beanie Babys aufstellte. Unter den Arm hatte sie ihren geliebten »Rabs« geklemmt, den Stoffhasen, den Bob und Barbara ihr am Tag ihrer Geburt geschenkt hatten und der seit zwölf Jahren ihr ständiger Begleiter war.

Einst von strahlendem Weiß, war Rabs nun von einer trüben Grauschattierung. Er hatte viel überlebt; nicht nur zahllose verdorbene Mägen. Einmal war er in einem Restaurant vergessen worden und die Familie war fast 160 Kilometer zurückgefahren, um ihn zu holen, Jennifer die ganze Fahrt über laut heulend. Einmal war er vom Hund eines Nachbarkindes entführt worden, worauf John zwei Tage in den Wäldern nach ihm gesucht hatte, bis er ihn schließlich fand. Er war mehrmals geflickt worden und an vielen Stellen abgewetzt, aber obwohl Jennifer heute zwölf wurde, war Rabs immer noch ihr Kamerad; und John hielt es für möglich, dass dies auch weiterhin so bleiben würde – bis Jennifer eines Tages als junge Dame aufs College ging. Dann würde Rabs sich auf Johns Schreibtisch ausruhen und ihn an die kostbare vergangene Zeit erinnern.

Die Hunde hatten ihre Futternäpfe leer gefressen und John ließ sie hinaus, damit sie wie jeden Abend auf dem Grundstück herumtoben konnten. Ginger war etwas nervös, weil John normalerweise die Außenscheinwerfer für die Hunde einschaltete. Um diese Jahreszeit wanderten Bärinnen mit ihren Jungen durch die nahen Wälder, auch Waschbären schlichen herum, und beim Anblick derartiger Wesen würde Ginger wahrscheinlich einen Herzanfall erleiden. Sie erledigte ihre Geschäfte so schnell wie möglich und raste anschließend gleich wieder ins Haus, um sich vor Jennifers Füße zu legen.

»Ist morgen keine Schule?«, fragte Jennifer hoffnungsvoll.

»Wenn der Strom in der Nacht wiederkommt, dann weißt du, dass der Unterricht stattfindet. Falls nicht, gibt es keine Schule.«

»Ich hoffe, dass es die ganze Nacht pechschwarz bleibt.«

»Soll ich im Gästezimmer schlafen?«, fragte Jen, die die Gaslaterne trug.

»Nein, Oma, hier bei uns«, verkündete Jennifer.

»Aber dann muss ich in der Mitte liegen«, beklagte sich Elizabeth, »und dieses Balg hier keilt im Schlaf aus.«

»Das genügt, meine Damen. Ich bin in meinem Büro. Schlaft jetzt.«

Jen lächelte und ging mit der Laterne ins Bad.

»Gute Nacht, Mädchen.«

»Ich hab dich lieb, Dad.«

»Ich hab euch beide auch lieb.«

Er schloss die Tür und ging in sein Büro. Einen Moment lang setzte er sich an seinen Schreibtisch und stellte die Taschenlampe so auf, dass sie die Decke anstrahlte und so das ganze Zimmer in schummriges Licht tauchte.

Das Büro hatte Mary ständig wahnsinnig gemacht. Sie sagte immer, sie erwarte »Besseres« von einem Offizier, worauf seine ständige Entgegnung gewesen war, sie habe ja schließlich zugleich einen Professor geheiratet. Papierstapel türmten sich zu beiden Seiten des Schreibtisches, von denen John sagte, sie seien nach »geologischen Schichten« geordnet. Ein Bücherregal zu seiner Linken, das vom Boden bis zur Decke reichte, enthielt in jedem Fach zwei Reihen Bücher: Die Referenzwerke für seine aktuellen Projekte und über die Themen, die ihn gerade besonders interessierten, befanden sich immer in dem

Regalfach, das ihm am nächsten war. An den anderen Wänden hingen Fotos, dazu sowohl seine als auch Marys eingerahmte Diplome und Bilder, die die Kinder gemalt hatten.

Er betrachtete das Bücherregal, stand auf, zog mehrere Bücher aus der vorderen Reihe, fand dahinter, was er suchte, und nahm den Band heraus. Er hatte ihn seit Jahren nicht mehr aufgeschlagen – seit er die Militärakademie verlassen hatte.

Er setzte sich, legte das Buch auf seine Knie und richtete den Schein der Taschenlampe auf den Text. Er las die Kapitelüberschriften des Manuskriptes, eines alten Nadelausdrucks aus der Mitte der 90er. Dann lehnte er sich zurück und las eine halbe Stunde lang. Schließlich legte er den Bericht auf seinen Schreibtisch.

Hinter ihm stand ein abgesperrter Schrank. Er öffnete die Schreibtischschublade, entnahm ihr einen einzelnen Schlüssel, sperrte den Schrank auf und öffnete die Tür. Er zögerte kurz bei der Wahl seiner Waffe und nahm dann sein Kaliber-20-Jagdgewehr zur Hand. Aus dem Munitionsfach nahm er eine Schachtel Schrotmunition und lud die Flinte mit drei Patronen. Der feine Schrot, den man bei der Vogeljagd einsetzte, war für einen Menschen nicht tödlich, außer aus nächster Nähe, die Shotgun würde aber bestimmt abschreckend wirken.

Als Nächstes kam die Pistole. Er wählte einen antiken Colt Dragoon, der noch Bleikugeln als Munition benötigte – eine Seltenheit, das war ihm klar. Ein großes, schweres Ungeheuer von einem Revolver, dessen Anblick allein bestimmt genügte, um die meisten Betrunkenen in die Flucht zu schlagen.

John hatte ihn einmal sogar benutzen müssen, als er auf dem College war und bevor er Mary kennengelernt hatte. Er hatte mit sechs Kommilitonen in einem Bauernhaus außerhalb des Unigeländes gewohnt. In jenem Jahr waren alle seine Mitbewohner langhaarige Hippies gewesen, und auch er selbst hatte bestimmt recht oft gekifft … eine Angewohnheit, die aufzuhören hatte, wie Mary ihm kategorisch erklärt hatte, bevor sie zum ersten Mal mit ihm ausgegangen war.

Einige der »guten Jungs« aus der Nachbarschaft hatten eine ausgeprägte Abneigung gegen die »langhaarigen Schwuchteln« gehegt, die da in ihrer Nähe wohnten. Eines Nachts waren sie vorbeigefahren, hatten mit einer Ladung Schrotmunition die Küchentür zerballert und geschrien, dass die Schwuchteln herauskommen und sich das abholen sollten, was sie verdienten.

Seine Mitbewohner waren starr vor Entsetzen gewesen und einer von ihnen hatte verkündet, sie seien offenbar plötzlich mitten in den Film *Beim Sterben ist jeder der Erste* geraten. Aber die Angreifer hatten nicht damit gerechnet, dass eine der »Schwuchteln« aus New Jersey stammte, aktives Mitglied in einem Verein war, der den Bürgerkrieg historisch korrekt nachspielte, und sich mit Schusswaffen auskannte. Er war mit dem Colt Dragoon in der Hand herausgekommen und hatte zwei Schüsse in den Boden abgefeuert. Er hatte nicht auf die Männer gezielt, sondern wollte sie nur dazu bringen, in Deckung zu gehen. Doch nachdem er die zwei Kugeln verschossen hatte, hatte er mit der Waffe direkt auf die Brust des Hinterwäldlers gezielt, der die Schrotflinte hielt.

»Der nächste Schuss trifft«, hatte John ruhig gesagt.

Die Rednecks waren in ihren offenen Kleinlaster gestürzt und davongefahren, als sei der Leibhaftige hinter ihnen her. Inzwischen hatten sich Johns Hausgenossen auf der Veranda um ihn geschart und ihn voller Ehrfurcht angestarrt, während er lässig zum Haus zurückschlenderte und sich vorkam wie Gary Cooper in *Zwölf Uhr Mittags*.

»Frieden durch überlegene Feuerkraft«, hatte er ruhig Eisenhower zitiert. Dann war er hineingegangen und hatte sich ein riesiges Glas Wodka eingegossen, um seine Nerven zu besänftigen, während seine aufgeregt durcheinanderredenden Mitbewohner draußen die halbe Nacht das Drama wieder und wieder nachspielten.

Was hatte ihm damals wirklich Angst gemacht? Die Wahrnehmung, dass er bereit gewesen wäre zu töten, wenn die Mistkerle versucht hätten, eine weitere Ladung Schrot abzufeuern? Später dachte er darüber nach und stellte fest, dass ihm das Gefühl ganz und gar nicht gefallen hatte. Er hatte gehofft, er müsse es nie wieder empfinden … obwohl ihm genau das Jahre später im Irak widerfahren war; aber dort war er nicht derjenige gewesen, der den Abzug durchdrückte, sondern hatte anderen befohlen, es zu tun.

Am folgenden Morgen, einem Samstag, war der Hausbesitzer mit einem Kasten Bier vorbeigekommen. Er hatte gebeten, diese bereits legendär gewordene Pistole sehen zu dürfen, und gesagt: »Ihr Jungs habt euch jetzt in der Gegend 'ne Menge Respekt verschafft.«

Einen Monat später, als John mit einigen Freunden eine Bar am Stadtrand besuchte, um ein Bier zu trinken, begegnete er einem der vier Störenfriede. John erkannte ihn und es gab einen spannungsgeladenen Moment. Dann lachte der Redneck, spendierte John ein Bier und erzählte jedem in der Bar die Geschichte. Er beendete seine Erzählung mit den Worten: »Dieser Yankee ist schwer in Ordnung«, und sie schüttelten sich die Hände.

Verdammt, schon damals hatte er den Süden geliebt.

Der Revolver war bereits geladen und er legte ihn auf den Schreibtisch.

Plötzlich spürte er, dass jemand im Zimmer war, und sah auf. Jen stand in der Tür.

»Es ist sehr ernst, nicht wahr?«

»Geh schlafen.« Er hielt kurz inne. »Mom.«

Sie stand einen Moment lang still da, dann nickte sie und verschwand.

Ohne seine Schuhe auszuziehen, streckte sich John auf dem Sofa in seinem Büro aus. Die Jagdflinte legte er neben sich auf den Boden.

Es dauerte zwei lange Stunden, bis er endlich schlafen konnte. Als er gerade am Einschlafen war, befreite sich Zach sanft aus Jennifers Umarmung, trottete ins Büro und ließ sich mit einem Seufzer auf dem Boden neben John nieder.

KAPITEL DREI

Tag 2

Der Schrei weckte ihn. Er fuhr hoch, tastete nach der Schrotflinte und hörte Elizabeth fluchen.

»Es gibt kein heißes Wasser, verdammt!«

Er legte das Gewehr wieder hin und ging zum Schlafzimmer. Elizabeth, in ein Handtuch gewickelt, stürmte aus dem Badezimmer.

»Paps, es gibt kein heißes Wasser!«

»Was zum Teufel hast du denn erwartet?«, murmelte er. Sein Herz raste immer noch ein bisschen.

Jennifer setzte sich auf, Rabs fest im Arm, und lächelte.

»Keine Schule, Daddy?«

»Nein.«

»Toll!«

»Paps, wie soll ich mich jetzt duschen?«

»Mit kaltem Wasser. Du wirst schon nicht daran sterben«, brummte er und ging in die Küche.

Kaffee, verdammt noch mal, er brauchte einen Kaffee.

Er nahm den in Alufolie verpackten Kaffee und das Filterpapier aus dem Küchenschrank, packte eine riesige Menge Kaffeepulver in den Filter, füllte den Topf mit Wasser, goss es in die Maschine und schaltete sie ein.

Eine volle Minute lang stand er da wie ein Idiot, bis ihm die Situation ins Bewusstsein drang.

»Ach, Scheiße.«

Er holte einen kleinen Topf aus dem unteren Fach des Küchenschranks, füllte ihn mit Wasser und ging auf die

Veranda. Dort setzte er den Topf auf den Gasgrill und zündete ihn an. Er suchte in seiner Tasche nach einer Zigarette und steckte sie an.

Entgegen der Unbeeinflussbarkeit physikalischer Gesetze schien es mindestens doppelt so lang wie sonst zu dauern, bis das Wasser endlich kochte, da er den Topf die ganze Zeit anstarrte; aber schließlich hatte er seine Tasse Kaffee, die er so zubereitet hatte, wie er es als Junge bei den Pfadfindern gelernt hatte: Man gieße heißes Wasser auf das Kaffeepulver und schere sich einen Dreck um den Kaffeesatz.

»Hast du auch einen für mich?«

Es war Jen.

»Sicher.«

Er machte ihr eine Tasse, die sie mit Verachtung betrachtete.

Sie ging in die Küche, nahm eine Plastikflasche Milch aus dem Kühlschrank, öffnete sie und roch daran. Dann kehrte sie auf die Veranda zurück und nahm einen Schluck.

»Beiß die Zähne beim Trinken zusammen, dann filterst du den Kaffeesatz raus«, sagte er und rang sich das erste Lächeln des Tages ab.

»Ich muss meinen altmodischen Kaffeekocher finden«, sagte sie. »Ich war schon immer der Meinung, dass der den besten Kaffee macht. Diese neuartigen Kaffeemaschinen habe ich nie gemocht.«

Es war relativ frisch draußen, was er belebend fand. Die Magie des Kaffees und der Zigaretten wirkte und er wurde allmählich wach.

Anders als die meisten Männer, die sich die Armee zum Wirkungskreis gewählt hatten, konnte sich John nie an das frühe Aufstehen gewöhnen und hasste alle, denen das nichts ausmachte; insbesondere diejenigen, die dann auch noch fröhlich waren. Er war schon immer eine »Nachteule«, ging erst um ein oder zwei Uhr morgens schlafen und stand dann um neun oder zehn Uhr auf, rechtzeitig zu seiner ersten Vorlesung um elf.

Im College hatte man das schnell begriffen und teilte ihn niemals zu einer früheren Vorlesung ein.

Er musste allerdings zugeben, dass die Morgenstunden wunderschön waren, und bereute, dass er so viele davon verpasst hatte. Mary war ein Morgenmensch gewesen. Er erinnerte sich, wie sie ihn manchmal in der Morgendämmerung geweckt hatte, zumindest für ein paar Minuten, um mit ihm … die Erinnerung tat ihm zu weh und er unterdrückte sie jäh.

»Das Feuer da oben brennt immer noch«, sagte Jen und wies auf Craggy Dome.

Er nickte. Die Flammen hatten sich ausgebreitet und schickten Rauchschwaden über das Wasserreservoir von Asheville im Tal. Es sah aus, als brannten gut hundert Morgen.

Noch weiter weg, fast am Horizont, sah er zwei weitere Rauchsäulen.

Die Welt war still; kein Verkehr, nichts rührte sich unten in Black Mountain.

Nichts hatte sich geändert.

»Kann ich auch was davon haben?«

Elizabeth erschien. Sie rieb ihr nasses Haar energisch mit einem Badetuch und trug einen schweren Winterbademantel. Trotzdem zitterte sie vor Kälte.

»Sicher, Liebes.« Er bereitete eine dritte Tasse zu, die sie trank, ohne sich zu beklagen.

Auch Jennifer kam nun auf die Veranda, mit Rabs unter dem Arm. Sie sah bezaubernd aus. Wenn sie schlief oder nur halb wach war, so wie jetzt, hatte sie immer noch die reine Ausstrahlung eines Babys.

»Bist du sicher, dass heute keine Schule ist?«

»Zumindest bezweifele ich es sehr.«

Sie gähnte, drehte sich ohne weiteren Kommentar um und ging wieder ins Haus.

»Hast du deinen Zucker gemessen?«, rief er ihr nach.

»Ja, Daddy. Alles okay.« Sie ging ins Schlafzimmer zurück, um sich noch mal aufs Ohr zu legen.

»Ich glaube, ich fahre jetzt runter in die Stadt, um zu sehen, was los ist.«

»Kann ich mitkommen?«, fragte Elizabeth.

»Nein, ich möchte, dass du hierbleibst.«

»Ach, komm schon, Daddy. Alle werden da sein, ich möchte auch sehen, was passiert ist.«

Er nahm ihren Arm und führte sie sanft von der Fliegendrahttür weg.

»Ich möchte, dass du hierbleibst und das Haus bewachst.«

Sie grinste ihn sarkastisch an.

»Vor wem denn? Terroristen?«

»Mach darüber keine Witze«, sagte er nachdrücklich. Sie verstummte und sah zu ihm auf.

»Du weißt, wie man mit einer Schrotflinte umgeht. Es ist nur die kleine, also musst du vor ihr keine Angst haben. Sie ist entsichert, aber es ist keine Patrone im Lauf. Falls nötig, pumpst du eine Patrone aus dem Magazin hinein und schießt.«

»Paps, du machst mir Angst!«

»Hör mir zu, Liz. Ich mache keine Witze. Ich glaube, dass etwas sehr Ernstes geschehen ist.«

»Was denn?«

»Sieh dich um. Es gibt keinen Strom, nichts.«

»Der wird schon wieder eingeschaltet werden.«

Er erwiderte nichts, sondern starrte sie nur an.

»Wenn jemand, den du kennst, die Auffahrt raufkommt, ist das okay. Aber falls ein Fremder erscheint, stellst du dich in die Tür – aber hinter den Rahmen, damit du Deckung hast. Zeig dem Eindringling, dass du ein Gewehr auf ihn richtest. Lass dir nichts gefallen und falle nicht auf irgendwelche Geschichten herein, egal, wie erbarmungswürdig die- oder derjenige auch aussehen mag. Wenn sie ein Telefon suchen, oder Wasser, oder Hilfe, dann sag ihnen, sie sollen runter in die Stadt gehen und dass dort Leute sind, die ihnen helfen werden. Verstanden?«

»Ja, klar.«

»Verstanden?«, wiederholte er scharf.

»Ja, Dad.«

»Wenn die irgendetwas versuchen, ganz egal was, dann zögere nicht, Liz. Gib keinen Warnschuss ab. Ziel mitten auf den Oberkörper und drücke den Abzug durch. Wenn mehr als ein Mensch da ist, dann schieß auf den, der dir am nächsten steht, oder den, der bewaffnet ist.«

»Paps, du machst mir echt Angst.«

Er legte seine Hände auf ihre Schultern und drückte sie fest.

»Ich habe deiner Mutter und dir das Schießen beigebracht. Weißt du noch, was ich dir gesagt habe, was dabei am gefährlichsten ist?«

»Eine Frau mit einer Schusswaffe, die nicht den Mumm hat, sie zu benutzen«, rezitierte sie. Mary hatte das immer als üblen, sexistischen Spruch bezeichnet.

»Ein Typ wie der Besoffene gestern Abend kann spüren, ob du schießen wirst oder nicht. Wenn du unmissverständlich zeigst, dass du dir nichts«, John hielt inne, »aber auch *gar nichts* gefallen lässt, stehen die Chancen sehr gut, dass du in deinem ganzen Leben nicht ein einziges Mal abdrücken musst.«

»Okay, Paps.«

Er rang sich ein Lächeln ab. »Ich bin nur ein bisschen paranoid, Liebes. Achte darauf, dass Jennifer in deiner Nähe bleibt. Falls Pat zum Spielen vorbeikommt, umso besser.«

»Was ist mit Ben?«

Er zögerte. Jen war im Haus.

»Kein Problem.«

»Er ist wirklich ein netter Kerl, Paps. Wenn du ihm nur eine Chance geben würdest …«

Er nickte.

»Das weiß ich.«

»Warum kannst du ihn nicht leiden, Paps?«

»Das weißt du doch.«

Sie lächelte.

»Weil du meinst, dass er mehr will, als nur mit mir zu knutschen? Ich glaube, deine Generation hat das früher ›das ganze Ding durchziehen‹ genannt.«

Er versteifte sich etwas. Dies war das erste Mal, dass sie »diese Sache« ihm gegenüber direkt ansprach. Bisher hatte er die ganze »weibliche Thematik«, einschließlich der Aufklärung und der »Grundsatzgespräche«, Oma Jen überlassen und sich auf den traditionellen, altmodischen väterlichen Ritus beschränkt, jeden Jungen zornig anzustarren, der sich in der Nähe seiner Tochter herumdrückte.

John wusste, dass er nicht gerade ein moderner Vater war, aber so war er nun einmal erzogen worden … außerdem war er viele Jahre lang davon ausgegangen, dass diese Dinge in Marys Ressort fielen.

»Es ist auch wegen Mom, nicht wahr?«

»Wieso?«

»Du weißt schon. Wir haben unsere Mutter verloren, aber du hast deine Frau, deine beste Freundin und deine Gefährtin verloren. Jennifer und ich machen dir den Verlust vielleicht erträglicher, aber ganz tief in dir drin denkst du nicht gern daran, dass wir allmählich erwachsen werden und uns damit auch in gewisser Weise von dir entfernen.«

Er schwieg einen Moment, überrascht von ihrer tiefsinnigen Analyse.

»Wie kommst du darauf?«

»Ach, durch den Therapeuten, bei dem wir waren, nachdem Mom starb. Aber es stimmt. Und ganz ehrlich,

Paps, das ist schon okay. Ich liebe dich, Dad, und daran wird sich nie was ändern«, sagte sie und stellte sich auf die Zehenspitzen, um ihn auf die Wange zu küssen. »Du wirst immer meine Nummer eins sein.«

Er umarmte sie, die Augen voller Tränen.

»Danke, Liebes.«

Sie ließen einander los. Beiden war es ein bisschen peinlich.

»Ich sehe mal nach, was ich zum Frühstück zaubern kann«, sagte sie und ging in die Küche.

»Dein Mädchen wird eindeutig erwachsen«, sagte Jen, die mit einer zweiten Tasse Kaffee auf ihn zukam.

Er schniefte ein wenig, nickte und lächelte.

»Genauso war Mary mit 16. Sehr weise für ihr Alter. Sie hat Tyler damit manchmal völlig aus der Bahn geworfen.«

John trank die zweite Tasse aus. Der Kaffee war lau, aber das störte ihn nicht, obwohl sein Magen nach zwei Tassen Kaffee und zwei Zigaretten ohne Frühstück etwas unruhig war.

»Macht es dir was aus, wenn ich das Monster nehme und in die Stadt fahre, um zu sehen, was los ist?«

»Nein«, lächelte sie. »Aber mit dem Mustang wäre es etwas anderes.«

Als er an der Autobahn vorbeifuhr, standen alle Autos genauso da wie am Vorabend. Die Straße war menschenleer, bis auf einen einzelnen Lastwagenfahrer, der bei offener Tür in seiner Fahrerkabine saß. Er paffte eine Zigarre und winkte John zu. Es war derselbe wie gestern, und John fand seinen Anblick beruhigend.

Er war auch erleichtert, denn er hatte befürchtet, dass in der Nacht hier irgendetwas Böses geschehen war. Doch alles war ruhig und es gab keinerlei Anzeichen eines Problems.

Er fuhr auf die State Street zu und an der Grundschule

vorbei. Die Haupteingangstür stand offen und einen Augenblick lang fragte er sich, ob der Unterricht heute doch stattfand, aber dann fiel ihm auf, dass sämtliche Schulbusse immer noch auf dem Parkplatz standen. Vor der Einfahrt hing ein handgeschriebenes Schild mit dem Wort »Notunterkunft«.

Pete's Barbecue, das Restaurant auf der gegenüberliegenden Straßenseite, hatte seinen großen Außengrill – von der Sorte, die man für Jahrmärkte und große Feste einsetzte – vor die Schule gestellt. Pete selbst stand am Grill, angetan mit einer absurden, rosafarbenen Schürze und dazu passender Kochmütze, die mit einem lächelnden Schwein bedruckt waren. Auf dem Rost standen mehrere Kessel, und eine Menschenschlange wartete auf Kaffee und Grillfleisch zum Frühstück. Typisch Pete – er war immer bereit, etwas für seine Heimatstadt zu tun.

John hupte und Pete sah überrascht auf, ebenso wie die in der Schlange wartenden Menschen. Pete winkte.

Die Ampel weiter vorn war tot und John musste langsamer fahren, denn ein halbes Dutzend Autos blockierte die Straße. Er musste auf die Gegenspur ausweichen, wo er anhielt, um nach links und rechts zu schauen. Er kam sich dabei etwas absurd vor, denn natürlich gab es keinen Verkehr, so weit das Auge reichte – lediglich die liegen gebliebenen Autos, die die Kreuzung versperrten. Er fädelte sich hindurch, bog nach rechts ab, hielt vor Smiley's Lebensmittelladen, stieg aus und betrat das Geschäft.

»Hallo, Hamid, wie geht's?«

Hamid hatte sich als spannende Ergänzung zur Stadtbevölkerung entpuppt. Er war Pakistani, mit einer Frau aus dem Ort verheiratet und hatte den Laden einige Monate vor dem 11. September 2001 gekauft. Zwei Tage nach »dem Tag« waren FBI-Agenten aufgekreuzt und hatten ihn verhaftet. Sie behaupteten, dass er, einem Bericht zufolge, positive Äußerungen zum Angriff gemacht und ferner gesagt hätte, er wäre gern bereit, irgendwelche eventuellen örtlichen Attentäter zu unterstützen.

Zu Johns Freude hatte die Verhaftung eine Lawine von Protesten ausgelöst. Sämtliche Bürger der Stadt traten auf den Plan und sagten ihre Unterstützung zu. Sie schlossen sich zusammen und schikanierten den örtlichen Abgeordneten unerbittlich, bis er sich der Sache annahm. Schließlich wurde Hamid freigelassen, und die ganze Stadt feierte ein Straßenfest für ihn.

Am Morgen nach seiner Rückkehr hatte ein großes, handgemaltes Schild im Schaufenster seines Ladens gehangen: »Ich bin stolz darauf, Amerikaner zu sein. Gott segne Euch, meine Freunde.«

Hamid stand hinter der Theke. John hegte den Verdacht, dass er praktisch in seinem Laden lebte.

»Die reinste Irrenanstalt da draußen«, sagte Hamid. »Ich musste die ganze Nacht hierbleiben, pausenlos kamen Leute von der Autobahn herein. Es war total verrückt.«

»Kann ich ein paar Stangen Camel light haben?«, fragte John.

Hamid schüttelte den Kopf.

John nannte einige weitere Marken, bis er endlich bei Kool light eine positive Antwort bekam.

»Davon habe ich noch drei Stangen.«

»Die nehme ich.«

John zückte sein Portemonnaie und wollte seine Kreditkarte herausziehen.

»John, elektronische Karten funktionieren nicht mehr.«

»Ach ja.«

Er holte sein Bargeld heraus: 50 Dollar – 20 zu wenig.

»Du kannst sie mir später geben, ich weiß, dass du zuverlässig bist.«

John zögerte, bevor er die Stangen an sich nahm.

»Hör zu, Hamid. Ich glaube, dir sollte ich es zuerst sagen. Du warst immer anständig zu mir. Vielleicht wäre es gar nicht in deinem Interesse, wenn ich dir im Moment Geld gäbe. Die Situation könnte wesentlich schlimmer sein, als sie aussieht.«

Hamid sah ihn fragend an.

»Was willst du damit sagen, John?«

Er deutete auf das Bargeld auf der Theke.

»Das meine ich.«

»Das Geld?« Er lachte. »Vielleicht in meinem Heimatland, aber hier? Amerikanische Dollar? Du machst Witze, nicht wahr?«

»Ich habe nur das Gefühl, ich müsste dir sagen, dass Zigaretten in den nächsten Tagen vielleicht wesentlich mehr wert sein werden als 23 Dollar pro Stange.«

Hamid verstand und schob die Zigaretten mit einem Lächeln über die Theke zu John.

»Danke, John. Ich weiß, worauf du hinauswillst, aber nimm sie, mein Freund.«

John seufzte erleichtert. Im Augenblick war er bereit, sein Portemonnaie für eine einzige Packung Zigaretten zu leeren, aber jetzt konnte er die angebotenen Stangen ohne schlechtes Gewissen annehmen.

»Danke, Hamid.«

John nahm die Stangen und sah sich im Laden um. Fast der ganze Biervorrat war schon weg, auch die Limonade. Und die Snacks: Kartoffelchips, Knabberwürstchen, Süßigkeiten, alles war verschwunden.

Hamid lachte.

»Letzte Nacht habe ich das beste Geschäft meines Lebens gemacht. Ich habe ein paar Tausender in der Kasse.«

»Hamid, tu dir selbst einen Gefallen.«

»Was denn?«

»Nimm deine restlichen Zigaretten und bunkere sie im Lager.«

»Warum?«

»Nennen wir es eine Investition. Eine Absicherung gegen Inflation.«

Hamid schüttelte den Kopf.

»Das kann ich nicht machen. Vielleicht mit Fremden von der Autobahn, aber meinen Freunden hier kann ich das nicht antun.«

John lächelte.

»Ist nur ein freundschaftlicher Rat, Hamid. Versteck sie. Wenn du deinen Freunden Zigaretten verkaufen willst, dann tu es nur päckchenweise.«

Er verließ den Laden und Hamid begann sofort, die Zigarettenstangen aus den Regalen zu nehmen. John fuhr einen Block weiter bis ins Zentrum. Er manövrierte vorsichtig um die liegen gebliebenen Autos herum und bog in die Montreat Road ein – seine normale, tägliche Strecke zum College. Feuerwache und Polizeihauptquartier lagen zu seiner Rechten, davor stand ein mittelgroßer Menschenpulk. Alle starrten in seine Richtung. Er fuhr an den Straßenrand und parkte. Diesmal sperrte er das Auto ab und steckte die Schlüssel in die Tasche.

»He, John, wie zum Teufel hast du das alte Ungetüm zum Laufen gebracht?«

Das war Charlie Fuller, Direktor des städtischen Amts für öffentliche Sicherheit, wodurch ihm sowohl die Polizei als auch die Feuerwehr unterstanden. Außerdem war er ein alteingesessenes Mitglied der Bürgerkriegstafelrunde und oft Johns Hauptgegner, wenn sie über die damalige Verfassungsjustiz der Südstaaten debattierten.

John sah sich auf dem öffentlichen Parkplatz um. Alle Feuerwehrautos standen im Garagenbau, ebenso alle Krankenwagen.

»Bewegt sich hier irgendetwas?«, fragte er.

Charlie schüttelte den Kopf.

»Nichts. Es war eine schwierige Nacht.«

»Inwiefern?«

»Erstens gab es ungefähr ein Dutzend Tote.«

»Was?«

»Meistens Herzanfälle. Ein übergewichtiger Typ in total schlechter körperlicher Verfassung spazierte von der Autobahn hierher und brach zusammen – genau hier, wo wir jetzt stehen. Ich habe keinen Krankenwagen, nichts. Wir haben Doktor Kellor geholt, aber der Typ war bereits tot.«

Charlie zögerte.

»Drei Tote oben im Pflegeheim. Tyler geht's aber gut«, fügte er schnell hinzu. »Zumindest als ich zuletzt was vom Heim gehört habe.

Die ganze Zeit kamen Leute zu Fuß hierher, oder auf Fahrrädern. Viele berichteten über Unfälle, und dann gibt's den Großbrand auf dem Craggy.«

»Ja, den habe ich gesehen.«

»Manche haben gesagt, da sei ein großes Flugzeug, das im Landeanflug war, abgestürzt.«

John sagte nichts.

»Mein ganzes Kommunikationsnetz ist außer Betrieb, John. Alles – Festnetz, Handy, Funk. Ich habe aus Asheville kein einziges Wort gehört und tappe total im Dunkeln.«

»Das habe ich mir gedacht.«

Der Klang eines ratternden Motors ertönte, ein Geräusch, das er sofort erkannte. Um die Ecke kam ein alter VW-Bus angefahren, gesteuert von Johns Nachbarn Jim Bartlett.

Jim parkte neben Johns Edsel und stieg aus. John hatte bei seinem Anblick immer den Drang, sich kaputtzulachen, denn der Mann sah aus, als sei er dank einer Zeitmaschine dem Jahr 1970 entsprungen. Er trug zerschlissene Jeans, ein Hemd ohne Kragen und ein Stirnband wie der berühmte Countrysänger Willie Nelson. Der einzige Hinweis auf das Vergehen der Zeit waren seine kurzen grauen Haare und der graue Bart, der ihm bis zur Brust reichte.

»Hey, Leute, was geht denn hier ab?«, fragte Jim mit dem Anflug eines hämischen Lächelns.

»Also laufen deine alten VWs noch«, bemerkte Charlie.

Jim lächelte. »Auch wenn das Ende der Welt kommt, die werden bis zum großen Knall weiterrollen, Mann.«

»Hör mal«, sagte Charlie mit leiser Stimme, damit die anderen ihn nicht hören konnten, »es wäre mir lieber, du würdest nicht herumlaufen und das Ende der Welt ankündigen.«

»Ist doch aber so«, erwiderte Jim, immer noch grinsend. »Hab ich doch seit Jahren schon gesagt. Die Maya-Prophezeiung. Die haben Dezember 2012 gesagt, aber irgendjemand hat sich offensichtlich im Datum geirrt.«

Er hob seine Stimme etwas.

»Jetzt ist es so weit, Freunde. Der Tag des Untergangs, genau wie die Maya vorhergesagt haben.«

John sah sich um. Mehrere kleinere Gruppen umringten die Feuerwache. Als Jim sprach, sahen ihn alle an.

»Hab's euch seit Jahren gesagt, dass dieser Tag kommt«, verkündete Jim. Seltsamerweise lächelte er immer noch. »Die Maya hatten recht.«

»Mein Sohn hat mir gestern Nacht davon erzählt«, bestätigte jemand. »Irgend so ein Science-Fiction-Typ hat darüber 'nen Roman geschrieben. Mein Sohn gab mir das Buch, und es hat genau ins Schwarze getroffen. Jim hat recht, das hier könnte jetzt das Ende sein.«

John hatte Jim immer gemocht. Er war rundherum eine sanfte, vernünftige Seele von Mensch, doch er hatte auch einige exzentrische Ideen – und jetzt hatte er eine Zuhörerschaft.

»Dass der Strom weg ist, ist nur der Anfang. Wartet, bis ihr seht, was mit der Sonne passiert!«

»Verdammt noch mal«, zischte Charlie. »Komm hier rüber, Jim.«

Charlie packte Jims Schulter und zog ihn energisch in Richtung Feuerwache. John folgte ihnen.

»Bist du verrückt?«, flüsterte Charlie eindringlich. »Willst du hier eine Panik auslösen?«

Jim sah ihn verwirrt an.

»Ich sollte dich wegen Verbreitung einer Panik in den Knast werfen.«

»Einen Moment«, unterbrach John. Er zog Charlies Hand von Jims Schulter.

»Vielleicht hast du recht, Jim«, sagte John hastig, »aber hier stehen viele Kinder herum. Willst du sie in der jetzigen Lage zu Tode erschrecken? Komm schon, mein Freund, entspann dich. Lass die Eltern ihren Kindern alles auf ihre Art erklären. Bitte.«

Jim nickte nachdenklich.

»Tut mir leid, Mann, ich wollte keinen erschrecken.«

John suchte Augenkontakt mit Charlie. Wenn dieser versuchte, Jim zu bändigen, würde es eine Szene geben, die erst recht zu einer Panik führen konnte. Charlie verstand die lautlose Botschaft.

»Okay, tut mir leid, Jim. Ich will nur den Kindern nicht noch mehr Angst einjagen, als sie ohnehin schon haben. Tu uns also allen einen Gefallen und rede im Moment nicht mehr über dieses Maya-Zeug. Okay?«

»Klar, Mann, hab schon verstanden.«

»Dreh dich um und sag allen, du hast nur Spaß gemacht. Beruhige die Leute«, fuhr John fort. »Das wäre uns eine große Hilfe.«

»Kapiert.«

Jim drehte sich mit übertrieben großen Bewegungen zu den Menschen um, die ihnen zugesehen hatten.

»Wollte nur ein bisschen Spaß machen, das ist alles«, rief er.

»Ein toller Spaß«, kam es bitter von jemandem zurück. »Wir wollen endlich wissen, was zum Teufel hier vorgeht.«

»Genau daran arbeiten wir bereits«, gab Charlie bekannt. »Also, bewahren wir alle die Ruhe, bitte.«

»Ihr zwei, wir müssen reden«, sagte Tom Barker, der Polizeichef, der gerade aus dem Hauptquartier trat.

»Scheiße«, murmelte Jim. »Hier kommt der Oberboss.«

»Tom, wie geht's dir?«, fragte John leise.

»Wie einem beinlosen Hund voller Flöhe, der sich nicht kratzen kann«, erwiderte Tom, und John musste über diese typische Südstaatler-Redensart, von denen Tom viele in petto hatte, grinsen.

»Charlie«, sagte John, »eine Frage. Alle Kommunikationswege sind tot und alle Autos außer Gefecht, bis auf Jims und meins, richtig?«

»Ja, so ungefähr – obwohl der alte Jeep von Butlers Autowerkstatt auch noch läuft. Wir haben auch ein paar funktionsfähige alte Mopeds und Motorräder, und Maury Hurts antiken Jeep aus dem Zweiten Weltkrieg. Der läuft auch. Den haben wir jetzt auf die Autobahn geschickt, um ein paar von den Notfällen, die uns gemeldet wurden, zu überprüfen.«

»Hört sich nicht gut an«, sagte John leise.

»Ich glaube, wir sind auf derselben Wellenlänge«, antwortete Charlie ebenso diskret.

»Wo ist Orville Gardner?«

John wusste, dass Orville drüben in Asheville Vizedirektor des Bezirkskrisenstabes war.

»Kein Wort von ihm gehört. Ich schätze, er sitzt in Asheville fest.«

»Tom, Charlie, können wir reingehen und reden?«

»Warum?«, fragte Tom. »Ich möchte nur wissen, warum ihr beiden Autos habt und alle anderen nicht.«

»Weil man einen VW nicht totkriegt, Mann«, grinste Jim.

John trat zwischen Jim und Tom.

»Ich glaube wirklich, dass wir reingehen sollten, meine

Herren«, sagte John. Er hatte zwar den größten Teil seiner Militärkarriere mit Büchern oder an Rednerpulten in Hörsälen verbracht, aber er hatte auch Truppen ins Feld geführt und wusste seine Befehlshaberstimme einzusetzen, so wie jetzt.

Tom sträubte sich ein wenig, aber Charlie lächelte.

»Fein, gehen wir rein. Die Bürgermeisterin ist drinnen, gehen wir in ihr Büro.«

Die drei traten ein und Jim trottete hinterher. Obwohl John ihn nur ungern beleidigen wollte, wandte er sich ihm mit einem Lächeln zu.

»Hör mal, Jim. Du weißt, dass du Tom mächtig auf den Keks gehst.«

Jim lächelte.

»Jedes Jahr schleicht er auf meinem Grundstück herum und sucht nach Marihuana. Hat mich kein einziges Mal erwischt.«

»Vielleicht solltest du bei diesem Treffen besser nicht dabei sein. Behalt die Autos im Auge. Hilf den andern, die Leute ruhig zu halten. Und keine Prophezeiungen mehr, okay?«

»In Ordnung, Mann«, sagte Jim und salutierte scherzhaft.

John betrat das Büro von Bürgermeisterin Kate Lindsey, die hinter ihrem Schreibtisch saß und übernächtigt zu ihm aufsah. Sie waren alte Freunde. Kate und Mary waren zusammen aufgewachsen.

»Du siehst erledigt aus, Kate.«

»Das bin ich auch. Ich hätte niemals für eine dritte Amtsperiode kandidieren sollen. Es ist auch in guten Zeiten kein dankbarer Job – und jetzt das. Hat Tom dir gesagt, dass jemand vom Pflegeheim hier war? Sie haben drei Tote da oben.«

»Ja, das habe ich gehört.«

»Einer davon war Wilsons Junge.«

John seufzte und schüttelte den Kopf. Der Junge war

Erstsemester am College gewesen. Dann, vor drei Jahren, hatte er einen Autounfall. Die übliche Geschichte: ein Betrunkener am Steuer, der keinen Kratzer abgekriegt hatte. Der Junge war nicht so glimpflich davongekommen. Er war in ein Koma gefallen und wurde nur von Maschinen künstlich am Leben erhalten, und seine Eltern klammerten sich an die Hoffnung … Nun, das war jetzt vorbei.

»Ich dachte, das Gesetz verlangt, dass alle Pflegeheime Notaggregate haben müssen. Die Betreiber da oben können sich auf ein Riesengerichtsverfahren gefasst machen«, blaffte Kate.

»Wie steht's mit der Autobahn?«, fragte John. »Gibt es da irgendwelche Probleme? Ich hatte gestern Abend eine kurze Begegnung mit einem Betrunkenen.«

»Ich habe vier Besoffene in der Ausnüchterungszelle«, sagte Tom. »Deiner ist bestimmt dabei. Willst du eine Anzeige erstatten?«

»Nein, mach dir keine Mühe.«

»Jemand kam vor ein paar Stunden auf einem Fahrrad aus North Fork. Er sagte, ein Wohnwagen habe gebrannt und Granny Thomas kam in den Flammen um.«

»Verdammt«, flüsterte John.

Kate sah zum Fenster hinaus und dann wieder zu John.

»Also, warum laufen sowohl dein Auto als auch Jims?«

John sah sich nach einem Stuhl um und setzte sich, ohne dazu aufgefordert worden zu sein. Er zog den Bericht, den er gestern Nacht aus seinem Bücherregal geholt hatte, hervor und warf ihn auf Kates Schreibtisch.

»Das ist aus meiner Zeit an der Militärakademie.«

»›Möglichkeiten asymmetrischer Anschläge auf die kontinentalen Vereinigten Staaten‹«, las Kate den Titel auf dem Deckblatt vor.

»Ein paar von uns haben das damals für eine Vorlesungsreihe zusammengestellt. Natürlich hat's keiner beachtet – außer den Offizieren, die an unserem Unterricht teilnahmen.

Ich habe eine Kopie als Referenz behalten. Ihr solltet euch Kapitel vier über EMP mal ansehen.«

»EMP«, sagte Charlie leise. »Daran habe ich gedacht, als ich die ganzen lahmgelegten Autos auf der Autobahn sah. Bin ich froh, dass du vorbeigekommen bist. Ich hatte gehofft, du würdest etwas darüber wissen.«

»Okay, nicht, dass ich mich als das doofe Weib in der Runde outen will«, sagte Kate schneidend, »aber wovon zum Teufel redet ihr?«

John konnte sich einen Seitenblick auf Tom nicht verkneifen.

»Hab davon gehört«, sagte dieser, »aber ich erinnere mich nicht genau. Meinst du, wir haben es mit irgendwelchen Terroristen zu tun?«

John nickte.

»EMP. Elektromagnetischer Impuls. Das ist die Begleiterscheinung einer nuklearen Explosion.«

»Man hat eine Atombombe auf uns abgeworfen?«, fragte Kate entsetzt.

»Ich glaube, ja.«

»Gott im Himmel! Und der radioaktive Niederschlag? Wir müssen sofort Maßnahmen ergreifen.«

John schüttelte den Kopf.

»Warte eine Minute, Kate. Es ist kompliziert. Wenn du Zeit hast, lies den Bericht, der erklärt das alles besser.«

»John, gab es einen atomaren Erstschlag auf uns? Sind wir im Krieg?«

»Ich weiß es nicht, Kate. Ich weiß auch nur das, was hier in Black Mountain geschieht, aber das allein sagt mir ziemlich viel.«

»Wieso?«

John atmete tief ein und betrachtete den Styroporbecher und den mit Bröseln bedeckten Pappteller auf Kates Schreibtisch.

»Hört mal, ich bitte euch ungern, aber ich habe ein Loch

im Bauch und könnte auch einen Schuss Koffein brauchen.«

Einen Moment lang bewegte sich niemand. Kate erstarrte demonstrativ auf ihrem Bürostuhl und rührte sich nicht.

»Wir haben eine Kanne draußen auf dem Grill«, sagte Charlie. Er verließ den Raum und kehrte einen Augenblick später mit einer Tasse Kaffee – schwarz, wie John ihn bevorzugte – und, erstaunlicherweise, einem Teller mit Eiern und Speck zurück.

»Stellt euch den elektromagnetischen Impuls als einen Blitz vor, der während eines Gewitters in eure Stromleitung einschlägt«, sagte John zwischen schnellen Schlückchen aus seiner Kaffeetasse. »Bumm! – und jedes elektronische Gerät im Haus ist durchgebrannt, besonders die hochempfindlichen Geräte mit Mikrochip-Komponenten. Der Blitz hat vielleicht einige Tausend Ampere, und der Mikrochip im Computer hat nur eine Toleranz von einigen Hundertstel Ampere. Der Blitz schmilzt ihn einfach.«

Kate sagte nichts und gab ihm dadurch die Gelegenheit, hastig eines der Eier und einen Streifen Speck hinunterzuschlingen, bevor er fortfuhr.

»In den 1940er-Jahren, bei den ersten Atombombenversuchen, haben wir diese Impulswelle zum ersten Mal bemerkt. Bei den ersten primitiven Bomben damals war sie nicht besonders intensiv, aber sie war da. Und jetzt kommt der Clou: Es gab in den 40ern noch keine elektronischen Festkörperbauteile. Alles war noch mit Vakuumröhren ausgestattet, also passierte es äußerst selten, dass irgendetwas durch die schwachen Impulse der ersten Bomben beschädigt wurde.

Wenn aber eine Atombombe im Weltraum detoniert, tritt die Auswirkung des EMPs rasend schnell ein, sobald der Energieimpuls mit der Atmosphäre in Berührung kommt – dahinter kamen wir damals auch. Die elektrischen Störungen intensivieren sich, genau wie ein Kieselstein eine

Lawine auslöst. Das steht alles in dem Bericht. Es wird als Compton-Effekt bezeichnet.

Machen wir jetzt einen Zeitsprung. Als wir in den 1990er-Jahren diesen Artikel schrieben, hatten wir Wind davon bekommen, dass die Chinesen intensive Forschungen darüber anstellten, wie man den EMP einer nuklearen Detonation noch wesentlich verstärken könnte.«

»Dann sind es die Chinesen, die uns angegriffen haben?«, fragte Tom. »Verdammte Mistkerle.«

»Ich weiß es nicht«, entgegnete John etwas verärgert. »Niemand weiß es – zumindest hier und jetzt nicht. Vielleicht wissen sie es noch nicht einmal im Pentagon.«

Nach dieser Äußerung hielt John inne und dachte an Bob Scales, der dort zum Stab gehörte. Existierte das Pentagon überhaupt noch? Es gab ja keine Nachrichten. Eines der Szenarien, die Johns Gruppe damals konstruiert hatte, konzentrierte sich auf einen EMP-Erstschlag, der die Kommunikation lahmlegte, gefolgt von einigen gezielten nuklearen Bodenanschlägen auf strategisch wichtige Ziele, um die Aufgabe endgültig zu erledigen. Natürlich wäre Washington D.C. das erste Ziel.

Es war zum Verrücktwerden. John wusste einfach nichts Konkretes.

»Wie ist es nur möglich, dass niemand etwas weiß?«, fragte Kate bissig.

»Genau das ist der springende Punkt bei einem EMP«, erwiderte John. »Egal, ob es sich dabei um einen massiven Erstschlag von einem traditionellen Feind wie Russland während des Kalten Krieges handelt oder um einen Terroristenangriff hier und jetzt. Man lässt eine A-Bombe hochgehen, was eine starke elektromagnetische Welle auslöst, diese zerbrutzelt alle Kommunikationsmittel – und viele andere Dinge ebenfalls –, und dann lehnt man sich entweder zurück und sieht sich das Spektakel an oder man macht weiter. Das Horrorszenario, das wir damals skizzierten, besteht darin, dass irgendein drittklassiger Verrückter, sei es ein Mitglied einer Terroristenzelle oder das Staatsoberhaupt von Nordkorea oder dem Iran, mit nur einer oder zwei Atombomben im Arsenal das Spiel gegen uns völlig beherrschen könnte, trotz der Überlegenheit unserer Waffen. Das bedeutet ›asymmetrischer Anschlag‹.«

»Ist das jetzt überall im ganzen Land so?«, fragte Kate. »Oder nur hier bei uns?«

Er schüttelte den Kopf.

»Ich bin ziemlich müde, habe fast die ganze Nacht das Haus bewacht, also lasst mich versuchen, alles chronologisch zu erklären, wenn's euch nichts ausmacht.«

»Natürlich, John, lass dir Zeit«, schaltete sich Charlie ein.

»Also: Gleichzeitig mit der Entwicklung unseres nuklearen Potenzials wuchs auch das Potenzial des Energieausstoßes durch den EMP. Glaubt mir, ich verstehe die ganzen technischen Details absolut nicht, ich weiß nur, dass dieser Impuls die Folge einer Atomexplosion ist. Wir vermuten, dass es möglich ist, eine kleinere Atomwaffe so zu kalibrieren, dass sie einen extrem hohen Energieausstoß verursacht. Und unsere Elektronik ist mit der Zeit immer empfindlicher geworden.«

»Niemand hat eine Explosion beobachtet«, sagte Charlie, »und ihr könnt mir glauben, ich habe überall herumgefragt, weil ich so was ahnte.«

»Genau darüber steht auch was in dem Bericht.« John deutete auf den Artikel auf Kates Schreibtisch.

Sie nahm ihn und blätterte darin.

»Könnten wir einige Kopien davon machen?« Sie verstummte und errötete leicht vor Scham über ihre dumme Frage.

»Wir sind alle so konditioniert, Kate, das ist völlig okay«, sagte John mit einem ermutigenden Lächeln. »Heute Morgen habe ich versucht, Kaffee in meiner Kaffeemaschine zu machen.«

Sie lächelte verlegen und nickte. »Sprich weiter, John.«

»Also, zunächst mal zu Charlies Bemerkung. Der EMP ist am stärksten, wenn man die Bombe außerhalb der Atmosphäre zündet. Das ist eben dieser Compton-Effekt. Ich habe zwar darüber gelesen, aber ich verstehe es nicht wirklich, ich bin kein Techniker. Ich weiß nur Folgendes: Der Impuls oberhalb der Atmosphäre löst eine elektrische Störung aus, ähnlich wie bei einem Gewitter. Diese Störung tritt dann in die Atmosphäre ein wie ein Blitz, und peng! Sie grillt sämtliche elektronischen Komponenten.«

»Nur eine einzige Bombe?«, hakte Kate nach.

Er nickte.

»Erinnerst du dich an die Fernsehgeräte aus den 1950er- und 60er-Jahren mit ihren riesigen Röhren, die höllenheiß wurden? Heute passt das gleiche Ding in die Handfläche meiner Tochter, wenn sie eines dieser verdammten Spiele spielt.«

Eine Sekunde lang fragte er sich, ob nun auch all diese handlichen elektronischen Spielzeuge außer Gefecht waren … falls ja, weinte er wenigstens ihnen keine Träne nach.

»Unsere Geräte werden also immer empfindlicher und dadurch auch immer anfälliger, sogar für geringe elektrische Überspannungen.

Jemand könnte also eine Atombombe, die für einen maximalen EMP kalibriert ist, außerhalb der Atmosphäre zünden, und alles, was innerhalb der Sichtlinie vom Weltraum aus liegt, brennt durch, selbst wenn es 1000 Kilometer entfernt ist. Und nicht nur das: Alles, was an unser Stromnetz angeschlossen ist, brennt ebenfalls durch. Stromleitungen wirken auf EM-Impulsenergie wie riesige Antennen. Sie leiten sie direkt in unsere Häuser und durch die Steckdosen in jedes Gerät, das angeschlossen ist.«

»Was ist mit einem Überspannungsschutz? Ich habe gerade einen für meinen neuen Fernseher gekauft. Er hat 100 Dollar gekostet.«

Er schüttelte den Kopf.

»Solche Schutzgeräte nützen nichts gegen einen EMP«, warf Charlie ein und John sah ihn erstaunt an.

»Wir hatten vor ungefähr zwei Jahren eine einzige kurze Lagebesprechung darüber«, sagte Charlie. »Hunderte von Einsatzbesprechungen für jede andere Art von Bedrohung, aber nur eine über EM-Impulsenergie. Aber ich weiß noch, dass jemand genau diese Frage gestellt hat. Es scheint, als ob sich dieser EMP wesentlich schneller als normale Überspannungsschläge, wie zum Beispiel Gewitterblitze, bewegt. Aber die Geschwindigkeit der *Bewegung* ist nicht schneller, sondern die Geschwindigkeit des *Einschlags* ist drei- bis viermal schneller als ein Blitzschlag in die Stromleitung. Das ist so schnell, dass der Überspannungsschutz keine Zeit hat, sich einzuschalten, und peng!, das ganze System ist gegrillt. Darum ist es auch so gefährlich: Es verbrutzelt die gesamte Elektronik, bevor die eingebauten Schutzmechanismen reagieren können.«

»Du hast meine Frage zu deinem verdammten Auto immer noch nicht beantwortet«, knurrte Tom John an. »Warum läuft deins, und meine sechs Einsatzfahrzeuge da draußen sind alle tot?«

»Die Elektronik«, warf Charlie ein. »Darum hatte ich irgendwie auch schon an diese Möglichkeit gedacht, aber es kam mir nicht richtig vor, es zu sagen.«

»Warum nicht?«, wollte Tom wissen.

»Wegen der Panik. Vor zwei Monaten habe ich im Internet einen Artikel über EMP gelesen, und der klang wesentlich schlimmer als das Szenario, das wir vor zwei Jahren besprachen. Ein paar Leute, die uns nicht mögen, haben anscheinend eine Menge Zeit und Geld investiert, um eine EMP-Waffe zu entwickeln.«

»Und warum haben wir keine Schutzmaßnahmen ergriffen?«, fragte Kate. »Verdammt, wie schwer kann es denn sein, einen besseren Überspannungsschutz zu entwickeln?«

John seufzte und zuckte die Achseln. Sie hatte vollkommen recht.

»Dazu hätte man eine Unmenge bestehender Einrichtungen nachrüsten müssen, und das wiederum hätte einige Hundert Milliarden Dollar gekostet. Kate, zu dem Thema gehört eine Menge technisches Kauderwelsch, und viele hohe Tiere haben einfach abgeschaltet, als die Wissenschaftler anfingen, mit technischen Fachbegriffen um sich zu werfen. Berichte wurden an Komitees weitergeleitet und ...«

»Und jetzt haben wir den Salat«, unterbrach ihn Charlie kalt.

John nickte frustriert.

»Die Erderwärmung dagegen: Da wurden Milliarden ausgegeben, um etwas anzugehen, das vielleicht eine Bedrohung ist oder vielleicht auch nicht. Aber *das hier* hatte keinen Medienrummel, es gab keine prominenten Filmstars und Politiker, die deshalb herumschrien ... und es hat nie die öffentliche Aufmerksamkeit erregt. Nur einige wenige wissen davon.«

»Das mit den Autos verstehe ich immer noch nicht«, hakte Tom nach. »Computer, okay, aber ein Auto?«

»Jedes Auto, das ab etwa 1980 gebaut wurde, hat irgendwelche elektronischen Komponenten eingebaut«, erklärte John. »Vergaser sind Relikte aus der Vergangenheit, weißt du noch? Jetzt haben wir elektronisch gesteuerte Einspritzdüsen und elektronische Anlasser. Darum laufen der alte Edsel meiner Schwiegermutter und Bartletts VW noch. Keine Computer im Motor, und die Radios haben noch Vakuumröhren. Die Überspannungsladung hat bei ihnen einfach keine Zielscheibe gefunden. Heute sind alle Bestandteile eines Autos mit irgendeiner Art von Computer verbunden. Technischer Fortschritt erleichtert das Leben.«

John suchte in seiner Tasche nach einer Zigarette und zog sie heraus. Dann zögerte er, weil sowohl Kate als auch Tom ihn anfunkelten. Die Stadt hatte in allen behördlichen Gebäuden Rauchverbot verhängt.

John hielt inne, aber verflucht noch mal, er hatte jetzt eine Zigarette bitter nötig.

»Hört zu, Leute. Wenn ihr wollt, dass ich weiterrede, brauche ich eine Zigarette.«

»Mary würde dir den Arsch gehörig verdreschen, wenn sie wüsste, dass du immer noch rauchst«, sagte Kate.

»Gib nicht mir die Schuld«, entgegnete John scharf. Es war Marys Tod, der ihn nach zehn Jahren der Nikotinabstinenz wieder zum Raucher gemacht hatte. Auch die Armee hatte neuerdings Vorbehalte gegen Raucher; und als er noch Anwärter auf den Generalsstern gewesen war, hatte ihm die Tatsache, dass er rauchte, bei den Korinthenkackern im Pentagon Minuspunkte eingebracht: Warum jemanden befördern, der vielleicht verfrüht stirbt?

»Los, zünde sie schon an.« Kate zögerte. »Und gib mir auch eines von den verdammten Dingern.«

Jetzt war es an ihm, zu zögern. Er wollte niemanden verführen, aber heute … sei's drum.

Er gab ihr Feuer. Sie lehnte sich zurück, inhalierte den Rauch tief und seufzte erleichtert.

»Zum Teufel noch mal, seit sechs Jahren hatte ich Lust darauf. Verdammt, tut das gut.«

Ein paar Sekunden später lächelte sie tatsächlich zum ersten Mal, seit John das Büro betreten hatte.

»Nikotinrausch«, murmelte sie und nahm noch einen tiefen Zug.

»An fast allem hängt heute ein Computer dran«, fuhr John fort. »Registrierkassen, Telefone, Spielzeug, Autos, Lastwagen – aber am allerempfindlichsten ist unser Stromnetz. Das hat geradezu danach geschrien, angegriffen zu werden.«

Tom lehnte sich an die Wand und ließ einige saftige Kraftausdrücke vom Stapel.

»Man sollte meinen, die hätten das kommen sehen und etwas dagegen unternommen.«

»Wer sind ›die‹, Tom?«

»Herrgott, John, das weißt du doch. Der Präsident, Homeland Security ... Verdammt, ich habe fast jeden Tag E-Mails mit Terrorwarnungen bekommen; und Instruktionen darüber, was zu tun wäre, wenn sie einen Lastwagen mit radioaktivem Abfall kidnappen. Letztes Jahr hatten wir sogar eine Übung im Krankenhaus, um unser Vorgehen im Fall eines bakteriologischen Angriffs zu trainieren. Ich habe 20 Bioschutzanzüge in einem Lagerschrank hängen. Aber von dem, womit wir es jetzt zu tun haben, hab ich noch nie was gehört.«

John seufzte.

»Ja, ich weiß. Das Thema haben die meisten Leute einfach nicht auf dem Schirm. Und bei vielen galt es höchstens als Science-Fiction. Aber das hilft uns jetzt nicht weiter.«

»Ich mache mir immer noch Sorgen über den radioaktiven Niederschlag«, sagte Kate.

»Das brauchst du nicht.«

»Du scheinst dir da ziemlich sicher zu sein.«

»Hast du kein einziges funktionsfähiges Radio hier, gar nichts?«, wandte sich John erneut an Tom. Dieser schüttelte den Kopf.

»Ich schon.«

»Wo denn?«

»Im Edsel. Ein altes Radio mit Vakuumröhren. Ich habe es gestern ausprobiert. Nichts als Störgeräusche, vom einen Ende der Skala zum anderen. Wenn die Situation nur örtlich begrenzt wäre, also wenn sie eine Bombe über Atlanta oder Charlotte abgeworfen hätten, würden wir trotzdem Sender aus dem Mittleren Westen und dem Nordosten empfangen können.«

»Warum?«

»Es ist ein sogenanntes Horizont-Ereignis. Mit anderen Worten, es ist sichtlinienabhängig, wie ich schon sagte. Ich vermute, dass ein bis höchstens drei nukleare Sprengsätze gezündet wurden, die einige Hundert Kilometer über der Atmosphäre verteilt waren. Sie waren so kalibriert, dass sie sich auf den größten Teil der Vereinigten Staaten auswirkten, wenn nicht sogar auf das ganze Land. Radioaktiver Niederschlag ist ein Nebenprodukt des Mülls von einer Bombe, der beim Zünden in die Atmosphäre geschleudert wird. Aber wenn man eine EMP-Waffe außerhalb der Atmosphäre zündet, muss man sich zumindest darüber keine Sorgen machen.«

»Herrgott, verflucht noch mal«, seufzte Charlie.

John sah ihn überrascht an. Charlie war ein strenggläubiger Baptist, und den Namen Gottes als Kraftausdruck zu benutzen … das war für einen Baptisten eine große Sünde, während ein Katholik nicht einmal darüber nachgedacht hätte.

»Wer, glaubst du, steckt dahinter?«

»Spielt das eine Rolle?«

»Für mich vielleicht schon!«, sagte Tom. »Ich habe einen Sohn, der gerade im Irak stationiert ist. Und einer meiner Neffen ist bei der Marine im Pazifik. Ich möchte verdammt noch mal wissen, gegen wen sie kämpfen. Wenn's die Schlitzaugen sind, hat mein Neffe damit zu tun. Sind es die Sandwürmer, dann ist es mein Sohn.«

»Ich bezweifele, dass es die Chinesen waren«, sagte John leise.

»Warum? Du hast selber gesagt, dass sie diese Forschungen betrieben haben.«

»Sie haben geforscht, ja. Aber ob sie die Forschungsergebnisse auch zu einem Erstschlag einsetzen? Das glaube ich nicht. Sie sind genauso verwundbar durch einen EMP wie wir. Wenn sie die Waffe gegen uns einsetzen, würden wir sie plattmachen, und das wissen sie.«

»Was, wir haben die auch?«

»Natürlich. Worin, glaubst du wohl, bestand die Drohung 1991 gegen Saddam? Charlie, du warst damals dort, genau wie ich; erinnerst du dich daran?«

»Ja. Es hieß damals, dass wir eine A-Bombe 30 Kilometer über Bagdad zünden würden, wenn sie irgendeine Massenvernichtungswaffe gegen uns einsetzen sollten.«

»Wenn eine Atomwaffe über der Atmosphäre oder sogar im oberen Bereich der Atmosphäre detoniert, setzt das die elektrische Kettenreaktion, über die ich gesprochen habe, in Gang. Das ist wie bei einer Sonneneruption. Wie gesagt, die magnetische Störung der Sonneneruptionen wird normalerweise von der oberen Atmosphäre absorbiert, und den Effekt sehen wir im Norden in Gestalt der Nordlichter. Aber wenn die Störung stark genug ist, erreicht sie die Erdoberfläche und löst überall, wohin sie trifft, Kurzschlüsse aus. Also haben wir Saddam mit der Zündung einer EMP-Waffe gedroht, falls er irgendetwas auf uns loslassen sollte«, sagte John. »Das hätte das gesamte Stromnetz des Zentralirak lahmgelegt, was natürlich auch ihre Kommandozentrale und ihre Kontrollsysteme außer Gefecht gesetzt hätte. Sie haben ihre Waffe nicht benutzt, also haben wir unsere auch nicht benutzt.«

»Wenn wir's getan hätten, wären dann unsere Einrichtungen nicht auch kurzgeschlossen worden?«, erkundigte sich Kate.

»Nein, die Wirkung bleibt, wie gesagt, innerhalb der Sichtlinie. Bei einer Zündung 30 Kilometer über dem Irak wären unsere Truppen in Saudi-Arabien außerhalb des Horizont-Ereignisses geblieben. Davon abgesehen war unsere Ausrüstung mehr oder weniger gegen einen EMP gefeit. Dafür ist während Reagans Amtszeit viel Geld ausgegeben worden.«

»Dann ist unsere Streitmacht hier in den USA einsatzfähig?«, fragte Kate.

»Das glaube ich kaum. Darum geht es auch in dem Bericht, den ich dir gegeben habe. Jede Regierung seit Ronald Reagan hat den Schutz unserer elektronischen Geräte als niedrige Priorität eingestuft. Unterdessen ist die Elektronik aber immer empfindlicher und dadurch anfälliger geworden, und gleichzeitig wurde das Potenzial des EMPs immer größer. Denk nur mal daran, wie beeindruckt wir 1991 alle von dem damaligen Hightech-Zeug waren. Diese Technologie ist im Vergleich mit dem, was wir heute haben, so primitiv wie eine Dampfmaschine. Wir haben Computer und andere elektronische Geräte nicht nur schneller und besser, sondern auch kleiner und anfälliger für EMPs gemacht.«

Er ließ seine Zigarettenkippe in seinen fast leeren Kaffeebecher fallen, bot Kate eine zweite an und nahm sich ebenfalls eine neue.

»Wer war es denn dann?«

»Meiner Meinung nach vielleicht Nordkorea, oder vielleicht Terroristen aus dem Mittleren Osten, die Ausrüstung aus dem Iran oder Korea ergattert haben ... Vielleicht auch beide. Und was den atomaren Sprengkopf angeht – wir wissen alle, dass es aus der ehemaligen Sowjetunion genug davon gibt. Es war nur eine Frage der Zeit, bis jemand sie in die Finger bekommt – nicht zuletzt wegen des Sprengsatzes. Der Iran und Korea wollten zwar unbedingt auch Atomwaffen bauen, aber sie müssten wahnsinnig sein, drei oder vier davon auf uns abzuwerfen, weil wir mit Tausenden darauf antworten könnten und aus ihren Ländern Trümmerfelder machen würden, die noch 100 Jahre verstrahlt sind. Aber wenn sie sie zu EMP-Waffen umfunktionieren ... dann gewinnen sie, oder sie treffen uns zumindest härter als in unseren schlimmsten Albträumen.

Vielleicht hat man sie von einem U-Boot abgefeuert, oder sogar von einem verdammten Frachtschiff, ein paar Hundert Kilometer vor der Küste. Aus der Entfernung könnte sogar eine alte Scud-Rakete das EMP-Paket hoch genug befördern. Eines reicht schon, wie ich vorhin sagte, und bei zweien oder dreien ist das ganze Land quasi kastriert.«

»Dafür machen wir die Mistkerle platt«, knurrte Tom.

»Wahrscheinlich haben wir das schon getan, aber glaubst du, dass ihnen das etwas ausmacht? Absolut nicht. Die Anführer werden überleben, die hocken höchstwahrscheinlich im Moment einen Kilometer unter der Erde in ihren sicheren Bunkern und lachen sich kaputt. Wenn wir sie niedermachen, sagen sie ihrer eigenen Bevölkerung – zumindest denen, die überlebt haben –, dass wir zuerst angegriffen hätten, und gewinnen dadurch Millionen von Anhängern.«

»Ich kann das alles immer noch kaum glauben«, seufzte Kate.

»Sun Tzu«, sagte Charlie.

John sah ihn an und lächelte.

»Der Feind wird dich nie da angreifen, wo du am stärksten bist ... er wird dich da angreifen, wo du am schwächsten bist. Auch wenn du deine eigenen Schwachstellen selbst nicht kennst – dein Feind kennt sie.«

Alle drei sahen ihn überrascht an.

»He, an ein paar Dinge, die ich auf dem College gelernt habe, erinnere ich mich noch.«

Einen Augenblick lang sprach niemand.

»Was da draußen passiert ist, spielt keine große Rolle mehr«, sagte John leise. »Uns geht jetzt nur das an, was hier in Black Mountain geschieht.«

»Wie lange wird es dauern, bis wir wieder Strom haben?«, fragte Kate. »Oder bis wir irgendwelche Anweisungen aus Washington bekommen? Oder meinetwegen sogar nur aus Raleigh oder Asheville?«

Seltsamerweise fiel John eine Zeile aus »Lorena«, einem Lied aus dem Bürgerkrieg ein: *»It may be for years, and it may be forever ...«*

»Wochen, Monate, möglicherweise Jahre«, sagte John. Er konnte Kate dabei nicht ins Gesicht sehen.

Gestern war ihre größte Sorge die heiße Debatte um die Ernennung des Großmarschalls für die diesjährige Unabhängigkeitstags-Parade gewesen – und das ständige Hickhack mit Asheville über die Wasserkosten.

»Wir müssen unsere Prioritäten setzen«, sagte Tom. »Die Sicherheit zum Beispiel. Ich habe 500 Fremde von der Autobahn am Hals. Was zum Teufel sollen wir mit ihnen machen?«

Niemand antwortete.

»Wir können sie nicht einfach rauswerfen«, sagte Kate schließlich.

John blieb still.

Alle wurden allmählich nervös. John begriff, dass sie seit 15 Stunden auf »Anweisungen von oben« gewartet hatten. Allmählich dämmerte ihnen, dass es »oben« vielleicht nicht mehr gab.

»Wasser ist das Wichtigste«, meinte Kate. »Sobald der Tank oben auf dem Hügel leer ist, werden die Leitungen allmählich trocken. Wir werden keine Möglichkeit haben, den Tank wieder vollzupumpen. Der größte Teil der Stadt wird innerhalb eines Tages auf dem Trockenen sitzen.«

»Wenigstens damit haben wir Glück«, sagte Charlie. »Unser Wasser kommt vom Reservoir, da dient uns die Schwerkraft als Pumpe. Der Staudamm liegt 762 Meter über dem Meeresspiegel, also werden wir zumindest hier in der Stadt versorgt sein. Aber alle, die weiter oben wohnen, haben das Nachsehen.«

Zu Letzteren zählte auch John. Sein Nachbar hatte ein Schild in seiner Auffahrt, das stolz »Einen Kilometer hoch!« verkündete. Sie lagen knapp 77 Meter höher als der Damm. *Gott sei Dank haben wir zumindest den Swimmingpool.*

»Nahrung«, sagte Tom. »Herrgott, ohne Strom haben wir keine Kühlung.«

John schwieg immer noch und rauchte seine dritte Zigarette, während die anderen darüber debattierten, was als Erstes zu tun war.

»Ich fahre schnell zum College rauf. Und sobald die Apotheke aufmacht, muss ich etwas sehr Wichtiges besorgen«, sagte John endlich. »Ich habe euch alles gesagt, was ich weiß, also verabschiede ich mich jetzt.«

Er stand auf und ging zur Tür.

»John.« Er wusste, was jetzt kam. Es war Tom, der gesprochen hatte.

»Wegen deines Autos.«

»Was ist damit?«

»Ich möchte es haben.«

»Warum?«

»Ich muss mobil sein.«

»Nimm doch ein Fahrrad. Das würde dir guttun.«

»Veräpple mich nicht, John; ich brauche das Auto. Ich bringe dich nach Hause, aber ich brauche es.«

John starrte Kate einen Augenblick eindringlich an und richtete seinen Blick dann wieder auf Tom.

»Das Auto gehört mir; meiner Familie. Ruft ihr den Ausnahmezustand aus?«

»Ich glaube, das werden wir müssen«, sagte Kate sanft.

»Wenn ihr das getan habt und die Notstandsgesetze in Kraft sind, dann komm zu mir, Tom, und versuche, mir das Auto wegzunehmen.«

»Was meinst du mit ›versuchen‹?«

»Genau das. Komm und versuche es.«

Tom stand ganz still. Auch sonst sprach niemand. Schließlich nickte Tom.

»In Ordnung, John.«

Er sah zu Kate, die seufzte und ebenfalls zustimmend nickte.

»Tut mir leid, John. Das war falsch von uns.«

»Schon vergessen. Ich gebe dir einen Rat, Kate.«

»Und der wäre?«

Er deutete auf die Zigarette in ihrer Hand.

»Jetzt, da du wieder angefangen hast, solltest du zu Smiley's rübergehen und dir ein paar Stangen holen. Nur Barkauf möglich. Falls Hamid sagt, dass er keine Stangen mehr hat, kehrst du die Bürgermeisterin heraus. Er hat sie im Lager hinter dem Verkaufsraum gebunkert. Du solltest sie dir besser gleich besorgen, denn du wirst sie brauchen.«

John wandte sich um und ging zur Tür hinaus. Dann merkte er, dass Tom ihm folgte.

»Was zum Teufel ist denn jetzt noch?«, fragte er gereizt.

Tom zögerte.

»Hör mal, John. Es tut mir leid. Ich habe seit gestern nicht geschlafen. Tut mir leid, wie ich mich gerade verhalten hab.« Er bot ihm die Hand.

John nahm sie.

»Ich beneide dich absolut nicht um deinen Job, Tom.«

»Hör mal, John. Ich weiß, dass ich nicht gerade der Allerhellste bin. Der Intelligente hier bist du. Ich mag meinen Job und bemühe mich, korrekt zu handeln. Aber ich hätte nie gedacht, dass ich es mal mit einer solchen Situation zu tun haben würde.«

»Ja, ich weiß. Ein schwieriger Tag. Verdammt, ich hoffe, dass ich mit allem, was ich gerade da drin sagte, unrecht habe. Mein erster Gedanke war, dass es sich um irgendeine seltsame Sonneneruption handelt. Vielleicht liege ich mit allem völlig falsch, und in zehn Minuten gehen die Lichter wieder an.«

»Glaubst du?«, fragte Tom hoffnungsvoll.

John schüttelte bedauernd den Kopf, ging zu seinem Auto, sperrte es auf und stieg ein. Fast hatte er ein schlechtes Gewissen, als er den Zündschlüssel drehte und der Motor sofort ansprang. Alle, die auf dem Parkplatz herumstanden, starrten ihm nach, als er wegfuhr.

Die Fahrt zum College war schnell gegangen. Er hatte einfach das Gefühl gehabt, dorthin fahren zu müssen, um nach dem Rechten zu sehen.

Viele Köpfe drehten sich in seine Richtung, als er vor Gaither Hall, dem Hauptgebäude, parkte.

»He, Doc! Heißer Schlitten!«, rief jemand. John nickte und lächelte.

Das Gespräch mit Collegepräsident Hunt dauerte nur ein paar Minuten. Dieser hatte den gleichen Gedanken gehabt wie John und bereits angefangen, alles zu organisieren. Die Studenten schlugen sich an diesem Morgen mit Steaks und Eiscreme den Bauch voll; sie leerten die Kühlschränke und Gefriertruhen so schnell wie möglich und stopften sich den Inhalt in den Magen. Konserven und gefriergetrocknete Lebensmittel konnten warten.

Die Studenten auf diesem kleinen Campus waren allesamt kameradschaftlich und hilfsbereit. Eine Gruppe war bereits dabei, Autos von der Straße zu schieben. Andere trugen vom tiefer gelegenen See Eimer herauf und füllten Wasser in hastig improvisierte Tanks, die neben den Gebäuden errichtet worden waren, um eventuelle Brände zu löschen. Das Wasser aus dem Schwimmbecken des Campus war als Trinkwasser vorgesehen. Unter großem Stöhnen waren vom Bauplatz der neu geplanten Turnhalle und von den Baustellen einiger Häuser im Cove vier transportable Außenklokabinen zum Campus geschleppt und vor den Schlafsälen aufgestellt worden.

Washington Parker, der Chef des Sicherheitsdienstes am Campus, den die meisten Studenten bislang scherzhaft »Mietbulle« genannt hatten – und der regelmäßig damit aufgezogen wurde, dass er einmal um drei Uhr morgens in der Studentenkantine eingenickt war –, hatte nun eine echte Aufgabe. Er war ehemaliger Berufssoldat: Ex-Sergeant der Marines, nun Anfang 60 und ein gutmütiger Kerl. Bis jetzt hatte sich sein Job hauptsächlich darauf beschränkt, ab und zu einen Studenten wegen öffentlicher Trunkenheit festzunehmen oder mit seiner Taschenlampe in ein geparktes Auto zu leuchten, um eine heftige Knutscherei zu unterbrechen. Parker hatte sich bereits mit den muskulöseren Teammitgliedern der College-Footballmannschaft und ihrem Trainer getroffen, um über neue Sicherheitsvorkehrungen zu reden und einen 24-stündigen Wachdienst einzurichten.

Parker hatte seinen Job schon seit Jahren ernst genommen, obwohl Montreat College im Cove bestimmt das sicherste aller Colleges in den Bergen von North Carolina war. Normalerweise wurde dort im Lauf von ein, zwei Jahren nicht einmal ein kleines Delikt begangen, ganz zu schweigen von schwereren Vergehen wie Vergewaltigung, Körperverletzung oder Drogenhandel. Er hatte trotzdem mit fast religiösem Eifer jede Konferenz über Campussicherheit besucht, die von der Regierung angeboten wurde – besonders jene, die Maßnahmen im Falle einer Besetzung des Campus durch Terroristen behandelten. Einmal hatte er mit John über das Thema gesprochen. Seine These war, das College hier in den Bergen sei so verdammt sicher, dass es bestimmt zu dem Typus gehörte, den Terroristen für ein perfektes Ziel hielten.

Als John vor Gaither Hall wendete, um in die Stadt zurückzukehren, entdeckte er Parker, der am Tor zum Campus stand. John verlangsamte den Wagen und hielt an. Washington sah zu ihm hin und salutierte zackig.

»Guten Morgen, Colonel.«

Das war ein alter Witz zwischen ihnen, dem Colonel und dem Sergeanten, aber heute fühlte es sich merkwürdig an.

»Inspizieren Sie die Truppen?«, fragte Washington.

»Ich wollte nur mal sehen, wie die Dinge hier liegen.«

»Es handelt sich um einen EMP-Angriff, nicht wahr?«

»Woher wissen Sie das?«

»Wegen Ihres Autos, Sir«, sagte Washington. Sein tiefer, melodischer, afroamerikanischer South-Carolina-Dialekt floss in den knappen Tonfall des ehemaligen Drill-Sergeants ein.

»Gebaut vor dem Einzug der Elektronik. Ich wette, dass Mrs. Jens Mustang ebenfalls läuft.«

Ihr Haus war vom College zu Fuß zu erreichen. Diese Erkenntnis ließ John innerlich aufhorchen … jetzt maß man alle Entfernungen »zu Fuß«.

»Wollen Sie damit etwas Bestimmtes andeuten, Sergeant?«

»Ja, Sir. Es wäre gut, hier oben mindestens ein Fahrzeug zu haben, damit ich nötigenfalls schnell irgendwohin komme. Abgesehen davon wird das Auto wahrscheinlich gestohlen, sobald die Leute anfangen, die Lage zu durchschauen.«

»Sie bringt mich um, wenn ich es ihr sage, also behalten Sie das für sich, Washington.« John nahm seinen Schlüsselbund aus der Tasche und trennte einen der Schlüssel ab. »Das ist der Hausschlüssel. Die Codenummer der Alarmanlage ist …«

Er lachte leise und schüttelte den Kopf.

»Sie hat mir für den Mustang nie die Erlaubnis erteilt, also habe ich dazu keinen Schlüssel.«

Washington lachte.

»Ich kann ihn kurzschließen.«

»Er gehört Ihnen, solange die Krise andauert.« John zögerte. »Oder bis dieses Monstrum hier den Geist aufgibt oder gestohlen wird. Polizeichef Barker und ich sind vor weniger als einer Stunde genau wegen dieses Themas fast aneinandergeraten. Ich konnte das Monster vor ihm retten, aber vielleicht fällt ihm der Mustang ein, also rate ich Ihnen, gleich hinzugehen. Das Recht ist nach wie vor auf der Seite des Besitzers.«

»Abgemacht, Sir. Ich werde den Wagen gut behandeln, Sir. Ich mache keine Spazierfahrten damit.«

»Also wirklich, Washington, hören Sie bloß mit dem

›Sir‹-Unsinn auf. Ich heiße John und verdiene meinen Lebensunterhalt inzwischen mit meiner Hände Arbeit.«

Washington lächelte.

»Sie sprachen von der Dauer der Krise, was das Auto angeht, Sir.« Sein Gesicht wurde ernst.

Washington sah von John zum Eingangstor hinüber.

»Das hier ist ein strategisch günstiger Ort, wie Sie wissen«, sagte er.

Dieser Gedanke war John während seiner Fahrt hierher mehr als einmal gekommen. Das Pförtnerhaus war in einen Torbogen integriert, der sich über die Fahrbahn spannte. Beiderseits des winzigen Steingebäudes fielen steile Klippen ab, aus denen man vor 100 Jahren die Straße herausgehauen hatte. Vor langer Zeit, in den 1920er-Jahren, hatte hier ein Touristenweg begonnen, der sich immer höher durch die Berge wand, bis hinauf zum Gipfel des Mount Mitchell. Das Torhaus war ein nostalgisches Überbleibsel dieser längst aufgegebenen Straße. Östlich davon rauschte der Bach Flat Creek vorbei. Im Westen spaltete ein fast senkrechter Einschnitt den Abhang und verband die Fahrspur mit der Straße. Es gab nur diesen einen Weg hinein und hinaus.

Washington hatte das offensichtlich schon vor Jahren bemerkt.

John erwiderte nichts und fuhr zurück in Richtung Stadt. Er überquerte die State Street, fuhr über die Eisenbahnschienen der *Northern & Southern*-Eisenbahngesellschaft und am Holiday Inn vorbei. Eine kleine Menschengruppe saß davor im Freien, einige Kinder spielten Fangen. Mehrere Grills waren aufgestellt worden, auf denen Fleisch briet.

Er verlangsamte seine Fahrt, als er eine Frau am Straßenrand stehen sah. Sie hatte die Arme verschränkt und starrte in Richtung Berge. John hielt neben ihr. Ihm war etwas unbehaglich zumute, weil schon wieder so viele Menschen ihre Blicke auf sein Auto richteten.

Die Frau sah ihn an und erkannte ihn.

»Ma'am, ich muss mich bei Ihnen entschuldigen.«

»Ja, das müssen Sie.«

Sie hatte immer noch ihr Kostüm an, aber die Pumps mit den hohen Absätzen waren verschwunden. Stattdessen trug sie ramponierte Turnschuhe.

Er öffnete die Wagentür, stieg aus und streckte ihr die Hand entgegen.

»Im Ernst, ich möchte mich entschuldigen. Ich hatte meine Kinder und meine Schwiegermutter bei mir, und ehrlich gesagt …« Er unterbrach sich.

Sie entspannte sich, streckte ihre Hand ebenfalls aus und nahm die seine.

»Natürlich, ich verstehe. Wahrscheinlich hätte ich an Ihrer Stelle auch so gehandelt.«

»Ich heiße John Matherson.«

»Makala Turner.«

»Ein ungewöhnlicher Name.«

»Mein Großvater war während des Zweiten Weltkriegs auf Hawaii stationiert. Er sagte, so heiße dort eine Blume, und überredete meinen Vater dazu, mir den Namen zu geben.«

John konnte es sich nicht verkneifen, seinen Blick kurz über ihren Körper gleiten zu lassen. Sie war groß, auch ohne ihre hohen Absätze. Mindestens 1,78 Meter. Sie war schlank und hatte schulterlange, blonde Haare. Die oberen beiden Knöpfe ihrer Bluse waren offen.

Er hatte nur einen schnellen Blick riskiert, aber er wusste, dass sie es bemerkt hatte. Seltsam … wenn man eine attraktive Frau nicht wenigstens kurz »unter die Lupe nahm«, fühlte sie sich beleidigt. Tat man es aber, konnte es einem einen eisigen Blick einbringen.

Sie lächelte leicht.

»Woher kommen Sie?«, erkundigte sich John.

»Aus Charlotte. Ich bin dort Oberschwester einer

Kardiologie-Station. Ich bin eigentlich wegen einer Konferenz im Memorial Mission Krankenhaus über eine neue Prozedur bei Herzrhythmusstörungen hergekommen … Könnten Sie mir jetzt bitte einen Gefallen tun und mir erzählen, was zum Teufel eigentlich los ist?«

»Ach, Sie haben mich da gerade an etwas erinnert, das ich dringend erledigen muss«, sagte John. »Sind Sie in zehn Minuten noch hier?«

»Sicher.«

Er stieg ins Auto, hielt inne und sah sie wieder an.

»Ich bin unterwegs zur Apotheke, ich muss dort etwas besorgen. Wenn Sie möchten, können Sie gern mitkommen.«

Sie blieb regungslos stehen.

»Ich versuche nicht, Sie abzuschleppen. Wirklich nicht. Ich muss Medikamente für meine Tochter besorgen. Ich könnte Ihre Fragen unterwegs beantworten.«

»Okay. Es sieht nicht gerade so aus, als würde ich in absehbarer Zeit von hier wegkommen.«

Das Einkaufszentrum mit seiner großen Drogerie und Apotheke lag nur einige Blocks entfernt. Der Parkplatz war zwar fast voll, aber es schien niemand da zu sein.

Er stieg aus und sah enttäuscht zur Apotheke: Innen war alles dunkel. *Verdammt, sie muss geschlossen sein.* Dann fiel ihm die Absurdität dieses Gedankens auf. Natürlich hatten die Läden kein Licht.

»Ich glaube, wir erleben gerade das Resultat eines EMP-Angriffs«, setzte er das Gespräch fort.

»Ich hatte den gleichen Gedanken.«

»Wieso?«

Sie lächelte.

»Ich gehöre zum Leitungsteam einer chirurgischen Abteilung. Seit dem 11. September 2001 haben wir viele Krisenübungen abgehalten. Einmal war auch ein EMP-Szenario dabei. Es war nicht gerade angenehm. Danach konnte ich viele Nächte lang nicht schlafen. Krankenhäuser sind nicht dafür ausgerüstet, diese Situation zu handhaben. Die Notgeneratoren brennen durch, genau wie alle anderen Geräte. Sie wissen, was das bedeutet.«

»Sie müssen mir später mehr darüber erzählen«, sagte John. Er zog am Türgriff zur Apotheke. Die Tür ging auf. Drinnen herrschte Wahnsinn pur. Eine gequälte Verkäuferin stand hinter der Kasse und rief: »Bitte, meine Herrschaften, wir akzeptieren nur Bargeld. Es tut mir leid, keine Schecks ...«

John ging an ihr vorbei zum hinteren Teil des Ladens, wo die Theke für verschreibungspflichtige Medikamente stand. Eine der Angestellten, Rachel, war die Tochter der Apothekerin und eine Freundin von Elizabeth. Einer der Menschen in der Schlange, ein etwas korpulenter Mann Anfang 40 in einem billigen Anzug, den Kragen offen und die Krawatte gelockert, stand an der Theke.

»Hören Sie gefälligst zu!«, schrie er Rachel an. »Ich will das Rezept einlösen! Sofort, verdammt noch mal!«

»Sir, ich versuche Ihnen die ganze Zeit klarzumachen, dass wir Sie nicht kennen. Wir haben keine Angaben über Sie, und das, was Sie haben wollen, fällt unter das Betäubungsmittelgesetz.«

»Ich bin nicht von hier, verdammt noch mal. Kapiert ihr Bauerntölpel das nicht? Jetzt hör mir zu, du Miststück, ich will das Medikament haben!«

John suchte Augenkontakt mit Liz, der Apothekerin. Sie war Anfang 30 und die seiner Meinung nach attraktivste Apothekerin, die ihm je unter die Augen gekommen war. Sie war außerdem mit einem ehemaligen Elitesoldaten verheiratet. Leider war ihr Mann nicht zugegen, und mit ihren knapp 1,57 Meter und einem Körpergewicht von 45 Kilo war sie dem Kunden weit unterlegen.

Liz sah John flehend an. Er verstand und sah sich nach etwas Brauchbarem um, aber in unmittelbarer Nähe war lediglich ein Buch- und Zeitschriftenständer. Doch der Getränkekühlschrank stand nur sieben Meter weiter.

Rückwärts schob er sich darauf zu. Noch war der Kühlschrank relativ voll und er griff sich eine Literflasche Coors-Bier. Makala sah ihn angeekelt an, weil sie nicht verstand, was er vorhatte.

Liz trat zur Theke, um sich mit dem streitsüchtigen Kunden zu befassen. Beruhigend streckte sie die Hand aus.

»Hören Sie mir zu, verdammt. Oxycontin, kapiert? Geben Sie mir 30 Stück davon. Sie können meinen Arzt anrufen, sobald der Strom wieder da ist, er wird das Rezept bestätigen.«

»Sir, bitte verlassen Sie dieses Geschäft.«

»Mir reicht es jetzt! Aus dem Weg, ihr Schlampen!«

Er machte Anstalten, über die Theke zu klettern, und Liz wich zurück.

John stand plötzlich neben ihm und schlug zu. Die Flasche zerbrach auf seinem Kopf.

Als er zusammensank, zog ihn John von der Theke weg, warf ihn zu Boden und gab ihm zur Sicherheit noch einen Fußtritt in die Magengrube. Der Mann krümmte sich.

Er lag auf dem Boden und wimmerte in einem hohen, schrillen Ton. Alle andern standen schweigend und benommen daneben. John blickte zu Liz.

»Tut mir leid.«

Das, was sich gerade ereignet hatte, war ihm peinlich. Er hatte soeben ein Tabu gebrochen. Die Ortsansässigen pflegten sich nicht in der örtlichen Apotheke gegenseitig Bierflaschen auf dem Kopf zu zertrümmern, noch dazu von hinten. John erwartete halbwegs, die Alarmanlage losschrillen zu hören und einen Polizisten hereinstürmen zu sehen ... doch die Stille blieb, durchbrochen nur vom erbärmlichen Wimmern des Mannes auf dem Boden.

Immer noch völlige Stille. John sah die anderen Menschen

in der Schlange an. Einige flüchteten. Eine Frau schüttelte den Kopf.

»Behandelt ihr in diesem Provinzkaff Fremde immer so?«, fragte sie scharf. »Hier bringen mich keine zehn Pferde wieder her!«

Sie stürmte hinaus.

John erkannte einen der Männer: Pat Burgess, Baptistenprediger und Mitglied der Bürgerkriegstafelrunde.

Pat nickte.

»Gute Arbeit, John. Tut mir leid, aber bei meinem Herzleiden hätte ich bestimmt einen Infarkt erlitten, wenn ich ihn mir selbst vorgenommen hätte.«

Die Worte rissen John aus seiner Schockstarre. Er wurde sich der Realität wieder bewusst: wo sie waren, was getan werden musste und vor allem, wozu er hierhergekommen war.

»Pat, kannst du dich um ihn kümmern? Hol erst einen Gürtel oder irgendetwas, um seine Hände zu fesseln. Vielleicht kann jemand sein Gesicht untersuchen und sehen, ob ich sein Auge verletzt habe.«

»Ja, das hast du, du gottverdammter Bastard! Ich kann nichts sehen! Mein Anwalt wird dir den Arsch aufreißen!«

Der Mann fing wieder an zu schreien und John tippte ihn mit der Stiefelspitze an. Er zuckte instinktiv zusammen und wurde still.

John beugte sich zu ihm hinunter.

»Hör mal gut zu. Du hast diese Frauen bedroht. Noch ein Wort und ich schneide dir die Augen raus«, sagte er. Der Mann fing erneut an zu heulen und hielt sich das Gesicht. Blut sickerte zwischen seinen Fingern hindurch.

John wandte sich wieder Liz zu und trat hinter die Theke.

»Liz, können wir kurz reden?«

»Sicher, John.«

Er deutete zum hinteren Teil der Medikamentenabteilung

und die beiden betraten den gesicherten Lagerraum. Sie zogen die Tür nur halb hinter sich zu.

»Gott sei Dank, dass du gekommen bist, John«, flüsterte Liz heiser. »Ich hatte heute schon drei von der Sorte. Bei den beiden anderen konnten wir bluffen, aber der hier ist durchgedreht. Wahrscheinlich ein Junkie. Er reist vermutlich ohne seinen Stoff und lässt seinen Vorrat zu Hause, für den Fall, dass er in eine Polizeikontrolle gerät.«

»Hör mal, Liz, kannst du mir einen Gefallen tun?«

Liz verstummte, und ihr dankbarer Gesichtsausdruck verschwand.

»Ich glaube, die Lage ist ernst«, sagte sie leise. »Das stimmt doch, oder?«

»Ich will dich nicht anlügen. Ja, ich glaube schon.«

Sie sah zur Theke hinüber. Die Kundenschlange wurde länger, es kamen immer mehr dazu.

»Ich war die ganze Nacht hier«, sagte sie erschöpft. »Ich wohne in Asheville; dort bewegt sich nichts. Ich hatte gehofft, dass Jim mich abholen kommt, aber bis jetzt ist er nicht aufgetaucht …«

Ihre Stimme erstarb.

»Wie lange, bis der Strom wieder eingeschaltet wird?«

»Ich weiß es nicht.«

»Wie lange?«

»Einen Monat, vielleicht ein Jahr oder noch länger.«

»Mein Gott«, flüsterte Liz

»Ja, genau. Und du weißt, worum ich dich bitte.«

»John, ich habe genau 40 Ampullen auf Lager. Es gibt noch ein weiteres Kind in der Stadt, das auch Diabetes hat, wie deine Tochter. Außerdem über 100 erwachsene Diabetiker mit unterschiedlichen Insulinbedürfnissen.

Heute haben bereits vier Leute nach zusätzlichen Ampullen gefragt. Ich kann sie nicht austeilen, John. Ich trage die Verantwortung für alle hier, nicht nur für Jenn…« sie unterbrach sich. »Nicht nur für dich, John.«

»Liz, es geht um meine Tochter, um mein kleines Mädchen.« Seine Stimme klang erstickt vor Verzweiflung.

Sie deutete auf die Reihe der Medikamentenschränke.

»John, ich bin für Hunderte von Menschen verantwortlich. Wenn es stimmt, was du sagst, werden viele von ihnen sterben – manche sogar innerhalb weniger Tage. Wir haben einfach keinen so großen Lagerbestand; keine Apotheke hat das mehr. Wir hängen von täglichen Lieferungen ab.«

»Es wird lange keine täglichen Lieferungen mehr geben, Liz.«

»Und meine Patienten mit Bauchspeicheldrüseninsuffizienz? Wenn sie ihre Pillen nicht täglich einnehmen, sterben sie. Wenn deine Prognose stimmt, ist Mrs. Sterling in einer Woche tot ...« Liz' Stimme erstarb und sie unterdrückte ein Schluchzen.

Sie holte tief Luft und sah ihn wieder an.

»Schwere Hypertonien, Herzrhythmusstörungen, wir haben fünf Menschen, die Mittel zur Verhütung von Transplantatabstoßung nach Organtransplantationen brauchen. Mein Gott, John, was willst du von mir?«

Er hasste sich dafür, konnte sich aber jetzt nicht mehr zurückhalten.

»Ich habe Mary verloren, Liz. Bitte, lieber Gott, nicht auch noch Jennifer. Das nicht.«

Er ließ den Kopf sinken, die Augen blind vor Tränen. Er wischte sie weg und kämpfte um Beherrschung.

Er sah Liz erneut in die Augen, beschämt ... aber auch zu allem entschlossen – falls das nötig sein sollte.

Liz erwiderte seinen Blick und er sah, dass ihre Augen ebenfalls feucht waren.

»Es wird schlimm werden, John, nicht wahr?«

Er nickte, unfähig zu sprechen.

Liz starrte ihn weiterhin an. Dann seufzte sie, drehte sich

um und öffnete den Kühlschrank. Sie entnahm ihm vier Ampullen, zögerte, und nahm eine fünfte dazu.

John kämpfte gegen die grausame Versuchung, Liz zur Seite zu stoßen und alle Insulinampullen aus dem Kühlschrank an sich zu reißen. Der Drang war fast überwältigend.

Er spürte eine Berührung an der Schulter und drehte sich blitzschnell um, in der Erwartung, dass jemand einzudringen versuchte. Es war Makala. Sie starrte ihn an und sagte nichts.

Liz machte den Kühlschrank schnell zu, nahm eine Schachtel mit hundert Spritzen aus einem Medikamentenschrank und packte die Fläschchen und die Schachtel ein. Sie wickelte das Päckchen zusätzlich in mehrere Schichten Plastikfolie.

»Vielleicht komme ich dafür in die Hölle«, sagte Liz leise. »Hier sind fünf für dich. Jetzt bleiben noch fünf für den Valenti-Jungen und je eine für die 30 Patienten, die noch kommen werden.«

»Das reicht«, flüsterte Makala.

Liz sah sie an, sagte nichts und wandte sich ab.

»Geh zur Tiefkühlbox; vielleicht sind noch Eiswürfel übrig. Nimm dir auch, was noch an Schokoriegeln da ist, und fahr direkt nach Hause. Die Fläschchen müssen bei 4,4 Grad Celsius gelagert werden. Jeder Anstieg um zehn Grad verkürzt die Haltbarkeitsdauer um die Hälfte. Geh also wirklich sofort nach Hause. Wenn dir das Eis ausgeht, bewahrst du die Fläschchen am kühlsten Ort im Haus auf, den du finden kannst.«

»Danke, Liz. Gott segne dich.«

»Bitte geh jetzt, John. Ich muss heute noch viel tun und über einiges nachdenken.«

John nickte, immer noch von Schuldgefühlen geplagt.

»Soll ich beim Polizeirevier vorbeifahren und jemanden hierherschicken?«

Liz schüttelte den Kopf. »Ich schicke Rachel in die Stadt, um Hilfe zu holen. Sie ist mit dem Fahrrad gekommen, also ist sie fast so schnell wie du.«

Liz öffnete eine der Schubladen und deutete hinein. Ein kurzläufiger 38er Revolver lag darin.

»Es verstößt gegen die Firmenregeln, aber mein Mann bestand darauf, dass ich den hier aufbewahre. Du weißt, wie er ist; der typische Ex-Elitesoldat. Wenn du nicht aufgetaucht wärst, hätte ich ihn benutzen müssen.« Ihre Stimme war nun kalt. John fragte sich, ob sie den 38er gezogen hätte, wenn er vorhin versucht hätte, sie wegzustoßen. Ihrem Gesichtsausdruck nach: ja.

»Darf ich dir einen Rat geben, Liz?«

»Klar.«

»Verschwinde von hier.«

»Du weißt, dass ich das nicht kann.«

»Ich meine, wenn die Vorräte zu Ende gehen. Nimm dir, was du für dich und deine Familie brauchst, und sieh zu, dass du hier herauskommst. Es könnte brenzlig werden, wenn die Vorräte knapp werden.«

Sie sah zu ihm auf, lächelte und richtete sich zu ihrer vollen Größe von 1,57 Meter auf, die Schultern gestrafft.

»Jim hat mir beigebracht, mit dem Revolver umzugehen«, sagte sie. »Ich werde die Situation durchstehen.«

John drückte ihre Schulter.

»Gott schütze dich«, sagte er und ging aus dem Zimmer. Die Schlange vor der Theke wuchs ständig. Einige Leute nickten ihm zu, andere waren still. Anscheinend wussten alle in der Schlange, was mit dem blutigen Mann, den Pat mit Isolierband gefesselt hatte, geschehen war.

Eine Frau bemerkte die Tüte, die John trug.

»Matherson, richtig?«

»Ja, Ma'am.«

Sie sah von ihm zu Liz, die wieder hinter der Theke stand. »Was haben Sie ihm da hinten gegeben?«

»Nur ein paar Spritzen für seine Tochter, Julie.«

»Es kann nicht sein, dass hier Extrawürste gebraten werden, Liz. Ich bin seit 20 Jahren hier Kundin, und ich habe hier eine Liste ...«

John ging am Regal entlang. Überraschenderweise lag dort noch ein ganzer Stapel großer Hershey-Schokoriegel, jeder ein Pfund schwer, und er nahm sie alle, ohne zu zögern, und verstaute sie in der Tüte. Die Aushilfe hinter der Theke sah ihm dabei zu und wusste nicht, was sie sagen sollte, als er an ihr vorbeiging.

»Keine Sorge. Liz hat gesagt, dass ich das jetzt mitnehmen und später bezahlen kann.«

Das Mädchen nickte, und Johns Aktion entfachte ein Streitgespräch zwischen ihr und einem Kunden, der kein Bargeld hatte und dennoch Zigaretten haben wollte.

John öffnete die Tiefkühltruhe draußen vor dem Laden. Es befand sich noch ein Dutzend durchsichtiger Plastikbeutel mit je zehn Pfund Eiswürfeln darin. Er sperrte das Auto auf, öffnete die hintere Tür, ging zur Tiefkühlbox zurück, nahm vier Beutel und warf sie auf den Rücksitz. Er ging zur Kühlbox zurück, um vier weitere zu nehmen, aber dann zögerte er und sah Makala an, die mit ihm herausgekommen war.

Er nahm nur zwei Beutel, schloss den Deckel der Truhe, schleuderte die Tüten ins Auto und warf die Tür zu.

John stieg ein, holte tief Luft, startete den Motor und zündete sich eine Zigarette an.

»Das wird Sie eines Tages umbringen«, sagte Makala leise.

Er sah sie an, unfähig irgendetwas zu sagen.

»Sie haben das Richtige getan. Und Liz auch. Alle Eltern hätten so gehandelt.«

John seufzte.

»Erinnern Sie sich an die alten Filme und Comics aus dem Zweiten Weltkrieg, über Leute, die Lebensmittel horteten?«

»Das war ein bisschen vor meiner Zeit.«

»Ich bin 48, aber ich erinnere mich daran.«

Sie sagte nichts.

»Ihre Tochter hat Diabetes Typ 1?«

»Ja.«

»Dann sollten Sie jetzt nach Hause fahren, wie Liz gesagt hat.«

Makala beugte sich zum Rücksitz und John kam sich unbehaglich vor, weil er sich dabei ertappte, ihre Beine anzustarren, als ihr Rock nach oben rutschte.

Ihre Augen trafen sich, als sie einen Eisbeutel nahm, und sie sagte nichts, während sie den Sack aufriss. Sie nahm die Spritzen aus der Plastiktüte und legte die Insulinampullen auf das Eis.

»Das müsste reichen, bis Sie nach Hause kommen. Stecken Sie die Ampullen nicht direkt ins Eis, sonst frieren sie ein und sind ruiniert. Wickeln Sie irgendetwas Isolierendes um das Eis und legen Sie die Ampullen oben drauf. Das müsste sie ungefähr in der richtigen Temperatur halten. Verstauen Sie die übrigen Eisbeutel in Ihrem Gefrierschrank, da sind sie am besten isoliert. Mit ein bisschen Glück müsste Ihnen das Eis eine Woche reichen.«

»Ich weiß nicht, wie ich Ihnen danken soll«, sagte John.

»Tja, für den Anfang könnten Sie mir helfen, etwas zu essen zu finden«, sagte sie mit einem Lächeln.

»Ich weiß, wo es ein hervorragendes Barbecue gibt.«

»Hört sich gut an.«

Er fuhr von dem Parkplatz weg und machte sich auf den Weg zurück in die Stadt.

»Kann ich Ihnen eine persönliche Frage stellen?«, fragte sie.

»Schießen Sie los.«

»Wer ist Mary?«

»Meine Frau.«

»Wann ist es passiert?«

»Vor vier Jahren. Brustkrebs.«

»Das tut mir leid.«

»Schon okay«, log er. »Sie hat mir zwei wunderschöne Mädchen hinterlassen.«

»Die habe ich gestern Abend gesehen. Ich hatte mir schon fast gedacht, dass die Jüngere Diabetikerin ist. In meinem Beruf kann man das meist erkennen. Darum hat mich die abrupte Art, wie Sie weggefahren sind, nicht allzu sehr irritiert. Stress ist schlecht für sie.«

»Ich weiß. Nochmals, es tut mir leid, dass ich Sie so habe stehen lassen.«

Sie lächelte.

»Oh, da war ein Lastwagenfahrer, ein wahrer Ritter der Landstraße. Er hat schließlich den Betrunkenen verprügelt, und dann begleitete er uns Frauen zu Fuß zum Motel.«

Sie hielt inne.

»Ich war etwas überrascht, wie Sie den Mann in der Apotheke niedergeschlagen haben.«

»Sie dachten zuerst, dass ich wieder weglaufen würde, nicht wahr?«

»Um ehrlich zu sein, ja, das dachte ich.«

»Bin ich aber nicht.«

Sie gluckste leise.

»Das können Sie laut sagen. Vielleicht etwas hinterhältig, aber Sie brachten die Situation unter Kontrolle.«

»Wenn man kämpfen muss, dann soll man kämpfen, um zu gewinnen«, sagte John leise.

»Ist Ihnen bewusst, dass Sie eine Schnittwunde an der Hand haben?«

John betrachtete seine rechte Hand und spürte zum ersten Mal den Schmerz. Eine Scherbe der zerbrochenen Flasche hatte eine tiefe Schnittwunde von der Kuppe seines Zeigefingers bis zur Daumenwurzel verursacht.

Es tat plötzlich verdammt weh.

»Halten Sie an, damit ich sie mir ansehen kann.«

Er hielt am Straßenrand an. Sie nahm seine Hand und zog die Seiten der Wunde sanft auseinander. Jetzt tat es wirklich weh.

»Das muss genäht werden. Zehn oder 20 Stiche, so wie das aussieht.«

Als sie die Wunde untersuchte, tropfte Blut auf ihre Kleidung.

»Vorsicht, Ihr Kostüm!«, warnte er.

Sie ignorierte ihn.

»Ich habe nichts Steriles dabei. Sie sollten zu einem Arzt gehen.«

»Später. Erst will ich das Insulin nach Hause bringen. Wahrscheinlich hat der Arzt jetzt sowieso alle Hände voll zu tun.«

Er deutete auf die Straße, während er sprach.

Der alte Jeep aus dem Zweiten Weltkrieg, der Maury Hurt gehörte, fuhr gerade die Autobahnausfahrt herunter. Vier Menschen saßen eng aneinandergedrängt darin, darunter ein nach Luft ringendes Kind, zusammengekrampft und mit bleichem Gesicht. Quer über dem hinteren Teil des Jeeps lag eine ältere Frau. John konnte sehen, dass sie bereits tot war.

»Uns ist gar nicht bewusst, wie abhängig wir sind«, seufzte Makala. Sie sah dem Jeep nach, während er sich zwischen liegen gebliebenen Autos hindurchschlängelte, um in die Stadt zu gelangen.

»Ich möchte jetzt nicht in meinem Krankenhaus sein. Wenn sich die Generatoren nicht eingeschaltet haben, sind alle Patienten auf der Intensivstation und die frisch Operierten höchstwahrscheinlich tot. Gestern habe ich gesehen, wie irgendein Idiot sich umgebracht hat. Er hatte einen BMW wie meinen. Die Besoffenen haben ihm offenbar Angst gemacht, also versuchte er, sein Auto wegzuschieben; als ob irgendeiner es hätte klauen können! So ein Schwachkopf. Jemand hat mir später erzählt, dass er tot zusammengebrochen ist. Die Menschen sind verrückt – und das hier bringt es zum Vorschein.«

Sie ließ seine Hand los.

»Wenn Sie etwas Brauchbares finden, verbinde ich Sie, aber Sie sollten das Medikament nach Hause schaffen.«

Er fragte sich, ob sie versuchte, sich zu ihm einzuladen. Und in diesem Moment wusste er absolut nicht, wie er darauf reagieren sollte.

Er startete das Auto wieder und fuhr durch die Stadt, wo er in die State Street einbog. Immer mehr Menschen drängten sich um den Stadtverwaltungskomplex. Der arme Tom hatte seine Polizisten ein Spalier bilden lassen. Ein großes, handbemaltes Schild mit den Worten »Medizinische Notstation« war auf der Hauptkreuzung aufgestellt worden, und der aufgemalte Richtungspfeil zeigte auf das Feuerwehrgebäude neben dem Rathaus.

»Vielleicht sollte ich dort helfen«, sagte sie.

»Erst sollten Sie etwas essen«, antwortete John.

Er befand sich bereits auf der State Street, und schon kam die Grundschule in Sicht.

»Wollen Sie nicht dorthin zurückfahren und Ihre Wunde nähen lassen?«

»Meine Schwiegermutter wird sich darum kümmern«, sagte er endlich.

»Sicher.« Ihre Stimme verriet keine Gefühlsregung. »Sehen Sie nur zu, dass Sie großzügig eine starke antibiotische Salbe auftragen. Wenn es so schlimm um uns steht, wie Sie Liz gesagt haben, können Sie es nicht riskieren, sich auch nur die kleinste Entzündung einzuhandeln.«

»Ja, Ma'am.«

»Ach was. Ich heiße Makala.«

Er lächelte.

»Richtig. John.«

Er parkte auf dem Rasen vor der Schule. Pete stand immer noch hinter seinem Grill, aber die Schlange war bedeutend kleiner geworden. John stieg aus und ging auf ihn zu. Makala folgte ihm.

»Na, Pete, viel zu tun heute?«

»Da liegen Sie richtig, Professor. Ich schätze, das Fleisch wird bald schlecht. Ohne Kühlmöglichkeit würde der Gesundheitsinspektor mir so oder so verbieten, es zu verwerten. Also, was soll's? Da kann ich genauso gut ein richtiges Grillfest veranstalten.«

John lächelte. Er mochte diesen Kerl. Gegrilltes Schweinefleisch hatte er zwar nie gemocht – erst recht nicht mit den Gewürzen, die Pete verwendete –, aber trotzdem hatte er gelegentlich bei ihm gegessen, nur um mit ihm zu plaudern.

»Professor?«, fragte Makala erstaunt.

»Ein richtiger Schlaukopf«, sagte Pete. »Er ist sowohl Professor am hiesigen College als auch Colonel in der Armee. Sie wollten ihm sogar einen Stern geben und ihn zum General befördern, aber er kündigte ...«

Pete verstummte. Natürlich kannte jeder in der Stadt den Grund für Johns Kündigung, aber Pete war trotzdem verlegen, in Johns Privatsphäre eingedrungen zu sein, und sagte nichts mehr.

»Ist schon okay, Pete«, sagte John mit einem Lächeln. »Diese Dame ist eine Freundin, also gib ihr die doppelte Portion von allem, was sie möchte, ja?«

John streckte seine Hand aus, um sich zu verabschieden, und sie lächelte.

»Lass dir erst die Hand verbinden, dann können wir uns die Hände schütteln.«

»In Ordnung.«

Er wollte schon zum Auto zurückgehen, hielt aber inne und drehte sich um. Sie sah ihn immer noch an und er winkte ihr, zu ihm zu kommen.

»Also, ich nehme an, du bleibst im Holiday Inn?«

»Sieht so aus.«

»Findest du den Weg dorthin zurück?«

»Ganz einfach: links an der Ampel und dann über die Bahngleise.«

»Äh, versteh mich bitte nicht falsch, aber falls du irgendetwas brauchst, folge dieser Straße ungefähr anderthalb Kilometer und bieg dann rechts in den Ridgecrest Drive. Mein Haus ist die Nummer 18.«

»Okay, John, vielleicht mache ich das irgendwann mal.«

»Danke für deinen Rat bezüglich des Insulins. Ich bringe es besser gleich nach Hause.«

»John?«

»Ja?«

»Du hast mich angegafft, als ich mich über den Autositz gebeugt habe, nicht wahr?«

Er merkte, dass er errötete.

»Schon in Ordnung. Nach einer intensiven Stresssituation reagieren Männer meistens so. Ich war nicht beleidigt. Ich wollte dich nur wissen lassen, dass das völlig normal ist. Sonst könnte dich das später vielleicht in Konflikte stürzen. Ich meine, weil du dann vielleicht denkst, dass du dich lieber darauf konzentrieren solltest, deine Tochter zu beschützen; und dann die Erinnerungen an deine Frau und alles.«

Jetzt wurde sie rot.

»Das war jetzt ein bisschen unglücklich formuliert. Fahr nach Hause. Ich komme schon klar.«

»Danke, Makala.«

Er stieg ins Auto und fuhr los. Mit einer Hand hielt er vorsichtig den Sack Eiswürfel aufrecht, auf dem die Medikamentenfläschchen lagen.

Als er den Motor ausschaltete, freute er sich, Jennifer und Pat beim Frisbee-Spielen auf dem Feld zu sehen. Ginger warf ihm einen schnellen Blick zu, richtete aber ihre Aufmerksamkeit gleich wieder auf den Frisbee. Der gute alte

Zach rannte allerdings mit wedelndem Schwanz hinunter, um ihn zu begrüßen.

Elizabeth, gekleidet in Shorts und T-Shirt, lag neben dem Schwimmbecken in der Sonne. Neben ihr saß Ben und tat so, als würde er ein Buch lesen. Die Flinte lehnte an der Wand neben Ben.

Als er John sah, stand er auf und kam auf das Auto zu.

»Könntest du mir mit dem Eis helfen, Ben? Es sind auch ein paar Stangen Zigaretten im Auto.«

»Natürlich, Sir.«

John trug den Beutel, auf dem die Fläschchen lagen, vorsichtig ins Haus. Jen stand ruhig im Wohnzimmer und sah aus dem Fenster. Sie drehte sich zu ihm um und lächelte, als er hereinkam.

Sie brauchte keine Erklärung, als sie die Tüte der Apotheke sah.

»Würdest du die Kellertür öffnen, Jen?«

Sie tat es. Er bekam plötzlich schreckliche Angst, dass ihm die kostbaren Medikamente aus der Hand rutschen könnten, also drückte er mit einer Hand den Eisbeutel an seine Brust und hielt mit der anderen die Fläschchen obendrauf fest.

Er sah sich im Keller um und fand eine alte Styropor-Kühlbox. Er legte den Sack Eis hinein, trug sie in die Duschkabine und platzierte die Fläschchen behutsam oben auf dem Sack. Er klappte den Deckel der Box zu, ließ ihn aber einen Spalt offen. Dann schnitt er mit einem Taschenmesser ein kleines Loch in den Boden der Kühlbox, damit das Schmelzwasser abfließen konnte.

Die Aktion wurde allmählich zu einer schmierigen, schmutzigen Angelegenheit, weil das Blut immer noch von seiner Hand tropfte.

»Wie viel Insulin haben Sie für sie bekommen?«, fragte Ben.

John wandte sich um und stellte fest, dass der junge Mann ihn intensiv ansah.

»Fünf Ampullen.«

»Für fünf Monate, plus die Menge im Kühlschrank?«

Die Feststellung überraschte John.

»Ja, so ungefähr.«

»Ich verstehe«, sagte Ben leise.

John stand auf.

»Hör zu, Ben. Ich will dich nicht anlügen. Die Situation könnte sehr schlimm werden. Ich vermute, dass wir von einer Waffe angegriffen wurden, die das gesamte Stromnetz der Nation lahmgelegt hat. Das bedeutet, dass es Monate dauern könnte, bis wir wieder Strom haben.«

Ben nahm die Nachricht zur Kenntnis, nickte und schwieg.

»Kein Wort zu Elizabeth oder Jennifer darüber, verstanden? Ich will es ihnen auf meine Weise beibringen.«

Bei der Erwähnung Jennifers stieg Beklemmung in ihm auf. Sie war ein intelligentes Mädchen, sehr intelligent. Wenn sie erfuhr, dass der Strom für lange Zeit ausblieb, würde sie vielleicht daraus schließen, dass die Uhr für sie ablief.

Er sah Ben schweigend in die Augen.

»Ja, Sir«, flüsterte Ben.

»Gut.«

»Sie bluten, Sir.«

»Ein Unfall, nichts Ernstes.«

Er ging wieder hinauf und setzte sich an den Esszimmertisch. Jen wartete bereits mit dem Verbandskasten.

»Was ist passiert?«

Er sah auf. Ben stand an der Tür zur Veranda.

»Alles okay, Ben. Aber denk daran: Ich möchte nicht, dass sich die Mädchen über den Stand der Dinge Sorgen machen. Ich erwarte von dir, dass du dich wie ein Mann verhältst und dich um sie kümmerst.«

»Sie können auf mich zählen, Sir«, erwiderte er und verließ den Raum.

»Weißt du, John, er ist wirklich ein netter Junge. Übrigens, uns ist das Wasser ausgegangen, während du fort warst.«

»Jetzt schon?«

»Arme Jennifer. Sie ging auf die Toilette und, nun ja … das Klo ließ sich nicht spülen und es war ihr sehr peinlich. Ben nahm einen Eimer und holte Wasser zum Runterspülen aus dem Schwimmbecken. Danach füllte er den Wassertank am Klo wieder auf. Er ist wirklich ein guter Junge.«

John legte seine Hand auf den Tisch und sie sah sie an.

»Du hättest das nähen lassen sollen.«

»Keine Zeit. Ich wollte das Insulin ins Haus bringen.«

»Ich mache jetzt einen Verband mit Klammerpflastern«, sagte sie und ging sofort ans Werk, »aber nachher solltest du Dr. Kellor die Wunde zeigen.

Und jetzt erzähl, was ist dir passiert? Und sag mir alles, was du erfahren hast.«

Er erzählte ihr alles … mit Ausnahme von Makala und, natürlich, dem Mustang.

KAPITEL VIER

Tag 4

Nach so langer Stille war das Geräusch des Hubschraubers, eines Black Hawk, überraschend. Er flog ziemlich schnell in 150 Metern Höhe, glitt über die Autobahnbrücke und hielt Kurs geradeaus.

Beim Anblick des Hubschraubers mit dem schwarzen Stern auf dem Rumpf stiegen heftige Emotionen in John auf. Die Maschine flog über sein Haus, das so hoch über dem Tal lag, dass John fast ins Seitenfenster der Pilotenkabine sehen konnte. Elizabeth hüpfte, schreiend und aufgeregt winkend, auf und nieder.

»Wir sind gerettet!«, rief sie voller Freude. »Wir sind gerettet!« Sie hörte sich an wie ein schiffbrüchiger Matrose auf einer einsamen Insel.

John ertappte sich dabei, ebenfalls zu winken … und der Hubschrauber donnerte weiter in Richtung Westen. Er wurde kleiner, leiser und verschwand schließlich. Wieder herrschte die allumfassende Stille.

Die Euphorie wich einer überwältigenden Depression. Irgendwie war der Anblick dieses einen Hubschraubers ein Symbol für so vieles gewesen; vielleicht sogar ein Zeichen dafür, dass binnen weniger Minuten der Strom wieder eingeschaltet werden würde.

Er blieb einen Augenblick stehen, den Blick westwärts gerichtet, und schützte seine Augen mit einer Hand vor der Sonne.

Nichts hatte sich geändert.

Elizabeth ging entmutigt zum Schwimmbecken, setzte sich an den Rand und ließ ihre Füße im Wasser baumeln. Ben kam zu ihr und bespritzte sie. Das Wasser war immer noch kalt. Ohne die Pumpe zirkulierte es nicht durch die Solarheizpaneele. Noch war es trotzdem klar. John gab mit Akribie regelmäßig Chlor hinzu, weil der Inhalt des Schwimmbeckens vorerst sowohl ihr Trink- als auch ihr Badewasser war. Wenn die Kinder darin schwammen, hielten sie zumindest das Wasser in Bewegung und es konnte nicht stagnieren.

Jen wartete bereits im Auto.

Ben winkte, John deutete lässig auf die Flinte und der Junge nickte zur Antwort. Jennifer war heute unten bei ihrer Freundin Pat, um am Nachmittag mit einigen anderen Mädchen Monopoly zu spielen.

John startete den Edsel, rollte die Ausfahrt hinunter auf die Route 70, bog in Richtung Osten ab und fuhr die kurze Strecke zu Millers Pflegeheim hinauf, wo Tyler lag. Jen war am Tag nach dem Stromausfall dorthin gefahren, um nach ihm zu sehen, und hatte berichtet, dass alles zwar ziemlich chaotisch gewesen sei, dass es Tyler aber gut gehe. Jetzt saß sie während der Fahrt still und angespannt neben ihm.

Abgesehen von einem kurzen Streifzug Johns hatte gestern niemand das Haus verlassen.

Er hatte eine lange Aufgabenliste zusammengestellt. Alles Fleisch, das sich noch in der Gefriertruhe befand, war herausgenommen und gründlich gegrillt worden. Jeder hatte so viel wie möglich davon gegessen, bevor sie den Rest in Plastik eingewickelt und eingelagert hatten. John war sich nicht sicher, ob es half oder nicht, aber er hatte dafür gesorgt, dass ihr weniges Salz auf das Fleisch verteilt wurde.

Als Nächstes hatten sie am Zaun zu Connies Obstgarten eine Toilettengrube ausgehoben und darüber ein Zelt errichtet. Die Mädchen hatten argumentiert, dass die Toiletten im Haus völlig genügten; und dann hatte es eine etwas peinliche Diskussion darüber gegeben, wofür sie die Toilettengrube und wofür die Haustoiletten benutzen würden.

»Ach, das machen wir einfach wie Zach«, hatte Jennifer mit einem Grinsen vorgeschlagen. »Einfach an einem Baum.«

Es bedurfte einer recht ausführlichen Erklärung, um Jennifer die gesundheitliche Gefahr dieser Methode begreiflich zu machen. Dann hatten sie angefangen, einiges im Haus umzurüsten. Das Wasserbett wurde ohne Heizgerät allmählich ungemütlich kühl, also holten sie zusätzliche Decken aus dem Keller, um sie auf die Matratze zu legen. Alte, dekorative Kerzenständer wurden hervorgekramt. Alte Kleider, die in Streifen geschnitten werden konnten, um als Klopapier zu dienen, wurden aufgehäuft. Zur großen Überraschung Johns war seine alte Kettensäge, die er seit Jahren nicht mehr benutzt hatte, angesprungen, nachdem Ben eine Weile daran herumgebastelt hatte.

Danach war John schnell zu Food Lion, dem Lebensmittelmarkt im Ostteil der Stadt, gefahren, in der Hoffnung, Vorräte wie Konserven und Klopapier zu ergattern, aber dort war alles bereits ausgeräumt worden. Eigentlich sah es sogar so aus, als habe man den Laden geplündert. Er hätte sich in den Hintern beißen können, dass er diese Besorgungsfahrt nicht vor der Panikwelle erledigt hatte.

Einer der Filialleiter war immer noch in dem dunklen Laden. Er saß einfach da und las in einer Zeitschrift, als John hereinkam.

»Das war vielleicht eine Vorstellung gestern Abend, Professor«, sagte er. »Ich hätte nie gedacht, dass meine Freunde und Nachbarn sich so aufführen würden. Die Leute rasten überall herum und packten ihre Einkaufskörbe bis zum Überlaufen voll. Ich habe andauernd geschrien

›Verkauf nur gegen Bargeld‹, aber dann fingen sie an, mich herumzuschubsen. Das war der Auslöser: Sie haben den Laden so gut wie leer geräumt, bevor die Polizei endlich aufkreuzte.«

Er zuckte müde die Achseln.

»Macht's Ihnen was aus, wenn ich mich umsehe?«, fragte John.

»Fühlen Sie sich wie zu Hause, Sir.«

Es gab keinen einzigen Einkaufskorb mehr, also schlenderte er einfach durch die Regalreihen. Mindestens ein halbes Dutzend Menschen befanden sich im Laden und taten dasselbe wie John. Ein älteres Paar durchsuchte die Gefriertruhen und zog bereits aufgetaute und durchnässte Packungen mit Gemüse und Waffeln heraus, um sie in einen Müllsack zu stopfen.

Natürlich waren sämtliche Konservendosen bereits entwendet worden. Zerbrochene Flaschen, zerplatzte Dosen und kleine Meeresfrüchte- und Fleischbröckchen bedeckten den Boden. Er war glitschig und hatte wegen der Wärme bereits angefangen, übel zu riechen. Schon schwirrten Hunderte von Fliegen herum. In der Bäckereiabteilung entdeckte er einen aufgeplatzten Zehn-Kilo-Sack Mehl auf dem Boden und hob ihn sofort auf. Im Regal für Haustierbedarf fand er einen Zwölf-Kilo-Sack mit trockenem Hundefutter. Er war aufgerissen, enthielt aber bestimmt noch acht bis zehn Kilo, und John schnappte ihn sich ebenfalls. In der Nähe der Tür sah er einen Fünf-Kilo-Sack Straßenstreusalz, offensichtlich vom Winter übrig geblieben. Den nahm er auch mit. Viel mehr zu holen gab es nicht, und er ging auf den Ausgang zu.

Er sah den Filialleiter fragend an.

»Nehmen Sie's einfach mit, Doc. Schon okay.«

John blieb neugierig stehen.

»Warum sind Sie noch hier, Ernie?« Er wies in den dunklen Ladenraum. Das ältere Paar schleppte den Müllbeutel mit dem aufgetauten Gefriergut hinaus. Verwesungsgeruch lag in der Luft.

Ernie sah ihn an und schüttelte langsam den Kopf.

»Ich weiß auch nicht, Doc. Wahrscheinlich aus Gewohnheit. Ich habe keine Familie mehr. Doris hat mich letztes Jahr verlassen und die Kinder mitgenommen. Reine Gewohnheit, wie gesagt.«

John nickte und bedankte sich. Er warf seine Beute auf den Autorücksitz und fuhr rückwärts zum Ein-Dollar-Laden hinüber. Hier herrschte ein ähnliches Chaos wie im Supermarkt. Auch dieser Laden war ausgeplündert worden, aber es befand sich niemand darin.

»Wer ist da drin?«

John drehte sich um und sah Vern Cooper, einen der Polizisten, durchs Schaufenster blicken.

»Ich bin's, Vern, John Matherson.«

»Kommen Sie heraus, Sir.«

Er tat wie befohlen und spürte eine Veränderung – eine gravierende Veränderung seiner Welt. Vern war immer ein unbeschwerter Mensch gewesen, fast eine örtliche Version des Hilfssheriffs Barney Fife aus der klassischen Comedy-Serie *Andy Griffith Show*. Nun trug er eine geladene Schrotflinte, die er halb auf John gerichtet hielt.

»Ich sehe mich nur um, Vern.«

»Ich könnte Sie wegen Plünderung festnehmen, John.«

»Wie bitte?«

»Sie haben mich schon verstanden, John. Es war gestern Nacht richtig übel hier.«

»Das habe ich gehört, ja.«

»Gehen Sie einfach nach Hause, John«, seufzte Vern.

John hielt sich nicht auf, um nach Einzelheiten zu fragen, und tat, was Vern »vorgeschlagen« hatte.

Beim Gasflaschen-Mietservice waren bereits alle Propangastanks ausverkauft und John machte sich nicht einmal die Mühe, in die Eisenwarenhandlung zu gehen:

Dort herrschte komplettes Chaos, und die Schlange reichte bis auf die Straße und fast bis zur nächsten Ecke. Allein die Tatsache, dass er ein funktionierendes Auto hatte, brachte alle Leute dazu, sich umzudrehen und ihn anzustarren; eine Reaktion, die ihn nervös machte. Also hatte er einfach gewendet und war nach Hause gefahren.

Das Streusalz war Gold wert, wie ihm klar wurde; und sie hatten das ganze Fleisch wieder ausgepackt, gründlich mit dem Salz behandelt und erneut eingewickelt. Als Nächstes folgte ein Holz-Sammel-Kommando, denn früher oder später würde das Propangas für den Grill zu Ende gehen. Am Abend waren sie alle erschöpft gewesen.

Er hatte Jen versprochen, heute mit ihr nach Tyler zu sehen und dann zu ihr nach Hause zu fahren, um Kleider zu holen und natürlich auch, um die Katze zu versorgen, also stieg er wieder ins Auto. Das Pflegeheim war ganz nah, nur etwa anderthalb Kilometer entfernt. Sie fuhren an sechs verlassenen Autos und einer Familie vorbei, die zu Fuß in der Gegenrichtung unterwegs war. Mutter und Vater schoben beide je einen Einkaufswagen. In einem saßen zwei Kinder, der andere enthielt ein paar kostbare Familienschätze. Er wusste nicht, wer sie waren, und konnte sich nicht vorstellen, wohin sie unterwegs waren, aber er hielt nicht an, um zu fragen.

Dies war eine weitere gravierende Veränderung seiner Welt. Hätte er vor einer Woche ein solches Paar gesehen, wäre er an den Straßenrand gefahren und hätte sie gefragt, ob er sie irgendwohin mitnehmen könnte. Sie sahen so erbärmlich aus.

Als er auf den Parkplatz des Pflegeheims einbog, merkte John sofort, dass etwas ganz und gar nicht stimmte. Drei Menschen irrten draußen herum. Er sah sofort, dass es Patienten waren, die da ziellos herumschlurften. Einer war nackt.

»Mein Gott, was geht hier vor?«, keuchte Jen.

John ging auf einen der verwirrten Menschen zu – eine

Frau, die ihm am nächsten stand. Er wollte sie wieder ins Gebäude bringen, aber Jen rief ihm zu, ihr zu folgen.

In dem Moment, in dem er die Tür öffnete, wusste er, dass hier etwas Schreckliches geschehen war. Der Gestank war überwältigend; so schlimm, dass er würgte, rückwärts nach draußen stolperte und nach Luft rang.

Jen war wesentlich härter im Nehmen als er und blieb in der Tür stehen.

»Atme ein paarmal tief durch. Ich bin in Tylers Zimmer.«

John wartete einen Augenblick und war versucht, sich eine Zigarette anzuzünden. Er hielt sich jedoch zurück, denn er hatte in den letzten zwei Tagen schon fünf Päckchen aufgeraucht. Damit blieben ihm noch sechs Päckchen und zwei Stangen. Er fing schon an, die Zigaretten einzeln zu zählen.

Er nahm einen weiteren tiefen Atemzug, wappnete sich und ging wieder hinein. Erneut schlug ihm der Gestank entgegen: Urin, Fäkalien, Erbrochenes. Er keuchte und übergab sich fast, kämpfte aber dagegen an.

Der Korridor, der noch vor einer Woche hell erleuchtet und blitzsauber gewesen war, lag nun im Dunkeln. Ein großer, fahrbarer Wäschekorb, der in einer Nische parkte, war die Quelle des schlimmsten Gestanks. Er lief schnell daran vorbei, bog um die Ecke und erreichte die Schwesternstation des Westflügels. Eine Frau saß hinter der Theke und sah müde zu ihm auf. Sie trug einen Kittel, der mit einem Bild von Puh dem Bären bedruckt und vollkommen verdreckt war. Er las ihr Namensschild, Caroline, und konnte sich vage erinnern, dass sie normalerweise zur Nachtschicht gehörte.

Er wollte einfach weitergehen, sah aber, dass sie völlig erschöpft war.

»Wie geht's Ihnen, Caroline?«

»Ganz gut so weit«, gab sie automatisch und hölzern zur Antwort.

Er sah den Gang entlang. Der Gestank war so intensiv, dass er meinte, er müsse eigentlich als Nebel sichtbar sein.

»Was zum Teufel ist hier los?«, fragte er.

»Was meinen Sie?«

Sie stand unter Schock, wie er jetzt erkannte. Das arme Mädchen war wie betäubt, die Augen leer.

»Wann haben Sie zuletzt geschlafen?«

Sie sah auf die Uhr. Sie war um 4:50 Uhr stehen geblieben.

Schwache Rufe hallten durch den Gang: »Hilfe, helft mir, helft mir …«

»Ein paar Stunden gestern Nacht, glaube ich.«

»Sind noch andere Kolleginnen oder Kollegen von Ihnen hier?«

»Janice ist drüben im anderen Flügel. Ich glaube, Waldo ist auch noch da.«

»Und das sind alle?«

Sie nickte

»Ich bin gleich wieder da.«

Er riss sich zusammen und ging weiter den Gang hinunter. Alle Außentüren standen offen, aber es gab nicht die kleinste Brise und die Hitze war fast zum Ersticken. Es war eines jener Gebäude mit computergesteuerter Klimaanlage; entworfen, um zu jeder Jahreszeit mit der perfekten Innentemperatur für Komfort zu sorgen. Die kleinen Fenster der einzelnen Zimmer ließen sich nur einen winzigen Spalt kippen, und nun war die Temperatur drinnen vielleicht sogar höher als draußen.

Im ersten Zimmer, in das er hineinsah, lag eine ältere Frau. Er erinnerte sich an sie, eine Alzheimer-Patientin. Sie wiegte sich hin und her, die Laken zerknüllt am Boden, und lag in ihren eigenen Fäkalien.

Das nächste Zimmer: zwei ältere Männer, einer in einem motorisierten Rollstuhl, der sich nicht mehr bewegte, der andere auf einem Bett, die Decken waren von Urin durchtränkt.

Sie sahen beide zu ihm auf.

»Könnten Sie uns bitte etwas Wasser bringen, guter Mann?«, fragte der Mann im Rollstuhl sehr höflich.

»Natürlich.«

Er ging rückwärts aus dem Zimmer und kehrte zu der Schwester an der Theke zurück.

»Kann ich einen Wasserkrug haben?«

Sie schüttelte den Kopf.

»Ist uns gestern Abend ausgegangen.«

»Was meinen Sie mit ›ausgegangen‹?«

»Genau das, was ich sage. Es gibt kein fließendes Wasser mehr.«

»Haben Sie denn keinen Reservetank? Ist es nicht Vorschrift, einen zu haben?«

»Ich weiß nicht«, antwortete sie apathisch. »Ich glaube, es gibt einen Notbrunnen, bei dem Wasser vom Generator hochgepumpt wird.«

»Jesus Christus!«

Er öffnete die Tür zum WC auf dem Gang und zuckte würgend zurück. Eine Frau saß zusammengesunken auf der Toilette … tot. Der Verwesungsgeruch erfüllte bereits den winzigen Raum.

Er wandte sich ab, eilte den Hauptgang hinunter zur Küche und stürmte hinein. Dort stand ein älterer Mann auf seine Gehhilfe gestützt vor einem schweren Stahlkühlschrank mit offener Tür. Er hielt eine Packung Würstchen in der Hand, die er kalt verzehrte.

»Hallo«, sagte der Mann. »Möchten Sie eins?« Er hielt ihm die Packung hin.

»Nein, danke.«

John ging zu den Spülbecken und drehte an den Hähnen. Nichts.

»Verdammt.«

Draußen im Speisesaal hob er den Deckel eines großen Behälters, der normalerweise Eis enthielt. Etwas Schmelzwasser befand sich noch darin. Er nahm zwei Saftgläser, füllte sie mit Wasser und ging zurück zum Zimmer der zwei alten Herren. Er gab jedem ein Glas.

»Gott sei Dank«, flüsterte der Mann im Rollstuhl und nippte genüsslich am Glas. Dem Mann im Bett musste John das andere Glas an den Mund halten, damit er daraus trinken konnte.

Der im Rollstuhl trug eine alte Schirmmütze, auf deren Stirnteil »Big Red One – Omaha Beach 1944-2004« eingestickt war. Auch Medaillen-Nadeln steckten an der Mütze, die John sofort erkannte: ein Kampfinfanterie-Abzeichen, ein Silver Star, zwei Purple Hearts und mehrere kleine Sergeant-Chevrons. Er fühlte sich jämmerlich, als der Mann den letzten Tropfen Wasser trank und das Glas hochhielt. »Ich belästige Sie ungern, junger Mann«, flüsterte er. »Aber mein Rollstuhl bewegt sich einfach nicht mehr. Würde es Ihnen was ausmachen, mir noch einen Drink zu holen?«

»John, wo zum Teufel steckst du?«

Es war Jen, ihre Stimme klang schrill.

»Bin gleich bei dir, Mom.«

»Sir, ich bin bald wieder zurück«, sagte John und flüchtete aus dem Zimmer.

Er bemühte sich, nicht in die anderen Zimmer zu sehen, als er weiter durch den Gang lief. Eine weinende, ältere Frau saß nackt und halb zusammengerollt da; ein ekliger Gestank aus dem nächsten Zimmer. Er wagte einen Blick hinein … die Leiche eines aufgedunsenen Mannes, die Gesichtshaut bereits vergilbt von beginnender Verwesung, die Bettwäsche von seinem Todeskampf zerknüllt auf dem Boden, sein Zimmergenosse auf einem Stuhl sitzend und apathisch aus dem Fenster starrend.

John erreichte Tylers Zimmer. Jen stand weinend in der Tür.

»Wir müssen ihn nach Hause bringen«, sagte sie.

Einen Augenblick lang dachte John, Tyler sei tot. Sein Kopf war weit zurückgeneigt, das Gesicht unrasiert. Die intravenöse Kanüle steckte immer noch in seinem Arm. Der Tropf war leer. Der Schlauch zu seinem Magen, der durch eine elektrische Pumpe betrieben wurde, war ebenfalls leer.

Er war halb bewusstlos und murmelte zusammenhanglos vor sich hin.

Der Geruch von Fäkalien hing in der Luft und John kämpfte darum, seinen Magen zu beruhigen – etwas, wozu er noch nie im Stande gewesen war. Er hielt sich für einen verdammt guten Vater, aber als Mary noch lebte, war das Wechseln der Windeln ihre Aufgabe gewesen.

Ihre Chemotherapie war ein Albtraum gewesen; dennoch stand er ihr mutig zur Seite, umarmte sie, wenn sie sich erbrach, säuberte sie anschließend und rannte dann ins Bad, um sich ebenfalls zu übergeben. Als sie tot war, kam Jen ihm immer zu Hilfe, wenn die Kinder krank wurden. Das, womit er sich hier konfrontiert sah, entsetzte ihn.

»Ich mache ihn sauber«, sagte Jen. »Du holst uns eine fahrbare Krankentrage, damit wir ihn ins Auto bringen können.«

»Wie in aller Welt willst du ihn sauber machen?«, keuchte John.

»Lass das nur meine Sorge sein. Such du die Trage.«

Er ging rückwärts aus dem Zimmer und rannte zurück zur Schwesternstation.

»Ich nehme meinen Schwiegervater mit nach Hause.«

»Gut. Das ist gut«, antwortete Caroline leise.

»Wie in Gottes Namen konnten Sie das hier alles geschehen lassen?«

Sie sah zu ihm auf und brach in Tränen aus.

»Niemand ist zur Arbeit erschienen. Ich bin hier seit … seit dem Stromausfall. Wallace und Kimberly … die sind gestern Abend abgehauen. Sie sagten, sie müssten es irgendwie nach Hause schaffen, um nach ihren Kindern zu sehen, und dann würden sie zurückkommen, aber bis jetzt sind sie immer noch weg. Ich habe auch ein Kind zu Hause. Eine Tochter. Ihr Vater ist ein Nichtsnutz, er ist mit einer anderen Frau zusammen. Ich habe Angst, dass er nicht nach ihr gesehen hat und sie ganz allein ist.«

Caroline sah ihn an, Tränen strömten ihr übers Gesicht.

»Ich brauche eine Zigarette«, sagte John.

Sie nickte und zog ein Päckchen aus ihrer Handtasche, als hätte er sie um eine gebeten.

Er schüttelte den Kopf, griff in seine Hosentasche, nahm zwei Zigaretten heraus und bot ihr eine an. Sie befanden sich zwar in einem Pflegeheim, aber im Moment dachte er, dass der Rauch zumindest den Gestank überdecken und sie vielleicht ein wenig beruhigen würde.

Sie nahm einen tiefen Lungenzug, atmete aus, und ihre Tränen versiegten.

»Ich brauche eine Krankentrage für meinen Schwiegervater.«

»Im nächsten Gang steht eine, glaube ich. Waldo hat sie vor ein paar Stunden genommen.«

»Wann wurden diese Menschen das letzte Mal gewaschen? Wann haben sie zuletzt Essen und Wasser bekommen?«

»Ich weiß nicht.«

»Denken Sie nach, verdammt noch mal!«

»Ich glaube, vor zwei Tagen. Dann brach alles einfach zusammen. Mr. Yarborough starb, dann Mrs. Emily, dann Mr. Cohen. Niemand ist gekommen, um die Leichen wegzubringen. Normalerweise ist der Leichenwagen vom Bestattungsunternehmen in einer halben Stunde hier. Ich glaube, ich habe angerufen, aber sie haben sich bis jetzt nicht blicken lassen. Mrs. Johnston in Zimmer 23 ist gestürzt – ich glaube, sie hat sich die Hüfte gebrochen –

und Mr. Brunelli … ich glaube, er hat wieder einen Herzanfall erlitten.

Jetzt sterben sie alle. Alle. Mrs. Kilpatrick liegt tot im nächsten Zimmer. Mein Gott, ich habe sie so gern gehabt.« Sie fing wieder an zu schluchzen.

Er erinnerte sich an Mrs. Kilpatrick. Eigentlich war sie noch relativ jung gewesen. Sie hatte einen schweren Autounfall gehabt und war seitdem von der Taille abwärts gelähmt. Sie war nur zur Reha hier gewesen und hätte anschließend nach Hause gebracht werden sollen. Sie hatte Naturwissenschaften an der High School unterrichtet, bis ein Auto sie frontal erwischte. Der betrunkene Fahrer war einer ihrer Schüler.

»Sie hat eine Schere genommen und sich die Pulsadern aufgeschnitten. Sie liegt tot im Aufenthaltsraum.«

John hatte sie nicht einmal gesehen, als er hereingekommen war.

»Sie sagte, sie wüsste, was geschehen ist, und sie würde es nicht überleben.«

»Caroline, Sie müssen sich Hilfe besorgen.«

»Ich weiß nicht, wie. Ich bin nur einfache Krankenschwester. Ich bin nicht für so was hier ausgebildet worden, Sir.«

Sie fing wieder an zu schluchzen.

»Wo ist die Teamleiterin?«

»In ihrem Büro, glaube ich.«

Er nickte, verließ Caroline und ging zum gegenüberliegenden Flügel. Er bog in den Verwaltungsgang und fand die Bürotür geschlossen. Ohne anzuklopfen stieß er sie auf. Die Frau am Schreibtisch schlief fest, den Kopf auf die Schreibtischplatte gelegt.

»Ira, wachen Sie auf«, sagte John scharf.

Sie hob den Kopf.

»Professor Matherson?«

»Ja, genau.«

Sie rieb sich die Augen und setzte sich aufrecht.

»Ich kann mir vorstellen, dass Sie irritiert sind.«

»Das Wort ›irritiert‹ beschreibt es nicht annähernd. Es ist eine Ungeheuerlichkeit!«

Sie nickte stumm.

»Ich weiß. Ich habe vier Mitarbeiter im Gebäude, vielleicht nur drei; denn ich glaube, Kimberly ist gegangen. Ich habe den letzten Küchengehilfen in die Stadt geschickt, um Hilfe zu holen, aber das war vor Stunden, und niemand ist gekommen. Kein Wasser, keine Klimaanlage, keine Kühlung für Lebensmittel und Medikamente ...«

Sie verstummte und sah auf die Checkliste auf ihrem Schreibtisch hinunter. Die Frau war offensichtlich am Rande des Nervenzusammenbruchs und versuchte, sich in eine Standardroutine zu flüchten.

»Auf meinem letzten Rundgang habe ich 17 Tote gezählt. Sechs Familien haben ihre Angehörigen weggebracht ... Wollen mal sehen, demnach haben wir noch 40 Patienten, und drei vom Stab, die bereits Überstunden machen. Normalerweise habe ich hier tagsüber 30 Leute im Dienst.«

Mein Gott, dachte John, *eigentlich müsste man meinen, dass alle ihre Angehörigen längst hier herausgeholt hätten.* Dann wurden ihm die damit verbundenen Schwierigkeiten bewusst. Manche Patienten hatten überhaupt keine Verwandten in der Nähe. Ein Ehepaar zog sich für den Ruhestand hier in die Stadt zurück, der Ehemann starb, die Frau landete hier im Heim, die Kinder lebten woanders: New York, Kalifornien, Chicago ... So war es eben in Amerika.

Sogar für Angehörige, die nur zehn oder 15 Kilometer vom Pflegeheim entfernt wohnten, war es schwierig. Wie sollte man jetzt einen Kranken, einen Alzheimerpatienten oder einen sterbenden Eltern- oder Großelternteil abtransportieren? Und sie dachten oder sie redeten sich ein: »Opa ist da oben gut aufgehoben; wir bezahlen schließlich 5000 Dollar im Monat dafür.«

»Aber Sie müssen etwas tun«, protestierte John schwach.

»Dann sagen Sie mir bitte, was ich als Erstes unternehmen soll«, sagte sie leise. »Habe ich Ihnen schon gesagt, dass wir gestern Nacht ausgeraubt wurden?«

»Wie bitte?«

»Ein paar Halbstarke. Einer hatte eine Pistole und forderte Drogen. Sie haben alle Schmerzmittel, alle Pillen und das ganze Morphium mitgenommen.«

»Wer war das?«

»Keine Ahnung. Der mit der Waffe hatte einen glatt rasierten Kopf, einen Ohrring und die Tätowierung einer Schlange auf dem linken Arm. Er fuhr ein rotes Motorrad.«

»Diese Schweine«, sagte John kalt.

Tyler hatte eine Morphium-Pumpe. Er würde durch die Hölle gehen, sobald er wieder zu Bewusstsein kam.

»So habe ich sie gestern auch genannt, aber sie lachten nur.«

John fand keine Worte und war plötzlich von Mitleid für sie überwältigt. Sie war eine anständige Frau. Ihr ältester Sohn war vor einigen Jahren Mitglied in Johns Pfadfindergruppe gewesen.

»Ich werde in die Stadt fahren und sehen, wie wir diese Menschen evakuieren können.«

»Danke.«

»Ich nehme meinen Schwiegervater jetzt mit.«

»Ist gut.«

»Was ist mit seiner Magensonde? Der Nahrungspaste?«

»Ich würde der Mischung nicht länger trauen, denn sie muss kalt aufbewahrt werden. Wir haben vielleicht noch einige Dosen *Ensure*. Benutzen Sie einen Trichter, um sie ihm zuzuführen. Den Rest erledigt die Schwerkraft.«

John nickte. Sein Magen rebellierte.

»Ich gehe jetzt besser.«

Er ließ sie in ihrer elenden Einsamkeit zurück und ging in den nächsten Gang. Der gesamte Flügel war die sogenannte

»Geschlossene Abteilung«. Hier waren alle Patienten mit Alzheimer und anderen schweren Formen der Demenz untergebracht. Einige von ihnen waren draußen im Gang. Die Bewegungsfähigen wanderten ziellos herum und streckten ihre verschrumpelten Hände nach John aus, als sie ihn kommen sahen. Manche sprachen, manche brabbelten nur vor sich hin oder stießen bedeutungslose Laute aus. Er kam sich vor wie in einem surrealen Albtraum. Er konnte sich ihretwegen nicht aufhalten oder versuchen, ihnen zu helfen, ohne selbst für immer in diesem Albtraum gefangen zu bleiben.

Er kam an einem Notausgang vorbei und spähte nach draußen. Ein Patient schlurfte langsam auf den Wald zu. Er trug eine Fußgelenkfessel, die das Allerneueste auf dem Markt der Sicherheitsvorkehrungen darstellte. Im aktivierten Zustand sandten sie einen Impuls aus, der einen Alarm in der Schwesternstation auslöste und automatisch die Tür versperrte, wenn ein dementer Patient versuchte, sie zu öffnen. Jetzt funktionierten sie natürlich nicht. Es grenzte an ein Wunder, dass überhaupt ein Patient, der gehen konnte, sich noch im Gebäude aufhielt. John fragte sich, wie viele tatsächlich bereits einfach in den Wald spaziert waren.

Er entdeckte eine Krankentrage am Ende des Ganges. Als er näher herankam, sah er zu seinem Entsetzen, dass die Leiche eines kleinen, verschrumpelten, alten Mannes darauf lag. Eine weinende ältere Frau stand daneben und strich ihm übers Haar.

Er schritt auf die Krankentrage zu, entschlossen, sie sich nötigenfalls rücksichtslos zu nehmen, aber als sie zu ihm aufsah, ließ ihn sein Wille im Stich und er machte ein paar Schritte rückwärts, bevor er aus der Abteilung floh.

Er kehrte in den Flügel zurück, in dem Tyler lag. Irgendwie war es Jen tatsächlich gelungen, ihn zu säubern. Ein Haufen beschmutzter Laken lag am Boden und er war in eine zerrissene Decke gewickelt. Sie sah John an, ihre Augen ganz ruhig. Ihre Stärke verblüffte ihn.

»Hast du eine Trage gefunden?«

»Ich trage ihn selbst hinaus.«

Sie hatte den Schlauch zur Magensonde und die Kanüle bereits entfernt. John schob seine Arme unter Tyler und stand auf. Obwohl Tyler nur noch dahinsiechte, war er immer noch schwer, und John schwankte etwas, bevor er den ersten Schritt machte. Er schob sich seitwärts durch die Tür und lief den Gang hinunter. Er ging sehr schnell; ein Wettrennen mit der Zeit, um Tyler nicht fallen zu lassen. Sie kamen an der Stationstheke vorbei. Caroline sagte nichts. Jen rannte voraus, um die Hintertür aufzumachen.

In der Ecke des Aufenthaltsraumes sah John die zusammengesunkene Leiche von Mrs. Kilpatrick. Eine Pfütze aus trocknendem Blut, an der sich Fliegenschwärme gütlich taten, sickerte in den Berberteppich.

Nach Atem ringend eilte John aus der Tür und zum Auto, wo er Tyler auf den Rücksitz legte. Dieser öffnete die Augen. John sah ein Funkeln des Erkennens darin.

»Alles okay, Tyler, wir bringen dich nach Hause. Alles okay.«

Tyler konnte nicht sprechen, der Krebs hatte seinen Hals und seine Stimmbänder längst verwüstet und Metastasen in seiner Brust gebildet. Sein krächzender Atem klang, als würde ihn eine Lungenentzündung heimsuchen.

Trotzdem besaß er genügend Kraft, um Johns Arm zu ergreifen, ihn zu drücken und loszulassen.

»Jen, starte den Motor; ich bin gleich wieder zurück.« John gab ihr die Autoschlüssel.

Er ging wieder hinein und zurück zur Schwesternstation.

»Caroline, ich brauche etwas *Ensure.*«

Sie nickte in Richtung Lagerraum. Er betrat den Raum und musste wieder um Selbstkontrolle ringen. Irgendjemand hatte sich auf den Boden übergeben. Er ging vorsichtig um die Schweinerei herum und begann, Schränke aufzureißen. Der Verband um seinen verletzten Finger war von irgendetwas völlig durchnässt und rutschte schließlich ab. Leere Verpackungskartons der kostbaren Flüssigkeit lagen überall im Raum verstreut; aber gerade, als er seine Suche aufgeben wollte, fand er zwei unversehrte Schachteln mit je 24 Dosen. Er nahm sie und verließ den Lagerraum.

Er setzte an, wieder zur Tür nach draußen zu gehen, hielt aber inne und kehrte dann um. Er ging zu dem Zimmer mit den zwei alten Männern und legte zwei Sechserpackungen *Ensure* in den Schoß des alten Veteranen.

»Danke für das, was Sie damals für uns getan haben, Sergeant«, flüsterte er heiser.

Der alte Mann lächelte und nickte. John kam sich ein bisschen albern vor, aber er konnte sich nicht bremsen: Er nahm Haltung an und salutierte vor dem Mann. Dieser richtete sich in seinem Stuhl auf, lächelte und salutierte zurück. John verließ ihn und ging zum Auto.

Er legte die Dosen auf den Boden vor dem Beifahrersitz und stieg ein.

»Bring uns bloß weg von hier«, sagte er.

Er wandte den Kopf ab, um die dementen Patienten, die draußen herumirrten, nicht sehen zu müssen. Hätte er ihretwegen angehalten, wäre er wieder in den Albtraum hineingezogen worden, und Tyler wäre der sengenden Hitze auf dem Rücksitz des Autos ausgeliefert gewesen.

Sie fuhren davon und waren in wenigen Minuten wieder zu Hause.

»Ben, Elizabeth!«, rief John.

Die zwei Teenager stiegen pitschnass und lachend aus dem Pool, aber als sie sahen, wie John sich abmühte, um Tyler aus dem Auto zu heben, wurden ihre Bewegungen langsamer.

Elizabeth trat zurück.

»Oh, Opa-pa«, rief sie und begann zu weinen.

»Brauchen Sie Hilfe, Sir?«, fragte Ben nervös.

»Halt mir nur die Tür auf.«

John trug Tyler ins Haus, gefolgt von Jen, und steuerte auf Jennifers Zimmer zu. Er legte ihn auf ihr Bett und richtete sich auf.

Jen zog einen Stuhl ans Bett, setzte sich an Tylers Seite und streichelte sanft seine Wange.

»Es ist alles gut, Tyler. Wir sind zu Hause, wir sind zu Hause«, flüsterte sie.

John trat zurück; er hatte plötzlich das dringende Bedürfnis, sich zu waschen. Elizabeth stand im Wohnzimmer und starrte mit großen Augen zu Jens Zimmer hinüber.

»Elizabeth.«

Sie weinte.

»Es wird hart, aber wir müssen da durch«, sagte er. »Hol bitte einen Eimer Wasser, erhitze ihn auf dem Grill, nimm Seife und Handtücher, und dann gehst du rein und hilfst deiner Oma.«

Elizabeth unterdrückte ein Schluchzen und nickte.

Er war froh, dass Jennifer nicht da war und das nicht hatte sehen müssen.

Er ging ins Badezimmer und goss Wasser aus einem Eimer ins Waschbecken. Er wusch sich die Hände gründlich und dann, mit einer Grimasse, weil der Schmerz bis in seinen Arm hinaufschoss, kippte er Isopropylalkohol auf seine Wunde.

Er schnitt ein Stück von einem alten Bettlaken aus dem Wäscheschrank ab, wickelte es um seine Hand und kehrte in Jennifers Zimmer zurück.

»Mom, alles okay?«

Sie sah zu ihm auf und lächelte.

»Natürlich. Ich komme jetzt allein zurecht, John. Danke.«

Ben kam mit dem Eimer voll warmen Wassers herein,

Elizabeth mit Seife und einem Handtuch dicht hinter ihm. Sie zögerte kurz, bevor sie eintrat.

»Elizabeth, Liebes«, sagte Jen ernst, »dein Opa ist ein stolzer Mann. Ich glaube nicht, dass es ihm recht wäre, wenn seine Enkelin mir hierbei hilft.«

Jen sah John an.

»Und du, John, hast den labilsten Magen der Welt. Wollt ihr beiden nicht lieber hinausgehen?«

»Ich bleibe«, sagte Ben leise.

Alle drei sahen ihn überrascht an.

»Zum Kuckuck, ich habe meinem kleinen Bruder hundertmal die Windeln gewechselt. Ich helfe Mrs. Jen.«

»Meine Hochachtung, Ben.«

»Ich sollte wirklich in die Stadt fahren, um Hilfe für das Heim zu organisieren«, sagte John.

»Gute Idee, John.«

Er zögerte und sah Elizabeth an.

»Vielleicht solltest du mitkommen.«

»Bist du sicher, Paps?«

»Klar.«

Sie sah ihn erleichtert an. Beide gingen zum Wagen und stiegen ein.

»Es tut mir leid, Papa. Ich glaube nicht, dass ich das geschafft hätte. Versucht hätte ich es aber.«

»Um ehrlich zu sein, Süße, ich habe es selbst kaum geschafft. Schnall dich an.«

Sie lachte leise, immer noch etwas geschockt.

»Das ist ein 1959er Edsel, Paps. Er hat keine Sicherheitsgurte.«

Sie fuhren in den Ort hinunter und er hatte augenblicklich das Gefühl, in eine ganz andere Welt einzutreten.

Petes kostenloses Freiluft-Barbecue war verschwunden und mit ihm die Atmosphäre eines Kleinstadtjahrmarktes. Zwei mit Schrotflinten bewaffnete Polizisten standen vor dem Eingang der Grundschule, davor bildete eine große

Menschenmenge eine Schlange. Ein offenes Feuer brannte, über dem ein Kessel hing.

Ein weiteres halbes Dutzend Polizisten und ebenso viele Feuerwehrmänner standen in lockerem Spalier um das Rathaus, das Polizeipräsidium und die Feuerwache. Einige Männer standen hinter Jim Bartletts VW-Bus und entluden Kartons. Eine Ansammlung von Fahrrädern, ein paar Mopeds, eine alte Harley Davidson, der Jeep der Reparaturwerkstatt und einige alte Kleinlaster parkten ebenfalls dort. Die Türen der Feuerwehrgarage standen offen, die Löschfahrzeuge parkten draußen. Schachteln, Kisten und andere Behältnisse füllten die Garagenhalle.

Eine andere Schlange stand vor einem altmodischen Wassertank auf Rädern aus Militärbeständen. Ein Wächter stand daneben. Die Menschen in der Schlange hatten große Plastikflaschen bei sich.

John hielt an und stieg mit Elizabeth aus.

»Vier Liter pro Person«, wiederholte der Wachmann immer wieder. John nahm Elizabeths Hand und ging mit ihr auf das Bürgermeisteramt zu.

Im Stadtzentrum gab es zwar noch Wasser, aber die Menschen, die oberhalb des Städtchens wohnten, waren von der Versorgung abgeschnitten und mussten eine weite Strecke zu Fuß zurücklegen, um dann nur vier Liter Wasser zu bekommen.

Einer der Posten sah John und nickte ihm zu.

»Tag, Professor.«

Es war einer von Johns ehemaligen Studenten, der vor einigen Jahren den Hochschulabschluss gemacht hatte und nun Lehrer an der Mittelschule war. John war es peinlich, dass er sich nicht an seinen Namen erinnern konnte.

»Wie sieht es aus?«

»Tja, Charlie hat den Ausnahmezustand erklärt. Wir bringen die ganzen medizinischen Vorräte und alles, was es noch an Lebensmitteln in den Supermärkten gibt, hier in die Feuerwache. Aber die meisten Lebensmittel wurden bereits gestohlen.«

»Ich habe den Food Lion gesehen; aber sind *alle* anderen Supermärkte auch geplündert worden?«

»Tja, Sir, man könnte es beinahe einen Aufstand nennen. Die Leute stürmten einfach in die Läden, nahmen sich, was sie wollten, und rannten weg. Eine Zeit lang wurde es ziemlich brenzlig. Die meisten waren Auswärtige.«

»Auswärtige?«

»Sie wissen schon, Leute von der Autobahn.«

Die Art, wie er »Auswärtige« betont hatte, berührte John unangenehm. Es fühlte sich ganz und gar nicht richtig an.

»Viele Leute kamen auch aus Asheville. Die meisten leben hier und saßen in Asheville fest. Es gab aber auch viele, die einfach aus der Stadt rauswollten. Mindestens tausend oder mehr strömten letzte Nacht hier rein. Es soll da oben ziemlich schlimm sein.

Die Leute aus Asheville haben erzählt, dass eine Bande – hauptsächlich jugendliche Vandalen – das große Asheviller Einkaufszentrum demoliert und teilweise niedergebrannt hat. Jemand hat gesagt, dass mehr als 50 Menschen umkamen und Hunderte von Leuten die Läden auf der Tunnel Road geplündert haben und dort Amok liefen.«

John hörte mit ernster Miene zu.

»Auf der Straße lagen auch viele Tote, haben sie erzählt. Manche Leute brachen einfach zusammen – Herzprobleme, Altersprobleme. Jemand sagte, er habe zwischen hier und der Ausfahrt 53 mindestens 20 Tote gezählt.«

John konnte es kaum glauben.

»Danke. Ist die Bürgermeisterin da?«

»Sicher. Sie halten da drinnen gerade irgendeine Konferenz ab.«

John bat nicht um Erlaubnis; er ging einfach zur Rathaustür und bat Elizabeth, dort zu warten und sich nicht von der Stelle zu rühren. Als er eintrat, fiel ihm die

Gedenktafel ins Auge: »11. September 2001. In Erinnerung an die Rettungskräfte, die ihr Leben gegeben haben ... Ruht in Frieden.«

Ein halbes Dutzend Männer und Frauen eilten durch den Gang. Die Tür zum Konferenzzimmer war geschlossen.

»Ich möchte die Bürgermeisterin sprechen«, sagte John zu einem der Polizisten, die an der Tür Wache hielten.

»Es findet gerade eine Besprechung statt, Sir.«

»Ich weiß, aber es ist dringend.«

»Ich fürchte, Sie müssen warten, Sir.«

»Mein Anliegen kann nicht warten«, sagte John laut.

»Sir, bitte. Gehen Sie nach draußen und warten Sie dort.«

Die Erinnerung an den Veteranen im Pflegeheim, der um ein Glas Wasser gebettelt hatte, gab John Auftrieb.

»Nein. Ich muss auf der Stelle mit ihr sprechen«, sagte John scharf. »Lassen Sie mich durch.«

»Sir, zwingen Sie mich nicht, Sie aufzuhalten.«

John sah, dass der Polizist, kaum aus dem Teenageralter heraus, von der Situation völlig überfordert war. Vor einer Woche war er wahrscheinlich das jüngste und grünste Mitglied der Staffel gewesen und kannte keine größere Herausforderung als die Begegnung mit einem Betrunkenen an einem Samstagabend.

John langte an ihm vorbei, drehte den Türknauf und stieß die Tür auf.

»Sir! Treten Sie bitte zurück!«

Charlie, Kate und Tom befanden sich im Zimmer, außerdem Doktor Kellor und, interessanterweise, Washington Parker; sowie ein älteres Paar, das John vage bekannt vorkam.

»Es ist schon in Ordnung, Gene. Das ist Professor Matherson. Komm rein, John.«

John nickte dem jungen Polizisten knapp zu und betrat den Raum. Alle starrten ihn an und er war plötzlich wegen seines abrupten Eindringens ein bisschen verlegen, aber die

Erinnerung an das Pflegeheim war stärker als jede Peinlichkeit.

»Was ist los, John? Warum bist du so geladen?«, fragte Charlie.

»Ich war gerade oben in Millers Pflegeheim. Mein Gott, da oben ist die Hölle los.«

»Wir wissen darüber Bescheid, John«, sagte Kate. »Mr. Parker hier schickt eine Gruppe mit Essen und Wasser hinauf. Die meisten sind Studenten vom College. Doc Kellor sucht unter den Gestrandeten nach Krankenpflegern oder -schwestern, die auch dort helfen könnten.«

»Die Situation verlangt mehr als ein paar Studenten und Krankenschwestern«, sagte John. »Trotzdem danke, Washington.

»Wisst ihr«, fuhr er fort, »dass sie ausgeraubt wurden? Ein paar Halbstarke haben das ganze Morphium und alle Schmerzmittel mitgenommen.«

»Auch dem gehen wir bereits nach, John«, sagte Tom leise.

Jetzt war John sein Auftritt tatsächlich peinlich.

Charlie zögerte und suchte Augenkontakt mit Kate. Sie nickte.

»John, ich hätte dich eigentlich zu diesem Treffen einladen sollen«, sagte Charlie sanft. »Wir besprechen die Lage. Vielleicht hast du etwas beizutragen. Kennst du die Barbers?«

John sah das ältere Paar an. Er kannte sie tatsächlich. Sie besaßen ein Sommerhaus, eigentlich fast ein Herrenhaus, im Cove, nur ein paar Häuser von seinen Schwiegereltern entfernt.

Sie sahen ausgelaugt aus. Mrs. Barber war bleich und kämpfte offenbar darum, die Augen offen zu halten.

»Sie sind gerade aus Charlotte angekommen.«

Don Barber nickte langsam.

»Fahren Sie bitte fort«, sagte Kate.

»Nun, wie gesagt«, nahm Don den Faden wieder auf, »gestern Morgen war bereits alles außer Kontrolle geraten. Und, wie ich Ihnen schon sagte: Alles, was geschah, war völlig idiotisch. Am Morgen, nachdem der Strom ausfiel, kamen zwei Hubschrauber aus Fort Bragg. Sie landeten neben dem Rathaus, ein Dutzend bewaffneter Soldaten sprang raus, irgendein Arsch von einem Major rannte ins Rathaus, kam 20 Minuten später wieder rausgerannt, sie flogen wieder ab, und dann kam jemand heraus und sagte uns, dass wir uns im Krieg befinden.«

Niemand sprach.

»Krieg mit wem?«, fragte Tom.

»Ich weiß es nicht. Niemand weiß es. Dieser Idiot, der da herausrannte und schrie, dass wir im Krieg sind, mit Nuklearwaffen angegriffen wurden und den Krieg bereits verloren haben, der hat das alles ausgelöst. Nur ein einziges verfluchtes Großmaul.«

Er zögerte und sah seine Frau an.

»Entschuldige, Wendy.«

»Er war ja auch ein verfluchtes Großmaul«, flüsterte sie, kaum in der Lage, die Augen offen zu halten. John lächelte.

»Ich bin alt genug, um mich an 1941 zu erinnern; auch an die Ermordung Kennedys 1963, und daran, wie Reagan angeschossen wurde, und natürlich an den 11. September 2001. Bei all diesen Krisen hatten wir zumindest Radio und Fernsehen – und damit jemanden, der uns sagte, was sich zutrug, was wir tun sollten, der uns Führung gab. Das schweißte uns alle zusammen.

Diesmal ist es ein Vakuum. Es gab nichts, nur diesen einen Idioten. Natürlich hatte sich beim An- und Abflug der Hubschrauber ein Menschenpulk gebildet.

Als ich die Straße erreichte, jagte schon ein Gerücht das andere. Die einen sprachen von Atombomben, die anderen von Massensterben durch radioaktiven Niederschlag. Und das war's. Innerhalb einer Stunde herrschte Chaos in der

Stadt. Die Leute plünderten, kämpften miteinander und es war unmöglich, die Ordnung aufrechtzuerhalten.

Die Polizei war total unvorbereitet. In der Nacht war alles ruhig gewesen. Die Polizei und die Feuerwehr hatten einige alte Autos übernommen und fuhren damit die Straßen auf und ab. Jemand lehnte sich mit einem alten Megaphon aus dem Autofenster und bat die Leute, die Ruhe zu bewahren; er sagte, dass bereits Hilfe unterwegs sei, und anfangs wirkte sich das positiv aus. Aber dann brach die Panik aus.«

John zögerte, aber er musste die Frage stellen.

»War es ein Angriff? Ich meine, ein *nuklearer* Angriff?«

Don zuckte die Achseln.

»Ich kenne den Bezirksstaatsanwalt des Landkreises und schaffte es, in sein Büro vorzudringen. Dieser Trottel, ein kleiner Bürohengst, hatte lediglich ein paar Minuten der Instruktionen angehört, dann geriet er in Panik und flüchtete zur Tür hinaus.

Was die Wahrheit betrifft – die ist herzlich dünn gesät. Erinnern Sie sich, sogar nach dem 11. September dauerte es einige Tage, bis wir die Dinge allmählich wieder in den Griff bekamen – und damals hatten wir volle Kommunikation. Aber jetzt … Laut dem Bezirksstaatsanwalt lautete die Information, dass eine, vielleicht auch zwei oder drei Nuklearwaffen über den Vereinigten Staaten gezündet worden seien; ein paar Hundert Kilometer oberhalb der Atmosphäre.«

»Also handelt es sich mit Sicherheit um einen EMP-Angriff«, warf John ein.

»Das hat der Bezirksstaatsanwalt auch gesagt. Außerdem hieß es, dass einige Kommunikationseinrichtungen in Fort Bragg den Angriff überlebt hätten; ein paar Flugzeuge in einem abgeschirmten Hangar und auch ein paar Fahrzeuge in Schutzgaragen.

Im Übrigen ist das ganze Stromnetz der Vereinigten

Staaten außer Gefecht; mit Ausnahme von einigen Radios und Maschinen, die, wie dieser Major es ausdrückte, ›abgeschirmt‹ waren. Er sagte, dass die Armee daran arbeitet, alles wieder in Ordnung zu bringen, und dass die Bevölkerung bis dahin Ruhe bewahren solle. Allerdings, meinte er, würde das mehrere Wochen in Anspruch nehmen.«

Don schüttelte den Kopf.

»Es wäre besser gewesen, er wäre überhaupt nicht aufgekreuzt. So, wie der einflog und dann sofort wieder abflog, sah es aus, als sei er auf der Flucht, und das schürte die Panik weiter.«

»Mehrere Wochen, ha, ha, ha«, murmelte John.

Don schwieg.

John sah Kate an.

»Hast du den Bericht gelesen, den ich dir hiergelassen habe?«

Sie nickte.

»Dann solltest du eher mit Monaten und Jahren rechnen als mit Wochen. Das, was Mr. Barber uns gerade erzählt hat, bestätigt es.«

»Ich weiß, John.«

Ihr Tonfall signalisierte ihm, dass er sich zurückhalten sollte. Er sah ein, dass sie recht hatte.

»Was geschah dann, Sir?«, fragte Charlie Don Barber.

»Tja, es war bereits ziemlich kritisch. Zwei Flugzeuge waren unmittelbar nach dem Stromausfall mitten im Stadtzentrum abgestürzt, eins davon eine Boeing 737. Wie eine Szene aus der Hölle. Manche Leute dachten, es sei vielleicht ein missglückter Terroranschlag. Wie ich vorhin sagte, ohne Radio, ohne irgendwelche Kommunikationsmöglichkeiten, verbreiteten sich die Gerüchte schneller als die Wahrheit. Niemand wusste, was los war, also wurde plötzlich jeder zum Experten, und alle haben sich gegenseitig in Todesangst hineingesteigert.

Dann wurde mir klar, dass ich Wendy und mich schleunigst

aus Charlotte herausbringen musste, und wir kamen hierher.«

»Warum hierher?«, fragte Kate.

»Weil es hier sicher ist«, entgegnete Don. Er sah jeden im Raum an, als suche er eine Bestätigung.

»Richtig, Don«, sagte Charlie. »Jetzt sind Sie sicher. Jetzt sind Sie bei Ihren Nachbarn.«

»Ich bin also von meinem Büro im Stadtzentrum die sechseinhalb Kilometer zu Fuß nach Hause gegangen. Es war die härteste Strecke meines Lebens; außer, als ich damals über Korea abgeschossen wurde und zu unseren Truppen zurücklaufen musste.

Ich holte Wendy und wir brauchten zweieinhalb Tage zum Flugplatz, wo meine L-3 stand.«

»L-3? Was zum Teufel ist das?«, fragte Tom.

»Das ist die Militärbezeichnung für ein Aufklärungsflugzeug aus dem Zweiten Weltkrieg. Wir haben sie in Korea eingesetzt, um Truppenbewegungen und Artilleriestandorte auszukundschaften. Meine L-3 ist fast identisch mit der, die ich als Artilleriebeobachter in Korea flog.«

Er lächelte. »Ich habe sie vor ungefähr zehn Jahren als verbeulte Schrottkiste gefunden und selbst instand gesetzt. Sie ist ein Traum von einem Flugzeug; sie fliegt sehr langsam und tief.«

John konnte sich ein Lächeln nicht verkneifen. Wie bei vielen alten Veteranen, die von ihrem Kriegseinsatz sprachen, schienen die Jahre aus Dons Gesicht zu verschwinden und seine Augen strahlten jugendlich bei den glücklichen Erinnerungen.

»Die ganze Zeit, während wir unterwegs waren, hatte ich Angst, dass das Flugzeug inzwischen gestohlen oder zerstört worden sei. Ich fand es aber tatsächlich noch im Hangar. Es hat nichts Besonderes an sich. Vielleicht war das der Grund, warum es noch dastand. Ich habe es im Originalzustand belassen – das heißt, keine Elektronik. Ich konnte nirgends ein Radio aus der richtigen Zeit auftreiben, also benutzte ich beim Fliegen ein kleines, tragbares GPS. Das war natürlich kaputt, aber das Flugzeug selbst war in tadellosem Zustand.«

Er hielt inne.

»Damals öffnete man das Drosselventil, pumpte Brennstoff in die Zylinderkammer und schaltete die Magnetzündung ein – alles per Hand. Dann musste irgendjemand den Propeller kräftig nach unten ziehen, und dann startete der Motor.«

»Also sind Sie hierher geflogen?«, fragte John.

»Genau. Ich bin vor etwa vier Stunden gestartet und über Charlotte gekreist.«

Er zögerte und senkte den Kopf.

»Ich habe schlimme Dinge in Korea gesehen. Ich war dabei, als die Kommunisten Seoul zum zweiten Mal einnahmen. Aber ich hätte nie gedacht, dass ich hier in Amerika so etwas sehen würde.«

»Was haben Sie denn gesehen?«, erkundigte sich Kate.

»Am 11. September 2001 verhielten sich die Leute in Washington und New York ganz anders. Sie zogen alle an einem Strang. Im Rückblick gab es damals auch keine Panik in dem Sinne. Bürgermeister Giuliani von New York sprach im Fernsehen, dann der Präsident, und das schweißte uns alle zusammen.

Aber nun ist da nur dieses Vakuum, und in den Städten ist alles zusammengebrochen, wie gesagt. Das Zentrum von Charlotte stand in Flammen. Ich konnte sehen, dass keine Feuerwehrfahrzeuge unterwegs waren. Der Wasserdruck war bereits gesunken, als ich mich entschloss, zu Fuß nach Hause zu gehen. Als ich dort ankam, hatten wir gar kein Wasser mehr.

Die Leute plünderten und drehten einfach durch.« Er hielt inne. »Ich habe Tote auf den Straßen liegen sehen. Die Nationalgarde umringte ein Einkaufszentrum und Tausende von Leuten haben versucht, durchzubrechen, um an die Lebensmittel zu gelangen. Ich konnte sehen, wie die Nationalgarde zurückwich und in die Menge feuerte.

Es sah … es sah aus wie die alten Wochenschauaufnahmen aus dem Zweiten Weltkrieg, oder wie in Saigon, als die Stadt fiel, oder wie das, was in Somalia passiert ist. Ich hätte nie im Traum daran gedacht, so etwas hier zu sehen. Hier doch nicht.«

Er verstummte erneut einen Moment und sah aus dem Fenster.

»Wir flogen über der I-95. Dann durch die Schlucht am Hickory Nut. Zuerst hatte ich vor, in Asheville zu landen, aber was dann? Wir wären immer noch knapp 50 Kilometer von zu Hause weg gewesen.«

»Haben Sie irgendwelche Verkehrsbewegungen gesehen?«, wollte Charlie wissen. »Besonders drüben in Asheville?«

»Es sah so aus, als seien einige wenige Autos unterwegs, aber sonst nichts. Viele Brände; sowohl Häuser als auch einige Wälder. Das Feuer oben auf dem Gipfel vom Craggy Dome konnte ich schon aus 80 Kilometern Entfernung sehen. Kurz vor Asheville überflog ich eine abgestürzte Linienmaschine, die immer noch brannte.«

»Warum hören wir so oft von abgestürzten Flugzeugen?«, fragte Kate.

»Weil fast alle Linienflugzeuge heute vollgestopft mit elektronischen Komponenten sind«, antwortete Don. »Sogar der verdammte Steuerknüppel ist nicht mehr mit einem Draht verbunden wie früher, sondern hat Computerlinks mit den Kontrolltürmen. Wenn das System ausfällt, stürzt wahrscheinlich jedes Flugzeug in ganz Amerika ab.«

»Großer Gott«, seufzte Tom. »Am 11. September waren es nur vier.«

»Gehen Sie von ungefähr 3000 Abstürzen aus. Das ist die Durchschnittsanzahl der Flugzeuge, die täglich um diese

Uhrzeit unterwegs sind«, sagte Don kalt. »Im Schnitt 200 Passagiere pro Flugzeug … Rechnen Sie sich's selber aus.«

Er seufzte wieder und blickte starr geradeaus, als sähe er in ein weit entferntes, dunkles Land.

»Das Einkaufszentrum in Asheville brannte, ein Riesenfeuer. Da wusste ich endgültig, dass ich so nah an unserem Haus landen musste wie möglich. Wenn ich am Flughafen gelandet wäre, hätte ich es nie bis hierher geschafft. Auf der I-40 waren einige Hundert Meter frei von Autos, und da habe ich mein Maschinchen aufgesetzt.«

Tom grinste.

»Es war das Verrückteste, was ich je gesehen habe: Ein Flugzeug rollt die Autobahnausfahrt hinunter und parkt auf dem Parkplatz vor Ingram's Einkaufszentrum, genauso angemalt wie die alten Armeeflugzeuge; sogar mit ›D-Day‹-Invasionsstreifen. Verdammt, ein Anblick zum Jubeln.«

»Hast du dort eine Wache aufgestellt?«, fragte Charlie.

»Natürlich, was denkst du denn? Die Maschine ist das Wichtigste, was wir haben.«

»Vielen Dank, Mr. Barber«, sagte Charlie. »Ich bin froh, dass Sie es nach Hause geschafft haben.«

»Wir sind ziemlich erschöpft. Könnten wir wohl irgendeine Fahrgelegenheit nach Hause bekommen?«

»Ich glaube, da können wir etwas für Sie tun«, meinte Charlie. »Sozusagen als Tauschgeschäft.«

»Was denn für ein Tauschgeschäft?«

»Wir möchten Ihr Flugzeug benutzen dürfen.«

»Einverstanden – solange ich selbst der Pilot bin«, sagte Don. »Ich habe fünf Jahre gebraucht, um es instand zu setzen. Niemand außer mir rührt es an. Mit ein bisschen Arbeit kann ich es umrüsten, sodass der Motor Autobenzin verbrennen kann. Aber wo auch immer Sie damit hinfliegen wollen, bin ich dabei.«

»Abgemacht.«

Charlie stand auf und öffnete die Tür.

»Nur eines noch«, sagte Don. »Auf den Autobahnen wimmelt es von Menschen. Es sind Tausende. Die reinste Völkerwanderung … und sie kommen in diese Richtung.«

Er verließ den Raum und Charlie schloss die Tür.

»Genau, wie ich es mir gedacht habe«, sagte er leise. »Darüber haben wir bei den Krisenübungen gesprochen, die sich auf einen Angriff mit einer oder mehreren konventionellen Atomwaffen in Stadtzentren konzentrierten. Wenn es erst mal losgeht, fängt es mit Aufständen an: Leute nehmen sich das, was sie ihrer Meinung nach zum Überleben brauchen. Dann, aus einem uralten Instinkt, fliehen sie aus den Städten in die Berge. Das Gleiche würde auch nach dem Ausbruch einer Seuche geschehen: erst Panik, dann der Versuch, in die Berge zu fliehen.«

»Warum?«, fragte Kate.

»Warum sind wir hier?«, warf John ein.

»Was meinst du?«

»Man muss die tieferen Beweggründe sehen. Gut, ich bin wegen Mary hierhergezogen. Aber warum waren ihre Eltern hier? Anscheinend treibt uns irgendein Instinkt oder ein Traum von einer heilen Welt … die Vorstellung, dass oben in den Bergen alles freundlich, voller Nächstenliebe und gefahrlos ist. Dort oben werden die Menschen einander immer helfen. Wenn man darüber nachdenkt – genauso war es hier ja tatsächlich, bevor das alles über uns hereinbrach.«

»Tja, gestern war es hier mit der Nächstenliebe nicht gerade weit her«, sagte Tom bitter.

»Wie schlimm war es?«, erkundigte sich John.

»Hast du es nicht gesehen?«

John fragte sich, ob das eine Anspielung war; ob Vern Tom vielleicht von seinem Streifzug zum Ein-Dollar-Laden berichtet hatte.

»Ich war fast den ganzen Tag zu Hause und habe dort alles Mögliche geregelt. Am Spätnachmittag bin ich runter zum Food Lion gefahren, aber er war leer geräumt.«

»Ja, Vern erzählte mir, dass er dich entdeckt hat, als du im Ein-Dollar-Laden herumgeschnüffelt hast«, sagte Tom kühl.

»Zum Teufel noch mal, Tom! Wenn ich plündern wollte, würde ich mir einen wesentlich besseren Laden aussuchen als den verdammten Ein-Dollar-Laden, darauf kannst du Gift nehmen!«

Plötzlich fragte er sich, ob die wenigen Dinge, die er mitgenommen hatte, ihn tatsächlich als Plünderer klassifizierten. Während des Krieges waren in Deutschland und Russland Menschen wegen wesentlich geringerer Delikte erschossen worden. In Leningrad war man für den Diebstahl einer einzigen Scheibe Brot gehängt worden.

»Und warum solltest du sonst da drin gewesen sein?«

»Verhafte mich doch, wenn du wirklich glaubst, ich sei ein Plünderer!«, bellte John wütend.

»Beruhigt euch! Alle beide!«, unterbrach Kate.

»Hör zu, John, es war wirklich fürchterlich hier«, versuchte Charlie, die Wogen zu glätten. »Vielleicht war es meine Schuld. Ich hätte schon am ersten Tag den Ausnahmezustand ausrufen sollen. Ich hab's aber nicht getan. In der Nacht zwischen dem zweiten und dem dritten Tag war es dann, als wäre die ganze Stadt von einer Massenpanik erfasst worden. Die meisten Leute wissen immer noch nicht genau, was geschehen ist. Sie wissen nur, dass es etwas Schlimmes ist.

Zuerst rannten alle in die Banken, um ihr Geld abzuheben, aber die Banken benutzen heutzutage natürlich elektronische Archivdateien für die Konten, und darum dauert es ewig, die Papierakte für jedes Konto auszugraben. Es ist nicht mehr so wie früher, als wir alle Spar- oder Kontobücher hatten, die nur abgestempelt werden mussten. Die Banken wurden fast gestürmt, und dort hatte Tom die meisten Männer aufgestellt.

Den Banken ist das Geld ziemlich schnell ausgegangen.

Bevor ich dem Ganzen Einhalt geboten hatte, versuchte eine Frau in der First Charter Bank, 50.000 Dollar abzuheben.«

Darüber musste John fast lachen.

»Jetzt ist es sowieso nichts als Papier«, seufzte er.

»Das muss ich jetzt nicht auch noch hören«, unterbrach Kate.

»Tut mir leid, Kate, aber ich finde, du musst es sehr wohl hören. Bis die Regierung alles wieder in den Griff bekommt, inklusive der Datenregelung der Geldinstitute, ist das bisschen Papiergeld, das da draußen herumflattert, absolut wertlos. Unsere gesamte Ökonomie basiert heutzutage auf elektronischem Geld: Es ist sozusagen eine Frage des Glaubens. Und wenn dieser Glaube einen Riss bekommt, was ist dann?«

»Dann wird alles auf den Tausch von Naturalien zurückfallen, richtig?«, fragte Charlie.

John nickte. »Und du bestimmst den Rahmen.«

»Ich? Wie meinst du das?«

»Ich schlage vor, alles zu beschlagnahmen, was Überlebenswerte darstellt … Medikamente, Werkzeug, Autoersatzteile, die zum Nachrüsten taugen, Baumaterialien – besonders Leitungsröhren und Ähnliches – und, am wichtigsten: Lebensmittel. Beschlagnahme alles, bring es hierher, rationiere es, und die Rationen werden zu Tauschobjekten für andere Dinge.«

»Für mich hört sich das nach Kommunismus an«, schnaubte Tom.

»Es geht ums Überleben«, widersprach John scharf. »Du kennst meine politische Einstellung, Tom, also beleidige mich nicht.«

»Tja, vieles von dem, was du aufgelistet hast, ist bereits verschwunden«, sagte Charlie. »Verdammt, das Ganze hat uns mit heruntergelassenen Hosen erwischt. Wie gesagt, wir haben für so etwas nie einen Plan ausgearbeitet. Der Sturm auf die Banken löste alles aus. Danach rannten die

Leute in die Läden und kauften alles, was sie nur konnten. Unsere Polizisten waren ja praktisch auch nur zu Fuß unterwegs, und außerdem sind wir alle so sehr an unsere Einsatzwagen mit Funkgeräten gewöhnt, die uns immer informierten, was los ist. Bis einer der zwei Polizisten, die bei Ingram's stationiert waren, die anderthalb Kilometer hierhergelaufen war, um uns Bescheid zu sagen, war die Plünderung bereits in vollem Gang. Und als die zusätzlichen Männer, die wir runterschickten, um die Situation in den Griff zu kriegen, endlich dort ankamen, war schon alles vorbei.

Es gab sogar Leute, die zu den Schnellimbissbuden an der Autobahn gingen und mit 100-Dollar-Noten herumwedelten, um die rohen Hamburger zu kaufen.

Die Klügeren gingen allerdings in die drei großen Supermärkte. Zuerst gab's da eine Schlange halbwegs bis zum Mond, und dann auf einmal sahen wir nur noch Leute aus den Türen rennen.«

»Hat niemand versucht, sie aufzuhalten?« John sah Tom an.

Tom seufzte.

»John, wir reden hier von unseren Nachbarn. Ich habe sogar Leute aus meiner Kirche gesehen, die Eltern der Freunde meiner Kinder. Ja, ich habe versucht, sie aufzuhalten, aber wir konnten doch nicht auf sie schießen, verdammt noch mal.«

»Trotzdem starben ungefähr 20 Menschen«, sagte Kate. »Die meisten an Herzanfällen, Infarkten. Bei Ingram's wurde eine Vitrine zertrümmert. Jemand fiel in die Splitter und verblutete.«

»John, die Leute drängten sich einfach an dieser Frau vorbei, während sie starb«, ergänzte Tom leise.

John sah durchs Fenster auf Bartletts VW, der auf der Montreat Road davontuckerte, nachdem ein Stapel Kisten ausgeladen worden war.

»Es war surreal, John«, sagte Charlie. »Alle zu Fuß unterwegs, die Straßen voller Menschen. Ich glaube, die begehrtesten Objekte gestern waren Einkaufswagen. Von denen wurde jeder einzelne entwendet, und die Leute gingen die Straßen entlang und schoben ihre Ladungen nach Hause.«

»Das erklärt die Herzanfälle«, meldete sich Doktor Kellor endlich zu Wort.

John sah seinen alten Freund an. Als junger Arzt hatte Kellor Mary entbunden und war auch bei ihr gewesen, als sie diese Welt verließ. Nun behandelte er Jennifer und tauchte etwa einmal im Monat bei John zu Hause auf, um »nach meinem Lieblingsmädchen zu sehen«, und blieb dann auf einen Whiskey und eine Runde Schach. Es wurmte ihn immer, dass John neun von zehn Spielen gewann.

»Angst, kombiniert mit der Ungeheuerlichkeit, mehr als 50 Meter zu Fuß gehen zu müssen«, fuhr Doc Kellor fort. »Etwa 300 Todesfälle haben sich ereignet, seit alles begann.«

»300?«

»Klingt das so absurd?«, fragte Kellor trocken. »Du vergisst, wie fragil wir in Wirklichkeit sind; die am meisten verhätschelte Generation in der Geschichte der Menschheit. Herzanfälle, ziemlich viele dumme Unfälle, mindestens acht Morde und einige Selbstmorde. Um es gefühllos auszudrücken, meine Freunde: diejenigen, die schon vor Jahren hätten sterben müssen, die ohne Beta-Blocker, Gefäßprothesen, Angioplastien, Herzschrittmacher und exotische Medikamente längst gestorben *wären*. Nun sterben sie alle auf einmal.«

John starrte Kellor einen Moment lang an und fragte sich, was der Mann sonst noch dachte.

»Schrittmacher sind auch betroffen?«, hakte Charlie nach. »Großer Gott, meine Mutter hat einen.«

Alle sahen ihn an.

»Sie ist in Florida; ich weiß nicht, wie es ihr geht …« Er verstummte.

»Es tut mir leid, Charlie«, sagte Kellor, »aber ich sage es besser geradeheraus. Manche funktionieren seltsamerweise noch. Wie lange die Batterien allerdings noch mitmachen, nun, darüber kann man nur spekulieren. Manche Leute sind innerhalb von Minuten oder Stunden gestorben.«

John sah wieder Charlie an.

»Du wirst das alles in die Hand nehmen müssen, Charlie.« John sagte dies scharf, mit einem Anklang seiner »Kommandostimme«, um Charlie an die harte Realität dieses Treffens zu erinnern. »Du wirst hart durchgreifen müssen, oder die Dinge werden noch weiter eskalieren. Bis jetzt haben wir es nur mit der ersten Stufe der Panik zu tun.«

»Was willst du damit sagen?«

»Im Moment schnappen sich die Leute spontan das, was sie zu brauchen glauben, aber wenige denken weiter: Was ist in einer Woche, in einem Monat?« Er hielt inne. »Oder in einem Jahr? Habt ihr eine öffentliche Zusammenkunft einberufen, um mit den Leuten darüber zu diskutieren, was geschehen ist und was zu tun ist?«

»Was für eine Katastrophe«, stöhnte Kate. »Ja, gestern Abend. 500 bis 600 Leute kamen. Es war schwer, die Ankündigung zu verbreiten. Auf jeden Fall wurde es dadurch fast schlimmer. Sobald Charlie EMPs und nukleare Explosionen erwähnte, hörten manche Leute nur ›nuklear‹ und spielten verrückt. Sie sagten, sie würden sofort nach Hause gehen und bombensichere Bunker bauen.«

»Nach dem, was Don Barber uns erzählt hat, war es in Charlotte genauso«, sagte John. »Sobald ihnen klar wird, dass es um eine längere Zeitspanne geht, fangen die Leute an, einander misstrauisch zu beäugen, und fragen sich, ob der Nachbar vielleicht die eine oder andere Konservendose mehr im Keller versteckt hat als sie.«

»Oder eine Medikamentenampulle mehr in der Kühltruhe«, fügte Kellor leise hinzu. John wusste, dass er ihn damit meinte, reagierte aber nicht darauf.

»Das ist der Moment, in dem wir entweder zusammenhalten und versuchen, die Ordnung aufrechtzuerhalten, oder die totale Anarchie ausbricht.«

»Da gab es diese alte Folge in *Twilight Zone*«, sagte Kate. »Eine Gruppe ganz normaler Leute verbringt einen netten Abend zusammen. Im Radio wird bekannt gegeben, dass der Atomkrieg ausgebrochen ist, und am Ende der halbstündigen Sendung bringen sie einander um, weil alle versuchen, in den Bunker zu gelangen, den einer von ihnen im Keller hat.«

Eigenartig, wie wir uns jetzt alle auf Filme und Fernsehsendungen beziehen, dachte John. *Twilight Zone.* Am vergangenen Abend hatte er an die Folge gedacht, in der Außerirdische begannen, die Lichter in den Häusern der Leute ein- und auszuschalten. Bald waren alle in Panik geraten und bereit, einander umzubringen, während die Außerirdischen gemütlich zusahen und lachten.

Was hätte Rod Serling, der Schöpfer dieser Serie, wohl über die jetzige Situation gesagt? ... »Zu Ihrer geflissentlichen Beachtung: Amerika, wie es auseinanderbricht, sobald man den Stecker zieht ...«

»Zum Teufel mit der *Twilight Zone!*«, sagte Tom. »Flüchtlinge. Wir werden allmählich geradezu überschwemmt mit Gestrandeten von überallher. Darüber mache ich mir jetzt die größten Sorgen. Zwar wissen wir, auf welche Nachbarn wir uns verlassen können, aber alle diese Auswärtigen? Wer weiß, wozu die fähig sind? Und wenn zu viele hierherkommen, werden wir innerhalb weniger Tage alle verhungern.«

»In Charlotte leben über eine Million Menschen«, sagte

Charlie. »Im Dreistädtegebiet sind es sogar noch mehr. Wenn nur einer von hundert sich entschließt, hierherzukommen, müssen wir noch 20.000 bis 30.000 mehr durchfüttern.«

Er verstummte und eine schier endlose Minute lang sprach niemand.

»Wir brauchen einen Plan«, sagte Kate.

»Na klar, einen Plan, aber was für einen?«, seufzte Charlie. »Wir hatten für alles einen Plan, nur nicht für das hier. Und darum hat es mich kalt erwischt«, sagte er traurig und schüttelte den Kopf. »Ich habe darauf gewartet, dass jemand anruft oder sich irgendetwas tut. Es tut mir leid.«

»Jeder wäre überfordert gewesen, Charlie«, sagte John nicht ganz wahrheitsgemäß; aber er verstand Charlies Gedanken. Das Militär bereitete sich auf kriegerische Auseinandersetzungen nicht viel anders vor: Man trainierte Krisenszenarien. Aber niemand hatte jemals für irgendetwas in dieser Größenordnung trainiert. Niemand hatte für so etwas einen durchdachten und umsetzungsreifen Generalstabsplan ausgearbeitet. Darum waren die kostbaren ersten Tage, in denen so viel hätte getan werden können, unwiederbringlich verloren.

»Vielleicht bekommt jemand in Asheville irgendetwas in den Griff«, sagte Tom. »Wir alle haben den Black Hawk dorthin fliegen sehen. Vielleicht haben sie dort irgendeine Kommunikationsverbindung.«

John verstummte. Asheville. Ausfahrt 64 bis Ausfahrt 53, 17 Kilometer. Kaum ein Tag verging, ohne dass Elizabeth nach irgendeinem Vorwand suchte, um sich dort im Einkaufszentrum herumzutreiben. Keine Woche verging, ohne dass John zu Barnes & Noble ging, die Regale über Militärgeschichte durchstöberte und einen Kaffee trank; oder er fuhr die Kinder zu ihrem Lieblingspizzalokal, dem Magic Mushroom. Dort genossen sie nicht nur ihre Mahlzeit, sondern hatten auch Spaß daran, die Hippies und

»Durchgeknallten«, wie Jennifer sie nannte, zu beobachten, die dort abhingen.

17 Kilometer durch unbekanntes Gebiet. Es erschien ihm nun wie eine äußerst gefährliche Reise. *Mein Gott, sind wir wirklich in nur vier Tagen so agoraphobisch, so verschlossen geworden?*

»Ich glaube, wir sollten morgen nach Asheville fahren und sehen, was zum Teufel dort los ist«, schlug John schließlich vor.

»Einverstanden«, antwortete Charlie schnell.

John sah sich um und merkte, dass er sich gerade in die Nesseln gesetzt hatte.

»Okay, wir nehmen mein Auto.«

KAPITEL FÜNF

Tag 5

»Das ist unmöglich«, meinte Charlie, und John grunzte zustimmend.

Ab der Ausfahrt 55 war die Autobahn in westlicher Richtung völlig von liegen gebliebenen Autos blockiert. In der Stoßzeit gab es auf dieser Strecke üblicherweise die meisten Staus, und als der EMP kam, blieb der gesamte Verkehr einfach stehen und verstopfte die Straße auf beiden Spuren und auf den Banketten, wo viele Fahrzeuge ausgerollt waren, nachdem ihre Motoren den Geist aufgegeben hatten.

Er schaltete in den Rückwärtsgang, schlängelte sich durch die Hindernisse der gestrandeten Autos bis zur Ausfahrt zurück, wendete, verließ die Autobahn und fuhr zur Route 70, die parallel zur Autobahn auf der Nordseite verlief.

»Ich wollte sowieso lieber diese Strecke fahren«, sagte Washington, der auf der Rückbank des Edsel saß. »Vielleicht hat das Veteranenkrankenhaus eine Kommunikationsverbindung.«

Links und rechts neben Washington saßen zwei Mitglieder der College-Footballmannschaft: Phil Vail und Jeremiah Sims. Washington hatte vorgeschlagen, die beiden »nur so« mitzunehmen, und John hatte zugestimmt. Diskret verborgen zu ihren Füßen lagen zwei Schrotflinten und Washington hielt einen Colt .45 in der Hand.

John nickte und nahm die westliche Abbiegung in die

Route 70. Wieder musste er um stehende Autos herummanövrieren. Unter der Autobahnbrücke nahm er den Blue Ridge Parkway. Bald kam das Grundstück des Veteranenkrankenhauses in Sicht.

Sie fuhren durch das Eingangstor und Johns Herz sackte ab. Irgendwie hatte er gehofft, dass hier, in einem Kriegsveteranenkrankenhaus, einer Regierungseinrichtung, ein Wunder geschehen sei und es einen abgeschirmten Generator gäbe – oder zumindest irgendeinen Anschein des normalen, ordentlichen Lebens. Er hatte beinahe erwartet, Truppen zu sehen, die hier Wache hielten.

Stattdessen sah er viele ältere Patienten auf dem Rasen; manche lagen auf Decken, andere wanderten ziellos umher. Eine Fahrspur war von gestrandeten Autos befreit worden. Ein »Mietbulle« mit einer Schrotflinte stand in der Straßenmitte und befahl ihnen mit einer Geste, anzuhalten.

John lehnte sich aus dem Fenster, während der Wachmann sich dem Auto vorsichtig von der Seite näherte, die Flinte halb im Anschlag.

»Ich bin Colonel John Matherson«, stellte sich John vor. Es war ihm ein bisschen peinlich, diesen Titel wieder zu benutzen. In den letzten paar Jahren hatte er sich daran gewöhnt, mit »Professor« oder »Doc« angeredet zu werden; aber Washington hatte ihm geraten, auf diesem Ausflug seinen alten Militärrang auszunutzen.

»Ich wohne in Black Mountain. Und das ist Charlie Fuller, unser Leiter der öffentlichen Sicherheit. Auf dem Rücksitz sind Washington Parker, Marineinfanterist außer Dienst, und zwei Studenten von unserem College.«

Der Wachmann nickte nur stumm, aber er senkte seine Waffe.

»Wir sind auf dem Weg nach Asheville, weil wir hoffen, dort Informationen zu bekommen. Funktioniert hier irgendetwas? Gibt es Strom?«

»Nein. Kein Saft. Habt ihr Strom?«

»Nein, Sir.«

»Ist hier irgendein Verantwortlicher, der weiß, was geschehen ist? Steht ihr in Kontakt mit Raleigh oder Washington?«

Der Posten schüttelte erneut den Kopf.

»Verdammt.«

»Ja, verdammt«, bestätigte der Wachmann. »Da drin ist die Hölle los. Die alten Kerle sterben wie die Fliegen. Ich hätte nie gedacht, dass die so schnell den Löffel abgeben, wenn ihre Medikamente ein paar Tage ausbleiben.«

John dachte an das Pflegeheim und an Tyler. Es hatte ihm gar nicht behagt, Jen und die Mädchen mit Tyler allein zu lassen. Aber Ben war zu Hause inzwischen zu einer Art ständiger Einrichtung geworden, und Johns Nachbarn auf der anderen Straßenseite, Lee Robinson und seine Frau Mona, die Eltern von Seth und Pat, hatten ihre Hilfe angeboten, damit Jen zwischendurch schlafen konnte.

Tyler lag natürlich im Sterben. Sie hatten weder einen intravenösen Tropf noch Sauerstoff für ihn. Sie konnten ihm nur *Ensure* und Wasser durch seine Magensonde zuführen. Zu ihrem größten Leidwesen hatten sie auch keine Schmerzmittel. Vielleicht war es ein Segen, dass ihn die letzten paar Tage ohne richtige Pflege an den Rand eines Komas gebracht hatten. Aber wenn Tyler mitunter bei Bewusstsein war, sah John die Qual in seinen Augen. Jen war die ganze Nacht wach geblieben. Unmittelbar bevor John aufbrach, war Mona gekommen, um ihr zu helfen.

John ließ seinen Blick wieder über die Anlage, die Patienten und einige Krankenpfleger schweifen, die mit Eimern aus dem nahe gelegenen Bach Wasser holten. Er konnte sich in etwa ausmalen, wie es innerhalb des Gebäudes zuging. Selbst zu dieser relativ frühen Stunde war abzusehen, dass es ein unglaublich heißer Tag werden würde.

»Ich glaube, wir fahren besser in die Stadt«, sagte Charlie.

Der Wächter nickte.

»Viel Glück. Und sagt denen bitte, dass wir hier dringend Hilfe brauchen«, sagte er. »Manche vom Personal sind geblieben, ein paar Ärzte und Schwestern, aber viele sind nach Hause gegangen, und kaum jemand ist zurückgekommen.«

»Warum sind Sie noch hier?«, fragte John aus Neugier.

»Jemand kam gestern vorbei und sagte, dass ein paar Pflegeheime in dieser Gegend von Drogensüchtigen ausgeraubt wurden. Tja, und hier drin gibt es viel von dem Stoff. Da hab ich mir gedacht, die brauchen Schutz. Ich war Marineinfanterist, hab 1968 in Hue eins verpasst bekommen. Das sind meine Kameraden da drin. Ich hab keine Familie, um die ich mir Sorgen machen muss, also schätze ich, dass die da drin meine Familie sind.«

Er klopfte auf sein linkes Bein, was ein hohl klingendes Geräusch verursachte.

»Semper Fi«, zitierte Washington das Motto der Eliteeinheit der Marines. Er lehnte sich aus dem Autofenster und schüttelte dem Wachmann die Hand.

»Ich gebe Ihnen einen Rat«, sagte Washington. »Stehen Sie lieber nicht mitten auf der Straße. Errichten Sie irgendeine Absperrung und stellen Sie sich dahinter. Benutzen Sie eines der kaputten Autos als Schutz. Ich hätte Sie wegpusten können, bevor Sie auch nur geblinzelt hätten.«

Der Wächter nickte.

»Ja, Sie haben recht. Hab ich vergessen. Zu müde, schätze ich.«

»Viel Glück, Marine.«

»Euch auch.«

Sie stießen rückwärts aus der Ausfahrt, kamen wieder auf die Route 70 und fuhren in Richtung Asheville weiter. Nach anderthalb Kilometern, als sie aus einer Niederung heraufkamen und den langen Hügelkamm erreichten, der am Kraftfahrzeugamt vorbeiführte, konnten sie ein Stück weiter vorn das große, hochmoderne Einkaufszentrum von Asheville sehen. Eine dicke Rauchwolke hing darüber.

»Nimm die Umgehung«, sagte Charlie. »Fahr nicht da dran vorbei.«

Schnell fuhr John auf die Auffahrt zur Umgehungsstraße I-240, die direkt ins Zentrum von Asheville führte. Sobald er sie erreicht hatte, fragte er sich erneut, ob es wirklich klug war, in diese Stadt zu fahren.

Zunächst jedenfalls war es der reinste Slalom zwischen gestrandeten Autos. Weiter vorn sah er durch die Schneise, die die Straße in den Hang des Beaucatcher Mountain schlug, zahlreiche Brände in der Stadt. Die Rauchschwaden stiegen in der Morgenhitze auf und bildeten eine Schatten spendende Wolke.

Einige wenige Leute gingen am Rand der Straße entlang und erinnerten ihn stark an eine alte Wochenschau von 1940, die französische Flüchtlinge auf der Flucht vor dem Einmarsch der deutschen Truppen gezeigt hatte. Einige schoben Kinderwagen, Einkaufswagen oder Schubkarren. Eine Familie zog sogar einen zweirädrigen Traktoranhänger hinter sich her. In all diesen Behältnissen türmten sich persönliche Habseligkeiten, darunter auch ausgefallene Dinge, etwa ein altes Gemälde, ein kostbares, antikes Möbelstück oder ein Stapel schwerer Folianten; und obendrauf hockten häufig noch Kinder.

Als er in der Gegenrichtung an ihnen vorbeifuhr, starrten sie ihn alle an, als sei er ein Außerirdischer. Mehr als einer trat auf die Fahrbahn und versuchte, ihn anzuhalten.

»Waffe!«, schrie Washington.

John kauerte sich tief über das Lenkrad und trat das Gaspedal durch. Ein Mann rannte vom Straßenrand auf das Auto zu und schwenkte eine Pistole, bevor er die Waffe auf sie anlegte.

»Verdammt, Jeremiah, schieß!«, schrie Washington.

Jeremiah hob eine der beiden Schrotflinten auf, aber sie

waren bereits an dem Mann vorbeigefahren. Dieser hatte keinen Schuss abgefeuert, wedelte aber immer noch wütend mit der Pistole.

»Halt die Flinte bereit, Junge«, sagte Washington scharf, »und wenn ich ›Feuer‹ sage, dann schießt du.«

»Ja, Sir.«

John schaute in den Rückspiegel. Jeremiahs Gesicht war blass geworden. Er war ein anständiger Junge, ein leidenschaftlicher Footballspieler. Wie so viele in der College-Mannschaft versuchte auch er, sich wie ein hartgesottener Macho zu benehmen, aber im Grunde seines Herzens war er wie die meisten seiner Altersgenossen: ein Kleinstadtjunge, der regelmäßig in die Kirche ging. Keiner von ihnen hätte sich in den kühnsten Träumen vorgestellt, dass sich ihre Lebensweise innerhalb von weniger als einer Woche so radikal verändern würde. Bisher hatte sich ihre Welt um das nächste Mannschaftsspiel und die Abschlussprüfungen, die heute hätten beginnen sollen, gedreht, oder darum, wie sie die Kleinstadtmädchen dazu bringen konnten, mit ihnen in den Wald zu gehen. Nun mussten sie bereit sein, eine Schusswaffe auf jemanden zu richten und abzudrücken.

Zwei Polizisten standen auf der Überführung zur Charlotte Street, und als John auf sie zusteuerte, bedeutete ihm einer von ihnen, stattdessen die Ausfahrt hinunterzufahren. Er hielt seine Waffe, die wie ein AR-15-Sturmgewehr aussah, bedrohlich auf John gerichtet. Die Autobahnumgehungsstraße vor ihnen war vollkommen verstopft.

John hatte sowieso vorgehabt, hier abzubiegen; aber einen so bedrohlichen Willkommensgruß hatte er nicht erwartet.

Die Rampe war von Fahrzeugen frei geräumt worden, und er lenkte den Wagen auf die Überführung links der Ausfahrt, wo der Polizist mit seiner Waffe im Anschlag stand.

John hielt langsam an.

»Wer zum Teufel sind Sie?«, fragte der Polizist barsch.

Charlie hob langsam die Hände, deutete auf die Tür, öffnete sie und setzte an, auszusteigen.

»Habe ich Ihnen gesagt, dass Sie aussteigen sollen?«

»Hören Sie«, antwortete Charlie scharf, »ich bin der Direktor der öffentlichen Sicherheit von Black Mountain. Ich zeige Ihnen meinen Ausweis.«

Der Polizist nickte. Charlie griff langsam in seine Tasche, holte seine Brieftasche heraus und öffnete sie. Der Polizist trat näher und beugte sich vor, um die Identifikation zu bestätigen.

»Arschloch«, flüsterte Washington auf dem Rücksitz. Er hielt seinen 45er an den linken Oberschenkel gepresst.

»Ich bin hier, um mich mit Ed Torrell, dem Bezirksleiter der Notfallvorsorge, zu treffen und mich über die Lage zu informieren.«

Der Polizist nickte und sah wieder das Auto an.

»Ich habe den Befehl, alle bewegungsfähigen Fahrzeuge zu konfiszieren.«

»Hören Sie, Officer. Wir sind von Black Mountain hierhergefahren und ich muss Ed Torrell unverzüglich sprechen. Wenn Sie unser Fahrzeug konfiszieren, wie zum Teufel sollen wir zurückkehren?«

»Zu Fuß. Ich habe meine Befehle.«

»Einen Teufel werde ich tun. Das ist mein Auto und ich werde es behalten«, bellte John, und der Polizist wandte sich ihm zu.

»Steigt aus, alle. Ihr könnt zu Fuß zur Bezirksverwaltung gehen. Dort findet ihr Ed. Wenn er sagt, ihr bekommt das Auto zurück, und das schriftlich bestätigt, fein. Aber jetzt werde ich es übernehmen. Ihr findet es hinter dem Gerichtsgebäude, falls Torrell es euch zurückgibt.«

»Wie wäre folgender Vorschlag?«, antwortete Charlie ruhig, »Sie steigen ein, kommen mit uns zu Ed und er trifft seine Entscheidung.«

Der Polizist schüttelte den Kopf.

»Ich habe meine Befehle. Ich soll diese Brücke bewachen und alle Autos beschlagnahmen. Also steigt gefälligst aus.«

Charlie sah John verärgert an. Dieser schüttelte müde den Kopf. Nichts war schlimmer als so ein »Blockwart«-Typ von begrenzter Intelligenz, dafür aber mit einer Waffe, der »seine Befehle« hatte. Kein logisches Argument der Welt würde jemals bis zu seinem Gehirn vordringen.

»Wissen Sie eigentlich, wie Sie sich mit Ihrem ›Ich habe meine Befehle‹-Gerede anhören?«, fragte John.

Der Polizist sah ihn an.

»Wie ein verdammter Nazi. Wir behalten das Auto und Charlie trifft sich mit Torrell.«

»Du Scheißkerl! Steigt aus dem Auto aus! Alle, verdammt noch mal, und die Hände über dem Kopf!«

»Lasst mich das regeln«, flüsterte Washington.

»Du steigst zuerst aus, Großmaul!« Der Polizist richtete sein AR-15 auf John.

»Beweg dich langsam und vorsichtig«, raunte Washington.

»Den Teufel werd' ich tun!«, entgegnete John wütend; laut genug, dass der Polizist ihn hörte.

»Raus, Arschloch!«

»Man spricht mich nicht mit ›Arschloch‹ an, sondern mit ›Colonel‹«, antwortete John ihm scharf.

»Los, raus jetzt!«, brüllte der Polizist, nahm seine Waffe wieder in Anschlag und zielte auf Johns Kopf.

»Tu lieber, was er sagt«, sagte Charlie bitter. »Steig aus, John.«

»Hey, Leute, entspannt euch. Alles okay«, sagte Washington. Sein Sprachduktus hatte sich augenblicklich von dem eines Drill Instructors der Marines in die entspannte, melodische Färbung eines Afroamerikaners aus den Südstaaten gewandelt.

»Komm schon, Bruder«, fuhr Washington fort und

klopfte John mit seiner linken Hand auf die Schulter, während er mit der Rechten den 45er hinter seinem Rücken versteckte. »Alles cool; tu einfach, was der Mann sagt.«

Washington schob sich vorsichtig aus dem Auto und hob die Hände in die Luft. Er ging lächelnd auf den Polizisten zu, sein Gang entspannt und locker … und eine Sekunde später lag der Polizist flach auf dem Boden. Der zweite Polizist setzte an, seinerseits sein AR-15 in Anschlag zu bringen, aber der 45er, den Washington sich hinter seinem Rücken in den Gürtel gesteckt hatte, war nun auf den Kopf des Mannes gerichtet.

»Die kleinste Bewegung, Officer, und Sie finden Ihren Namen in den Todesanzeigen wieder.«

Der Polizist zögerte.

»Es passiert niemandem etwas«, sagte Washington ruhig. »Mr. Fuller fährt jetzt zu Mr. Torrell. Dort wird sich alles klären, und dann fahren wir wieder weg. Inzwischen bleiben wir anderen hier und warten, und wir alle reden miteinander wie gute Freunde. Und jetzt, mein Sohn, lassen Sie entweder die Waffe fallen, oder ich verspreche Ihnen, dass Sie in fünf Sekunden tot sind.«

Der Polizist legte das AR-15 hin.

»Jungs, nehmt ihre Gewehre. Und die Pistolen.«

Washington hielt seinen Revolver weiterhin auf den Kopf des zweiten Polizisten gerichtet, während Jeremiah und Phil die beiden entwaffneten. Derjenige, der nach dem Schlag zu Boden gegangen war, setzte sich auf. Sein Gesicht war knallrot und Blut troff aus seiner gebrochenen Nase.

»Es tut mir leid, dass ich Ihnen das antun musste, mein Sohn«, sagte Washington und wandte sich dann an Charlie.

»Mr. Fuller, ich glaube, Sie sollten besser zu Fuß gehen. Falls der Befehl, alle Fahrzeuge zu beschlagnahmen, generell erteilt wurde, werden wir dieses Auto bestimmt verlieren, wenn Sie versuchen, damit zum Bezirksamt zu fahren. Wir warten hier.«

»Ich gehe mit ihm«, sagte John.

»Äh, Colonel, Sir«, warf Washington ein, »ich meine, es wäre besser, Sie würden hier bleiben, Sir.«

»Warum?«

»Es könnten noch mehr Polizisten auftauchen, und ich habe nur die beiden Jungs.«

John nickte, nahm eines der AR-15-Sturmgewehre auf und sah zu Charlie hinüber.

»Ich komme zurück, so schnell ich kann«, sagte Charlie. »Und, hört mal, wenn ich aus welchem Grund auch immer nicht in …«, er sah auf seine altmodische Armbanduhr, »… zwei Stunden zurück bin, dann fahrt ihr zurück nach Hause. Und wenn es so aussieht, als würdet ihr das Auto verlieren oder kämpfen müssen, dann haut schnell ab, und ich komme später zu Fuß nach. Okay?«

»Alles klar, Charlie.«

Charlie machte sich in langsamem Trab auf den Weg zu den Zwillingsgebäuden des Bezirksamts und des Kreisgerichts. Als John ihm nachblickte, ging ihm derselbe Gedanke durch den Kopf, den er immer hatte, wenn er die Zwillingstürme von Asheville sah: Laut einer Legende der Einheimischen hatte ein gewisser Colonel Bob Morgan, Pilot des Jagdbombers *Memphis Belle,* 1943 seine Maschine zwischen den beiden Türmen hindurchgeflogen, wobei er das Flugzeug seitlich um 45 Grad hatte neigen müssen; ein großartiges Kunststück.

Morgan war nun seit einigen Jahren tot und lag auf dem Veteranenfriedhof von Black Mountain begraben. John betrachtete den Polizisten mit der gebrochenen Nase, den alten Edsel, die beiden verstört dreinblickenden Studenten … O Gott, wieder erschreckte ihn der Gedanke daran, wie extrem sich das Leben verändert hatte.

»Sind Sie in Ordnung?«, fragte John. Er versuchte, seiner

Stimme einen freundlichen Ton zu geben, und hockte sich neben den ersten Polizisten.

»Leck mich, du Arschloch«, fauchte dieser. »Dein schwarzer Hurensohn hat mir die Nase gebrochen.«

Washington sah auf ihn hinunter und schüttelte missbilligend den Kopf.

»Sie haben Glück, dass ich Ihnen sonst nichts gebrochen habe«, sagte er leise. Alle Sympathie war nun aus seiner Stimme verschwunden.

»Und wenn Sie diesen Herrn das nächste Mal ansprechen, sind die ersten beiden Worte aus Ihrem Mund ›Colonel, Sir‹. Was mich angeht, genügt ›Sergeant‹.

Jungs, helft ihm rüber zum Bankett. Bringt ihn hinter den Honda-Geländewagen dort.« Er wandte sich dem anderen Polizisten zu. »Würde es Ihnen etwas ausmachen, sich neben ihn zu setzen?«

Der zweite Polizist nickte wortlos.

»Phil, steig in den Edsel und schalte den Motor aus. Aber halte dich bereit, ihn sofort wieder zu starten, wenn ich es sage. Wie wäre es, wenn Sie und ich Wache halten, Colonel?«

Washington lehnte sich an das Brückengeländer, John an seiner Seite. Aus einiger Entfernung hätte es ausgesehen, als sei nichts geschehen.

John nahm eine Zigarette, zündete sie an und merkte, dass der zweite Polizist ihn ansah.

»Möchten Sie eine?«

»Gern, Sir.«

John zog noch eine heraus und gab sie ihm. Der Polizist deutete auf seine Tasche. Washington nickte und der Polizist nahm ein Feuerzeug heraus.

»Oh, Mann, danke, Sir. Mir sind die Zigaretten vor zwei Tagen ausgegangen.«

John hielt die Packung noch in der Hand und zählte den Inhalt. Es waren acht Zigaretten darin. Er zog noch zwei heraus und gab sie dem Polizisten.

»He, danke, Sir.«

In diesem Moment spürte er den Effekt dieser universalen Geste eines Geschenks, um den Frieden zu sichern. Er beobachtete, wie der zweite Polizist sich entspannte und genüsslich ausatmete, nachdem er einen tiefen Zug genommen hatte.

John sah den anderen Polizisten an, der seine geschwollene Nase, aus der immer noch Blut tropfte, vorsichtig betastete.

»Rauchen Sie auch?«

»Leck mich am Arsch.«

»Na, na«, sagte Washington.

»Gus, du weißt einfach nicht, wann du die Schnauze halten sollst«, sagte der zweite Polizist. »Jetzt hast du endlich mal bekommen, was dir zusteht, du blöder Sack.«

Gus funkelte ihn bitter an. Er sagte nichts, aber sein Blick sagte deutlich, dass er sich später für diese Bemerkung revanchieren würde.

»Wie heißen Sie?«, fragte John den vernünftigen Polizisten.

»Bill.«

»Was ist hier passiert, Bill?«

»Ich schätze, das können Sie selbst sehen, Sir.« Obwohl er noch immer auf dem Pflaster saß, deutete er nach hinten in Richtung Stadt.

»Plünderungen, Panik; der Ausnahmezustand wurde gestern ausgerufen. Letzte Nacht haben sie tatsächlich einen Kerl mitten auf dem Pack Place hingerichtet. Er hatte einen Polizisten getötet.«

»Dann hatte er es verdient«, kommentierte Washington.

»Woher zum Teufel willst du das wissen?«, antwortete Gus mit belegter Stimme.

»Weil ich genau wie du ein Bulle bin, du blöder Scheißer. Aber im Gegensatz zu dir habe ich ein bisschen Grips im Kopf. Davor war ich 24 Jahre lang bei den Marines. Du glaubst es vielleicht nicht, aber ich bin auf deiner Seite. Küstenstreifen-Möchtegern-Soldaten wie dich verspeise ich trotzdem zum Frühstück.«

»Da kommen Leute auf uns zu.« Jeremiah nickte in Richtung Charlotte Street.

»Ich hoffe, ihr beiden kooperiert«, sagte Washington.

»Ja, natürlich«, antwortete Bill. »Ich habe nichts gegen Sie. Abgesehen davon hatten Sie recht.«

»Warte, bis ich das dem Chief erzähle«, sagte Gus kalt.

»Tu, was du nicht lassen kannst. Ich bin nicht derjenige, der verprügelt wurde.«

John sah, worauf Jeremiah gedeutet hatte. Es war ein erstaunlicher Anblick. Eine Art Prozession von hundert oder mehr Menschen, die meisten davon »Durchgeknallte«, wie Jennifer sie nannte.

Über die Jahre hatte Asheville den Ruf entwickelt, ein Zufluchtsort für Leute mit bizarrem Lebensstil zu sein, vergleichbar mit den berühmten Szene-Stadtvierteln der 60er- und 70er-Jahre. Auf Ashevilles Straßen sah man alternde Hippies, New-Age-Anhänger, Angehörige des Wicca-Kults und viele jugendliche Drogenabhängige. Johns Meinung nach waren sie eher harmlos, auch wenn sie den konservativen Mitgliedern des Stadtrats und der Bezirksleitung Kopfzerbrechen bereiteten. Ihn persönlich amüsierte ihre Anwesenheit sogar – schließlich hatte er in seiner Jugend selbst einen Hang zu dieser Szene gehabt.

Es war in der Tat eine Prozession. Voran gingen einige Kerle, die Trommeln schlugen. Mehrere Mädchen waren auch dabei; eines von ihnen ausgesprochen attraktiv, mit langem, blondem Haar und in einem halb durchsichtigen Kleid wie aus den 60er-Jahren, mit nichts darunter. Ein alter Mann mit grauem Bart und grauen Haaren, gekleidet in einen Umhang, trug ein Transparent, das verkündete: »Endlich! Das Ende der Welt ist da!«. Ein anderes forderte: »Stoppt die Globalisierung!« Weitere Schilder trugen

Aufschriften wie: »Wir ernten, was wir gesät haben« und »Frieden jetzt!«

Jeremiah grinste, als das Mädchen mit dem durchsichtigen Kleid auf ihn zukam und einen provokativen Tanz mit Trommelbegleitung vor ihm aufführte. Als sich die Gruppe an dem Honda vorbeibewegte, verlangsamte einer seinen Schritt.

»Hey, die haben sich ein paar Bullen geschnappt! Sieht aus, als hätten sie Gestapo-Gus gründlich vermöbelt.«

Der Umzug kam langsam zum Stehen

»Toll, Mann. Revolution!«, rief einer und kam auf Washington zu.

»Deine Revolution kannst du dir in den Arsch stecken«, sagte Washington kalt, und der Demonstrant erstarrte.

Bill stand auf.

»George, du kennst mich«, sagte er zu dem Bärtigen mit dem Transparent, das das Ende der Welt verkündete.

»Klar, Bill.«

»Hier ist alles cool. Gus ist hingefallen und hat sich die Nase gebrochen. Diese Leute hier helfen uns, also könnt ihr ruhig weitermarschieren.«

George nickte, die Trommel nahm den wilden Rhythmus wieder auf, und die Parade zog weiter.

»Total irreal«, sagte Washington.

»Asheville«, erwiderte Bill. »Man muss die Stadt einfach lieben, sogar jetzt. Ich kenne viele von diesen Typen. Die meisten sind in Ordnung, wenn auch ein bisschen neben der Spur.«

Die tanzende Blondine kam zu ihm und küsste ihn auf die Wange. Bill tätschelte tatsächlich ihren Hintern, bevor sie davontanzte.

Er bemerkte Johns Blick und grinste.

»Monica und ich hatten vor ein paar Monaten was miteinander.«

»Wow, echt jetzt?«, fragte Jeremiah beeindruckt.

Bill grinste noch breiter und sagte nichts mehr.

John nahm zwei weitere Zigaretten aus der Packung und gab ihm eine. Beide zündeten sie an.

»Die armen Hippies«, seufzte Bill. »Komisch, wenn man mal darüber nachdenkt. Genau das, was jetzt passiert ist, haben sich viele von ihnen seit Jahren gewünscht. Aber den Kerl mit dem ›Stoppt die Globalisierung‹-Schild, den habe ich nie gemocht. Er labert dieses Friedenszeugs, um die Mädchen flachzulegen, aber in Wirklichkeit ist er ein potenzieller Killer. Ein echter Anarchist. Wenn der das Stromnetz hätte sabotieren können, hätte er es getan und sich eins gelacht. Trotzdem, die meisten von ihnen sind okay. Schließlich leben wir in einem freien Land, oder?«

Er gluckste traurig und schüttelte den Kopf.

»Sie kapieren es nicht. Wenn es so schlecht um uns steht, wie ich glaube ... dann sind sie die Ersten, die sterben werden. Sie können nicht überleben, ohne dass die Gesellschaft sie unterstützt – auch wenn sie gegen ebendiese Gesellschaft demonstrieren und sich gegen sie auflehnen.«

Er seufzte.

»Sobald ihnen das Essen ausgeht, müssen sie der Realität ins Auge sehen, aber bis dahin wird jeder, der eine Knarre hat, sie rauswerfen, wenn sie betteln. Und wenn die armen Kinder doch irgendwo etwas zu essen finden, werden die Leute, die Schusswaffen haben, es ihnen wegnehmen. Sie sind es gewöhnt, dass sie notfalls kostenlos in Kliniken und Obdachlosenasylen Hilfe bekommen, oder von ehemaligen Hippies, die ihnen mit einem Lächeln ein paar Dollar geben. Sie haben keine Ahnung, wie grausam die Welt sein kann, wenn die Menschen Hunger und Angst haben. Verdammt, sie tun mir echt leid. Ich wünschte, es wäre anders und ihr Idealismus wäre berechtigt ... Gandhi und Stalin.«

»Wie bitte?«, fragte John.

»Das habe ich immer gesagt, wenn Monica und ich über

Politik sprachen. Sie hat immer davon geschwärmt, wie großartig Gandhi war. Und ich sagte immer, dass Gandhi seinen ersten Protestmarsch nur deshalb überlebt hat, weil er es mit den Briten zu tun hatte. Wenn Stalin die Herrschaft über Indien gehabt hätte, wäre Gandhi sofort tot gewesen und sein Name vergessen worden.«

John merkte sich diese Aussage. Es war ein gutes Argument.

Die Prozession verschwand um die Ecke, da die Gruppe zu ihrem traditionellen Aufenthaltsort, dem Pack Place, unterwegs war.

»Gestern ist ein Black Hawk hierhergeflogen. Ist er gelandet?«, fragte John.

»Ja, direkt auf dem Pack Place. Er kam aus Fort Bragg.«

»Was haben Sie mitbekommen?«

»Danach hat Ed schließlich den Ausnahmezustand erklärt. Wir befinden uns im Krieg. Das ist alles, was ich weiß. Der Hubschrauberkommandant sagte, er käme in etwa einer Woche wieder, dann flog er weiter.«

»Und gegen wen kämpfen wir?«

»Das weiß niemand. Terroristen, Nordkorea, den Iran oder vielleicht auch China? Man weiß nur, dass wir mit einer EMP-Waffe angegriffen wurden und uns somit im Krieg befinden. Wie steht's drüben in Black Mountain?«

»Ungefähr so wie hier. Anfangs wurde geplündert, aber das hat Charlie in den Griff bekommen. Funktioniert noch alles im Memorial Mission Krankenhaus?«

»Nein, Sir. Die Generatoren sprangen nicht an. Ich musste gestern helfen, eine alte Frau, die einen Herzinfarkt erlitten hatte, dorthin zu bringen. Wir haben ein paar alte Lastwagen, die noch laufen, und ein paar Autos, die wir als Krankenwagen einsetzen können. Mein Gott, es war wie in einem Albtraum da oben. 100 Leichen oder mehr lagen auf dem Parkplatz …« Er brach ab und sah zur Stadt hinüber, wo das alte Battery Park Hotel immer noch brannte. Es war nur noch ein ausgehöhltes Skelett. Weitere Brände waren über den ganzen Bergkamm verstreut zu sehen.

»The Doors«, sagte Bill.

»Wie bitte?«

»Sie wissen schon, The Doors. Das Lied ›This Is The End‹. Ich denke oft daran.«

»Da kommt Charlie«, unterbrach Washington.

Dieser joggte den Hang herauf, offensichtlich ein wenig außer Atem. Er bedeutete ihnen, wieder ins Auto zu steigen.

John sah Bill und Gus an. Letzterer saß noch auf dem Straßenpflaster, die rot geränderten Augen blitzten wütend.

John ging zum Edsel, holte unter dem Beifahrersitz einen Notizbock hervor, öffnete ihn, kritzelte etwas auf einen Zettel und unterschrieb ihn.

Er gab Washington den Block, der die Notiz las, lächelte und ebenfalls unterschrieb.

An den Polizeipräsidenten von Asheville, North Carolina:
Bill Andrews, der Polizist, der diese kurze Nachricht überbringt, ist in hohem Grade professionell und verdient unsere höchsten Empfehlungen. Der bedauerliche Zwischenfall, der sich zwischen uns ereignete, ist einzig und allein auf das Verschulden Gus Carters zurückzuführen. Dieser ist ein Vollidiot, der gefeuert werden sollte, bevor er durch seine eigene Dummheit umgebracht wird.

Colonel a. D. John Matherson
Professor für Geschichte
Montreat College

Sergeant Major Washington Parker

Washington grinste und fügte ein PS hinzu:

Carter hatte großes Glück, dass ich ihn nicht getötet habe. Jedes Kind könnte ihn entwaffnen.

John riss das Briefchen aus dem Notizblock, faltete es und gab es Bill.

»Ich hoffe, dass Sie das von jeglicher Schuld entlastet.«

»Was steht da drin?«, fragte Gus.

»Das geht Sie überhaupt nichts an«, bellte John.

»Steigt sofort ein!«, rief Charlie ihnen zu, während er die letzten 20 Meter zurücklegte.

»Colonel«, sagte Washington, »nehmen Sie bitte die Patronen aus Bills Waffe, behalten Sie sie, und geben Sie ihm das Gewehr zurück.«

John zog das Magazin heraus, stieß die Patrone aus dem Lauf und gab Bill die Waffe. Gus war aufgestanden und sah Washington an.

»Deine Kanone gefällt mir«, sagte Washington gelassen. »Außerdem bist du eine Gefahr für die Allgemeinheit, wenn du bewaffnet bist – nur nicht für die Kriminellen.«

»Gib sie zurück!«, forderte Gus scharf.

»Ich behalte sie. Du kannst deinem Chief erklären, wie du sie verloren hast.«

»Du verdammter Nigger-Bas…« Er konnte den Satz nicht zu Ende sprechen, weil Washington ihm mit dem Gewehrschaft einen Schlag in den Magen versetzte. Gus fiel wieder hin.

Bill schwieg.

»Viel Glück, Bill«, sagte John und gab ihm die Hand. Er griff in seine Tasche und nahm das Zigarettenpäckchen heraus. Es waren noch zwei übrig, und er gab Bill eine davon.

Wieder stieg ein Gedanke an den Zweiten Weltkrieg in

ihm auf. Ein GI mit einem Päckchen Zigaretten war ein reicher Mann. Es war eine bedeutsame Geste, jemandem eine Zigarette zu schenken; insbesondere einem gefangenen oder verwundeten Feind.

»Nichts wie weg hier«, keuchte Charlie, der endlich das Auto erreichte.

Phil startete den Motor und stieg dann hinten ein. John setzte sich ans Steuer.

»Ich gebe Feuerschutz«, sagte Washington, der sich auf den Beifahrersitz setzte. Charlie nickte und stieg zu den beiden Studenten hinten ein.

John fuhr rückwärts vom Straßenrand, wendete und fuhr die Auffahrt hinunter. Es kam ihm seltsam vor, auf der Autobahn in die falsche Richtung zu fahren; dazu noch mit hoher Geschwindigkeit.

Washington nahm die zwei Pistolen, die er den Polizisten abgenommen hatte, und legte die Glock an Johns Seite. Er selbst hielt das Sturmgewehr bereit.

»Was ist bei euch passiert?«, fragte Charlie.

»Ach, wir haben Frieden geschlossen«, sagte John. »Und bei dir?«

»Gott im Himmel, das Bezirksamt ist die reinste Irrenanstalt. Ed Torrell ist tot.«

»Was?«

»Er brach vor ungefähr vier Stunden zusammen und starb innerhalb weniger Minuten. Das löste eine totale Panik aus. Ed war ein guter Mann, ein bisschen hart, aber gerecht.«

»Gerecht? Und was ist mit unserem Auto?«

»Ich handele genauso.«

John sah in den Rückspiegel.

»Und bei mir?«

Charlie zögerte und schüttelte den Kopf.

»Natürlich nicht, John. Nicht, solange du uns so wie jetzt hilfst. Ich weiß, dass ich auf dich zählen kann, wenn's hart auf hart kommt.«

John entspannte sich.

»Also, was hast du erfahren?«

»Der Black Hawk kam aus Fort Bragg.«

»Ja, das hat uns einer der Polizisten gesagt.«

»Auf jeden Fall ist es schlimm. Sehr schlimm. Noch gibt es keinerlei Kommunikation. Sie sagten, sie hätten irgendwelche Funkgeräte in abgeschirmten Lagerräumen und würden sie verteilen, aber es ist nichts vorbereitet worden. Und sie wollen Amateurfunker suchen und hoffen, dass die irgendwelche altmodischen Anlagen mit Vakuumröhren haben. Kommunikation per Morsealphabet.«

»Hört sich an wie der Film *Independence Day*«, warf Jeremiah ein.

»Da hast du recht – und die Situation ist auch fast genauso brenzlig wie in dem Film.«

»Aber gibt es Nachrichten? Von außerhalb, meine ich?«, fragte John.

»Die Stadtregierung zieht nach Fort Bragg um. Manche Bestände dort sind funktionsfähig. Abgesehen davon ist es dort sicher.«

»Sind wir im Krieg?«

»Niemand weiß genau, mit wem. Zumindest nicht auf unserer Regierungsebene. Gerüchten zufolge haben wir gestern Teheran und ein halbes Dutzend andere Städte im Iran mit Atomwaffen angegriffen und aus Nordkorea ein Trümmerfeld gemacht.«

»Also stecken die dahinter?«, fragte Jeremiah.

»Wie gesagt, es sind nur Gerüchte.«

»Wie konnten wir das machen?« wollte Phil wissen.

»Was?«

»Ich meine, wie konnten wir sie angreifen, obwohl sich hier nichts mehr bewegt?«

»Der Erstschlag war anscheinend auf die kontinentalen Vereinigten Staaten begrenzt. Unsere Verteidigungsbestände in Übersee sind noch intakt – jedenfalls vorerst.

Ach ja, und dann gibt es auch das Gerücht, dass der Präsident tot ist.«

»Was?«, rief John aus.

»Jemand hat erzählt, dass das Weiße Haus 15 Minuten vor dem Angriff benachrichtigt worden sei. Sie haben den Präsidenten mit der Air Force One ausgeflogen. Das verdammte Flugzeug war nicht ausreichend abgeschirmt und stürzte ab.«

»Ich kann nicht fassen, dass sie die Air Force One nicht abgeschirmt haben!«, unterbrach Washington.

»Ja, so dumm können wir doch unmöglich sein.« Charlies Stimme troff vor bitterer Ironie.

»Und hier? Jetzt? Was soll geschehen?«, fragte John.

Schon als er die Worte aussprach, kamen sie ihm seltsam vor. Zu jedem anderen Zeitpunkt in der Geschichte der Nation hätte die Nachricht, dass der Präsident vielleicht tot sei, die Bevölkerung völlig paralysiert. John erinnerte sich immer noch genau an den Tag, an dem Reagan angeschossen worden war, und wie Alexander Haig bei der Pressekonferenz gesagt hatte: »Ich habe hier die Führung übernommen.« Diese unglückliche Formulierung hatte fast eine Panik ausgelöst, weil manche meinten, es fände ein Staatsstreich statt.

Air Force One abgestürzt? So schrecklich diese Information sein mochte – John spürte in diesem Moment, dass sie ihm nicht wichtig war. Ihm ging es ums Überleben, jetzt, in diesem Augenblick, um das Überleben seiner Familie. Er fuhr weiter und wich einem gestrandeten Sattelschlepper aus, der Snacks hätte liefern sollen: Kartoffelchips, Maischips. Das Fahrzeug war so sauber ausgeweidet wie ein Kadaver in der Wüste, der Straßenrand übersät mit Hunderten von aufgeschlitzten Pappkartons und aufgerissenen, zertrampelten Chips-Tüten. Eine alte Frau untersuchte sorgfältig die zerfetzten Tüten und leerte den spärlichen Inhalt in einen schwarzen Müllsack.

»In Asheville hatten sie mit den Fahrzeugen Glück«, fuhr

Charlie fort. »Einige Autos waren in Tiefgaragen geparkt. Ihr großes Problem ist die Wasserversorgung. Wir haben zumindest Schwerkrafttanks, aber Teile von Asheville sind darauf angewiesen, dass Wasser von Beaucatcher über Biltmore reingepumpt wird. Nur auf der Ostseite des Berges beziehen sie Wasser aus dem Reservoir. Damit sind sie schlimm dran, und darum gibt es so viele Brände.«

Er hielt inne.

»Deshalb versuchen sie in Asheville, eine Evakuierung zu organisieren.«

»Wohin denn?«, fragte Washington.

»Unter anderem zu uns nach Black Mountain. Der neue Obermacker – ich weiß nicht einmal, wie er heißt – hat mir gesagt, wir müssten 5000 Flüchtlinge aus der Stadt aufnehmen. Er hat weder darum gebeten, noch ließ er mit sich diskutieren. Einfach befohlen hat er das, als sei er nun der große Diktator der Berge. Es war fast das Erste, das er zu mir sagte, als ich mich bei ihm meldete. Sie wollen ihre Bürger über das ganze Gebiet verteilen. Im Westen bis Waynesville, im Norden bis Mars Hill, im Süden bis Flat Rock.«

»Warum?«

»Weil sie glauben, dass wir Nahrungsmittel haben. Die Wasserversorgung ist nur eine Ausrede. Sie liegen schließlich direkt am French Broad Fluss. Ich habe gehört, dass sie sogar einen Tanklaster haben, der 19.000 Liter transportieren kann. Es ist nur eine Ausrede; es geht ihnen ums Essen.«

»Haben wir so viele Vorräte wie sie?«

Charlie schüttelte verärgert den Kopf.

»Sie hatten Glück mit den gestrandeten Lastwagen auf der Autobahn. Viele davon hatten Lebensmittel geladen, auch am Rangierbahnhof gab es welche, und auf zwei Lastwagen waren sogar je 50 Schweine. Eines haben sie gerade hinter dem Gerichtsgebäude gebraten. In den Rangierbahnhöfen der Norfolk- und Southernline stehen auch Dutzende von Frachtwaggons voller Lebensmittel. Das hat mir der stellvertretende Polizeichef erzählt; er ist ein guter Freund von mir.

Ich habe versucht, diesem neuen, hochkarätigen Idioten klarzumachen, dass der Landkreis seine gesamten Ressourcen zusammenlegen sollte, aber davon wollte er nichts wissen, sondern hat mir nur immer wieder befohlen, alle Vorbereitungen zu treffen, um in den nächsten paar Tagen 5000 Flüchtlinge aufzunehmen.«

»Eigentlich sollten lieber wir zu ihnen ziehen«, sagte Washington.

»Warum will er das, obwohl sie Vorräte haben?«, hakte John nach, etwas ungläubig, weil offenbar alles schon so weit aus den Fugen geraten war, dass es nicht einmal mehr auf der Bezirksebene Kooperation gab.

»Er plant voraus«, sagte Washington bitter. »Weit voraus. Deportiere die Hälfte der Bevölkerung, und deine Nahrungsmittel reichen doppelt so lange. Soll sich doch jemand anders um die Ausgewiesenen kümmern. Ich wette, dass mehr als einer in diesem inneren Ring von Politikern und ihren Spießgesellen in sechs Monaten immer noch hervorragend speisen wird. Außerdem ist das bei Städtern immer so: Sie glauben alle, dass es auf dem Land mehr zu essen gibt als in der Stadt.«

John seufzte. *Das ist die Skala der Gesellschaftsordnung,* dachte er. *Je größer die Gruppe, desto höher die Wahrscheinlichkeit, dass sie unter Stress auseinanderbricht, weil diejenigen, die die Zügel halten, sich zuerst um ihr eigenes Wohl kümmern.* 5000 Menschen konnte man vielleicht dazu bringen, zu kooperieren und miteinander zu teilen. Aber bei 100.000 würde die Du-oder-Ich-Mentalität unweigerlich die Überhand gewinnen; insbesondere angesichts des Zusammenbruchs der Kommunikation.

Genau darin hatte die Macht der Medien in den Händen guter Führungspersönlichkeiten schon immer bestanden: in der Fähigkeit, dem individuellen Bürger das Gefühl zu geben, man spräche ihn direkt an, so wie Churchill 1940, John F. Kennedy 1962 und Reagan in den 80er-Jahren. Eine einzige solche Stimme hätte auch jetzt das Muster durchbrechen können, aber es würde keine solche Stimme geben; und einige zeitgenössische Rädchen in einer seit Langem etablierten Politik-Maschine würden zuallererst an sich und ihre Freunde denken – und zum Teufel mit den anderen. John wagte sich kaum vorzustellen, wie es in diesem Augenblick in einer Millionen- oder gar in einer Fünf- oder Zehnmillionenstadt aussah.

»Wenn wir sie alle hereinlassen, halbiert das die Zeit, die uns bleibt, bevor uns die Lebensmittel ausgehen«, seufzte Charlie, »und ich glaube kaum, dass sie uns dann helfen werden.

Ich dachte also, dass es sinnlos gewesen wäre, dazubleiben und darüber zu diskutieren. Ich habe ihm einfach gesagt, dass ich es der Stadtverwaltung vorlegen würde. Darauf sagte er, es sei ein Befehl. Ich habe nicht protestiert, ich bin einfach gegangen. Als ich hinausging, fragten mich zwei Polizisten, wie ich in die Stadt gekommen sei. Ich habe gelogen und gesagt, zu Fuß. Darum kam ich im Laufschritt bei euch an. Nach einem oder zwei Blocks fingen sie an, mich zu verfolgen.«

»Mir ist klar, dass sich das vielleicht dumm anhört«, sagte Jeremiah, »aber ich dachte irgendwie, wir würden alle am selben Strang ziehen. Wir sind doch Nachbarn …«

Er zögerte.

»Wir sind alle Amerikaner …«

John sah ihn im Rückspiegel an und wusste nicht, was er darauf sagen sollte. Er richtete seine Aufmerksamkeit wieder auf die Straße.

Sie erreichten die Abbiegung zur Route 70. Er fuhr die Rampe hinunter auf die Spur, die seiner Meinung nach auf der richtigen Seite der Straße lag, und drückte das Gaspedal durch.

Die Schlange der Flüchtlinge, an denen sie vorhin vorbeigefahren waren, war inzwischen länger geworden: Noch mehr Menschen waren zu Fuß unterwegs, und manche auf Fahrrädern. Einige hatten inzwischen kapiert, dass ein Fahrrad die Funktion eines Packesels erfüllen kann. Wenn man die Ladung richtig balancierte, konnte man ein Rad mit einer Last von 100 Pfund ohne Weiteres schieben.

»Pistole«, sagte Washington knapp. »Weich nach links aus.«

John scherte mit dem alten Edsel über die ganze Autobahn aus; absurderweise direkt vor dem Kraftfahrzeugamt. Vor einer Woche wären zwölf Polizisten herausgerannt, um ihm einen Strafzettel zu verpassen, und auf den Bewaffneten hätte sich eine SWAT-Einheit gestürzt.

Es war derselbe Mann wie auf der Hinfahrt. Er stand nun vor einer Gebrauchtwagenhandlung und trat vor, heftig mit seiner Pistole gestikulierend.

Washington brachte sein AR-15 in Anschlag und zielte aus dem Fenster. Einige Flüchtlinge rannten auseinander, andere starrten das Auto an, und manche nahmen es offensichtlich nicht zur Kenntnis.

»Tu's nicht«, zischte Washington.

Der Mann trat tatsächlich zurück, als hätte er ihn gehört. Wahrscheinlicher war allerdings, dass er das auf ihn gerichtete Gewehr gesehen hatte.

Washington schwenkte den Gewehrlauf in seine Richtung, als sie an ihm vorbeirasten, und atmete dann geräuschvoll aus.

»Professor, ich glaube, Ihr Student hat Ihnen gerade eine Frage gestellt«, sagte Washington ruhig.

John zitterte vor Anspannung, aber er wagte einen kurzen Blick in den Rückspiegel auf Jeremiah, der neben Charlie saß.

»Ja, wir sind immer noch Amerikaner«, sagte John leise.

Eine Stunde später näherten sie sich Black Mountain. Westlich von Swannanoa war eine Straßensperre. Der dortige Polizeichef hatte die Stelle gut gewählt: ein Engpass, flankiert von schroff aufragenden Klippen. Hier trafen sich die Swannanoa-Creek-Eisenbahngleise, die Route 70 und die Autobahn I-40 und liefen parallel durch die Schlucht. Die Sperre war noch nicht da gewesen, als sie einige Stunden früher hier vorbeigekommen waren.

John fuhr langsam auf die Barrikade zu. Charlie lehnte sich aus dem Fenster und einige Polizisten erkannten ihn. Sie erkundigten sich nach Neuigkeiten und er bestätigte das Gerücht, von dem sie bereits gehört hatten: Mehr Flüchtlinge aus Asheville waren unterwegs zu ihnen.

Hier bog John wieder auf die I-40 ab und seufzte erleichtert, als sie das Ortsschild von Black Mountain passierten. Er spürte, dass die anderen sich ebenfalls entspannten, und Washington senkte endlich das AR-15. Es war, als kämen sie aus einem fremden Land wieder unversehrt zu Hause an.

Aber als sie auf dem Parkplatz vor der Polizeizentrale und der Feuerwache zum Stehen kamen, spannte John sich wieder an. Ein Menschenauflauf hatte sich hier angesammelt, 500 oder mehr, und einen Augenblick lang dachte er, sie hätten vor, den Gebäudekomplex zu stürmen und die Notvorräte zu plündern.

Alle fünf stiegen aus dem Auto, und einige Menschen rannten auf sie zu, als sie Charlie erkannten.

»Die haben zwei Diebe da drin, Charlie«, sagte jemand aufgeregt.

John schüttelte den Kopf. So ein Blödsinn, in den letzten fünf Tagen hatte bestimmt die Hälfte der Stadtbewohner irgendetwas gestohlen. Sogar er selbst hatte sich nicht die Mühe gemacht, zur Apotheke zurückzugehen und die Medikamente und die Schokolade zu bezahlen, die er mitgenommen hatte, und auch Hamid hatte er die 20 Dollar für die Zigaretten nicht gegeben. Es gab ja sowieso kein Geld mehr.

»Es sind die Schweine, die das Pflegeheim überfallen haben!«, rief ein anderer, und ein wütendes Murmeln ging durch die Menge.

Charlie bahnte sich den Weg und John und Washington folgten ihm.

Sie erreichten die Tür.

»John, vielleicht solltest du hier warten.«

»Das geht mich persönlich etwas an. Ich war dort, Tyler war auch betroffen.«

»Okay.«

Er folgte Charlie ins Haus. Eine Menschenmenge hatte sich vor der Tür zum Konferenzraum gebildet, und John drängte sich mit Charlie hindurch.

Kate sah mit sichtbarer Erleichterung zu ihnen auf.

»Ihr seid gesund zurück, Gott sei Dank.«

»Was ist hier los?«

»Ich hab' die zwei erwischt«, sagte Tom

Am anderen Ende des Zimmers saßen zwei Männer von etwa Mitte 20. Auf einen passte Iras Beschreibung genau: rasierter Schädel, die charakteristische Tätowierung, der Ohrring. Der andere war fast das genaue Gegenteil; er sah nicht viel anders aus als Johns Studenten, die draußen warteten. Er hatte einen relativ athletischen Körperbau und kurz geschnittenes Haar, aber seine Augen ... John erkannte, dass dieser Junge unter Drogen stand.

»Charlie, Tom will sie erschießen«, sagte Kate leise.

Charlie setzte sich auf die Tischkante und sah die beiden an.

»Wie ist die Sachlage, Tom?«

»Als ich die Personenbeschreibung von der Schwester im Pflegeheim hatte, wusste ich, wo ich den da finden würde«, sagte Tom und deutete auf den tätowierten Arm des einen Mannes.

»Ich hab' ihn vor drei Jahren wegen Methadon festgenommen. Der hat ein richtiges Labor gehabt, in einem Haus am oberen Ende der Route 9. Es gehört seinem Vetter hier.«

»Ich hab' nie was damit zu tun gehabt«, rief der ordentlich Aussehende. »Es war Larry, der war's.«

»Halt dein dreckiges Maul, Bruce«, zischte Larry wütend. Er wäre am liebsten über ihn hergefallen, konnte sich aber nicht bewegen. Beide trugen Handschellen und waren an ihre Stühle gefesselt.

»Also bin ich heute Morgen hingegangen und tatsächlich, da waren die beiden. Total hinüber. Man sieht sogar die Einstiche der Morphium-Spritzen.«

John sah sich den konservativ aussehenden Jungen genauer an. Dieser schien ihn zu erkennen.

»Professor Matherson, Sie kennen mich doch. Ich war vor vier Jahren in Ihrem Geschichte-Grundkurs. Sie kennen mich doch.«

John betrachtete ihn eingehend. Er hatte kein besonders gutes Namensgedächtnis, aber an Gesichter konnte er sich gut erinnern. Ja, Bruce war einer seiner Studenten gewesen. Zunächst schien er vielversprechend zu sein, aber nach einem oder zwei Semestern war er aus dem College verschwunden.

Tom sah John an.

»Ja, er war mal Student. Vor einigen Jahren.«

»Das hat jetzt nichts zu sagen«, sagte Tom.

»Ich will einen Anwalt! Einen verdammten Anwalt!«, schrie Larry. »Ich kenne meine Rechte. Du blöder Arsch von einem Bullen, du hast sie mir nicht mal vorgelesen, obwohl das deine verdammte Pflicht ist, also hast du die Verhaftung völlig vermasselt. Sobald ich einen Anwalt habe, bin ich hier weg. Und dann krieg ich euch wegen Polizeibrutalität.« Er drehte seinen Kopf, um seine geschwollene Wange und sein halb geschlossenes rechtes Auge zu präsentieren.

»Wir haben den Ausnahmezustand ausgerufen«, mischte sich Charlie ruhig, aber bestimmt in die Diskussion ein.

Bruce sah Charlie mit schreckgeweiteten Augen an.

»Was bedeutet das?«

Charlie stand auf und sah sich im Zimmer um.

»Irgendwelche Zeugen?«

»Wir haben die Oberschwester aus dem Pflegeheim hergebracht. Sie wartet draußen.«

»Bringt sie herein«, sagte Charlie.

John stand auf, als Ira hereinkam. Sie sah schlimmer aus als gestern: schmutzig, die Haare ungepflegt. Die Flecken auf ihrer Bluse und der Geruch, den sie verbreiteten, waren deutliche Anzeichen dafür, dass sie sich irgendwann von ihrem Schockzustand erholt und versucht hatte, den Patienten zu helfen.

Sie sah die beiden jungen Männer an.

»Der mit der Tätowierung. Das ist er, hundertprozentig.«

»Du lügst, du Nutte, es war stockdunkel; wie konntest du mich sehen?«

»Woher wissen Sie, dass es dunkel war, als das Pflegeheim ausgeraubt wurde?«, fragte Charlie.

»Hab's von jemandem gehört«, murmelte er.

»Bei dem anderen bin ich mir nicht sicher. Aber diese Tätowierung, an die erinnere ich mich genau.«

»Danke für die Identifizierung.«

Sie nickte.

Charlie zögerte und sah in die Runde.

»Würden Sie das unter Eid aussagen?«

»Selbstverständlich, Charlie.«

»Jemand soll mir eine Bibel bringen.«

Kate ging in ihr Büro und kam kurz darauf mit einer King James Bibel zurück. Charlie kannte die korrekte Formel nicht genau, also vereidigte Kate die Zeugin, und Ira wiederholte ihre Aussage.

»Hast du die Medikamente, Tom?«, fragte Charlie.

»In meinem Büro.«

»Geh und hole sie, bitte.«

Er kam mit einigen Dutzend Ampullen mit flüssigem Morphium und mehreren Tablettenschachteln zurück.

»Tom, lesen Sie den Aufdruck auf den Packungen«, sagte Ira. »Es müsste ›Millers Pflegeheim‹ draufstehen, gefolgt von einer Kodierungsnummer. Alle Stoffe, die dem Betäubungsmittelgesetz unterliegen, haben Identifikations- und Liefercodes.« Sie nannte die Codezahlen.

»Ja, genau die stehen hier drauf«, bestätigte Tom.

»John, würdest du das bezeugen?«

John sah Charlie an, überrascht, in den Vorgang hineingezogen zu werden. Aber die Erinnerung an das schreckliche Leid im Pflegeheim war ihm immer noch gegenwärtig. Kate vereidigte ihn, dann ging er zum Tisch und hob eine der Packungen auf.

»Hier steht ›Millers Pflegeheim‹.«

»Tom, jetzt du«, forderte ihn Charlie auf.

Tom wurde ebenfalls vereidigt und wiederholte seine Aussage. Danach stellte er sich wieder hinter die beiden Gefangenen.

»Haben Sie irgendetwas zu sagen?«, fragte Charlie sie.

»Ich will einen verdammten Anwalt!«, schrie Larry.

»Haben Sie irgendetwas zu sagen?«, wiederholte Charlie.

»Ja, darauf können Sie einen lassen; geben Sie mir die Scheißbibel!«, knurrte Bruce.

Charlie wurde rot vor Wut und sah Kate an.

»Es heißt: ›Die Bibel, bitte‹«, sprach sie ihm langsam und nachdrücklich vor.

Larry sagte nichts.

»Ich möchte die Bibel, bitte«, wiederholte Bruce.

Charlie nahm sie, ging zum anderen Ende des Tisches und legte sie vor Bruce, der daraufhin vereidigt wurde.

»Machen Sie Ihre Aussage, Bruce.«

Dieser redete fünf Minuten lang ununterbrochen: Er habe

nichts damit zu tun, Larry sei einfach mit den Drogen ins Haus spaziert. Er wisse nicht, wer der zweite Typ war, der mit Larry gekommen sei. Larry und dieser Typ hätten sich die Beute geteilt.

John beobachtete Bruce eingehend. Der Mann – fast noch ein Jugendlicher; vielleicht 21 oder 22 Jahre alt – war offensichtlich zu Tode erschrocken. Doch konnte John auch sehen, dass er log. Seine Jahre als Professor am College hatten seinen »Bockmist-Detektor«, wie er diesen Spürsinn nannte, geschärft.

Bruce schwieg endlich.

»Ira?«, fragte Charlie, als Bruce geendet hatte. »Wie viel Morphium wurde gestohlen?«

»Wir haben individuelle Fläschchen für jeden Patienten, der Morphium braucht. Dosierung und Stärke variieren, je nach Bedarf. Ich glaube, wir hatten ungefähr 40 Ampullen.«

»Wir haben 32 konfisziert«, warf Tom ein.

»Keine besonders faire Aufteilung zwischen Ihrem Freund hier und seinem Kumpel«, bemerkte Charlie, an Bruce gewandt. »Heißt das, der andere Kerl ging mit acht Ampullen weg und Larry hat 32 behalten?«

»Ja, so muss es gewesen sein. Niemand legt sich mit Larry an.«

»Oder die acht Ampullen haben für eine Wahnsinnsparty hergehalten«, warf Tom ein. »Ein Wunder, dass Sie dabei nicht hopsgegangen sind.«

»Ihr Scheißkerle.«

Das war Ira, und ihre Stimme zitterte.

»Ich habe sieben Patienten mit Krebs im Endstadium. Gott sei Dank sind nun zwei gestorben, aber die anderen leiden Höllenqualen, und alles, was ich für sie habe, ist Aspirin und das, was in ihren täglichen Medikamentenschälchen übrig ist. Ich hoffe, dass man euch beide erschießt.«

Sie schwieg, ihre Augen blitzten vor Wut.

»Larry?«, fragte Charlie und deutete auf die Bibel.

»Wozu die Mühe?«

Charlie nickte und sah zurück zu John.

»John, ich will diese Angelegenheit strikt nach Vorschrift handhaben. Ich beauftrage dich hiermit, diese beiden Männer zu verteidigen.«

»Was?«

»Du hast mich verstanden.«

»Mein Schwiegervater ist davon betroffen.«

»John, tu' mir einfach den Gefallen.«

»Holt doch Norm Schaich, er ist Anwalt. Er kann das viel besser als ich.«

»Norm wohnt meilenweit weg von hier.«

»Ich kann hinfahren.«

»John, ich will das sofort erledigen.«

»Ich will einen verdammten Anwalt«, sagte Larry wieder. »Ja, geht und holt Norm.«

John sah ihn, Bruce und Ira nacheinander an. Dann betrachtete er durch die halb geschlossenen Jalousien die Menschenansammlung draußen.

Schließlich nickte er und stand auf.

»Ich werde Folgendes zu ihren Gunsten sagen. Vielleicht ist die Welt, wie wir sie kennen, für immer verschwunden. Vielleicht auch nicht, aber ich bezweifle es. Das Einzige, was uns jetzt zusammenhält, sind die Dinge, an die wir glauben; die Traditionen, die bestimmen, was Amerika für uns bedeutet; wer wir als Amerikaner waren und immer noch sein wollen.

Charlie, ich nehme an, dass du die Entscheidung treffen wirst. Lass dich von dem Gedanken daran leiten, was für ein Land Amerika sein sollte, sogar jetzt, in diesen dunklen Zeiten. Ich weiß, was du jetzt denkst. Ich weiß, was unsere Nachbarn draußen denken. Aber wie auch immer deine Entscheidung ausfällt, sei dir dessen bewusst, dass sie die Ausgangsbasis für alles darstellt, was folgen wird. Wenn wir jetzt einen Fehler machen, Charlie, dann verlieren wir diese Ausgangsbasis …« Er hielt inne. »Dann sind wir keine Amerikaner mehr.«

Er trat zurück in die Zimmerecke.

Charlie stand ganz still und hielt den Kopf gesenkt. Bruce begann zu weinen.

Schließlich hob Charlie den Kopf.

»Mir graut vor dieser Aufgabe«, sagte er leise. »Ich hätte nie gedacht, dass ich jemals so etwas würde tun müssen. Aber ich muss an die Gemeinschaft denken.«

Er trat in die Mitte des Zimmers, hinter den Stuhl, auf dem Kate saß.

»Larry, Bruce …« Er unterbrach sich.

»Randall und Wilson«, informierte ihn Tom.

»Larry Randall und Bruce Wilson«, fuhr Charlie fort, »ich verurteile Sie beide zum Tod durch Erschießen. Sie haben sich der Plünderung wertvoller medizinischer Vorräte schuldig gemacht; und zwar nicht nur von dieser Stadtgemeinde, sondern von einem Institut, in dem Menschen diese Vorräte verzweifelt brauchen, um ihre Todesagonie zu lindern. Die Hinrichtung wird sofort vollzogen werden.«

»Du Scheißkerl«, zischte Larry.

»Mein Sohn, Sie werden in wenigen Minuten vor Gott treten. Ich gebe Ihnen zehn Minuten, um Ihren Frieden mit ihm zu machen. Jemand soll bitte einen Pfarrer für sie finden«, sagte Charlie und verließ das Zimmer.

John folgte ihm in sein Büro und Charlie protestierte nicht, als er die Tür schloss. Er zog seine letzte Zigarette aus der Tasche und zündete sie an. Charlie betrachtete sie voller Sehnsucht und John wollte sie ihm schon geben, aber Charlie schüttelte den Kopf.

»Habe ich richtig gehandelt, John? Ehrlich gesagt, ich bin auf diese zwei Bestien so wütend, besonders auf Larry, dass ich sie sogar persönlich ohne Zögern erschießen würde. Aber trotzdem. Habe ich richtig gehandelt?«

John setzte sich und sprach zunächst nicht. Auch er war zwiegespalten. Er dachte an seine eigene Versuchung, in der Apotheke die Medikamente, die er für Jennifer brauchte, einfach an sich zu reißen.

»John, es ist, als seien wir 150 Jahre in der Zeit zurückgefallen. Der Wilde Westen. Ich dachte dauernd an den Film *Ritt zum Ox-Bow*. Kennst du den? Da hängen sie drei Männer auf und finden hinterher heraus, dass sie unschuldig waren.«

»Ja, daran muss ich auch denken. Der Film kam letzte Woche im Fernsehen. Eine der besten Rollen von Henry Fonda.«

»Vor einer Woche«, seufzte Charlie. »Ist das alles wirklich erst eine Woche her?«

»Die hier sind aber nicht unschuldig«, sagte John.

»Trotzdem. Vor einer Woche haben wir asoziale Delinquenten nicht wegen Drogendiebstahls getötet. Dieser Bruce ... mit den richtigen Methoden hätte man ihn wahrscheinlich rehabilitieren können.«

John schüttelte den Kopf.

»Hör zu, Charlie. Mit ›hätte‹ kann man jetzt nichts mehr anfangen. Jetzt haben wir etwa 6000 oder 7000 Menschen in diesem Städtchen. Wie viele Lebensmittel? Wie viele Medikamente? In der Innenstadt fließt das Wasser, solange die Leitung zum Reservoir dicht bleibt. In den Siedlungen an den Abhängen haben wir bereits keins mehr. Wenn wir jetzt nicht für Ordnung sorgen, werden sich die Leute innerhalb eines Monats für eine Tüte Chips gegenseitig umbringen.«

John spürte die Hitze der zwischen seinen Fingern herunterbrennenden Zigarette, sah sich um und ließ sie in eine leere Kaffeetasse fallen. »Oder für ein Päckchen Zigaretten. Apropos, tut mir leid wegen dieser letzten Kippe, Charlie. Aber wie dem auch sei, du hast richtig gehandelt. Denk aber weiterhin an das, was ich da drin gesagt habe.«

Charlie nickte.

Es klopfte an der Tür; es waren Tom und Kate. Charlie winkte sie herein.

»Pfarrer Black ist bei ihnen. Die Zeit ist gleich um«, sagte Tom.

»Tom, du wirst die Hinrichtung nicht selbst vollstrecken«, sagte John.

Tom sah ihn an.

»Du hast die höchste polizeiliche Autorität in der Stadt. Wenn eine Hinrichtung vollzogen werden muss, dann darfst weder du noch irgendein anderer Polizist oder irgendeine andere offizielle Autoritätsperson dieser Stadt sie vollstrecken. Diese schreckliche Pflicht darf niemals denjenigen auferlegt werden, die das Gesetz praktisch und direkt durchsetzen. Wenn diese Regel nicht eingehalten wird, dann ...« Er dachte an Stalin, an die Gestapo. »Es muss jemand anderes tun.«

Tom nickte, und John war froh zu sehen, dass Tom trotz seiner wütenden Worte von vorhin ebenfalls erleichtert war.

John sah Charlie an.

»Nicht ich, John.«

»Nein, du darfst es auch nicht tun, Charlie. Du repräsentierst die Notstandsregierung, und Kate repräsentiert die reguläre Regierung. Nein, du auch nicht.«

»Wer dann?«, fragte Charlie.

Niemand sprach.

»Du, John«, sagte Kate leise.

Er sah sie erschrocken an. Er hatte einfach als Historiker eine Beraterfunktion ausgeübt. Er hätte nie gedacht, dass das zu einer solchen Konsequenz führen würde.

»Verdammt noch mal, ich habe mich doch nicht als Freiwilliger gemeldet«, sagte John. »Ich habe lediglich versucht, uns alle daran zu erinnern, wer wir, als Nation, einmal gewesen sind.«

»Ich gehe nicht hinaus und rufe ›Freiwillige vor‹«, sagte Charlie. »Ich werde keinen Zirkus aus dieser Sache machen, in dem kranke Mistkerle sich gegenseitig zu Boden trampeln, um Henker zu werden. Ich möchte, dass du es tust, John. Du bist Historiker; du verstehst die Zusammenhänge. Du bist in dieser Stadt eine Respektsperson. Jeder kennt dich, oder zumindest deine Familie.«

»O mein Gott«, flüsterte John. Er wusste, dass er in der Falle saß.

Widerstrebend nickte er.

»Wo?«, fragte Tom.

John konnte keinen klaren Gedanken fassen.

»Im Stadtpark«, sagte Charlie. »Das ist öffentliches Gelände. Ich will es nicht hier tun.«

»Gut«, antwortete Tom. »Wir bringen sie in den Park und machen es dort. Wir können sie in Jims VW-Bus transportieren. Die Tennisplätze haben eine Übungswand aus Beton. Ich gehe jetzt raus und sage allen, dass es in einer halben Stunde so weit ist.«

Bei der Erwähnung der Tennisplätze schauderte John; er dachte an die Taliban und das berüchtigte Fußballstadion in Kabul. *Sind das jetzt unsere Hinrichtungsorte? Tennisplätze?*

»Vielleicht lieber nicht öffentlich«, äußerte sich Kate. »Lieber unter Ausschluss. Mir graut bei dem Gedanken an eine öffentliche Hinrichtung.«

»Mir auch«, sagte John langsam, »aber wir müssen es so machen. Die Leute sind voller Angst. Ich habe schon gehört, dass die Gestrandeten von der Autobahn als ›Fremde‹ bezeichnet werden. Wir fangen bereits an, uns gegeneinander abzugrenzen. Wenn wir jetzt auch noch ›heimliche‹ Hinrichtungen veranstalten, garantiere ich dir, dass schon morgen die Leute, die uns nicht kennen, Gerüchte in Umlauf setzen, wir würden Gerichtsverfahren im Stalin-Stil abhalten und Menschen im Keller des

Polizeipräsidiums exekutieren. Wenn wir schon eine Hinrichtung vollstrecken müssen, dann in aller Öffentlichkeit.«

»Außerdem«, ergänzte Tom, »setzt es ein deutliches Zeichen für jeden, der vielleicht auch mit dem Gedanken spielt, etwas zu stehlen.«

»Einen Moment mal, Tom«, warf John ein. »Ich hoffe und bete, dass wir noch nicht so weit gekommen sind, jemanden umzubringen, wenn er ein Stück Brot stiehlt.«

Tom schüttelte wütend den Kopf.

»John, versteh' mich nicht falsch. Ob du es glaubst oder nicht, mir gefällt es genauso wenig wie dir.«

John sah ihm intensiv in die Augen und nickte schließlich.

»Okay, Tom. Tut mir leid.«

»Ich gehe jetzt und gebe es draußen bekannt.«

»Tom«, rief ihm Kate hinterher. »Nur Erwachsene. Ich will keine Kinder dabeihaben.«

Tom verließ den Raum und ein paar Sekunden später ertönte das knisternde Rauschen eines alten Megafons, bevor Tom zu sprechen anfing.

Es gab vereinzelt Beifall und sogar einige Jubelrufe. Irgendjemand schrie, dass Tod durch den Strang besser sei.

Verdammt noch mal, es fühlt sich wirklich so an wie in einem alten Wildwestfilm, dachte John. *Fehlt nur noch, dass die Menge schreit: »Hängt sie auf!«*

Die Leute zerstreuten sich sofort. Viele brachen zum Park auf und manche, insbesondere diejenigen mit Kindern, blieben zurück. Langsam verstrichen die Minuten. John sah schweigend aus dem Fenster.

Er hörte Fluchen und Heulen aus dem Gang. Die beiden wurden hinausgeführt.

»Wir gehen jetzt besser«, sagte Charlie leise und öffnete die Tür.

John hatte das Gefühl, zu seiner eigenen Hinrichtung

geführt zu werden. Würde er es tatsächlich tun können? In all seinen Jahren in der Armee, auch während des Trainings, hatte er keinen einzigen Schuss aus Wut abgefeuert; nicht einmal mit ›professioneller Distanz‹, wie die Ausbilder es ihnen beigebracht hatten. Während der »Operation Wüstensturm« im Irak war er als befehlshabender Offizier einige Kilometer hinter den vorrückenden Truppen in einem Kommandofahrzeug stationiert gewesen und hatte nicht einmal den Finger am Abzug gehabt.

Er dachte daran, wie ihn die Rednecks damals als Collegestudenten schreiend verhöhnt hatten, und wie er in seiner Rage beinahe doch einen erschossen hätte; und dann der Schock, den er hinterher gespürt hatte … und die Versöhnung mit einem von ihnen, als sie ein paar Tage später zusammen ein Bier tranken.

Er war draußen. Die beiden saßen in Handschellen und mit zusammengeketteten Füßen auf der Rückbank von Jim Bartletts VW-Bus. Die hintere Tür des Fahrzeugs wurde zugezogen, Tom saß mit seiner Pistole in der Hand vorn, Pfarrer Richard Black klemmte sich zwischen Jim und Tom.

John sah die beiden Verurteilten an, als die Tür geschlossen wurde. Als er Bruce in die Augen sah, an den er sich nur vage erinnerte und der doch sein Student gewesen war, wusste er, dass er eines nicht tun konnte.

Er sah Washington mit Jeremiah und Phil und ging auf sie zu.

»Washington, ich brauche deine Hilfe. Mein Gott, und *wie* ich sie brauche.« John erklärte ihm, worum es ging. Washington nickte, sagte nichts und stieg mit John und Kate ein. Kate, Phil und Jeremiah quetschten sich auf den Rücksitz, Charlie saß vorne mit John und Washington.

Die beiden Fahrzeuge starteten. Als sie durch die Montreat Road und anschließend durch die Seitenstraße fuhren, die zum Park führte, sah John viele Menschen zügig in Richtung Park gehen. Andere standen nur da und starrten sie an.

»Töten ist Sünde!«, schrie jemand, den John langsam passierte. Er folgte dem VW-Bus, der nicht schneller als zehn Stundenkilometer fuhr.

Es ist wie eine verdammte Prozession aus der Französischen Revolution, dachte er.

Sie rollten den steilen Hügel hinunter auf die Ecke zu, wo der Park anfing. Eine große Menschenmenge hatte sich bereits vor den Tennisplätzen und der Übungsmauer aus Beton versammelt. Die Wand war weiß gestrichen, hie und da blätterte die Farbe ab.

Man holte die beiden aus dem VW-Bus und alle verstummten.

John schluckte schwer und hielt. Er sah Washington an.

»Zielen Sie mitten auf die Brust, Sir«, sagte dieser. »Wenn Sie einen Kopfschuss versuchen und Ihnen dabei die Hände zittern, schießen Sie daneben. Nach dem Brusttreffer fällt er zusammen. Sie taumeln nicht herum wie in den Filmen; meistens fallen sie einfach um oder sinken zu Boden. Wenn er daliegt, schießen Sie das Magazin leer; Sie schießen es einfach leer. Falls Sie noch klar denken können, geben Sie den letzten Schuss auf seinen Kopf ab. Verstehen Sie, Sir?«

Washington gab ihm die Glock.

»Eine Patrone ist bereits im Lauf.«

John nickte.

Er stieg aus dem Auto. Die Menschenansammlung wich zurück und öffnete ihnen den Weg. Die Gefangenen standen vorne. Bruce heulte und bettelte, Larry schwieg. Pfarrer Black stützte Bruce am Arm, Tom hatte Larry fest im Griff.

»Das ist nicht richtig, Charlie!«, rief jemand.

Dies löste ein wütendes Raunen aus; Schreie ertönten, Streit brach aus.

Die Verurteilten wurden an die Wand gestellt.

Mehr Schreie stiegen aus der Menge auf; manche waren dagegen, die meisten dafür. Einige riefen, man solle die beiden aufhängen, statt sie zu erschießen.

John war übel. Er sah sich um und ehe er wusste, was er tat, hob er die Pistole in die Luft und feuerte.

Bruce schrie vor Entsetzen auf und ging in die Knie. Auch aus der Menge ertönten Schreie, dann Stille. Aller Augen waren auf John gerichtet.

»Man hat mich beauftragt, etwas zu tun, das ich mir nicht einmal in meinen schlimmsten Albträumen vorgestellt hätte!«, sagte John mit erhobener Stimme.

Es herrschte Totenstille.

»Ich muss Ihnen gestehen, dass ich es nicht über mich bringe, einen dieser Männer zu erschießen. Er gehörte einmal zu meinen Studenten. Ich habe Mr. Parker, einen ehemaligen Sergeant der Marines, gebeten, diese Aufgabe für mich zu übernehmen, und er hat sich bereit erklärt.

Unsere Welt hat sich verändert …« Johns Stimme brach, doch dann hob er den Kopf. »Trotz allem sind wir immer noch Amerikaner. Ich will daran glauben, dass dies immer noch unser Amerika ist.

Wir befinden uns im Krieg. Heute Abend wird Mr. Fuller in der Turnhalle der Grundschule eine Bürgerversammlung einberufen und Ihnen die neuesten Nachrichten und Informationen mitteilen. Zu dieser Versammlung sind Sie alle eingeladen; egal, ob Sie hier geboren wurden oder später zugezogen sind wie ich. Auch diejenigen, die aufgrund der aktuellen Ereignisse hier gestrandet sind, sind eingeladen, diesem Treffen beizuwohnen.«

Er schwieg erneut.

»Sie alle sind Bürger unseres Landes. Mr. Fuller, der vor diesem Krieg unser Direktor der öffentlichen Sicherheit war, hat nun, während des Ausnahmezustandes«, John suchte nach den korrekten Begriffen, »die kommissarische

Leitung von Black Mountain. Er wird Ihnen die Nachrichten mitteilen, die wir aus Asheville erhalten haben, und Sie über das, was geschehen ist und noch geschehen wird, informieren.

Wir befinden uns im Krieg und in dieser Stadt ist der Ausnahmezustand erklärt worden. Diese beiden Männer wurden nach den Gesetzen der Notstandsregierung zum Tode verurteilt. Sie wurden des Diebstahls lebensnotwendiger Medikamente aus Millers Pflegeheim, ohne die die dortigen Patienten entsetzliche Schmerzen erleiden müssen, angeklagt. Dieses Verbrechens, sowie desjenigen der Plünderung, sind sie in einer fairen und offenen Verhandlung überführt, ohne jeden Zweifel für schuldig befunden und verurteilt worden.«

»Schiebt euch eure Verhandlung in den Arsch!«, rief Larry. »Das ist Lynchmord!«

John schwieg und niemand aus der Menge erwiderte etwas. Es gab weder Spott- noch Buhrufe.

»Ich bin ein Bürger dieser Stadt«, sagte John, seine Stimme nun weicher. »Auch während des Ausnahmezustandes darf traditionsgemäß weder die Polizei noch die Regierung eine aktive Rolle bei der Vollstreckung des Urteils übernehmen. Ich möchte, dass Sie alle das verstehen. Dies ist kein Polizeistaat und wird auch nie einer werden. Die Angeklagten sind in einer fairen Verhandlung für schuldig befunden worden. Das Urteil wird nicht von den kommissarischen Führungsinstanzen vollstreckt, sondern von zwei damit beauftragten Bürgern, die sich freiwillig dazu bereit erklärt haben.«

Er senkte den Kopf und schluckte. Er wusste, dass kein Zittern in seiner Stimme liegen durfte.

»Ich will diese Aufgabe nicht. Ich habe sie mir nicht ausgesucht. Ich verabscheue es, sie erfüllen zu müssen.« Er machte eine kurze Pause. »Sie muss aber erfüllt werden.«

Wieder schwieg er in dem Bewusstsein, dass noch etwas gesagt werden musste.

»Wir alle sind Amerikaner. Es gibt Hunderte oder sogar Tausende unter Ihnen, die vor fünf Tagen noch nicht hier gelebt haben.« Wieder eine kurze Pause. »Aber jetzt wohnen Sie hier. Im Auge des Gesetzes sind wir alle gleich. Jeder Einzelne von uns. Wenn wir überleben wollen, müssen wir gutnachbarlich zusammenarbeiten. Der tragische Strafvollzug, den wir hier erleben, betrifft uns alle – egal, ob wir hier geboren sind, oder zugezogen, wie ich vor einigen Jahren, oder ob wir erst seit gestern hier sind. Das Gesetz muss uns alle gleich behandeln …«

Seine Stimme erstarb. Nervös sah er zu den beiden Verurteilten hinüber. Pfarrer Black stützte Bruce mit einer Hand, in der anderen hielt er eine offene Bibel. Larry wurde immer noch von Tom festgehalten, die Augen glasig von den Drogen, und doch funkelte in ihnen blanker Hass.

John fragte sich, wie eng sich seine Handlungen und Worte tatsächlich an die legalen Traditionen der westlichen Zivilisationen hielten; aber er spürte, dass sie hier und jetzt richtig und notwendig waren, wenn die Bewohner von Black Mountain als Gemeinschaft überleben wollten.

Er verstummte und sah Charlie an. Es entstand eine Pause, bis Charlie begriff, dass die Tradition auch von ihm eine Ansprache verlangte.

Er trat vor die Versammlung.

»Kraft des mir durch die Notstandserklärung, durch die Zivilregierung der Gemeinde Black Mountain und durch das Inkrafttreten des Ausnahmezustands verliehenen Amtes habe ich Larry Randall und Bruce Wilson der Plünderung medizinischer Vorräte für schuldig befunden. Durch ihre Taten haben sie wissentlich und billigend Schmerzen, Qualen und den Tod anderer in Kauf genommen. Das Urteil lautet Tod durch Erschießen und wird nun durch die von mir Beauftragten, Dr. John Matherson und Mr. Washington Parker, vollstreckt.«

Charlie sah John an und nickte. John wandte sich den Verurteilten zu. Seine Hand zitterte.

»Denken Sie daran, was ich gesagt habe: erster Schuss in die Brust, warten Sie, bis er fällt, schießen Sie das Magazin leer, den letzten Schuss in den Kopf«, flüsterte Washington.

Zusammen gingen sie die wenigen Meter zu den Gefangenen hinüber. Tom ließ Larry los, der ihn mit kaltem Hass anstarrte. Aber Pfarrer Black rührte sich nicht von der Stelle. Er hielt Bruce immer noch aufrecht.

»Ich denke, wir sollten beten«, sagte Pfarrer Black, und John nickte zustimmend. Es war ihm peinlich, nicht daran gedacht zu haben.

Pfarrer Black, immer noch mit einer stützenden Hand auf Bruces Arm, sah in die Menge.

»Ich bitte den allmächtigen Vater in seiner göttlichen Barmherzigkeit um Vergebung für diese beiden jungen Männer. Wir müssen nun dem Menschengesetz Genüge tun und dem Kaiser geben, was des Kaisers ist. Vergebung und Erlösung sind nun eine Angelegenheit zwischen Bruce, Larry und ihrem Schöpfer.

Bruce, bittest du Gott um Vergebung?«

»Ja, bitte, Gott, bitte vergib mir.«

»Larry?«

Er schwieg.

»Vater unser, der du bist im Himmel …«

John sprach das Gebet mit und hoffte, dass seine Hände aufhören würden zu zittern. Er sah Larry an und ihre Blicke trafen sich.

In Larrys Augen war nichts als Wut: blinde, bestialische Wut. John empfand beinahe Mitleid.

»Denn dein ist das Reich, und die Kraft und die Herrlichkeit, in Ewigkeit. Amen.«

Das letzte Wort, Amen, hallte aus der Menge zurück.

John nahm die Glock in seine linke Hand und schlug zum ersten Mal seit Jahren das Kreuz. Dann nahm er die Glock wieder in die Rechte.

Pfarrer Black trat von Bruce zurück, der sich jetzt bemühte, würdig und aufrecht stehen zu bleiben. John fiel plötzlich ein, dass sie Augenbinden oder Säcke hätten haben müssen, um sie über ihre Köpfe zu ziehen.

Nein, erledige es; erledige es schnell.

»Gehen Sie näher ran«, flüsterte Washington. »Schießen Sie, und ich schieße gleichzeitig.«

John sah Larry, der jetzt nur drei Meter von ihm entfernt war, direkt in die Augen.

»Mach schon; tu's«, sagte Larry kalt.

Alles schien sich in Zeitlupe zu bewegen. Unzeremoniell und unelegant hob John die Pistole und zielte auf die Brust des Mannes. In letzter Sekunde bewegte sich Larry; er versuchte, aus der Schusslinie zu kommen.

John drückte den Abzug.

Er sah den Einschlag; Larry stolperte zurück gegen die Wand. Das Donnern von Washingtons 45er, die neben ihm losging, fuhr ihm durch Mark und Bein. Er sah, dass sein zweiter Schuss fehlging und über Larrys Kopf einschlug, als dieser an der Wand entlang zu Boden rutschte. Eine Blutspur markierte seinen Weg.

Zwei weitere schnelle Schüsse aus Washingtons 45er.

John kämpfte, um seine Glock ruhig zu halten, und zielte auf Larrys Torso. Der Mann trat mehrmals schwach aus. John konnte Schreie hinter sich hören. Er schoss abermals, und noch mal und noch einmal.

Eine Hand legte sich auf seine Schulter. Es war Washington.

»In den Kopf«, sagte Washington leise.

John ging zu Larry. War er tot? Blut rann unter seinem Körper zu einer Pfütze zusammen, seine Hose vorn war nass und ein Gestank breitete sich aus, da Blase und Darm sich entleert hatten.

Es sah aus, als bewegten sich die Augen noch ganz schwach. John stellte sich direkt über Larry, zielte auf die Mitte des Kopfes und feuerte.

Eine Sekunde später dröhnte der Colt ein weiteres Mal: der Gnadenschuss für Bruce.

John drehte sich hölzern um. Alle starrten ihn nun an, alles war still. Viele pressten ihre Hände an den Mund, manche weinten. Die Art, wie sie ihn ansahen, war anders als alles, was er je in den Blicken anderer gesehen hatte. Angst … Ehrfurcht … Ekel … und aus einigen merkwürdig glasigen Augen fast ein Ausdruck des Neids und der Lust.

Er spürte, wie ihm die Galle hochstieg. Er musste sich unter Kontrolle bringen. Er hielt die Glock hoch, unsicher, ob er das Magazin leergeschossen hatte oder nicht. Sein Student Jeremiah stand in der Menge, und John begegnete seinem Blick. Er trat vor, und John gab ihm die Pistole.

»Sichern Sie die Waffe und warten Sie am Auto auf mich«, flüsterte John.

Er drehte sich um, entfernte sich von der Menschenmenge, bückte sich hinter der Mauer und übergab sich.

Er blieb vornübergebeugt stehen und rang nach Luft.

»Es ist okay, Sir.« Washington stand neben ihm.

John sah zu ihm auf, plötzlich beschämt.

»Das erste Mal, als ich einen Mann getötet habe, hab ich mir auch die Seele aus dem Leib gekotzt. Wenn Sie es nicht getan hätten, wäre ich sehr besorgt um Sie gewesen, Sir.«

»Hören Sie auf, mich ›Sir‹ zu nennen, verdammt noch mal«, keuchte John zwischen Würgekrämpfen.

»Sie haben das Richtige getan. Sie haben es gut gemacht.«

»Gut? Wie können Sie sagen, dass es gut ist, einen Menschen so zu töten?«

»Nein, Sir. Das nicht. Es ist immer eine stinkende Schweinerei. Ich meine das, was Sie vorher gesagt hatten. Darum nenne ich Sie jetzt ›Sir‹. Früher haben wir darüber ja eigentlich nur gewitzelt. Offen gesagt, Sir, waren Sie für uns der typische Professor, aber weil ich wusste, dass Sie Colonel gewesen sind, habe ich mitgespielt. Aber heute, Sir, da draußen, da haben Sie die Führungsrolle übernommen. Sie haben sich etwas Schrecklichem gestellt, und Sie haben die Führung übernommen.«

»Okay«, seufzte John.

»Kommen Sie. Gehen wir.«

John nickte und säuberte sich den Mund mit dem Handrücken. Er zuckte vor Schmerz zusammen. Sein Finger war entzündet, und die Schnittwunde war durch das Abdrücken des Abzugs aufgerissen worden.

Er umrundete die Mauer und kam wieder nach vorn. Die Menge hatte sich geheimnisvollerweise so gut wie aufgelöst. Nur wenige standen noch herum. Die Leichen waren fort und Bartletts VW-Bus fuhr gerade ab.

John erkannte, dass er relativ lang hinter der Mauer gewesen war. Er war froh, dass ihn jetzt niemand sah.

Etwas wackelig auf den Beinen machte er sich auf den Weg zum Auto.

»John?«

Es war Makala.

Zunächst erkannte er sie gar nicht. Ihr sexy Kostüm war verschwunden. Sie trug nun eine ausgebeulte Jeans, die ein paar Nummern zu groß war, und ein altes, verblasstes T-Shirt mit dem Aufdruck »Purdue University«.

»Danke, John.«

»Wofür, zum Teufel?«

»Für das, was du gesagt hast, bevor du die zwei erschießen musstest.«

Er nickte.

»Die Spannung zwischen den Einheimischen und Leuten wie mir, die hier gestrandet sind, wurde allmählich immer größer. Das, was du gesagt hast, war dringend notwendig. Es hat uns daran erinnert, dass wir alle in derselben Lage sind.«

»Okay.«

Er wollte wirklich nicht reden und setzte seinen Weg zum Auto langsam fort.

»Lass mich deine Hand mal ansehen.«

Sie stellte sich ihm in den Weg und er zuckte zusammen, als sie den Verband abnahm.

»John, die Wunde entzündet sich, sie sieht böse aus. Ich hatte dir doch gesagt, du sollst nach Hause gehen, die Wunde säubern und gut verbinden.«

Er dachte an das Pflegeheim, aus dem er seinen Schwiegervater getragen hatte, und an all den Schmutz dort.

»Ich muss sie jetzt reinigen, John. Sie müsste dringend genäht werden.«

»Das kann warten«, sagte er steif. »Ich will jetzt einfach nach Hause.«

»Okay, dann komme ich mit.«

Er starrte sie kalt an. Ihm kam der hässliche Gedanke, dass das, was er eben getan hatte, sie vielleicht sexuell erregt hatte. Oder vielleicht wollte sie sich bei einem Mann, der offensichtlich Macht in der Stadt hatte, einschmeicheln.

Sie wich etwas zurück.

»John, erstens kriegst du sonst eine böse Entzündung. In dieser Situation könntest du dadurch sogar deine Hand verlieren – oder sogar dein Leben. Zweitens, ich habe von dem Pflegeheim und deinem Schwiegervater erfahren. Ich habe angeboten, dort bei der Pflege der Patienten zu helfen. Wenn ich mit dir fertig bin, ist der Weg zum Pflegeheim von deinem Haus aus viel kürzer als von hier. Drittens, deine kleine Tochter – Jennifer heißt sie, nicht wahr?«

»Ja.«

»Es wird jetzt schwierig sein, ihre Ernährung zu überwachen. Sie müsste alle paar Tage von einem Arzt oder einer Krankenschwester kontrolliert werden. Also nimm mich bitte mit zu dir nach Hause. Ich werde tun, was nötig ist, und gehe dann über Nacht ins Pflegeheim.«

»Okay.« Er brachte nicht mehr heraus.

Er erreichte das Auto, wo Washington und die beiden Studenten auf ihn warteten. Jeremiah gab John die Glock zurück.

»Sie ist leer, Sir. Washington hat mir ein neues Magazin gegeben. Es liegt in Ihrem Handschuhfach.«

Washington nahm das AR-15 und die zwei Jagdflinten aus dem Fahrzeug.

»Wir gehen zu Fuß zum Campus zurück, Sir. Fahren Sie einfach nach Hause.«

Phil ging zur Beifahrerseite und öffnete die Tür für Makala, die einstieg.

John sah auf die blutbefleckte Mauer zurück. Ironischerweise stand 50 Meter weiter eine Fahnenstange mit wehender Flagge. Der Himmel dahinter verfinsterte sich. Ein Nachmittagsgewitter schien sich zusammenzubrauen.

Er dachte an Jeremiahs Frage und grübelte darüber nach. *Können wir in dieser Situation unser Amerika aufrechterhalten? Sind wir noch Amerikaner?*

Während der Fahrt nach Hause sagte er kein Wort.

»Du hast dich übergeben, oder?«

»Ja.«

»Ich dachte, du seist Soldat.«

»Das bin ich … ich meine, das war ich. Aber nicht alle Soldaten drücken auch tatsächlich ab. Ich war als Befehlshaber der ersten Kavallerie am ›Wüstensturm‹ beteiligt. Ich habe die Kampfhandlungen aus der Entfernung verfolgt, aber nie einen Abzug betätigt. Die meiste Zeit hockte ich über einem Computerbildschirm und versuchte, unsere Aktionen zu dirigieren.«

»Tut mir leid, das kam jetzt blöd rüber«, sagte Makala. »Ich wollte dich nicht beleidigen. So, wie du mit dem Kerl in der Apotheke fertig geworden bist, dachte ich, du seist ein erfahrener Kämpfer.«

»Nein.«

»Das macht nichts. Während der Operationen wird auch mir manchmal ein wenig übel. Als ich gestern Abend in das Pflegeheim kam, dachte ich, ich sterbe.«

»Danke, dass du das tust.«

»Es sieht so aus, als sei das jetzt mein Job.«

Das Gespräch erstarb.

Sie fuhren in die Auffahrt. Die zwei Narren Ginger und Zach rannten auf sie zu. Als sie eine fremde Person sahen, verhielten sie sich ganz nach vertrauter, loyaler Retriever-Manier: Sie ignorierten John völlig und rasten voller Begrüßungsfreude auf Makala zu.

Makala lachte und kraulte die Hunde hinter den Ohren, während sie an ihr hochsprangen, versuchten, ihr über das Gesicht zu lecken, und schließlich aufgeregt bellend um sie herumtanzten. John ging zur Tür, wo Jen stand.

»Gott sei Dank bist zu endlich zu Hause«, sagte Jen. »Wo bist du gewesen? Ich habe mir den ganzen Tag schreckliche Sorgen um dich gemacht.«

»Ich bin nach Asheville gefahren, wie ich es dir gesagt hatte.«

Sie sah an John vorbei zu Makala, die mit den Hunden an ihrer Seite näher kam. Jens Augen verengten sich misstrauisch und John spürte, dass sie unzufrieden war; dass sie diese Frau als Eindringling in ihrem Territorium empfand.

»Mom, ich möchte dir Makala Turner vorstellen. Makala, das ist meine Schwiegermutter Jennifer Dobson.«

Die beiden nickten einander zu und gaben sich die Hand.

»Mom, vielleicht erinnerst du dich an Makala. Sie war die Frau an der Autobahn, am ersten Abend.«

»Oh, o ja. Meine Güte, ich habe Sie gar nicht erkannt, meine Liebe, so wie Sie jetzt angezogen sind.«

»Sie ist Krankenschwester, Mom. Oberschwester einer

chirurgischen Abteilung. Sie ist gekommen, um nach Tyler und Jennifer zu sehen und um sich um das hier zu kümmern.« Er hielt seine Hand hoch.

Jen zog ihre Klauen wieder ein und lächelte.

»Oh, bitte, kommen Sie doch herein.«

»Wie geht es Tyler?«, fragte John.

»Er schläft«, sagte sie leise.

»Und die Mädchen?«

»Jennifer macht auch ein Nickerchen. Ihr Zuckerspiegel war hoch und sie hat gerade eine Injektion bekommen. Elizabeth ist mit Ben spazieren gegangen.«

»Gut.«

John ging in sein Büro und ließ die Frauen zurück, die direkt auf das Schlafzimmer zusteuerten, das jetzt Tylers Krankenzimmer war.

John nahm die Glock von seinem Gürtel, sah sie an und legte sie auf seinen Schreibtisch. Ihm fiel auf, wie intensiv sie nach Kordit roch. Auch an ihm hing der Geruch.

Er streckte die Hand zur hinteren Ecke des Schreibtischs und zog eine staubbedeckte Flasche hervor. Es hatte einige Phasen in seinem Leben gegeben, in denen das Trinken beinahe die Überhand gewonnen hätte. Das letzte Mal war nach Marys Tod gewesen. Es hatte einige Wochen gedauert. Der Staub auf der Flasche beruhigte ihn. Er goss sich einen doppelten schottischen Whisky in eine leere Kaffeetasse, die er in zwei Schlucken leerte.

Das Gewitter, das am Horizont gelauert hatte, war nun über ihnen. Der Regen spritzte ans Fenster, ein tröstliches Geräusch.

Als Makala eine halbe Stunde später hereinkam, um sich um seine Hand zu kümmern, schlief er fest.

KAPITEL SECHS

Tag 10

»John, du siehst aus wie aufgewärmte Scheiße.«

Er nickte allen zu, als er den Konferenzraum für das inzwischen täglich stattfindende Treffen betrat.

»Danke, Tom, das muntert mich richtig auf.«

Trotz Makalas Pflege war seine Hand immer noch entzündet und er hatte ein leichtes Fieber von 38,5 Grad.

Er nahm seinen gewohnten Platz in der Mitte des Tisches ein. Es war interessant, wie schnell sich bei solchen Zusammenkünften Gewohnheiten bildeten: Man setzte sich einmal auf einen Stuhl, und schon setzte man sich am nächsten Tag wieder auf denselben. Dasselbe galt für das Kopfende und das untere Ende des Tisches, samt der dazugehörigen Symbolik. Kate saß immer noch am Kopfende, das den Vorsitz symbolisierte, aber tatsächlich war es Charlie, der das morgendliche Treffen leitete, obwohl er zu ihrer Rechten saß. Tom saß am unteren Ende. Auch Doc Kellor war inzwischen ein Teil des Teams geworden und saß John gegenüber. Zwei weitere Männer, die John nicht kannte, waren ebenfalls anwesend. Der eine trug eine Polizeiuniform mit dem Abzeichen der Polizei von Swannanoa auf dem Ärmel, und der andere war in Jeans und T-Shirt gekleidet. Beide waren etwa Mitte 40.

Mit der Linken griff John nach der Kaffeetasse, die für ihn bereitstand.

»Lass mich das mal sehen«, sagte Kellor, stand auf und ging um den Tisch herum.

Vorsichtig zog er die Gaze ab, mit der Makala vor ein paar Tagen die Wunde bedeckt hatte.

»Gute Näharbeit. Ich selbst hätte es nicht besser machen können.«

John sagte nichts. Abgesehen von einem Schlückchen Scotch hatte Makala die zwölf Stiche ohne jegliches Schmerzmittel gemacht, und John hatte die Prozedur schweigend über sich ergehen lassen und nur geflucht, als sie die Wunde anschließend mit Alkohol säuberte.

Kellor beugte sich näher, roch an dem Verband und schüttelte den Kopf.

»Wie hat sich die Wunde denn so infiziert?«

»Ich glaube, es ist passiert, als ich meinen Schwiegervater aus dem Pflegeheim holte.«

»Und wer machte die Behandlung?«

»Makala Turner, die Krankenschwester, die sich anbot, im Pflegeheim auszuhelfen. Sie hat mir Ciprofloxacin gegeben. Sie hat's aus dem Pflegeheim bekommen.«

»Wahrscheinlich Kontakt mit Fäkalien«, nickte Kellor, der die Wunde inspizierte. »Auch in den saubersten Krankenhäusern und Pflegeheimen können ziemlich zähe Bakterien- und Virusstämme wachsen: Streptokokken oder Staphylokokken. Wir reden später darüber«, sagte Kellor und kehrte auf seinen Platz zurück.

Kate räusperte sich.

»Gut, fangen wir an. Wir haben ein neues Problem. Dr. Kellor, würden Sie beginnen?«

Der alte Landarzt nickte.

»Wir haben einen Salmonellenausbruch im Flüchtlingszentrum in der Grundschule. Das war eigentlich unvermeidlich. Heute Morgen hatte ich dort mindestens 100 betroffene Patienten. Eine verdammte Schweinerei.«

»Wie ist es dazu gekommen?«, fragte Kate.

Kellor sah sie überrascht an.

»Hören Sie, Kate, wir sind es gewohnt, fließendes

Wasser zu haben; Hunderte von Litern pro Tag. Und Lebensmittel mit Verfallsdatum: Früher haben wir sie weggeworfen, wenn das Datum nur um einen Tag überschritten war. Momentan leben 600 Menschen in der Schule. Zumindest gibt es dort immer noch genug Wasserdruck für die Klospülung, aber kein heißes Wasser und, verzeihen Sie, weder Klopapier noch Papierhandtücher. Es wird allmählich ziemlich eklig.

Machen Sie sich das klar, bitte. Die meisten von uns haben seit zehn Tagen nicht mehr gebadet, und allen geht das Klopapier aus. Zweimal täglich bildet sich vor der Essensausgabe im Flüchtlingszentrum eine Schlange, und die Lebensmittel sind nicht mehr die allerfrischesten. Ich wette, dass sich bis heute Abend fast jeder dort die Eingeweide aus dem Leib scheißen und kotzen wird; entschuldigen Sie die Ausdrucksweise.«

Er seufzte.

»Sieben Tote heute Morgen. Ich habe nachgesehen, bevor ich hergekommen bin. Zwei davon waren Säuglinge, die anderen ältere Menschen. Sie waren dehydriert und wir konnten sie nicht schnell genug mit Elektrolyten versorgen. Ich brauche mehr Freiwillige dort, denn bis zum Ende des Tages wird sich das Problem ins Unermessliche gesteigert haben.«

Niemand sprach. Der Gedanke an ein Schulgebäude voll Kranker brachte jeden im Zimmer zum Schweigen.

»Erinnert ihr euch an den Orkan Katrina in New Orleans und an die vielen gestrandeten Leute im Superdome-Stadion? Haben wir hier jetzt das gleiche Problem?«, fragte Charlie.

»Schlimmer«, meinte Kellor. »So chaotisch die Verwaltung von New Orleans auch war, sie alle wussten trotzdem, dass Hilfe unterwegs war – obwohl viele Leute durch die wahnsinnigen Berichte über Morde und Vergewaltigungen in Panik gerieten. Das haben wir hier zwar nicht, aber dafür werden keine Hubschrauber voll Lebensmittel und

Medikamente zu unserer Rettung kommen. Wir sind ganz auf uns allein gestellt. Wir brauchen saubere, keimfreie Wassertanks. Wir könnten ein elektrolythaltiges Trinkgemisch herstellen, wie bei der Katastrophenhilfe in Drittweltländern.«

»Also sind wir jetzt ein verdammtes Drittweltland«, stellte der Polizist aus Swannanoa leise fest.

»Das hört sich nicht allzu schwierig an. Wir haben immer noch sauberes Wasser, Charlie, oder?«

»Das, was mithilfe der Schwerkraft aus dem Reservoir fließt, ist sauber – oder war es zumindest, als die Techniker vom Wasserversorgungsamt es zuletzt geprüft haben.«

»Das macht mir auch Sorgen. Inzwischen campieren viele Leute beim Reservoir. Es genügt ein Einziger, der irgendeine Infektion hat und sich dann am Ufer erleichtert, und schon sind wir alle krank.«

Charlie sah Tom an.

»Wir werden ein paar Männer dort auf Patrouille schicken. Kein Zelten direkt am See.«

Das Angeln im Stausee hatte sich über die Jahre zu einem besonders schlecht gehüteten Geheimtipp der Gegend entwickelt. Schon vor der jetzigen Katastrophe war beim mit Asheville geteilten Reservoir Unbefugten der Zutritt verboten gewesen; aber trotzdem waren ständig unzählige ansässige Jugendliche und Kinder heimlich mit ihren Angelruten eingedrungen und hatten bis zu zehn Pfund schwere Forellen aus dem Stausee geholt. Bevor ein Umweltschützer sie vor sechs Jahren hatte auffliegen lassen, war in den Wäldern direkt über dem Seeufer sogar eine gut ausgestattete, private Anglerhütte von gewissen hohen Tieren aus Asheville und Black Mountain als eine Art Clubhaus genutzt worden. Dorthin hatten sich Politiker und ihre Kumpel, die den Stausee als ihren privaten Fischteich ansahen, gern für Sauf- und Angelwochenenden zurückgezogen.

Inzwischen betrachteten viele Leute den See höchstwahrscheinlich als Nahrungsquelle, und dem musste nun Einhalt geboten werden.

»Wir müssen einigen Hundert Litern Wasser Salz und Zucker hinzufügen. Das wird die Elektrolytbalance stabil halten. Dann müssen wir die Mischung den Erkrankten einflößen. In neun von zehn Fällen erholen sie sich dann nach wenigen Tagen.«

»Und im zehnten Fall?«, fragte Charlie.

Kellor seufzte.

»Ohne Zufuhr von intravenösen Medikamenten steht es schlimm um die Älteren, um Kinder unter einem Jahr und um alle, die bereits von anderen Krankheiten geschwächt sind.« Er hielt inne und sah einen Moment lang zur Zimmerdecke empor. »Bis morgen Abend rechne ich mit zwischen 30 und 50 Toten.«

Charlie faltete seine Hände und öffnete sie wieder.

»Wer organisiert die Freiwilligen?«, fragte er weiter.

John seufzte.

»Ich fahre zum Campus. Mal sehen, ob wir einige Studenten dafür gewinnen können.«

»Versprich ihnen nach getaner Arbeit ein verdammt gutes Essen«, sagte Charlie. »Einer meiner Männer hat gestern ein Reh erlegt. Ich habe es versteckt. Rehbraten zur Belohnung für einen Tag Arbeit.«

»Ich bezweifle, dass sie noch Hunger haben, wenn sie getan haben, worum wir sie bitten, aber ich werde es trotzdem anbieten«, sagte John.

Kellor nickte.

»Sie sollen sich mittags bereithalten. Ich muss sie über Hygienemaßnahmen und Sicherheitsvorkehrungen aufklären, bevor sie dorthin gehen.«

John nickte.

»Okay, damit sind wir bei einem Thema gelandet, über das wir ungern reden«, sagte Charlie, »aber ich glaube, wir müssen es ansprechen: Wie begraben wir die Toten?«

»Wir begraben sie so, wie wir es immer getan haben, oder?«, fragte Kate.

»Es gibt keinen Friedhof innerhalb der Stadtgrenzen. Der nächste ist fast anderthalb Kilometer weit weg. Ich denke langfristig, Leute – nicht nur wegen dieses Salmonellenausbruchs, sondern wegen der allgemeinen Entwicklung in den nächsten paar Monaten.«

Keiner erwiderte etwas.

»Ich denke an den städtischen Golfplatz gegenüber dem Park.«

»Was?«, rief Tom. »Du bist ja verrückt. Unser Golfplatz?«

»Genau. Er ist vom Stadtzentrum aus leicht zu Fuß zu erreichen. Er wurde sehr sorgfältig angelegt, mit einer dicken Erdschicht als Basis, in der sich leicht graben lässt. Die Strecke bis zum sechsten Loch besteht aus nivellierter Erde, zwei und mehr Meter tief. Vergesst nicht, dass wir keine Bagger mehr zum Ausheben haben. Nun heißt es Spaten schwingen; und ich will, dass die Gräber tief und schnell ausgehoben werden.«

»Zum Teufel, Charlie, das ist doch unser städtischer Golfplatz«, protestierte Tom.

»Hast du in letzter Zeit jemanden gesehen, der den schönen Tag nutzt, um 18 Löcher Golf zu spielen?«, entgegnete Charlie scharf. »Selbst du hast beim Spielen immer den elektrischen Golfwagen benutzt. Ich finde, wir brauchen dringend einen Friedhof in der Nähe; nicht auf der anderen Seite von Allen Mountain. Stimmen Sie mir zu, Doc?«

»Legen Sie ihn mindestens 200 Meter von dem Bach entfernt an, der durch den Park fließt. Auf dem Abhang auf der anderen Seite, damit das Grundwasser nicht in den Bach fließt. Ja, ich bin Ihrer Meinung.«

»Dann werden wir von nun an die Toten dorthin bringen.«

John blieb still. Es war interessant, wie unterschiedliche Dinge und unterschiedliche Veränderungen die Menschen auf unterschiedliche Weise schockierten. Tom war absolut süchtig nach Golf. Von all den schrecklichen Dingen, die die augenblickliche Situation ausgelöst hatte, konnte er es am wenigsten ertragen, dass sein Lieblings-Golfplatz zu einem Friedhof umfunktioniert werden sollte.

»Wir sollten einige Geistliche hinschicken, um den Boden zu weihen«, schlug Kate vor. »Die Leute werden das wollen.«

Charlie notierte es auf seinem Block. »Ich werde Pfarrer Black darauf ansprechen. Er hat mehr oder weniger die Führung über die hiesigen Geistlichen übernommen. Gibt es sonst noch etwas zum Thema Gesundheit?«, fuhr Charlie fort.

»Es hat gestern Nacht vier weitere Todesfälle im Pflegeheim gegeben. Die Patienten dort sterben wie die Fliegen.«

John dachte an Makala. Sie hatte quasi die Leitung dort übernommen, und er hatte sie seit zwei Tagen nicht mehr gesehen.

»Es gab auch drei Selbstmorde. Die McDougals und einen der Auswärtigen.«

»Greg und Fran?«, keuchte Kate entsetzt.

»Ein Nachbar hörte die Schüsse. Greg hat erst Fran erschossen und dann sich selbst. Sie haben einen Brief hinterlassen. Ihr wisst ja, dass sie Krebs hatte. Sie wusste, was ihr ohne ihre zwei Behandlungen pro Woche in Asheville bevorstand, also bat sie Greg, ihr Leben zu beenden. Danach nahm er sich das seine. In dem Brief steht, dass wir ihre übrigen Schmerztabletten jemandem geben sollen, der noch eine Chance zum Überleben hat.«

»Sie waren mit mir im Kirchenchor«, sagte Kate leise. Ihr Gesicht lief rot an und sie bemühte sich, ihre Tränen zurückzuhalten.

Niemand sprach einen Moment lang.

»Ich werde die Bekanntmachung aufhängen, dass der Golfplatz vom heutigen Tag an bis zum Ende der Krise als Friedhof dienen wird«, unterbrach Charlie schließlich das Schweigen.

Mehrere weiße Tafeln waren aus der Grundschule herübergeschafft und an der Außenwand der Polizeiwache aufgehängt worden. Sie dienten nun als offizielles Anschlagbrett.

»Es gibt noch Dutzende andere, die meiner Meinung nach auch nicht mehr lange durchhalten werden«, fuhr Kellor mit seinem medizinischen Lagebericht fort. »Diejenigen mit Diabetes und anderen Bauchspeicheldrüsenstörungen sehen an dem Tag, an dem ihre Medikamente zu Ende gehen, dem Tod ins Auge. Viele unserer Herzpatienten sind bereits gestorben. Garth Wilson ist gestern Abend tot umgefallen, als er einen Eimer Wasser nach Hause trug.«

»Mein Gott, er war erst 43«, sagte Kate.

»Er hatte 25 Kilo Übergewicht und einen Cholesterinspiegel von 280«, sagte Kellor. »Ich habe ihn gewarnt. So viel zu Fastfood.

Wir haben über 100 Krebspatienten in der Stadt, die Chemo- oder Strahlentherapie bekommen haben. Ihre Prognose … Wir haben ja gesehen, was mit Fran geschehen ist. Gott möge ihr verzeihen, aber viele andere könnten sich auch zu diesem Ausweg entschließen – besonders Patienten, die auf starke schmerzstillende Mittel angewiesen sind. Wir haben vergessen, wie der Krebs ohne Morphium in den letzten Monaten sein kann.«

Er hielt inne und sah alle an.

»Ich glaube, dass wir das jetzt besprechen müssen«, sagte er. »Wir haben nur einen begrenzten Vorrat Schmerzmittel. Beschlagnahmen wir sie, um sie nur in Notfällen einzusetzen, oder lassen wir sie von denjenigen aufbrauchen, die im Endstadium sind und sowieso bald sterben werden?«

»Mein Gott, Doc«, unterbrach Tom, »was reden Sie da?

Einer dieser Menschen, von denen Sie sprechen, ist meine Tante.«

»Ich weiß«, sagte Kellor leise. »So wahr mir Gott helfe, ich weiß das. Aber wir wissen auch, dass Ihre Tante Helen bald sterben wird. Und nun nehmen wir an, bei mir wird ein Kind eingeliefert, das eine schwere Operation braucht. Schock und Trauma sind tödlich für den Organismus, und ein Schmerzmittel könnte für das Kind den Unterschied zwischen Leben und Tod bedeuten. Wir müssen das in Betracht ziehen.«

»Du sprichst davon, die Todgeweihten zu selektieren, nicht wahr, Doc?«, stellte John leise fest.

Kellor sah ihn an und nickte langsam.

»Ich bin nicht bereit, diese Entscheidung jetzt zu treffen«, seufzte Charlie. »Die meisten Leute, von denen wir sprechen, haben noch ein paar Medikamente zu Hause. Wir werden das Problem angehen, wenn es so weit ist.«

»Wir werden es leider bald angehen müssen«, sagte Kellor mit gesenktem Kopf.

Wieder sprach einen Moment lang niemand.

»Unfälle«, brach Tom schließlich das Schweigen. »Ihr glaubt nicht, wie viele Unfälle wir haben. Jetzt sind die Autos zwar als Ursache ausgeschaltet, aber die Kettensägen funktionieren noch, und Äxte und Schaufeln auch. Joe Peterson hat sich mit einer Kettensäge fast das Bein abgeschnitten, als er gestern Abend Feuerholz machen wollte. Wir hatten gestern auch drei Unfälle mit Schusswaffen, einer davon tödlich – verursacht durch Idioten, die nun bewaffnet herumlaufen.«

»Meiner Meinung nach ist die Nahrung das Problem, an das wir wirklich ernsthaft denken müssen«, sagte Kellor.

»Was zum Teufel sollen wir diesbezüglich anders machen?«, erwiderte Charlie wütend, und John spürte eine Spannung, als hätte es darüber vor dem Treffen bereits Streit gegeben.

»Nach Ihrer Schätzung«, antwortete Kellor, »haben wir genügend Vorräte, um uns alle sieben bis zehn Tage lang zu ernähren. Und das schließt Fleisch mit ein, das jeder Gesundheitsinspektor schon vor zwei Wochen als ungenießbar eingestuft hätte. Und danach, Charlie ... was ist dann?«

Charlie seufzte und zuckte müde die Achseln.

Trotz seines Fiebers und Schüttelfrosts ertappte sich John dabei, den Mann intensiv zu mustern. Nach zehn Tagen in dieser Krisensituation, in denen er bestimmt nicht mehr als drei bis vier Stunden pro Nacht geschlafen hatte, stand er zweifellos kurz vor einem Kollaps.

»Halbe Rationen«, sagte John leise.

Charlie sah ihn an und nickte.

»Ich weiß nicht, ob das mit gewissen Nahrungsmitteln funktionieren wird«, meinte Kellor skeptisch. »Fleisch und Molkereiprodukte werden jetzt schon schlecht.«

»Dann verteilen wir sie jetzt und brauchen sie auf. Notfalls veranstalten wir heute Abend ein Riesenfestessen mit allem Fleisch, das sonst verdirbt. Wir müssen nur dafür sorgen, dass es so lange gebraten wird, bis es so durch ist wie Schuhleder. Danach wird alles Haltbare in halbe Rationen aufgeteilt.«

»Wie gehen wir bei denen vor, die sich mit Lebensmitteln in ihren Häusern verschanzt haben, Charlie?«, fragte Kellor. »Es gibt mindestens sechs Häuser, die Strom haben – altmodische Generatoren, die nicht eingesteckt waren und deshalb noch funktionieren. Genug Strom für ein Tiefkühlgerät. Der Franklin-Clan oben in North Fork zum Beispiel. Ich wette, die haben eine Vierteltonne Fleisch in der Gefriertruhe in ihrem Keller.«

»Und Sie meinen, ich soll es beschlagnahmen?«

Kellor nickte.

Charlie sah Tom an.

»Ich glaube nicht, dass das bei den Franklins funktionieren

würde«, sagte Tom kopfschüttelnd. »Jedenfalls nicht, ohne dass ein paar von ihren und meinen Männern dabei draufgehen. Da oben in den Hügeln gibt es noch etliche von den alten Survival-Typen; die Sorte, die sehr enttäuscht war, als die Welt mit dem Anbruch des neuen Jahrtausends nicht zum Teufel ging. Die warten bloß darauf, dass wir raufkommen und ihnen ans Leder wollen.«

»Also vergessen wir das vorerst«, sagte John. »Wenn wir uns in stalinistische Kommissare verwandeln, die jeder Kornähre und jedem Gramm Fleisch für das Kollektiv nachjagen, zerstören wir das fragile Gleichgewicht, das jetzt besteht, und danach wird sich jeder selbst der Nächste sein. Und wie bei jeder Kollektivierung würden sofort Gerüchte kursieren, egal, ob sie wahr sind oder nicht: nämlich, dass wir zwar das Essen im Namen aller beschlagnahmen, aber dass manche Tiere anscheinend gleicher sind als andere.«

»Was?«, frage Tom.

»Du hast offensichtlich während Mr. Quincys Englischunterricht in der neunten Klasse geschlafen, Tom«, sagte Kate. »John hat eine Anspielung auf *Farm der Tiere* von George Orwell gemacht. Du solltest es mal lesen.«

»Außerdem«, fuhr John fort, »selbst, wenn wir den ganzen Vorrat der Franklins abräumen, hätten wir dadurch vielleicht gerade genug für eine einzige Mahlzeit für 600 Menschen. Das wäre die Wut vieler Leute nicht wert, und meiner Meinung würden wir damit auch einen gefährlichen politischen und juristischen Präzedenzfall schaffen. Wir können es uns jetzt nicht leisten, einander anzufeinden. Im Gegenteil: Wir brauchen Leute wie die Franklins auf unserer Seite. Wenn sie tatsächlich solche Survival-Typen sind, wie du sagst, haben sie vielleicht Fähigkeiten, die sie uns beibringen, wenn wir sie nicht bedrohen.«

Tom atmete erleichtert auf.

»Ich glaube, es ist gerecht, dass die Lebensmittel, die wir

aus den Läden geholt haben, nun der Gemeinschaft gehören. Aber das, was die Leute in ihren Häusern haben – egal, ob es für einen Tag oder für sechs Monate reicht –, gehört ihnen.«

John blickte alle nacheinander an. Alle nickten zum Einverständnis.

Er wünschte nur, dass Charlie schneller gehandelt oder er selbst daran gedacht und ihn dazu gedrängt hätte, vom ersten Tag an die Kontrolle über alle Lebensmittel in der Stadt zu übernehmen. Hätten sie das getan und die Nahrung vernünftig eingeteilt, hätte der Vorrat bei halben Rationen vielleicht zwei Monate gereicht. Jetzt war es dafür zu spät.

»Und wie steht es mit den Bauernhöfen?«, fragte Kate.

»Das kann ich dir sagen, Kate«, antwortete Tom, »aber du bist auch hier aufgewachsen und müsstest es eigentlich selbst wissen: Die alten Höfe sind fast alle verschwunden. Wenn etwas passiert, so wie jetzt, meinen immer alle, dass Leute, die auf dem Land leben, im Essen geradezu schwimmen. Aber heutzutage sind auch die Bauern auf Supermärkte angewiesen; zumindest bis zur Ernte. Oben in North Fork haben wir sechs kleine Höfe; einen mit ungefähr 60 Rindern. Vielleicht 200 Schweine. Und das übliche Geflügel: Hühner, Truthähne, einige Gänse.«

»Immerhin«, sagte Kate. »Das könnte bei vernünftiger Rationierung einen Vorrat für einen oder zwei weitere Monate bedeuten.«

»Ich glaube, die müssen wir beschlagnahmen«, sagte Charlie. »Das ist etwas anderes als die Vorräte, die die Leute zu Hause im Keller haben.«

John seufzte und sah ein, dass er dem zustimmen musste, auch wenn es seinem stalinistischen Beispiel von vorhin nur allzu sehr ähnelte.

60 Rinder, zu Suppe oder Ragout verarbeitet, würden die knappe Zeit verlängern. Aber nun wurde ihm das

pragmatische Problem bewusst: Wie sollte man die Kontrolle über diesen Viehbestand ausüben und verhindern, dass jemand ihn plünderte, einen Hof in der Nacht überfiel, die Besitzer tötete, so viel Vieh schlachtete, wie er mitschleppen konnte, und dann die übrigen Tiere einfach sich selbst überließ, sodass sie verreckten?

Wieder fiel ihm ein Bild aus einem Film ein: *Der mit dem Wolf tanzt.* Indianer finden Hunderte von Büffeln, die von Weißen getötet wurden. Die Jäger hatten nur Fell und Zungen mitgenommen und den Rest zum Verfaulen liegen gelassen. Genau das konnte auch hier und jetzt geschehen. Erneut kam ihm in den Sinn, wie sehr Kinofilme das Bild geprägt hatten, das sich die Nation von sich selbst gemacht hatte. Nun waren die Leinwände leer. *Falls es in 50 Jahren noch Filme gibt – was würde ein Film über uns wohl zeigen?*

»Charlie, wir müssen mit den paar Bauern im Tal einen Handel abschließen. Wir können nicht einfach dort einmarschieren, ihren Viehbestand mitnehmen und davongaloppieren. Wir sollten ein Tauschgeschäft vorschlagen. Wir beschützen sie, ihre Erträge und ihren Viehbestand, und sie kriegen auch eine größere Portion als Bonus, weil sie mit der Gemeinde teilen. Außerdem müssen wir einen Teil des Viehs am Leben lassen.«

»Wie meinst du das?«

»Für nächstes Jahr. Einige Stiere und genügend Kühe. Möglicherweise sind wir in einem Jahr immer noch in der gleichen Situation. Wir müssen die Viehzucht sichern; auch wenn das bedeutet, dass wir jetzt hungern. In alten Zeiten war es immer die letzte Verzweiflungstat, das Zuchtvieh zu schlachten.«

»John«, seufzte Kate. »Das muss ich ausgerechnet jetzt wirklich nicht hören. Willst du damit sagen, dass es in einem Jahr immer noch nicht vorbei sein wird?«

»Wer weiß? Aber wenn wir jetzt nicht dafür planen, wird es ohnehin kein nächstes Jahr für uns geben.«

»Okay, John«, sagte Charlie. »Wir fahren später nach North Fork rauf und reden mit den Farmern.«

»Und wenn uns jemand dort mit einer Schrotflinte entgegentritt und uns auffordert, sein Grundstück zu verlassen?«, erkundigte sich Kate. »Du hast ja schon erwähnt, dass ich hier aufgewachsen bin. Das stimmt, und ich kenne einige von diesen Leuten. Sie sind gute Menschen, aber sie halten nicht viel von jemandem, der ihnen sagt, was sie zu tun und zu lassen haben.«

»Dann solltest vielleicht du diejenige sein, die mit ihnen redet«, sagte John ruhig.

»Ich?«

»Genau. Jeder in der Stadt kennt dich, Kate: sogar besser, als sie Charlie und Tom kennen. Du wärst keine Bedrohung.«

»Weil ich die Bürgermeisterin bin – oder weil ich eine Frau bin?«, fragte sie scharf.

»Offen gesagt, beides. Wenn Tom mit seiner Pistole an der Hüfte auftaucht, riecht das nach Beschlagnahmung. Aber wenn du auftauchst, dich mit der Familie hinsetzt und mit ihnen plauderst, kannst du die Leute auf diesen kleinen Höfen vielleicht dazu bringen, ein Einsehen zu haben. Sie müssen sich auf einen Handel einlassen, denn wenn sie es nicht tun, wird früher oder später jemand kommen und ihnen alles stehlen, was sie haben. Wir versprechen ihnen, 24 Stunden täglich Wachposten auf ihrem Besitz aufzustellen. Wir bieten ihnen Schutz, und im Tausch geben sie der Gemeinschaft Lebensmittel.«

»Hört sich ein bisschen wie die Mafiamethoden in deiner Heimat New Jersey an«, sagte Charlie mit dem Anflug eines Lächelns. »Schutzerpressung.«

John versuchte, trotz seines leichten Fieberschwindels zu lächeln.

»Ob es uns gefällt oder nicht, so stehen die Dinge jetzt nun einmal. Ich bin absolut dagegen, Dinge aus Privathäusern zu beschlagnahmen, aber ich glaube, wir sind uns darin einig, dass die Bauernhöfe geschützt werden müssen. Allerdings müssen die Bauern der Gemeinschaft dafür etwas zurückgeben.«

Kate nickte. »Okay, ich werde hingehen.«

Charlie sah auf seinen Notizblock.

»Transportmittel. Etwas Neues zu dem Thema?«

»Wir haben drei weitere Autos zum Laufen gebracht«, berichtete Tom. »Das heißt, eigentlich war es Jim Bartlett auf seinem Volkswagen-Schrottplatz. Zwei Käfer und noch ein VW-Bus.«

»Anscheinend ist er inzwischen ein verlässlicher Freund von dir geworden«, sagte Kate und für einen kurzen Augenblick erschien der Anflug eines ironischen Lächelns auf ihren Zügen.

»Ja, der verdammte, alte Hippie. Allerdings gehe ich nicht auf seine Litanei ein, dass wir Hasch als Medikament einsetzen sollten.«

»Ich würde ihm jetzt darin sogar recht geben«, sagte Kellor.

»Es ist gegen das Gesetz«, entgegnete Tom scharf.

»Die Autos, Tom«, unterband Kate den drohenden Streit. »Bleiben wir bei den Autos.«

»Okay. Andere Werkstätten berichten, sie könnten zehn bis 15 alte Schrottlauben in Ordnung bringen, darunter einen alten Sattelschlepper, der in Youngers Werkstatt steht.«

»Wir werden im Lauf der Woche 40 bis 50 haben«, sagte der Polizist aus Swannanoa.

Alle sahen ihn schweigend an.

»Ihr Leute hier in Black Mountain habt immer auf uns in Swannanoa herabgesehen. Vielleicht weil wir ärmer sind. Aber die Tatsache, dass wir ärmer sind, macht uns jetzt reicher.«

John lächelte; er wusste, dass das der Wahrheit entsprach.

Er erinnerte sich, dass Tyler Swannanoa mit seinen Wohnwagensiedlungen und Schrottplätzen immer als »Asozialen-Nest« bezeichnet hatte, denn das Städtchen war sehr heruntergekommen, seit vor Jahren die große Wolldeckenfabrik geschlossen worden war. Das kleine Ortszentrum, einst voller Leben, war nun fast eine Geisterstadt; besonders, seit ein Brand vor einigen Jahren das große Fabrikgebäude völlig zerstört hatte. Die Route 70, die mitten durch Swannanoa verlief, war von heruntergekommenen Ladenzeilen, Discountläden und Reparaturwerkstätten gesäumt. In letzter Zeit – bis zur vergangenen Woche – war es mit dem Ort endlich wieder aufwärtsgegangen, da allmählich mehr und mehr Leute von außerhalb zugezogen waren, um die Grundstücke mit der spektakulären Aussicht zu kaufen, die dieser Landstrich bot. Das Gebiet nördlich der Stadt, wo Häuser der oberen Preisklasse gebaut wurden, hatte sich bereits stark entwickelt; aber gerade dies war jetzt ein tragischer Verlust, denn in den letzten paar Jahren waren sechs Bauernhöfe einer sogenannten Landhaussiedlung gewichen.

In den alten Wohnwagensiedlungen standen viele Autos herum, um die die BMW- oder Geländewagenfahrer auf der Autobahn noch vor Kurzem einen großen, verächtlichen Bogen gemacht hätten. Nun waren manche dieser Rostlauben mehr wert als 100 BMWs.

»Leute, das ist Carl Erwin«, erklärte Tom. »Er ist der Polizeichef von Swannanoa. Ich habe ihn heute eingeladen, um über einen Vorschlag zu reden, den wir euch machen wollen.«

Alle nickten höflich. Nach Toms Ankündigung hatte Carl ihre ungeteilte Aufmerksamkeit.

»Und dieser Vorschlag wäre?«, fragte Kate.

»Ein Bündnis.«

John lächelte. Der Historiker in ihm stellte sich Könige der Antike vor, die in Streitwagen zu Zusammenkünften fuhren, um über Wasserrechte, den Austausch von Töchtern und den Zusammenschluss ihrer Armeen zu verhandeln.

»Carl und ich haben seit Tagen darüber geredet«, sagte Tom. »Ich finde es gut.«

»Was findest du gut?«, fragte Kate.

»Dass wir für die Dauer dieser Krise unsere Städte zusammenschließen.«

»Zu welchen Zweck?«

»Verteidigung«, antwortete Carl. »Wir halten den Zugang zum Westen, ihr den zum Osten. Wenn wir kooperieren, überleben wir. Tun wir's nicht, gehen wir unter.«

Charlie stand auf und deutete auf die Karte des Bezirks an der Wand.

»Auf der Ostseite unserer Stadt liegt das Nadelöhr der I-40 und der Route 70; das ist nur ein kleines Stück hinter der Ausfahrt 66. Direkt westlich der Ausfahrt 59 gibt es noch ein Nadelöhr, wo ein Ausläufer der Swannanoa-Bergkette bis ins Tal reicht. Die zwei Straßen, die Eisenbahn und der Bach verlaufen in Swannanoa praktisch parallel. Das ist eine relativ leicht zu verteidigende Position, nur ein paar Hundert Meter breit. Wir haben die Vordertür, ihr die Hintertür.«

»Vielleicht ist es auch umgekehrt«, sagte Carl mit einem Anflug von Ungeduld in der Stimme. »Wir sind schließlich näher an Asheville als ihr. Die wollen uns immer noch zwingen, 5000 Flüchtlinge bei uns und 5000 bei euch aufzunehmen. Ich halte sie noch zurück, aber es wird immer brenzliger. In den letzten zwei Tagen hatten wir sechs Tote an der Straßensperre.«

»Woran sind sie gestorben?«, erkundigte sich Kellor.

»An Schusswunden«, entgegnete Carl schnippisch. »Irgendwer hat den Leuten gesagt, dass es bei uns was zu essen gibt, also sind sie gekommen. Wir sagen ihnen, dass das nicht stimmt, und dann läuft es aus dem Ruder. Ich hab' gehört, dass auf der alten Route 70 und der Autobahn nach Asheville das nackte Chaos herrscht.«

»Warum zum Teufel haben diese Idioten im Bezirksamt den Leuten nicht einfach gesagt, sie sollen bleiben, wo sie sind?«, fuhr Charlie auf. »Sie setzen den Plan um, obwohl wir ihn abgelehnt haben.«

»Weil sie überleben wollen«, sagte John, »aber die Rechnung geht nicht auf.«

»Es wird ein Massensterben geben«, unterbrach Kellor, »und Asheville möchte, dass es an uns hängen bleibt, nicht an ihnen. Eigentlich kann man es ihnen nicht einmal übel nehmen.«

»Ich schon«, sagte Charlie kalt.

»Tja, wenn Sie ihnen einen Strich durch die Rechnung machen wollen«, sagte Carl, »dann müssen wir schnellstens kooperieren.«

»Ein kluger Schachzug«, meinte John.

»Sie haben vorhin von 60 Rindern geredet. Wenn Asheville hier reinkommt, werden sie in einem Tag weg sein, und was dann?«

Er hielt inne und lächelte.

»Wir haben in unserem Örtchen mehr als 120 Rinder und 200 Schweine gezählt.«

Trotz der Ungeheuerlichkeit der Krise lächelte John. Es war wirklich wie eine antike Verhandlung zwischen Königen.

Carl sah alle Anwesenden an und sie schwiegen. Er hatte seine Trumpfkarte ausgespielt und gewonnen.

»Es gibt noch eine andere Hintertür«, fuhr er schließlich fort, »und zwar bei der Haw Creek Road, aber die können wir auch sperren. Ihr habt ungefähr 1000 Leute mehr als wir – nicht eingerechnet diejenigen, die inzwischen eingewandert sind.«

»Werdet ihr die Rinder mit uns teilen?«, fragte Charlie.

Carl zögerte und sah seinen Begleiter an, der bis jetzt geschwiegen hatte.

»Ihr habt drei Apotheken hier, wir haben nur eine. Wenn ihr uns Zugang zu euren Medikamentenvorräten gewährt, werden wir die Lieferung einiger Rinder und Schweine erwägen.«

»Erwägen?«, hakte Kate, deren Augen plötzlich geschäftstüchtig blitzten, nach.

Carl sah Charlie an.

»Okay. Wir werden sie nach Bedarf ausgeben«, sagte Charlie. »Aber es muss gemeinsame Nutzung aller Güter auf beiden Seiten herrschen: Medikamente, Essen, Waffen, Fahrzeuge, Arbeitskräfte.«

Charlie sah jeden Anwesenden an und John fing seinen Blick auf.

»Die Regierungsgewalt«, sagte John.

»Und weiter?«

»Es tut mir leid, Leute, aber ich komme mir vor wie in einem Kostümfilm, der im Mittelalter spielt«, sagte John. »Wir sind wie zwei Königreiche, die miteinander verhandeln.«

»Tja, ich denke, der Vergleich ist zutreffend«, sagte Doc Kellor. »Swannanoa hat eine von der Memorial Mission gestiftete Klinik. Wir könnten sie als medizinisches Zentrum benutzen. Sie ist für kleinere chirurgische Eingriffe, medizinische Notfälle und Ähnliches eingerichtet. Sie haben auch drei oder vier Ärzte, das ergäbe eine Gesamtzahl von neun Ärzten für die Gemeinschaft.«

Carl nickte.

»Wir haben die Klinik vom ersten Tag an geschützt. Wir hatten das gleiche Problem mit Süchtigen wie Sie …« Er hielt inne. »Wir haben sie erschossen, als sie zu fliehen versuchten.«

John fragte lieber nicht nach Einzelheiten.

»Gemeinsame Regierungsgewalt. Wenn wir beschließen, zusammenzuarbeiten, können wir uns nicht abgrenzen. Wir ziehen alle an einem Strang. Also, wie ist es?«

Charlie sah Carl an.

»Ich kenne Sie seit Jahren, Charlie Fuller. Solange Sie

sich nicht mit Asheville verbünden, bin ich bereit, Befehle von Ihnen entgegenzunehmen. Ehrlich gesagt wäre ich sogar froh, manche Dinge nicht mehr selbst entscheiden zu müssen.«

Charlie nickte.

»Dann sitzt Carl von nun an in diesem Gemeinderat«, sagte John.

»Wer sind Sie eigentlich?«, wollte Carl wissen und sah John direkt an.

»Er ist Geschichtsprofessor am College. Ex-Militär, ein Colonel mit Kampferfahrung.«

John sah Charlie an. »Kampferfahrung« war ziemlich übertrieben.

»Er berät uns in juristischen und moralischen Fragen – ein intelligenter Mann.«

»Und warum nimmt er an diesem Treffen teil?«, fragte Carl gelassen.

John empörte sich ein wenig. Beim ersten Mal war er einfach hereingeplatzt; aber jetzt, nach einer Woche, spürte er, dass er hier eine wichtige Funktion ausübte.

»Er ist derjenige, der die Drogendiebe hingerichtet hat«, sagte Tom. »Sagen wir einfach, er ist unser moralischer Kompass. Ein typischer Professor-Typ, aber in Ordnung.«

Carl hielt den Augenkontakt mit John und dieser fragte sich, ob sich Schwierigkeiten anbahnten.

»Dann will ich, dass mein Freund Mike Vance hier ebenfalls am Rat teilnimmt. Wir hatten keinen Bürgermeister und keine Bürgermeisterin wie ihr, aber er war unser Stadtdirektor.«

John sah deutlich, dass dieser Vance jemand war, der tat, was Carl wollte.

»Ich sage es ungern, aber wir sind hier keine Demokratie«, erklärte John. »Wir befinden uns im Ausnahmezustand und Charlie Fuller ist unser Hauptverantwortlicher. Wir anderen erfüllen lediglich Beraterfunktionen. Wenn wir zusammenarbeiten sollen, muss Charlie derjenige sein, der die Entscheidungen trifft.«

»Einen netten Freund haben Sie da, Charlie«, sagte Mike ruhig.

»Mike, Carl«, meldete sich Tom zu Wort, »wir müssen zusammenarbeiten, und ich stimme John zu. Entweder ist Charlie der Chef, oder wir haben kein Abkommen.«

Das Zimmer war mit Schweigen erfüllt. Schließlich nickte Carl.

Charlie kam um den Tisch und Carl stand auf, um ihm die Hand zu schütteln.

John sagte nichts. Den Formalitäten war Genüge getan. Die Könige hatten sich die Hand gegeben und den Pakt besiegelt. Es war eine intelligente Entscheidung, aber John fragte sich, ob sie in einem Monat oder gar in sechs Monaten immer noch so wirken würde.

Charlie ging an seinen Platz zurück und setzte sich.

»Ich weiß bereits über die zusätzlichen Fahrzeuge Bescheid, aber wie steht es mit Benzin?«

»Zunächst mal zapfen wir es einfach von den liegen gebliebenen Autos auf der Autobahn ab«, sagte Tom.

»Das weiß ich, aber sollten wir nicht gleich damit anfangen?«

»Das würde ich nicht tun«, warf Mike ein. »Benzin wird mit der Zeit schlecht. Wir können es nicht von den Tankstellen abzapfen, bevor wir irgendwelche Pumpvorrichtungen gebastelt haben. In einem Auto allerdings ist der Benzintank dicht verschlossen, und das Benzin hält länger, als wenn wir es abzapfen und lagern. Das weiß ich, weil ich eine Autoverwertungswerkstatt besitze.«

Egal, ob er ihn nun sympathisch fand oder nicht – John merkte, dass das Wissen dieses Mannes im Moment vielleicht wertvoller war als sein eigenes.

»Okay, alles klar, schon kapiert«, sagte Charlie. »Zurück zum Thema Asheville. Carl, Sie und ich haben die gleiche

Forderung von Roger Burns, dem neuen Sicherheitsdirektor dort, erhalten.«

»Arschloch«, sagte Carl leise, und Tom nickte zustimmend.

»Und zwar, dass wir insgesamt 10.000 Flüchtlinge aufnehmen sollen.«

»Er kann uns am Arsch lecken«, zischte Carl. »10.000 Hippies und Yuppies? Das ist doch wohl nicht sein Ernst!«

John bemerkte die Veränderung, die die neue Allianz bereits bewirkt hatte: Nun hieß es »wir« gegen »sie«. Er hoffte, dass es lange so bleiben möge.

Die Debatte hielt noch einige Minuten lang an. Kate neigte dazu, die Forderung zu akzeptieren, weil diese Menschen ebenfalls Nachbarn waren, und um zumindest den Anschein von Ordnung auf der Bezirksebene aufrechtzuerhalten, während Carl und Tom sie vehement ablehnten.

John fragte sich, was in diesem Moment in Winston-Salem, Charlotte oder in den größeren Städten wie Washington, Chicago oder New York passierte. Wahrscheinlich strömten bereits Millionen hinaus; bestenfalls halbwegs organisiert, aber vermutlich eher in Form einer chaotischen Massenflucht – wie ein Heuschreckenschwarm, der sich seinen Weg durch die Außenbezirke fraß. Hier zumindest war die Geografie auf ihrer Seite, denn sie schuf Engpässe an den Verkehrswegen.

Er hatte gestern Nacht bereits eine Idee gehabt. Die Strategie war brillant in ihrer Einfachheit, aber auch erschreckend, wenn man bedachte, was sie nach nur zehn Krisentagen implizierte.

Er wartete auf eine Pause in der Debatte.

»Ich habe eine einfache Lösung«, sagte John, »die die Krise ohne eine größere Konfrontation entschärfen wird.«

»Ich halte es kaum noch aus vor Spannung, Professor«, schnappte Carl sarkastisch.

»Wasser.«

»Wasser?«, wiederholte Carl fragend; aber John sah bereits den Anflug eines Grinsens in seinem Gesicht.

»Ashevilles Reservoir befindet sich auf unserem Gebiet. Der Handel ist einfach. Hört auf, uns zu bedrängen, schickt die Flüchtlinge woandershin, oder wir drehen euch das Wasser ab.«

Carl starrte ihn einige Sekunden lang mit weit aufgerissenen Augen an, dann warf er den Kopf in den Nacken und lachte.

»Verdammt noch mal!«

»Ich glaube, wir verdammen uns tatsächlich, wenn wir Asheville das Wasser abschalten«, sagte Doc Kellor, und Kate nickte zustimmend.

»Das glaube ich auch«, stimmte John leise zu. »Ich weiß nicht einmal, ob ich mich dazu bringen könnte, das tatsächlich zu tun. Dort leben 100.000 unschuldige Menschen; aber dieser Burns treibt politische Machtspielchen mit uns. Und wir haben die Trumpfkarte. Schickt ihm eine Botschaft: Sie bekommen weiterhin ihr Wasser, aber sie sollen ihre Flüchtlinge woandershin schicken. Ganz einfach, kein Problem für sie. Tun sie's nicht, sprengen wir die Hauptleitung und sie können zum Teufel gehen.«

»Vielleicht sehen sie sich dadurch gezwungen, die Wasserversorgung mit Gewalt an sich zu reißen«, überlegte Kate.

John schüttelte den Kopf.

»Auf keinen Fall. Denk an den Orkan von 2004. Die Hauptleitung des Reservoirs wurde zerstört und es gab ein Riesenchaos. Spezielle Ersatzteile mussten von außerhalb eingeflogen werden, um sie zu reparieren. Dadurch wissen sie genau, wie verwundbar ihre Wasserversorgung ist. Wir müssen ihnen klarmachen, dass wir die Leitung sprengen, wenn sie sich gegen uns stellen, und sie wissen, dass sie nicht so schnell an Wasser kommen werden.«

»Wenn wir diesen Vorteil haben, sollten wir ihn nutzen«,

sagte Carl. »Ich habe gehört, dass sie Dutzende von Eisenbahnwaggons voller Lebensmittel haben, die sie horten. Wir könnten auch einiges davon verlangen.«

»Keine schlechte Idee«, meinte Tom leise. »Das Wasser gibt uns vielleicht auch da ein gutes Druckmittel.«

»Ich bin noch nicht so tief gesunken, Wasser gegen Essen einzutauschen«, knurrte Kate. »Noch nicht.«

»Ich auch nicht«, warf John schnell ein. »Bleiben wir bei dem Flüchtlingsproblem. Wenn wir auch noch einen Teil ihres Lebensmittelvorrats verlangen, könnte sie das zu einem offenen Kampf provozieren. Vergesst nicht, sie sind uns zahlenmäßig überlegen. Letzten Endes würden wir dabei alle verlieren. Aber was die Flüchtlinge angeht – sagen wir einfach, wir machen ihnen ein Angebot, das sie nicht ablehnen können.«

Charlie lächelte.

»Mann, du kommst echt aus New Jersey.«

John lächelte.

»Sie geben in der Flüchtlingsfrage nach und das Wasser fließt weiter.«

Charlie sah in die Runde und alle nickten.

»Tom, schick ihnen heute noch einen Kurier. Nimm eines der Mopeds, die wir zum Laufen gebracht haben. Ich will nicht wie neulich ein Auto riskieren.«

»Es wird mir ein Vergnügen sein, Charlie. Ich würde zu gern Burns' Gesicht sehen, wenn er die Nachricht erhält.«

»Aber vergesst nicht: Unser Abwasser fließt in das Klärwerk von Asheville. Die Filteranlage funktioniert wahrscheinlich nicht, also leiten sie vermutlich das Abwasser direkt in den French Broad Fluss. Wenn sie aber die eigentliche Abwasserleitung sperren, fließt der Dreck zurück bis hierher. Das könnten sie als Vergeltung machen.«

»Dann drohen wir damit, unser Abwasser in den Swannanoa Creek zu leiten, der den Hügel hinunter direkt nach Asheville fließt«, antwortete Tom.

»Mein Gott«, seufzte Kellor. »Sind wir wirklich schon so tief gesunken?«

Niemand konnte darauf antworten.

»Okay«, sagte Charlie. »Nun zum großen Thema: unsere Straßensperre auf der I-40, oben auf der Klippe.«

Er sah Tom an.

»Dort wird es immer schlimmer. Wie wir gestern beschlossen hatten, schickte ich jemanden nach Old Fort, um dort ein Schild aufzustellen, dass die Straße oben gesperrt ist. Old Fort lehnte das ab. Sie haben 7000 bis 10.000 Flüchtlinge, die jetzt dort campieren und versuchen wollen, in die Berge zu kommen. Deshalb sagen sie, wir sollen die Leute durchlassen. Sie ermutigen die Menschen sogar, über die Autobahn zu wandern und sich, wenn es sein muss, den Weg mit Gewalt zu bahnen. Der Druck wird immer stärker. Die ganze Autobahn ist voller Flüchtlinge. Gestern Abend hat einer meiner Männer zwei von ihnen erschossen.«

»Was?«, rief Kate. »Davon habe ich noch gar nichts gehört.«

»Ich wollte es heute Morgen ansprechen«, verteidigte sich Tom.

»Was ist geschehen?«

»Eine Gruppe von ungefähr 50 Leuten wollte einfach nicht umkehren. Die Männer, die den Felseinschnitt da oben bewachen, haben einige erkannt; Leute, die sie bereits früher zurückgeschickt haben. Die hatten offensichtlich schon vorher eine Konfrontation geplant und versuchten, unsere Barriere zu stürmen. Einer fing an, auf uns zu schießen, und meine Männer schossen zurück. Auf deren Seite gab es zwei Tote und ungefähr zwölf Verwundete.«

Kate schüttelte den Kopf.

»Es wird noch schlimmer kommen«, sagte Tom. »Denkt an das, was Mr. Barber gesagt hat, als er letzte Woche mit dem Flugzeug hier ankam. Die Autobahn war voller

Flüchtlinge aus Charlotte und Winston-Salem. Tja, Charlotte ist knapp 177 Kilometer von hier entfernt und Winston-Salem ungefähr 225. Rechnen wir mit 18 bis 24 Kilometern am Tag für eine Familie mit viel Gepäck. Das heißt, die erste große Welle wird uns heute erreichen. Mich wundert nur, dass es so lange gedauert hat. Womöglich sind 20-, 30- oder sogar 50.000 Leute auf dem Weg hierher.«

»Darum wollte ich diese Allianz«, sagte Carl. »Ihr seid unsere Hintertür. Wenn ihr sie hereinlasst, werden wir überflutet. Dann sind wir zwischen Asheville auf der einen Seite und den Fremden auf der anderen eingekesselt. In einem Tag hätten sie uns kahl gefressen.«

»Wir müssen auch mit Krankheiten rechnen«, unterbrach Kellor.

»Ich dachte, Sie sagten, dass wir die bereits haben«, wandte Carl ein.

Kellor seufzte und schüttelte den Kopf.

»Salmonellen lauern überall. Ich rede jetzt von exotischeren Leiden. In großen Ballungsgebieten wird es Hepatitis in jeder erdenklichen Variante geben. Was mich am meisten ängstigt, sind irgendwelche neu Eingewanderten aus Übersee, oder jemand, der am Flughafen von Charlotte, einem wichtigen Flugverkehrsknotenpunkt, gestrandet ist. Er mag ganz gesund aussehen und fühlt sich vielleicht auch wohl, aber er könnte ein Träger von Typhus, Cholera oder sonst was sein.

In Anbetracht der hygienischen Bedingungen der Flüchtlinge genügt ein einziger Infizierter. Eine einfache Berührung oder Fäkalienspuren im Wasservorrat oder Körperkontakt bei der Lebensmittelverteilung, und die Bakterien verbreiten sich. Wir geben jemandem einen Teller Essen, er hat sich die Hände nicht gewaschen, wir spülen den Teller nicht mit kochendem Wasser ab, und innerhalb einer Woche haben wir Tausende von Kranken und Sterbenden. Hat jemand von Ihnen jemals die Cholera erlebt?« Kellor sah sich in der Runde um.

Niemand sprach.

»Ich schon, vor 30 Jahren. Es war während einer Missionsreise in Afrika. Verglichen mit Cholera sind Salmonellen so harmlos wie Heuschnupfen. Viele Menschen, die in afrikanischen Ländern leben, kamen irgendwann mit Cholera in Kontakt und überlebten. Bei uns wäre das anders. Wir sind seit mindestens sechs bis sieben Generationen nicht mehr mit der Krankheit in Berührung gekommen. Wir haben keine Immunität dagegen. Amerika ist wie eine empfindliche, exotische Pflanze im Gewächshaus. Inzwischen können wir nur noch in einem künstlichen Umfeld überleben; mit Impfungen, Sterilisation und Antibiotika, die wir schon seit etwa 100 Jahren entwickelt haben.

Wir stehen jetzt kurz davor, das Leben wieder so kennenzulernen, wie es in Drittweltländern ist. Abgesehen von der großen Grippewelle von 1918, die innerhalb weniger Wochen einen Großteil der Bevölkerung ausmerzte, war die letzte große Epidemie der Typhusausbruch von Chicago in den 1880er-Jahren, der einige Zehntausende dahingerafft hat. Die Wasserversorgung wurde vom Typhus verunreinigt und die Menschen starben wie die Fliegen. Der große Brand von Chicago war nur ein Klacks dagegen, was die Anzahl der Toten betrifft.«

»Was ist mit Impfungen?«, fragte Charlie.

»Woher nehmen?« Kellor lachte bitter. »Gegen Typhus und Cholera? Solche Impfungen werden von den Gesundheitsämtern für Überseereisende bereitgestellt und müssen extra bestellt werden. Ich wette, dass in diesem Tal höchstens einer von 1000 vor Cholera geschützt ist; es sei denn, er oder sie ist irgendwann nach Afrika oder Asien gereist. Noch weniger werden gegen Typhus geimpft sein.

Gott sei Dank liegen wir hoch genug und das Klima ist kühl genug, sodass wir uns keine Sorgen wegen Malaria, dem West-Nil-Virus und anderen Krankheiten, die von Stechmücken übertragen werden, machen müssen. Ich will gar nicht davon reden, dass wir anfangen müssten, nach parasitären Würmern und Läusen Ausschau zu halten …« Seine Stimme erstarb.

»Es werden Infektionen um sich greifen, die nicht töten, sondern die Immunität der Opfer schwächen, sodass sie für die nächsten Keime anfälliger sind. Kate, die meisten Männer denken nicht daran, aber hast du einen ausreichenden Vorrat von den Erzeugnissen, die wir euphemistisch ›Hygieneprodukte für Frauen‹ nennen?«

Kate errötete leicht.

»Für diesen Monat.«

»Da haben wir's, meine Herren; ich wette, dass viele Frauen daran denken oder ziemlich bald daran denken werden. Wir sind wieder in der Zeit unserer Urgroßmütter gelandet. Dazu kommen die mangelnden Möglichkeiten zum Baden und die unzureichende Ernährung … die Infektionsrate wird steil ansteigen. Das ist nur eines von vielen Dingen, an die wir vor der letzten Woche nie gedacht haben. Der kleine Johnny tritt auf einen rostigen Nagel und bekommt sofort eine Tetanusspritze. Vielleicht haben wir davon in der ganzen Gemeinde noch 100 Impfportionen. Bis zum Herbst könnten wir also auch mit Wundstarrkrampf konfrontiert werden. Soll ich noch mehr Beispiele aufzählen?«

Niemand sagte etwas.

John sah seinem alten Freund in die Augen und erkannte, dass dieser Arzt vielleicht mehr als jeder andere im Raum von der Vorstellung der mittelalterlichen Ausmaße, die dieser Albtraum annehmen konnte, bedrängt wurde.

Als Historiker wusste John von diesen Schrecken. Für jeden Menschen, der vor dem Amerikanischen Bürgerkrieg auf dem großen Zug nach Westen von Indianern getötet worden war, hatte es Tausende, vielleicht sogar

Zehntausende Tote durch mit Typhus oder Cholera verseuchtes Wasser gegeben ... Solche Themen waren allerdings nicht für die Wildwestfilme aus Hollywood geeignet.

»Eines haben wir vernachlässigt, und das will ich sofort nachholen«, sagte Kellor. »Ich könnte mich ohrfeigen, dass ich nicht früher daran gedacht habe. Wir müssen auch die Tierärzte organisieren.«

»Die Tierärzte?«, wiederholte Carl.

»Ja. Sie haben Betäubungsmittel und Antibiotika und können in Notfällen chirurgische Eingriffe vornehmen. Die inneren Organe eines Hundes unterscheiden sich nicht allzu sehr von denen eines Menschen. Das Gleiche gilt für Zahnärzte und Fußspezialisten. Übernehmen wir ihre Medikamente, bringen wir sie in die Klinik, die wir in Swannanoa einrichten werden, und stellen wir dort Bewaffnete auf, die 24 Stunden täglich Wache schieben.«

Charlie notierte den Vorschlag.

»Um auf die Flüchtlinge zurückzukommen: Was machen wir mit denen?«, fragte Charlie.

»Wir blockieren die Zufahrtsstraße«, sagte Carl.

»Wenn wir sie weiterhin blockieren«, erklärte Tom, »stauen sich bis zum Ende der Woche 50.000 Leute dort. Früher oder später werden sie die Barrikaden stürmen und sogar Verluste in Kauf nehmen.«

»Wir brauchen eine Art Sicherheitsventil«, warf Kate ein.

»Wie bitte?«, fragte Charlie.

»Die Autobahn am Bergpass ist wie ein Dampfkochtopf kurz vor dem Explodieren. Entweder er geht hoch, oder wir sorgen für ein Sicherheitsventil.«

»Aber wie sollen wir das denn machen?«, fragte Charlie mit einer Spur Ungeduld in der Stimme.

»Lassen wir die Leute durch.«

»Verdammt, nein!«, zischte Carl. »Ich dachte, diese Allianz soll dazu dienen, uns gegenseitig Rückendeckung zu geben, und jetzt reden Sie davon, die Leute reinzulassen? Wenn das so ist, lehnen wir das Abkommen ab.«

»Sie haben dem Bündnis bereits zugestimmt«, erinnerte ihn Charlie kalt. »Und da Sie selbst ein Teil des Abkommens sind, können Sie sich nicht mehr zurückziehen.«

»Sie klingen wie ein verdammter Yankee im Bürgerkrieg; aber dann bin ich ein Südstaatenabtrünniger, verdammt noch mal; und wenn wir Südstaatler aus einem Bündnis ausscheren wollen, dann tun wir's auch.«

»Kate hat recht«, sagte John.

»Oh, großartig, der Herr Professor spricht«, erwiderte Carl mit vor Sarkasmus triefender Stimme.

»Jetzt hören Sie gefälligst zu, Sie sturer Bock!«, schrie John ihn an.

Nach dem Ausbruch war ihm leicht schwindlig und sein Kopf pochte.

Carl jedoch war verblüfft und schwieg.

»Sie hat recht«, fuhr John fort. »Wir lassen sie in Gruppen von jeweils 100 durch, unter der Bedingung, dass sie erst jenseits der Ausfahrt 59 Rast machen. Und dann müssen Sie weiterziehen. Sie lassen ihre Waffen bei uns, so wie früher, als die Cowboys in die Stadt einritten und ihre Waffen beim Sheriff abgeben mussten. Wir geben ihnen die Waffen erst zurück, wenn sie die Barriere an der Ausfahrt passiert haben. Wir geben ihnen kein Essen, aber aus Anständigkeit richten wir eine Wasserausgabe für sie ein; sagen wir, an der Ausfahrt 64. Der Wasserdruck müsste eigentlich reichen, um eine temporäre Leitung dorthin zu legen. Außerdem stellen wir ein WC zur Verfügung; mit reichlich Kalziumoxid, um das Abwasser einigermaßen keimfrei zu halten.«

Charlie nickte.

»Wie Tom sagte: Wenn wir sie weiterhin aufhalten, spannt sich die Lage weiter an, so lange, bis sie uns überrennen.«

»Was ist mit der Krankheitsgefahr, von der Doc Kellor gesprochen hat?«, wollte Tom wissen.

»Ich glaube, verglichen mit der Gefahr, von der Kate und John gesprochen haben, stellt sie das kleinere Übel dar«, sagte dieser.

»Wenn jemand eindeutig krank ist, lassen wir ihn nicht durch. Eine Quarantäne, wie in alten Zeiten. Alle anderen können weiterziehen, dürfen aber nicht anhalten. Bewaffnete Posten werden sie in sicherem Abstand begleiten.«

»Wir haben Schutzanzüge gegen radioaktive Strahlung«, sagte Charlie.

»Was?«

»20 Stück. Im Lagerraum dieses Gebäudes. Homeland Security hat sie vor einigen Jahren ausgegeben. Ich hätte nie gedacht, dass wir sie zu diesem Zweck einsetzen würden; aber wären sie dazu geeignet?«

»Verdammt gut sogar«, antwortete Kellor. »Jeder, der an der Barriere mit den Flüchtlingen interagiert, sollte einen tragen.«

»Das hätte auch eine gute psychologische Wirkung«, warf John ein. »Sie erzeugen eine Atmosphäre der Autorität und, obwohl ich es ungern zugebe, die Leute auf der anderen Seite werden sich unterlegen fühlen und deshalb fügsamer sein, wenn wir sie auffordern, weiterzugehen, ohne anzuhalten.«

Er war insgeheim verärgert, dies überhaupt erwähnt zu haben. Uniformen, zu denen auch Schutzanzüge zählten, waren quer durch die Menschheitsgeschichte dazu eingesetzt worden, Massen zu kontrollieren – auch die Massen, die in Todeslager geschickt wurden.

»Wie ich vorhin gesagt habe, wir geben ihnen nur Wasser und kontrollieren streng, dass sich niemand irgendwo erleichtert, außer an den Toilettenplätzen. Bewaffnete Wächter in Strahlenschutzanzügen begleiten sie. Wir lassen sie lediglich durch, aber wir gehen auf nichts anderes ein.«

»Was ist mit Asheville?«, erkundigte sich Kate. »Die könnten auch auf die Idee kommen, die Straßen zu blockieren.«

»Dort steht noch keine Straßensperre«, sagte Carl. »Sie gehen davon aus, dass die Massen in unsere Richtung strömen. Vielleicht haben wir noch ein paar Tage Zeit, bevor sie da etwas organisieren. Und wenn es so weit ist, versuchen wir sie mit logischen Argumenten dazu zu bringen, die Leute durchzulassen; oder, wie der Professor sagte, wir erwähnen die Wasserversorgung und machen ihnen ein Angebot, das sie nicht ablehnen können.«

John sah in die Runde. Es gab keine abweichende Meinung.

»Ein guter Plan«, sagte Charlie schließlich. »So machen wir es.«

»Nur eine kleine Ergänzung«, erwiderte Kate. »Wir sollten einigen erlauben, zu bleiben.«

»Wieso denn das?«, wollte Kellor wissen.

»Es gibt Hunderte von Einwohnern, die ebenfalls auf der Autobahn gestrandet sind, als alles zusammenbrach. Sie waren nach Hause unterwegs, oder zu irgendwelchen Treffen, oder zum Flughafen in Charlotte, oder sie kamen von dort zurück. Sie haben dasselbe Recht wie wir, hier zu sein, und wir müssen sie hereinlassen.

Fast alle unsere Ortsansässigen, die in Asheville hängen blieben, sind inzwischen zurück, aber einige Hundert werden noch vermisst. Wenn sie auftauchen, müssen wir sie hereinlassen; und auch diejenigen, die hier Grundbesitz haben und hoffen, dass sie dort Zuflucht finden. Sie haben jahrelang unter uns gelebt und wir sind ihnen diese Chance schuldig, wenn sie es bis hierher schaffen.«

»Aber was ist mit der Krankheitsgefahr?«, hakte Charlie nach.

»Wie der Doc gesagt hat: Quarantäne«, entgegnete John. »So haben sie es vor 100 Jahren in New York gehalten, wenn die Einwanderungsschiffe einliefen. Ein Arzt untersuchte die Passagiere. Wenn ihm etwas verdächtig vorkam, wurden die Betroffenen auf eine Isolationsstation gebracht.«

Wieder hatte John ein Bild aus einem Film vor Augen.

»Erinnert ihr euch an *Der Pate – Teil II?* Wie der Pate als Kind nach Amerika kam und in Quarantäne gesteckt wurde, weil sie dachten, er sei krank? Damals wurde das immer so gehandhabt, und es funktionierte.«

»Ja, und seht nur, was uns dieser Typ trotzdem ins Land geschleppt hat: die Mafia«, versetzte Carl.

John merkte, dass er das falsche Beispiel gewählt hatte, fuhr aber trotzdem fort.

»Diese Methoden funktionierten vor 100 Jahren, und wir sollten auf sie zurückgreifen. Wenn ein Schiff aus einem Hafen ankam, in dem bekanntermaßen eine ansteckende Krankheit ausgebrochen war, ging es im Außenhafen vor Anker, bis man entschied, dass es sicher war, es einlaufen zu lassen. Wir könnten das genauso handhaben«, schloss John und sah Kellor erwartungsvoll an.

Kellor zögerte und nickte dann zustimmend.

»Doc, könnten wir dafür nicht das Pflegeheim nutzen?«, wandte John sich direkt an den Arzt. Kellor schüttelte den Kopf.

»Im Heim wimmelt es von sämtlichen bekannten Infektionen. Ich schlage vor, wir benutzen einen der größeren Räume im Baptisten-Konferenzzentrum oben auf dem Hang. Es liegt direkt an der Straße.«

Er sah in die Runde und schließlich nickten alle.

»Also, ich weiß, dass ich mich bei manchen hier damit nicht gerade beliebt mache, aber ich muss es ansprechen«, sagte Carl. »Was ist mit den Auswärtigen, die in den ersten paar Tagen, bevor wir die Straße gesperrt haben, hergekommen sind? Durch sie hat sich unsere Zahl um 2000 oder mehr erhöht. Erlauben wir ihnen, zu bleiben?«

Niemand sprach ein Wort, aber Kate schüttelte den Kopf.

»Das haben wir bereits entschieden«, sagte Charlie. John sah ihn an und dachte an Makala.

»Wieso?«, warf Carl ein. »Ich finde, darüber hätten wir sprechen sollen, bevor wir unser Abkommen getroffen haben.«

»Was schlagen Sie vor, Carl?«, fragte Charlie scharf. »Diese Leute sind schon seit acht Tagen hier, manche sogar noch länger. Viele haben sich bereits integriert, sie haben Freunde oder sogar einen Job gefunden. Was sollen wir tun – in der Stadt herummarschieren und sie mit gezückten Waffen zusammentreiben? Das wäre ein göttlicher Anblick und würde die Gemeinschaft erst recht auseinanderreißen.«

»Wir waren auch mal alle Amerikaner«, sagte Kate leise.

»Genau«, warf John ein. »Diejenigen, die schon hier sind, bleiben. Das haben wir bereits entschieden.«

Er sah die anderen nacheinander an. Trotz seiner Rede im Park fragte er sich, ob sich die Ansichten zu diesem Thema nun ändern würden, weil der Nahrungsmittelmangel nicht mehr zu übersehen war.

»Die sind auch nicht anders als die Neuen, die wir jetzt aussperren wollen«, erwiderte Carl.

»Wahrscheinlich nicht, Gott steh uns bei«, sagte John. »Darauf weiß ich keine Antwort. Aber diejenigen, die schon hier sind, bleiben.«

Mit einem Blick bat er Charlie stumm um Unterstützung.

»Wenn wir unsere Ansicht dazu ändern, verabschiede ich mich von diesem Rat. Es würde allem widersprechen, was ich im Park öffentlich gesagt habe; und damals habt weder ihr noch sonst jemand protestiert.«

»Wir sollten auch nicht vergessen, was wir alles von der Autobahn konfisziert haben«, sagte Kate. »Sechs Lastwagenladungen mit Lebensmitteln. Genug, um sie einige Wochen lang zu ernähren. Betrachten wir das als ihr Entgelt.«

John nickte Kate zu. Das war ein guter Schachzug von ihr.

»Sie bleiben«, sagte Charlie schließlich und Carl nickte.

»Nur eines noch«, fügte John hinzu. »Die Leute, die hier durchreisen: Falls es unter ihnen irgendwelche speziellen Individuen gibt, sollten wir ihnen erlauben, zu bleiben, wenn sie darum bitten.«

»Inwiefern speziell?«, fragte Kellor.

»Alle, die uns helfen können, zu überleben und neu aufzubauen.«

»Zum Beispiel?«

»Angehörige des Militärs und der Polizei, zum Beispiel.« Er wusste, dass er sich damit der sofortigen Zustimmung Toms und Carls sicher sein konnte. Der »Bruderorden« der Polizisten sorgte für die Seinen, und John wusste, dass er selbst nun bezüglich des Militärs das Gleiche tat.

»Aber auch andere. Landwirte haben Fähigkeiten, die uns nützlich wären. Sie können uns mit den Rindern und Schweinen helfen, und auch mit den Feldfrüchten, die bereits ausgesät worden sind. Die ganzen raffinierten landwirtschaftlichen Maschinen sind tot, und ein großer Teil des Ackerbaus ist jetzt schweißtreibende Arbeit. Ich glaube, wir sollten auch jeden Elektriker nehmen, den wir kriegen können, und Kraftwerkspezialisten, Ärzte und Krankenpflegepersonal. Wenn solche Leute bleiben wollen, sollten wir sie interviewen, und wenn sie legitim sind, können sie zu uns kommen.«

Wieder entstand ein Moment des Schweigens.

»Einverstanden«, erklärte Charlie.

»Das müsste ihre Familien einschließen«, sagte Kate. »Männer und Frauen, die die Gelegenheit beim Schopf packen und bleiben, aber ihre Familie einfach stehen lassen, sind keinen Pfifferling wert.«

»Dagegen habe ich nichts einzuwenden«, meinte Charlie schließlich.

»John, würdest du eine Liste der Fähigkeiten, die wir brauchen, zusammenstellen?«

John nickte.

»Ehrlich gesagt, ich wäre bereit, einen Mord zu begehen, wenn ich dadurch jemanden bekäme, der eine Dampfmaschine bauen kann.«

Er erntete eine Runde Gelächter von den anderen.

»Nein, wirklich, das ist mein Ernst. Eine Dampfmaschine wäre Gold wert. Weiß einer von euch, wie man eine baut? Ganz zu schweigen davon, wie man eine alte repariert, die jetzt vielleicht in irgendeinem Schuppen steht und vor sich hin rostet, und wie man sie dann am Laufen hält?«

Alle schwiegen.

Der Gedanke hatte ihn richtig in Fahrt gebracht.

»Mit einer Dampfmaschine hätten wir Antriebskraft für alles, was wir brauchen: Pumpen, Graben, Sägen – man kann sie sogar auf Gleise stellen und Dinge transportieren. Ich möchte auch jemanden finden, der vor 40 Jahren Telefonleitungen repariert hat und unsere nachrüsten kann. Wenn wir die Antiquitätenläden auf der Cherry Street durchstöbern, entdecken wir bestimmt alte Kurbeltelefone, die vielleicht noch funktionsfähig wären, wenn wir jemanden hätten, der weiß, wie man sie anschließt. Dadurch wären unsere beiden Gemeinden miteinander verbunden.«

Einige in der Runde nickten nun.

»Dabei fallen mir die Männer ein, die ich aus meiner Bürgerkriegsrunde kenne, und die Gruppe, die den Befreiungskrieg von 1776 nachspielt. Viele von ihnen haben Fähigkeiten, die wir längst vergessen haben. Solche Leute will ich haben. Ich würde auf der Stelle 100 Computertechniker gegen einen Mann austauschen, der sich mit Dampfmaschinen auskennt. Ich würde 100 Anwälte für jemanden geben, der uns zeigen könnte, wie wir aus den Materialien, die wir hier im Tal haben, Schießpulver herstellen können, oder welche Wurzeln wir ausgraben und essen können.

Oder einen alten Chemiker, der Äther oder Chloroform herstellen kann. Doc, davon werden wir in den kommenden

Monaten jede Menge brauchen, und ich wette, dass wir jetzt schon verdammt wenig haben.

Oder einen alten Zahnarzt, der einen altmodischen, fußbetriebenen Bohrer zum Laufen bringen kann. Denkt daran, wenn ihr das nächste Mal Zahnweh habt. Und, wenn wir schon dabei sind: Wollt ihr, dass der Zahn ohne Betäubung gezogen wird? Erinnert ihr euch an die vielen alten Filme, die von Jugendbanden handelten? Einer davon hatte immer einen Verband vom Kopf bis unters Kinn, um seinen Kiefer geschlossen zu halten, weil er einen Abszess am Zahn hatte. Vor zwei Wochen wären Eltern, die so was tun, wegen Kindesmisshandlung verhaftet worden. Aber ich sage euch, dass wir das mit unseren Kindern sehr bald werden tun müssen.«

Ihm wurde plötzlich bewusst, dass er ins Schwafeln gekommen war. Im Zimmer war es still, und plötzlich war ihm viel zu heiß.

»Tut mir leid ...«

Keiner sprach und er war sich nicht sicher, ob sein langatmiger Monolog peinlich gewesen war oder ob er die anderen mit Dingen, die ihnen bevorstanden, neu konfrontiert hatte.

»Ich glaube, das wäre für heute dann alles«, sagte Charlie. »Gehen wir an die Arbeit. Wir treffen uns morgen um dieselbe Zeit.«

Alle standen auf und John spürte einen stechenden Schmerz. Kellor hatte sich über den Tisch gebeugt, nahm Johns rechte Hand und entfernte den Verband. Die ganze Gruppe sah zu, und John erkannte die Sorge in Kates Augen.

»John, ich glaube, du gehst jetzt besser nach Hause. Du hast Fieber. Ich werde sehen, ob ich etwas dafür finden kann, und komme später bei dir vorbei«, sagte Kellor.

»Ich habe dir doch schon gesagt, dass Makala, die Krankenschwester, diese große, gut aussehende, mir Ciprofloxacin gegeben hat.«

»Es hätte längst anschlagen sollen. Das gefällt mir überhaupt nicht.« Kellor roch wieder an dem Verband und rümpfte die Nase.

John betrachtete seine Hand. Sie war geschwollen und wies rote Streifen auf. Die Wunde war gerötet und die Wundränder, die genäht worden waren, standen höckerig hervor.

Er machte sich plötzlich Sorgen. *Verdammt. Ausgerechnet jetzt eine infizierte Hand.* Bilder von chirurgischen Eingriffen aus der Zeit des Amerikanischen Bürgerkriegs gingen ihm durch den Kopf.

»Was zum Teufel ist los mit ihm, Doc?«, fragte Kate und kam näher.

»Vielleicht Staphylokokken, aber mir fehlt das Labor, um die Erreger zu testen. Sie tauchen in Krankenhäusern und Pflegeheimen häufig auf. Sie sind sehr resistent. Geh nach Hause und leg dich ins Bett, John. Ich werde später am Tag oder heute Abend vorbeikommen.«

»Ich wollte doch zum College gehen, um Freiwillige für die Notunterkunft in der Grundschule zu suchen.«

»Es fehlt mir gerade noch, dass du mit dieser Hand im College oder in der Grundschule herumläufst. Wenn du eine Staphylokokken-Infektion hast, bist du jetzt ein Träger. Geh einfach nach Hause.«

John nickte und stand auf. Er fühlte sich schwach.

Er ging zur Tür, Kellor neben sich. Er stieg ins Auto, fuhr nach Hause … und als er in die Auffahrt einbog … wusste er es.

Jen saß draußen auf der Steinmauer, die den Gehweg zum Haus säumte, Elizabeth auf der einen Seite, Jennifer auf der anderen. Die Hunde kamen auf ihn zu, als er ausstieg, aber ein scharfer Befehl brachte sie auf Distanz.

»Tyler, nicht wahr?«, sagte er leise.

Jen zwang sich zu einem Lächeln und nickte.

Jennifer begann zu schluchzen und er legte seinen

gesunden Arm um sie. Sein kleines Mädchen vergrub ihr Gesicht an seiner Brust.

»Opa-pa«, war alles, was sie sagen konnte.

Jen legte eine Hand auf die Schulter ihrer Enkelin.

»Opa-pa ist jetzt im Himmel, Liebes, aber weinen darfst du trotzdem.«

Elizabeth lehnte sich an Johns Schulter und unterdrückte ein Schluchzen. Dann sah sie zu ihm auf.

»Paps, du glühst ja.«

»Ich bin schon in Ordnung«, beruhigte er sie.

Er sah Jen an.

»Gehen wir rein«, sagte sie.

Er folgte ihr in das nun so stille Haus und in das Zimmer, das einst Jennifers gewesen war.

Tylers Gesicht hatte sich bereits gelblich-grau verfärbt.

John dachte an den Tag zurück, an dem sie sich kennengelernt hatten. Tyler hatte diesen Yankee – noch schlimmer: diesen Yankee aus New Jersey –, dessen einziges Anliegen offensichtlich war, seine Tochter zu verführen und sie ihm wegzunehmen, eiskalt angestarrt.

John lächelte. *Oh, jetzt verstehe ich das sehr gut, Pa,* dachte er.

Und dann überkamen ihn die Erinnerungen daran, wie der Mann allmählich aufgetaut war. Wie sie das erste Mal zusammen schießen gegangen waren, während die »Mädchen« zum Shopping ins Einkaufszentrum fuhren. Wie Tyler von dem alten Colt Dragoon, den John mitgebracht hatte, fasziniert gewesen war. Wie er aus voller Brust über Johns Begegnung mit den Hinterwäldlern gelacht hatte, die erst ein paar Wochen zurückgelegen hatte. Das hatte den Bann gebrochen: Der Vater und der potenzielle Schwiegersohn gingen gemeinsam schießen, redeten über Schusswaffen, saßen auf der Veranda und tranken kaltes Bier.

Dann die zögernde Akzeptanz, die erst zu Freundschaft wurde und schließlich zu väterlicher Liebe für einen Sohn, der ihm zwei wunderschöne Enkelinnen schenkte, durch die er noch einmal die Freude erlebte, Kinder aufwachsen zu sehen.

Nun war er fort. Auch ohne diese Krise wäre er gestorben; aber er war deswegen jetzt früher gestorben. In der kalten Logik der Selektion war er nur ein alter Mann gewesen; jemand, den Amerikas Dörfer und Städte nur zehn Tage nach dem Angriff gezwungenermaßen »abschrieben«.

Für einen alten Mann mit Krebs im Endstadium würde es nun keine Medikamente mehr geben ... die musste man für Menschen verwenden, die »eine Chance hatten«; oder, noch kälter betrachtet: für Menschen, die nützlich waren. Wäre der alte Mann nicht zu Hause gestorben, sondern in einem Krankenhaus, dann hätte sein Tod bedeutet, dass ein Bett wieder frei war für einen anderen Kranken oder Verwundeten. In einer verhungernden Gemeinde war er ein Maul weniger, das gestopft werden musste – auch wenn seine letzten Mahlzeiten aus einer Dose stammten und ihm durch einen Schlauch zugeführt worden waren. Selbst eine einzige Dose *Ensure* bedeutete nun, einen Menschen einen ganzen Tag lang zu ernähren.

Tyler war tot und sie befanden sich im Krieg; auch wenn dieser Krieg so anders war als alles, was man sich bisher darunter vorgestellt hatte ... Er war tot wie Millionen andere, die nach nur zehn Tagen dieses Kriegs ebenfalls gestorben waren oder im Sterben lagen ... Tot wie alle, die im Zweiten Weltkrieg am Strand von Omaha Beach gelegen hatten, oder wie die Opfer des Vernichtungslagers in Auschwitz. Genauso tot wie jedes andere Kriegsopfer.

John überkam einen Augenblick lang Angst. Er sah Jennifer an, die in der Tür stand und sich an ihre Großmutter klammerte. Das letzte Eis war vor zwei Tagen geschmolzen und die Insulinampullen waren nun im Tank der Klospülung im Keller gelagert, um sie kühl zu halten.

Panik erfasste John. Er wusste auf den Tag genau, wie viel Insulin ihr blieb.

Jen fing seinen Blick auf und sah, wie er ihre Enkelin anstarrte. Sie zog Jennifer noch fester an sich. John wandte sich ab und sah wieder Tyler an.

»Ich glaube, wir sollten beten«, sagte John.

Er kniete nieder und schlug das Kreuz. »Gegrüßet seist du, Maria, voll der Gnade …«

Es war fast die Stunde des Sonnenuntergangs. Im Norden war die Hügelkette, die von den Ansässigen liebevoll »Sieben Schwestern« genannt wurde, in goldenes Abendlicht getaucht. Hinter ihr ragte das Bergmassiv des Mount Mitchell auf, die Hänge grün vom Frühling, der langsam zu seinem Gipfel emporklomm.

»Ich glaube, das ist tief genug, Ben«, sagte John.

Ben blickte aus dem Grab, das er mit der Hilfe von Johns Studenten Jeremiah und Phil seit drei Stunden ausgehoben hatte, nach oben.

Charlie hatte recht gehabt. Der Golfplatz mit seiner weichen, nachgiebigen Erde war der ideale Ort für den neuen Friedhof. An diesem Tag waren mehr als 20 weitere Gräber ausgehoben worden. Manche waren immer noch in Arbeit. Sieben Menschen waren während der Nacht in der Grundschule gestorben, fünf andere im Lauf des heutigen Tages. Und drei hatten Selbstmord begangen. Der Pfarrer hatte versucht, gegen ihre Beerdigung in dem Boden, der nun geweihte Erde war, zu protestieren. Dieser Protest war jedoch auf Charlies eisige Ablehnung gestoßen, wodurch Charlie sich nun nur noch als Ex-Mitglied der Kirchengemeinde, die diesem Pfarrer unterstand, bezeichnen durfte. Es hatte zwei weitere Herztode gegeben, vier ältere Menschen im Pflegeheim waren gestorben, und der tragischste Tod war wahrscheinlich der des siebenjährigen Sohnes der Morrisons, der einem Asthmaanfall erlegen war.

John versuchte, die Schreie der Mutter auszublenden, als die Erde auf das Grab ihres Kindes geschaufelt wurde.

Pfarrer Black wandte sich von den Morrisons ab und kam zu John.

»Bereit, John?«

John nickte.

Richard Black sah erschöpft aus, die Augen blutunterlaufen. Der kleine Morrison hatte zu seiner Kirchengemeinde gehört und war ein Spielkamerad seines eigenen Sohnes gewesen. John sah Jeremiah und Phil an und nickte.

Die beiden Studenten gingen zum Auto, öffneten die hintere Tür und hievten Tylers Leichnam, der in eine Patchwork-Decke eingewickelt war, vom Rücksitz. Die Totenstarre hatte bereits eingesetzt. Sie trugen Tyler herüber, blieben neben dem Grab stehen und sahen in die Grube hinunter. John wurde bewusst, dass niemand sich überlegt hatte, wie sie den Leichnam ins Grab hinunterlassen sollten.

Leichen waren bisher immer in Särgen bestattet und mit Hilfe einer Blockwinde langsam und würdevoll in die Erde gesenkt worden. Jennifer riss sich von ihrer Großmutter los und rannte hysterisch davon. John sah Elizabeth an und sie lief hinter ihrer Schwester her.

»Ich mache das«, sagte Rich. Er stieg ins Grab hinunter und Ben kletterte hinterher. Zusammen nahmen sie Phil und Jeremiah die Leiche ab, senkten sie in die Grube und kletterten wieder zu den Trauernden hinauf.

John fragte sich plötzlich, warum Gräber traditionell immer zwei Meter tief sein mussten. Zum Glück war dieses Grab nur einen bis anderthalb Meter tief, sodass der Pfarrer leichter herausklettern konnte.

Tyler lag jetzt dort unten, das Gesicht zugedeckt, aber die nackten Füße sichtbar. John fand diese Blöße irgendwie obszön, aber nun konnte man nichts mehr daran ändern.

John sah Jen an, die fast unbeteiligt und friedvoll am Kopfende des Grabes stand.

»Ich kenne die katholische Beerdigungsliturgie nicht«, sagte Rich. »Tut mir leid.«

»Ich glaube nicht, dass das Gott oder Tyler etwas ausmacht«, sagte Jen. »Du bist seit Jahren unser Freund und Nachbar. Ich glaube, Tyler hätte gewollt, dass du das für ihn tust … für uns alle.«

Rich schlug sein Gebetbuch auf und begann die traditionelle Begräbnisliturgie der Presbyterianer.

Als er sie beendet hatte, ging er zu Jen, umarmte sie und küsste sie auf die Stirn. Dann tat er etwas, das John bisher nur einmal gesehen hatte, vor Jahren, bei einer jüdischen Beerdigung: Rich nahm den Spaten vom Erdhaufen, schaufelte etwas Erde darauf und ließ sie ins Grab fallen.

Damals hatte John das ziemlich schockiert. Es war die Beerdigung der Frau eines beliebten Professors an einer Hochschule gewesen. Der Rabbi hatte einen Spaten voll Erde ins Grab geworfen, und dann folgten der Ehemann, die Familie und die Freunde seinem Beispiel. Sie füllten das Grab, während der von John geliebte Professor schweigend dabeistand und zusah, wie der Sarg langsam unter der Erde verschwand, bis sich schließlich ein kleiner Erdhügel bildete. Das war eine brutale Konfrontation mit der Sterblichkeit gewesen: die Rückkehr von Staub zu Staub. Ganz anders als der »amerikanische Stil«, der den Tod hinter Euphemismen verbarg, die nackte Erde unter grünem Kunstrasen versteckte und den Bagger diskret außer Sicht parkte, bis auch der letzte Hinterbliebene den Friedhof verlassen hatte.

Der Vorgang löste Jens Starre und sie brach endlich in Tränen aus.

Rich sah John an und gab ihm den Spaten. Obwohl es ihm sowohl körperlich als auch seelisch große Schmerzen bereitete, wusste er, dass er es tun musste. Er stieß den Spaten in die Erde, drehte sich mit beladenem Spatenblatt um, zögerte kurz und ließ die Erde schließlich ins Grab fallen, wo sie direkt auf Tylers Gesicht fiel.

John trat schwindelig zurück.

»Wir kümmern uns um alles, Sir.«

Es war Jeremiah.

John nickte und gab ihm den Spaten.

Er ging weg in Richtung Park. Jennifer und Elizabeth waren auf dem Spielplatz. Jennifer saß auf einer Schaukel, ihre große Schwester kauerte auf dem Boden neben ihr.

Jennifer sah auf, als er sich näherte. Elizabeth sprang auf und als sie zu ihm kam, strömten ihr Tränen übers Gesicht.

»Ist es vorbei?«

»Ja.«

»Ich hatte das Gefühl, ich sollte bei ihr bleiben, Dad.«

»Du hast ganz recht gehabt.«

»Du musst mit ihr reden.« Elizabeths Stimme brach. »Sie denkt an …« Ihre Stimme erstarb.

»Geh und kümmere dich um deine Großmutter.«

»Natürlich, Dad.«

Er ging zur Schaukel und sah Jennifer an.

»Geht's dir einigermaßen, Liebes?«

Sie sprach nicht, ihr Blick war auf den Boden gerichtet. Sie hatte Rabs mitgebracht und drückte ihn fest an ihre Brust.

John kämpfte gegen das Fieber an und suchte unbeholfen nach Worten. Er fürchtete sich vor dem, was vielleicht angesprochen werden würde.

»Weißt du noch, wie ich dich früher immer auf dieser Schaukel angeschubst habe?«, sagte er, plötzlich voller Nostalgie für die Zeit, als Mary noch am Leben war und sie gemeinsam die Mädchen zum Spielen hierhergebracht hatten. Sie hatten die Enten gefüttert und waren, so lange Mary noch die Kraft dazu hatte, um den See spaziert.

Er stellte sich hinter Jennifer und ergriff mit einer Hand die Schaukel, um sie zurückzuziehen.

»Wollen wir das jetzt wieder tun? Ich schiebe dich zum Starten an.«

Daraufhin sprang sie von der Schaukel ab und drückte sich schluchzend an ihn.

»Daddy, wann werde ich hier begraben werden?«

Er kniete sich vor sie hin und sie schlang ihre Arme um seinen Hals.

»Daddy, bitte begrab' mich nicht hier. Ich hätte Angst in der Nacht. Ich will immer ganz nah bei dir sein. Bitte begrab' mich nicht hier.«

Er brach in Tränen aus und hielt sie fest.

»Ich verspreche es dir, Liebes. Aber du hast noch viele Jahre vor dir. Daddy wird dich immer beschützen.«

Sie lehnte sich ein bisschen zurück und sah ihn mit ernsten Augen an: Augen voller kindlicher Weisheit.

»Das glaube ich nicht, Daddy.«

Mehr sagte sie nicht.

Später würde er sich daran erinnern, dass sie eine Ewigkeit in dieser Stellung verharrt hatten, bis behutsame Hände sie voneinander trennten. Jens Hände. Und auch die starken Hände Bens, und die Hände von Johns beiden Studenten, die ihm ins Auto halfen. Danach versank alles im Fieber.

KAPITEL SIEBEN

Tag 18

Als er aufwachte, war er so schwach, dass er kaum den Kopf heben konnte.

»Und so kehrt der gute Professor von den Toten zurück.«

Er drehte den Kopf und fokussierte seinen Blick. Es war Makala.

Sie berührte seine Stirn mit ihrem Handrücken, legte einen Finger auf seine Halsschlagader und ließ ihn dort einige Sekunden lang liegen.

»Das Fieber ist vorbei. Das habe ich mir in der Nacht schon gedacht. Auch der Puls ist kräftig.«

Sie lächelte.

»Also, John Matherson, ich denke, du wirst dich nun gut erholen.«

»Was ist geschehen?«

»Oh, du warst schlimm dran, sehr schlimm. Doc Kellor hatte recht, es war eine Staphylokokken-Infektion. Ich hatte das schon befürchtet, aber trotzdem gehofft, es sei etwas Einfacheres, das das Ciprofloxacin kuriert hätte. Ein paar Tage lang fürchteten wir, wir würden dich verlieren – oder zumindest, dass du deine Hand verlieren würdest.«

In Panik sah er seine Hand an. Sie war immer noch da. Verschrumpelt und wund, aber sie war da.

»Vor drei Tagen war sie doppelt so dick. Es sah nach Sepsis und Wundbrand aus. Wir konnten aber dennoch Hand und Leben retten. Charlie Fuller genehmigte dir einige ziemlich seltene Antibiotika. Wir haben nur ganz wenige davon in unserem Vorrat, und Doc Kellor gab sie dir intravenös.«

»Und das alles wegen einer Schnittwunde.«

»Ich hatte dir gesagt, du musst sie gründlich säubern und gut verbinden«, sagte sie tadelnd. »Jetzt bereue ich, dass ich am ersten Abend nicht mit hierhergekommen bin und es selbst gemacht habe. Aber das hättest du wahrscheinlich als zu forsch empfunden.«

»Ich wünschte, du hättest es getan, ob forsch oder nicht.«

Sie lächelte und wischte ihm mit einem feuchten Tuch über die Stirn.

»Ich habe Hunger.«

»Ich bringe dir etwas Suppe.«

»Ich muss aber auch …«

»Ich hole eine Bettpfanne.«

»Den Teufel wirst du tun«, flüsterte er.

»Genier dich nicht, um Himmels willen! Ich bin seit einer Woche deine Krankenschwester.«

»Hilf mir bitte auf.«

»Okay, aber wenn dir schwindelig wird, legst du dich sofort wieder hin.«

Sie half ihm auf die Füße. Ihm war tatsächlich schwindelig, aber er sagte nichts. Er fühlte sich wie aufgewärmte Scheiße und hatte einen scheußlichen Geschmack im klebrigen Mund. Er fuhr sich mit der gesunden Hand übers Gesicht. Die Bartstoppeln hatten sich fast zu einem vollwertigen Bart entwickelt, und er fühlte sich ganz allgemein schmutzig und ekelhaft.

Vor der Badezimmertür schob er Makala zur Seite und ging hinein. Er benutzte die Toilette – zum Glück hatte jemand den Spültank gefüllt – und betrachtete voller Sehnsucht die Badewanne. Er wollte baden, sich gründlich waschen.

Später müssen wir Wasser kochen. Ich will verdammt noch mal kein kaltes Bad nehmen. Er putzte sich die Zähne. Die Zahnpasta-Tube war beinahe leer und daneben stand ein Glas voll zerriebener Holzkohle. Trotzdem benutzte er die Zahnpasta. Das allein genügte, um ihn etwas zu erfrischen. Danach verließ er das Badezimmer.

Ein Duft lag in der Luft – nach Essen. Er fühlte sich völlig ausgehungert. Langsam ging er ins Wohnzimmer. Makala war auf der Veranda und rührte in einem Topf. Der alte Grill war zur Seite geschoben worden; wahrscheinlich war das Propangas endgültig aufgebraucht. Jemand – wahrscheinlich Ben oder ein paar von Johns Studenten – hatte aus einem alten Holzofen so etwas wie einen Außenherd gebastelt. Die Beine standen auf Betonklötzen, damit der Koch oder die Köchin sich nicht bücken musste.

Makala sah ihn an und lächelte.

»Kartoffeleintopf mit Würstchen. Ich würde dazu einen Merlot vorschlagen, aber der Weinkellner hat heute seinen freien Tag.«

John lächelte und setzte sich an den Verandatisch.

»Wo sind die Mädchen?«

»Sie sind mit Jen und den Hunden spazieren gegangen.«

Makala stellte ihm eine Schüssel hin. Sie enthielt in der Tat Würstchen und Kartoffeln, alles in kleine Stücke geschnitten. Er stürzte sich gierig darauf, und die ersten paar Löffel verbrannten ihm fast den Mund.

»Langsam, langsam«, lächelte sie. Sie setzte sich ihm gegenüber und schob das Fleisch mit ihrem Löffel herum, bevor sie den Eintopf kostete und eine Grimasse schnitt.

»Eins ist sicher: Ich bin keine Köchin.«

»Es schmeckt wunderbar.«

»Nur, weil du so hungrig bist. Wie gern hätte ich jetzt Garnelen, gekühlte Riesengarnelen mit Salat, dazu ein schönes Glas Chardonnay.«

Er sah zu ihr auf.

»Wenn du mir nicht das Leben gerettet hättest, würde ich dich jetzt auffordern, gefälligst den Mund zu halten«, sagte er mit einem schiefen Grinsen.

Sie lächelte zurück und er konnte nicht umhin zu bemerken, wie eng ihr durchgeschwitztes T-Shirt an ihrem Körper klebte. Sein Blick blieb einige Sekunden an ihr hängen, bis sie wieder Augenkontakt mit ihm aufnahm.

»Meine Güte, du wirst ja wirklich allmählich gesund«, sagte sie sanft lächelnd. Er senkte die Augen.

Die Kartoffeln waren gut, wenn auch etwas zu fest. Er kratzte die Schüssel mit seinem Löffel aus, hob sie hoch, um die letzten Tropfen der fettreichen Flüssigkeit zu trinken, und stellte sie wieder auf den Tisch.

»Noch mehr?«, fragte sie.

Er nickte.

»Iss langsam. Du hast einen schweren Kampf hinter dir. Staphylokokken sind kein Spaß. Du bist ein zäher Bursche, sonst wärst du nicht schon wieder auf den Beinen.«

Sie stand auf und füllte seine Schüssel erneut.

»Wie geht es den Mädchen?«

»Jen ist eine erstaunliche Frau. Hart im Nehmen. Natürlich fehlt ihr Tyler sehr. Ich habe sie nachts weinen gehört, aber trotzdem schafft sie es, den Verlust zu akzeptieren und sich um die Menschen zu kümmern, die sie liebt und für die sie sich verantwortlich fühlt. Ich glaube, sie war sogar ein wenig irritiert, weil ich einige Tage hier eingezogen bin, um nach dir zu sehen. Sie sagte, sie würde es schon allein schaffen.«

»Du bist hier eingezogen?«

»Nur vorübergehend, John«, sagte sie mit einem Lächeln, während sie ihm seine Schüssel servierte und sich wieder hinsetzte, um weiterzuessen. »Auf ärztliche Anordnung. Kellor und Charlie haben sich große Sorgen um dich gemacht. Sie sagten, sie wollten dich möglichst schnell wieder lebendig und auf den Beinen sehen, also habe ich mich mehr oder weniger freiwillig gemeldet.«

»Mehr oder weniger?«, fragte John nach.

Sie lächelte.

»Na ja …«

»Ich kann mich kaum an etwas erinnern.«

»Kein Wunder. Dein Gehirn ist fast verschmort. Dein Fieber stieg auf 40,5 Grad, deine Hand war angeschwollen wie ein Luftballon. Vor drei Wochen hätte man dich auf die Intensivstation gebracht, in Eis gepackt und mit intravenösen Nadeln gespickt. Es wurde wirklich brenzlig. Kellor befürchtete, deine Hand amputieren zu müssen, um dir das Leben zu retten, wenn wir die Infektion nicht unter Kontrolle gebracht hätten.«

»Und das alles wegen einer blödsinnigen Schlägerei.«

»Ich habe dich gewarnt«, sagte sie und gestikulierte mit ihrem Löffel vor seinem Gesicht. »Im Krankenhaus kämpfen wir ununterbrochen gegen Staphylokokken, sieben Tage in der Woche, 24 Stunden am Tag. Dieses Pflegeheim war drei Tage nicht geputzt worden und hatte keine Abwasserversorgung. Da schwirrten Hunderte Mikroben herum, und du hast dir ausgerechnet eine der schlimmsten eingefangen.«

»Aber … wie?«

»Wie? Du hattest eine offene Wunde, die fast bis auf den Knochen ging. Da reichte es schon, eine Theke oder einen Patienten zu berühren. Die alten Zeiten sind vorbei, John. Krankenhäuser sind jetzt gefährlich. Es ist sicherer, zu Hause zu bleiben.«

»Wie ist es da oben?«

»Von den ursprünglichen Patienten sind noch zwölf am Leben.«

»Was? Aber es waren über 60!«

»31 sind gestorben, sechs sind einfach verschwunden.«

»Was soll das heißen, verschwunden?«

»Es waren Alzheimerpatienten, die noch gehen konnten. Du weißt doch, es gab kein Alarmsystem mehr, und sie sind einfach in den Wald spaziert. Die armen Leute sind wahrscheinlich in wenigen Tagen an Hunger und Durst gestorben oder einfach durch den mangelnden Schutz draußen im Freien. Gestern haben wir beschlossen, das Pflegeheim ganz aufzugeben und die übrigen Patienten im Schlafsaal des Konferenzzentrums unterzubringen. Ohne elektronische Überwachungssysteme kann man Alzheimerpatienten nicht im Auge behalten. Ich hätte nie gedacht, so etwas jemals sehen zu müssen, aber wir waren gezwungen, sie an ihre Betten zu fesseln.«

Sie seufzte.

»Es hört sich zwar grausam an, aber es wird besser sein, wenn sie nicht mehr am Leben sind. Wir brauchen vier Leute, die sie rund um die Uhr zu bewachen. Im Schlafsaal dort gibt es zumindest nur zwei Ein- und Ausgangstüren, und es ist ehrlich gesagt auch sauberer dort.«

»Was noch?«

Sie seufzte.

»Es ist schlimm gewesen.«

»Inwiefern?«

»An der Absperrung kam es vor zwei Tagen zum Kampf.«

»Wie ernst war es?«

»Über 200 Tote auf beiden Seiten, einige Hundert Verletzte.«

»Mein Gott, was ist passiert?«

»Na ja, wir haben die Leute in Gruppen von je 100 durchgelassen; ganz, wie du vorgeschlagen hast, Herr Professor. Aber das ging sehr langsam, und inzwischen stauten sich allmählich die Flüchtlinge aus Winston-Salem, Charlotte, Greensboro und sogar Durham auf der Straße. Mein Gott, John, auf dieser Straße herrschen geradezu mittelalterliche Verhältnisse: Zeltlager, Kämpfe um jeden Bissen Essen, Krankheiten. Meistens Salmonellen, Lungenentzündungen und eine böse Influenza-Mutation.

Tja, eine Gruppe wurde gerade durch die Abgrenzung geführt und brach plötzlich aus. Sie rannten alle los, weg von der Autobahn und in den Wald. Zwei von ihnen hatten

Pistolen versteckt und erschossen die beiden Polizisten, die sie eskortiert hatten. Dann rannten sie alle einfach auseinander. Tom gab den Befehl, sie wieder einzufangen, und Kellor war halb verrückt vor Sorge, dass sie vielleicht krank sein könnten. Es wurde richtig schlimm. Die meisten waren zu geschwächt und kamen nicht sehr weit, aber einige kämpften. Ungefähr 20 werden noch vermisst; sie sind in den Bergen verschwunden. Die meisten sind harmlos, aber es gibt einige Rädelsführer unter ihnen, nach denen Tom sucht.

Das war der Auslöser für einen Aufstand an der Straßensperre. Charlie hat befohlen, sie völlig zu schließen, bis die Ordnung wiederhergestellt war, und da haben sie rebelliert. Ich meine, es waren Tausende; sie schoben die Autos und Laster der Barriere aus dem Weg und brachen durch. Tom hatte noch etwas Tränengas, aber immer, wenn er sie zurückgedrängt hatte, stürmten sie wieder nach vorne.«

»Also haben wir das Feuer eröffnet?«

Sie nickte.

»Man hörte es bis in die Stadt. Es klang wie ein regelrechter Krieg. Tom hatte einige Männer mit automatischen Waffen oben auf dem Bergpass positioniert und sie feuerten in die Menge hinunter. Ich hätte mir nie träumen lassen, dass wir einander jemals so etwas antun würden.«

Sie verstummte und schob in ihrer Schüssel ein Würstchenstück herum.

Er sah sie an und sann darüber nach, wie das Schicksal ihr Leben verändert hatte. Wäre sie an dem Tag nicht wegen einer Tagung nach Asheville gekommen, wäre sie in Charlotte gewesen, als die Elektronik den Geist aufgab. Aufgrund ihres Jobs im Krankenhaus wäre sie vielleicht in Sicherheit gewesen. Andererseits hätte sie auch einer der Flüchtlinge sein können, verzweifelt auf der Suche nach einem Brocken Brot oder einer halben Schüssel Suppe, wie sie sie gerade aßen.

»Ich hätte auf der anderen Seite sein können«, sagte sie leise. Sie sah zu ihm auf und einen Moment lang funkelten ihre Augen zornig, als seien sie in Wirklichkeit aus gegnerischen Lagern; zwei Feinde, die während eines temporären Waffenstillstands eine Mahlzeit teilten, bevor die Schlacht wieder begann.

»Das warst du aber nicht. Du bist hier und in Sicherheit.«

»Wie lange noch, John? Manche würden mich immer noch als ›Auswärtige‹ bezeichnen.«

»Verdammt, Makala, sag doch nicht so was!«

»Tja, du hättest hören sollen, wie die Leute nach diesem Kampf geredet haben. 27 Einheimische wurden dabei getötet, ein paar davon Polizisten. Es gab einige, die sich gestern um die Verwaltungsgebäude drängten und davon sprachen, jeden hinauszuwerfen, der nicht hierher gehört.«

»Das ist reiner Bockmist. Verängstigtes Geschwafel von verängstigten Menschen.«

»Erstaunlich, nicht wahr?«, sagte sie kopfschüttelnd. »Vor drei Wochen waren wir alle Amerikaner. Wenn irgendjemand es gewagt hätte, eine sexistische oder rassistische Bemerkung zu machen, hätten sich alle entsetzt, und es hätte Schlagzeilen in den Zeitungen gegeben. Aber kaum schaltet man uns den Strom ab, peng!, bringen wir einander wenige Tage später um. Auswärtige und Einheimische. Ist das ganze Land jetzt so eingeteilt? 10.000 kleine Lehen, bereit, einander auszumerzen, und jeder auf der Straße Teil irgendeiner barbarischen Horde?«

Er konnte nichts erwidern. Er fürchtete, dass dies der Wahrheit sehr genau entsprach, aber er wollte es dennoch nicht glauben; trotz allem, was inzwischen geschehen war.

»Wir sind immer noch Amerikaner«, seufzte er. »Ich muss daran glauben. Auch in der Vergangenheit haben wir uns gegeneinander gewandt. Einmal haben wir einen Krieg gegeneinander geführt, der 600.000 Leben gekostet hat. Ich kann mich an die Aufstände in Newark erinnern, als ich noch ein Kind war, und an den Hass, den sie zwischen uns allen schürten. Der hielt sich noch jahrelang. Aber trotzdem haben wir uns, als es wirklich darauf ankam, wieder als Volk vereinigt.«

»Aber jetzt?«

»Die Menschen haben Hunger und Angst. Wir sind verwöhnter als jede andere Generation vor uns. Wir haben vergessen, wie abhängig wir davon sind, dass der Strom fließt; dass die Knöpfe reagieren, wenn wir sie drücken. Wenn wir nur eine funktionierende Kommunikation hätten! Wenn wir nur wüssten, dass die Regierung noch da ist. Nur eine einzige Stimme, der wir alle vertrauen, würde einen großen Unterschied ausmachen.

Mein Großvater hat mir erzählt, was während der großen Wirtschaftskrise geschehen ist. Als die Banken zusammenbrachen, setzte Panik ein; sogar Revolution lag in der Luft. Dann sprach Präsident Roosevelt im Radio. Nur eine einzige Rede im Radio, in der er uns daran erinnerte, dass wir alle Nachbarn seien und miteinander kooperieren und uns gegenseitig helfen sollten. Obwohl die Krise noch sieben Jahre andauerte, hat diese Rede genügt, um die Panik zu beenden.

Genauso war es auch am 11. September 2001. Ich glaube, es ist die Stille, die die Leute jetzt verrückt macht. Niemand weiß, was los ist: ob etwas dagegen getan wird, und wenn, dann was; und ob wir tatsächlich im Krieg sind, und gegen wen wir kämpfen, und ob wir gewinnen oder verlieren. Wir sind genauso isoliert wie jemand in Europa vor 700 Jahren, der ein Gerücht hört, nur ein Gerücht, die Tataren seien im Anmarsch, oder eine Seuche sei im nächsten Dorf ausgebrochen.«

Er seufzte und bedeutete ihr, dass er noch eine Schüssel Suppe haben wollte. Sie gab sowohl ihm als auch sich selbst einen Nachschlag.

»In der Vergangenheit war jede Katastrophe örtlich

begrenzt oder schlimmstenfalls regional. Die Orkane im Jahr 2004 haben uns hier ziemlich übel mitgespielt. Die meisten Nachrichtenreportagen konzentrierten sich auf Florida, aber wir hatten hier einige der schlimmsten Stürme; uns haben nur wenige Tage hintereinander zwei Orkane getroffen. Trotzdem wussten wir die ganze Zeit, dass Hilfe unterwegs war. Die Männer, die nach vier Tagen meine Stromleitungen repariert haben, waren Teil eines Teams aus Birmingham in Alabama. Der Tanklaster, der uns Tausende Liter Wasser brachte, kam aus Charlotte, und die ganze Zeit gab es immer noch ein paar batteriebetriebene Radios.

Wenn wir nur irgendwie wieder eine Kommunikationsverbindung herstellen könnten, würde das, glaube ich, viele Leute beruhigen. Hat es irgendwelche Kontakte nach draußen gegeben?«

Sie aß einen Löffel Suppe und schüttelte den Kopf.

»Kein einziges Wort. Vor zwei Tagen flog wieder ein Hubschrauber über uns hinweg. Sie hätten die Leute sehen sollen. Es war, als würde irgendein Gott in einem Himmelswagen vorbeisegeln. Alle reckten die Hände in die Luft und schrien. Nein, kein Wort; nur Gerüchte von Durchreisenden. Globaler Krieg, Invasion der Chinesen, Hilfe aus Europa unterwegs, Seuche in Washington, ein Militärcoup. Viele erzählen jetzt von religiösen Fanatikern, die sich zu Banden formieren und verkünden, dass dies die Apokalypse sei und dass man entweder ihren Gruppen beitreten oder sterben muss. Alles ist völlig chaotisch, und niemand weiß mehr als du oder ich.«

»Die Autos spielen auch eine große Rolle«, sagte John. »Sie sind ein so wesentlicher Teil unseres Lebens. Leute wohnen außerhalb der Städte und fahren mit dem Auto in die Stadt zur Arbeit. Vor 100 Jahren wäre dieses Haus, in dem wir sitzen, nicht einmal gebaut worden. Es ist zu weit von der Stadt entfernt – auch wenn die Stadt kaum mehr als ein Dorf ist. Dieses Grundstück ist kein Ackerland; es ist nutzlos, außer, dass hier ein wenig Holz wächst. Nur das Auto hat es wertvoll gemacht. Und denk daran, wie die Leute sogar jetzt emigrieren. Aus Instinkt benutzen sie sogar zu Fuß die Autobahnen. Die ganzen Autos lahmgelegt – ich glaube, das ist es, was uns am meisten Angst eingejagt hat. Die verdammten Dinger waren nicht nur Transportmittel, sondern vor allem definierten sie Status, Reichtum, Alter und Gesellschaftsschicht. Wie bei dir, zum Beispiel.«

»Bei mir?«

»Ein 340er BMW. Das Modell verriet mir sofort, dass du keine Kinder hast. Falls du verheiratet wärst, wären du und dein Mann mit Bestimmtheit Yuppies, die gut verdienen.«

Sie lachte leise.

»Es ist ein Nach-Scheidungskrisen-Auto.«

Er nickte.

»Ich weiß wirklich überhaupt nichts über dich, Makala.«

»Es ist tatsächlich ein Nach-Scheidungs-Auto. Mein Mann und ich lernten uns als Studenten an der Duke University kennen. Beide nahmen wir an den Vorbereitungskursen für das anschließende Medizinstudium teil.«

John lachte.

»Mary und ich haben auch dort studiert, wenn auch etwa zehn oder 15 Jahre vor dir. Mein Fach war Geschichte, sie studierte Biologie. Wir wollten beide unterrichten. Ich bin durch das Ausbildungskorps für Reserveoffiziere zur Armee gekommen. Sie haben an unserer Uni geworben und mir ein sehr gutes Angebot gemacht.«

»Ja, ich habe deine Diplome in deinem Büro gesehen. Ziemlich beeindruckend, John. Magisterdiplom von der Purdue, Doktor in Geschichte von der Staatlichen Universität Virginia. Ich dachte, du seist Berufssoldat gewesen.«

»Tja, die Armee bietet auch Möglichkeiten zu studieren – und sie war verrückt genug, mir die Ausbildung zu bezahlen. Für jede Stunde, die ich ein Gewehr trug, verbrachte ich Hunderte Stunden in Hörsälen oder Archiven. Allerdings hatte ich auch mehrmals ein Feldkommando. Zuerst bei einer Aufklärungseinheit der 1. Kavallerie in Deutschland, kurz bevor der Kommunismus den Geist aufgab. Diese Stationierung gefiel mir, denn sie bot mir die Gelegenheit, außerhalb meiner Dienststunden die dortige Geschichte zu studieren. Dann kam ich zum ›Wüstensturm‹. Mein Bataillon wurde dorthin abkommandiert und ich war gespannt auf die Herausforderung, einen Kommandoposten an der Front zu bekleiden. Aber dann wurde ich zum Major befördert, und kurz darauf zum kommandierenden Offizier des Bataillons. Deshalb wurde ich hinter die Linien versetzt, und ich habe mich immer gefragt, ob ich nicht dadurch etwas Wichtiges versäumt habe. Aber genug von mir ...«

Sie lächelte.

»Wir heirateten gleich nach seinem Diplomabschluss – zwei Jahre vor meinem – und dann kam die klassische, alte Geschichte«, sagte Makala mit einem Seufzer. »Ich hatte zur Krankenschwester-Ausbildung gewechselt, damit wir bald ein Einkommen hatten. Wir hatten vereinbart, dass ich das Medizinstudium wieder aufnehmen würde, sobald er seine erste feste Anstellung als Krankenhausarzt bekäme.«

»Lass mich raten: Er bekam seinen Doktorgrad und seine Anstellung und du als Dankeschön die Scheidung.«

»So ungefähr. Ich glaube, wir haben uns einfach auseinandergelebt. Eine andere Frau trat auf den Plan – eigentlich waren es mehrere Frauen – und ich hatte es satt und ging. Junge Ärzte mit übergroßen Egos treffen auf ehrfürchtige Krankenschwestern, die um zwei Uhr nachts ›Oh, Herr Doktor!‹ stöhnen. Die alte Geschichte.«

Er betrachtete sie: die sanften Grübchen, wenn sie lächelte, die klaren, blauen Augen, die hochgewachsene, gute Figur, und schüttelte den Kopf.

»Er war ein Idiot.«

»John, du kennst mich kaum«, lächelte sie. »Urteile nicht nach dem äußeren Schein. Ich habe auch meine negativen Seiten.«

»Tja, die habe ich noch nicht erlebt. Es hat viel Mut erfordert, freiwillig da oben im Pflegeheim zu helfen.«

»Es hätte auch Berechnung sein können«, antwortete sie. »Vielleicht habe ich gehofft, so in die Gemeinschaft aufgenommen zu werden.«

Er sah sie direkt an, erinnerte sich an das, was sie gesagt hatte, als er Larry erschoss, und schüttelte den Kopf.

»Nein, du hättest das in jedem Fall getan, unabhängig von der Situation.«

Er zögerte und sah auf seine Suppenschüssel hinunter.

»Gibt es da irgendeinen Mann in deinem Leben?«

»Warum fragst du?«

»Ich versuche nur, mir ein besseres Bild zu machen.«

»Nichts Ernsthaftes, falls du das meinst. Ein gebranntes Kind scheut das Feuer.«

»Und keine Kinder?«

»Nein, Gott sei Dank.«

»Warum ›Gott sei Dank‹?«

»Jetzt, in dieser Situation? Glaubst du, dass ich mich auch noch um Kinder sorgen will? Gesetzt den Fall, mein Ex und ich hätten Kinder gehabt und ich wäre an dem Tag, als es losging, hier oben gewesen. Ich hätte mich mit Klauen und Zähnen durch die Flüchtlinge gekämpft und zurück nach Charlotte durchgeschlagen.«

Er nickte. Die Art, wie sie »mit Klauen und Zähnen« gesagt hatte, sprach Bände. Sie mochte Kinder; sie wünschte sich vielleicht, Mutter zu sein, und besaß den Instinkt zu töten, um Kinder zu beschützen; egal ob fremde oder eigene.

»Reden wir über Jennifer«, fuhr sie leise fort.

»Gibt es ein Problem?«, fragte er, plötzlich besorgt.

»Natürlich, John. Sie hat noch genug Insulin für etwa vier Monate, obwohl die Wassertemperatur eine Spur mehr als zehn Grad Celsius beträgt. Ich habe sie gemessen. Das wird die Haltbarkeit ein wenig verringern.«

»Um wie viel?«

»Ich bin mir nicht sicher. Das werden wir erst wissen, wenn die normale Dosis ihren Blutzucker nicht mehr kontrollieren kann. Wir müssen auch anfangen, anders mit ihrem Testgerät umzugehen. Das neue funktioniert nicht, wie du weißt. Das alte hat die Krise Gott sei Dank überlebt, aber es gibt keine Teststreifen mehr. Wir müssen also lernen, die Situation selbst richtig einzuschätzen und die Teststreifen nur dann zu benutzen, wenn es unbedingt sein muss.«

Er konnte nichts antworten und starrte ins Tal hinunter. Es sah so friedlich aus. Kein Lärm, nur einige entfernte Rauchfahnen, die von der westlichen Brise emporgetragen wurden. Er griff nach seiner Brusttasche, fand aber keine. Er trug immer noch ein durchgeschwitztes T-Shirt.

»Zigarette?«, fragte sie.

Er nickte.

»Ich hole sie.«

Sie kam eine Minute später mit zweien zurück, zündete eine mit einem Feuerzeug an, zögerte einen Moment und gab sie John. Die zweite legte sie auf den Tisch.

»Ex-Raucherin?«, fragte John.

»Ja. Es ist erstaunlich, wie viele Krankenschwestern rauchen. Ich allerdings habe zu viele krebszerfressene Lungen gesehen.«

»Das muss ich jetzt nicht hören.«

Sie lächelte.

»In zwei Wochen werden sie dir sowieso ausgehen. Wenn du sie vorsichtig einteilst, kannst du sie vielleicht noch vier oder sogar sechs Wochen strecken, aber früher oder später musst du zwangsläufig aufhören. Das ist vielleicht eine der wenigen guten Seiten dieser Krise: eine ganze Nation auf Tabak-, Alkohol- und Drogenentzug. Dazu keine Autos, also müssen wir laufen oder Fahrrad fahren. Das tut uns vielleicht gut.«

»Zurück zu Jennifer«, sagte er nach einigen Zügen. Das Essen war ihm gut bekommen, aber der Tabak traf ihn nach so vielen Tagen der Abstinenz hart. Er fühlte sich wackelig und schwach.

»Tylers Tod und die Beerdigung«, sagte sie. »Wenn ich hier gewesen wäre und davon gewusst hätte, dann hätte ich Jennifer während der Beerdigung zu Hause gelassen. Sie ist geradezu traumatisiert davon.

Es ist schwer genug für ein Kind in ihrem Alter, den Großvater zu verlieren. Aber früher haben wir den Tod isoliert, versteckt. Und nun starb Tyler ausgerechnet in ihrem Schlafzimmer, und jetzt hat sie Angst, auch nur einen Fuß in das Zimmer zu setzen. Als du krank warst, kam sie, um nach dir zu sehen, aber sie blieb immer in der Tür stehen. Sie hat den Tod gesehen, und das lässt sie nicht los.

John, sie ist Diabetikerin, und das macht sogar einer Zwölfjährigen ihre eigene Sterblichkeit bewusst. Sie weiß, dass ihr Leben von der Nadel und dem Fläschchen abhängt, aber seit 70 Jahren kamen diese Fläschchen einfach aus der Apotheke. Sie weiß, dass das jetzt vorbei ist.«

»Wie hat sie das erfahren?«

»Sie ist weder taub noch blind, John. Seit es angefangen hat, sind jeden Tag Menschen gestorben und sie weiß, dass auch sie auf der Todesliste steht, sobald das Insulin ausgeht.«

Er schüttelte abwehrend den Kopf.

»Nein, Gott, bitte, nein. Wir haben noch vier Monate. Bis dahin wird irgendetwas wieder funktionieren. Zumindest werden wir irgendeine Kommunikationsmöglichkeit und medizinische Notvorräte haben.«

»John, du bist doch derjenige, der gesagt hat, es sei

schlimm, sogar sehr schlimm; und dass wir Jahre brauchen werden, um uns zu erholen – wenn überhaupt.«

»Vor ihr habe ich niemals ein Wort davon erwähnt.«

»Ach, John, du magst ein guter Vater sein, aber du verstehst nichts von Kindern. Ich habe in Krankenhäusern mit Kindern wie Jennifer gearbeitet. Mit todkranken Kindern. Sie wussten lange vor ihren Eltern, was mit ihnen los war.«

»Sie ist nicht todkrank«, knurrte er und funkelte Makala wütend an.

Sie sah ihn stumm an.

»Verdammt noch mal, nein.« Er schämte sich der plötzlichen Tränen, die seine Sicht trübten.

Er kämpfte, um das Schluchzen zu unterdrücken, das ihn zu übermannen drohte.

Sie streckte ihre Hand aus und berührte ihn, aber er zuckte zurück und sah sie voll ohnmächtiger Wut an.

»Mein Mädchen wird überleben«, keuchte er. »Jennifer wird überleben.«

Sie beugte sich vor und berührte sanft sein Gesicht. Dann hielt sie inne, stand auf, küsste ihn auf die Stirn und zog ihren Stuhl dicht neben seinen.

»John, wenn wir ein bisschen Glück haben und die Verhältnisse sich einigermaßen normalisieren, werden wir uns mit funktionsfähigen Krankenhäusern in Verbindung setzen können, bevor das Insulin zu Ende geht.«

Ihm fiel auf, dass sie »wir« gesagt hatte.

»Sie ist mir ans Herz gewachsen, John. Wir sind einander in den letzten Tagen nähergekommen. Sie ist ein süßes Kind. Nicht wie die meisten Zwölfjährigen, die sich anziehen und versuchen zu reden, als seien sie 21. Sie schläft immer noch mit Rabs in den Armen, spielt mit Beanie Babys, liest viel. Sie ist so, wie Zwölfjährige vielleicht vor langer Zeit waren. Noch ein bisschen kindlich.«

John kämpfte um seine Selbstbeherrschung, als Makala sein kleines Mädchen beschrieb. Er ließ seine heruntergebrannte Zigarette fallen und sie zündete die zweite ohne Kommentar an und gab sie ihm, nachdem sie selbst einen Zug genommen hatte.

Sie lächelte und er sah, dass auch sie Tränen in den Augen hatte.

»Seit sie ihren Großvater hat sterben sehen, ist das arme Mädchen vom Gedanken an den Tod wie besessen; ganz zu schweigen von der Art, wie er begraben wurde. Wie wir jetzt Hunderte von Toten begraben.«

»Ich werde mit ihr reden.«

»Das habe ich bereits«, sagte Makala leise.

»Worüber?«

Sie zögerte.

»Sprich weiter! Worüber?«

»Über den Tod«, flüsterte sie. »Sie hat mich um die Wahrheit gebeten. Sie hat mich gefragt, wie lange sie ohne Insulin noch zu leben hat.«

»Und was hast du ihr gesagt?«, knurrte er. Sie verzog das Gesicht, als er fest ihren Arm packte. »Was hast du ihr gesagt?«

»Wie gesagt, John, ich habe mit Kindern wie ihr gearbeitet. Ich weiß, wann ich lügen und wann ich die Wahrheit sagen muss. Ich habe ihr versichert, dass ihr nichts passieren wird; dass du und die anderen daran arbeiten, die Lage zu normalisieren, und dass bald medizinische Vorräte eintreffen werden.«

Er ließ ihren Arm los.

»Tut mir leid«, flüsterte er.

»Du musst aber auch mit ihr reden, John.«

Er nickte und senkte den Kopf. Erneut kämpfte er um die Selbstbeherrschung. Er fühlte sich so verdammt schwach. Nicht nur physisch, sondern auch emotional. Tylers Zeit war abgelaufen, und obwohl John den alten Mann so lieb gewonnen hatte, als sei er sein eigener Vater gewesen, wusste er, dass Tyler ein gutes Leben gehabt hatte. Aber Jennifer?

»Du musst ihr ständig Mut machen, wenn du möchtest, dass sie glücklich ist, so lange …« Makala hielt inne.

»Solange sie noch bei uns ist?«, beendete er ihren Satz und sah sie durchdringend an.

»Wir müssen einfach hoffen.«

Er rauchte seine Zigarette zu Ende und lehnte sich zurück.

»Du sagtest, Hunderte wurden begraben?«

Sie nickte und wandte den Blick ab.

Er hörte Hundegebell und dann Gelächter. Seine Familie kam vom Feld oberhalb des Hauses zurück. Die Hunde sahen, dass er wieder auf den Beinen war, und rasten auf ihn zu. Unwillkürlich musste er lachen, als sie ihn angrinsten und um seinen Stuhl herumtanzten. Dann hoben sie ihre Schnauzen und rochen interessiert am Suppentopf. Ginger stellte sich sogar auf die Hinterbeine, um in den Topf hineinzugucken, und verbrannte sich fast die Pfoten, als sie das Gleichgewicht verlor und beinahe gegen den Ofen gefallen wäre.

Jennifer rannte den Hügel hinunter und stürzte sich in seine Arme. »Daddy, du bist gesund!«

»Na ja, noch nicht ganz, aber fast, mein kleines Gummibärchen.«

Sie vergrub ihr Gesicht in seiner Schulter und er fragte sich einen Moment lang, ob sie weinte. Dann zog sie den Kopf heftig zurück.

»Daddy, du stinkst fürchterlich.«

Er lachte und war versucht, das alte »Achselhöhlenspiel« mit ihr zu spielen, bei dem er sie ergriff und ihre Nase in seine Achselhöhle drückte. Als Achtjährige hatte sie das geliebt, obwohl sie immer protestierend gekreischt hatte. Aber jetzt wusste er, dass er in der Tat fürchterlich stank.

»Ich verspreche dir, dass ich nachher ein Bad nehme; ich hab's wirklich nötig.«

»Draußen, Daddy – die Dusche ist jetzt draußen«, krähte sie und deutete auf ein kleines Kinder-Planschbecken aus

Plastik unter einer primitiven Dusche, die aus einer zwei Meter hohen Leiter und einem Vier-Liter-Eimer bestand. Der Eimer hing an einer Latte von der obersten Leitersprosse und jemand hatte einige Dutzend Löcher in seinen Boden gebohrt.

»Ben hat sie gebaut. Einer duscht, und der andere steht auf der Leiter und gießt Wasser in den Eimer.«

Ben hatte das also gemacht. John nickte und fragte sich plötzlich, ob er …

Makala lachte. »Ich bin die Gießerin für Elizabeth, John.«

»Gut. Ben kann mein Gießer sein, und ihr Damen könnt so lange woandershin gehen.«

Jennifer umarmte ihn fest, ließ ihn los und sah in den Topf.

»Was ist das?«

»Würstchen und Kartoffeln«, erklärte Makala.

»Pfui, hört sich eklig an.«

»Es schmeckt wirklich ganz gut«, sagte John.

»Können Zach und Ginger etwas davon haben?«

Die beiden Hunde standen mit hängenden Zungen neben ihm, hechelten und hatten ihre Augen auf Johns leere Schüssel geheftet. Im Lauf der Jahre war es ihm zur unbewussten Gewohnheit geworden, etwas auf seinem Teller übrig zu lassen und ihn dann auf den Boden zu stellen. Als Ginger zur Familie stieß, sorgte John dafür, dass zwei Teller gleichzeitig hingestellt wurden; denn wenn auf dem Boden nur ein Teller stand, folgten unweigerlich ein gieriger Sprung und ein empörtes Aufjaulen; egal, wie gern die beiden Hunden einander mochten. Das Jaulen kam normalerweise von Ginger, die von Zach besiegt worden war; aber jetzt war Zach älter geworden, und immer häufiger war er derjenige, der leer ausging.

»Gestern haben wir den Rest des Hundefutters aufgebraucht«, sagte Makala leise.

Verdammt, daran hatte er überhaupt nicht gedacht.

»Auch das Dosenfutter?«

Makala sagte nichts und er erschrak, als ihm klar wurde, was ihr Schweigen bedeutete: Entweder sie oder Jen hatten die Hundefutterdosen als Notrationen beiseitegestellt. Er fragte sich plötzlich, ob es Hundefutter in Gestalt von Würstchen gab, und wusste, dass es besser war, nicht danach zu fragen.

»Komm schon, Daddy. Sie haben Hunger!«

Er sah auf seine beiden Kameraden hinunter. So viele lange Nächte hindurch hatten sie zusammengerollt in seinem Büro gelegen, während er schrieb oder recherchierte. Wenn es danach endlich Zeit war, schlafen zu gehen, tapste Ginger normalerweise in Jennifers Zimmer, und Zach begleitete John immer in seins.

Er sah erst Jennifer an, dann die Hunde.

»Okay, nehmt schon, ihr zwei Narren.«

Er nahm seine und Makalas Schüssel, füllte in jede eine Kelle voll Suppe und stellte sie auf den Boden. Beide Hunde stürzten sich darauf und vertilgten die Mahlzeit innerhalb weniger Sekunden.

Jennifer beobachtete sie und lächelte. Makala schwieg.

»Ich glaube, ich gehe in die Stadt, um zu sehen, was los ist; und vielleicht auch zum Campus.«

»Fordere dein Glück nicht heraus, John«, sagte Jen, die noch etwas außer Atem von ihrem Spaziergang auf das Feld und zurück kam und sich auf die Zehenspitzen stellte, um ihn zu küssen.

»Verdammt, du stinkst wirklich«, sagte sie tadelnd und wich vor ihm zurück.

»Ich fahre«, unterbrach Makala. »Jetzt, da unser Patient wieder gesund ist, sollte ich wieder ins Pflegeheim zurückgehen, um den Umzug ins Konferenzzentrum zu überwachen.«

Jen sagte nichts, als Makala ins Haus ging. Elizabeth

küsste John flüchtig auf die Wange und setzte sich zum Essen hin.

»Sie ist ein nettes Mädchen«, sagte Jen.

»Ich glaube, sie ist in dich verliebt, Paps«, verkündete Elizabeth. Sie hatte es so beiläufig ausgedrückt, als kommentiere sie das Wetter oder die Tageszeit.

Jennifer kicherte.

John sah Jen an.

»Sie hat drei Nächte hintereinander an deinem Bett gewacht. Du warst ziemlich schlimm dran, John.«

Jen lächelte, aber er konnte sehen, dass sie Tränen in den Augen hatte.

»Was hast du, Mom?«

»Ach, nichts.« Sie wandte sich ab und er wusste, dass sie an Mary dachte.

Auf der Fahrt in die Stadt schien alles mehr oder weniger unverändert zu sein, abgesehen von der Tatsache, dass einige der Männer, an denen er vorbeifuhr, Gewehre oder Jagdflinten trugen. Vor der Grundschule lag ein großer Stapel Feuerholz, und mehrere Kessel hingen über einem Feuer und brodelten vor sich hin.

»Wie sieht es da drinnen aus?«

»Diejenigen, die keine Kraft mehr haben, sterben, John«, seufzte Makala. »Hunderte sind bereits gestorben, aber im Moment scheint alles mehr oder weniger unter Kontrolle zu sein.«

Im Hauptquartier erfuhr er, dass Charlie oben in Swannanoa war und Tom bei der Barriere im Felseinschnitt. Er las die Informationen, die mit rotem Markierstift in Druckschrift auf die weißen Anschlagtafeln an der Rathauswand geschrieben worden waren.

NOTSTANDSREGELUNG NOCH IMMER IN KRAFT

John bemerkte, dass man viele andere Informationen auf dem Brett ausradiert hatte. Nur jene fünf Worte nicht: »Notstandsregelung noch immer in Kraft.«

1. Unserer Schätzung nach befinden sich noch 20 Flüchtige von der Autobahn auf freiem Fuß in der Region. Falls diese gesichtet werden, müssen sie festgehalten und gefangen genommen werden, nötigenfalls mit Gewalt. Danach muss hier im Büro Bericht erstattet werden.
2. Rationskarten werden heute an die Bürger der Gemeinde ausgehändigt. Falls Sie ein Ansässiger mit Eigenheim sind und eine Rationskarte beantragen, müssen Sie der Durchsuchung Ihres Hauses nach Lebensmitteln zustimmen. Falls Nahrungsmittel gefunden werden, werden diese beschlagnahmt und in der Gemeinde verteilt. Beantragen Sie die Rationskarte nur, wenn Sie wirklich in Not sind. Ab morgen wird Essen nur noch nach Vorlage einer Rationskarte und eines gültigen Ausweises ausgegeben.

John hielt inne und dachte darüber nach. Er hielt es für eine gute Entscheidung. Nahrung wurde nur bei denjenigen konfisziert, die ausdrücklich um Essen baten. Das würde Hamsterer daran hindern, die allgemeinen Noteinrichtungen zu missbrauchen, während sie ihre eigenen Reserven horteten. Er las weiter.

3. Der Salmonellenausbruch im Flüchtlingszentrum ist nun unter Kontrolle. Wir danken den Freiwilligen vom Montreat College und dem Stab unter der Leitung von Doktor Kellor. Bedauerlicherweise wurden seit Beginn des Ausbruchs im Zentrum 60 Todesfälle gemeldet. In der Gemeinde sind von mehr als 3000 gemeldeten Salmonellenfällen 310 Patienten gestorben.

4. Das neue Notkrankenhaus im Ingram Einkaufszentrum in Swannanoa ist nun geöffnet. Falls Sie eine Fahrgelegenheit dorthin brauchen, benutzen Sie das öffentliche Fahrzeug, das hier täglich um zwölf Uhr mittags abfährt.
5. Schuldirektor Greene, der jetzt als Leiter der Schulaufsichtsbehörde eingesetzt wurde, hat das Schuljahr ab sofort offiziell für beendet erklärt. Der Unterricht wird am ersten Montag im September wieder aufgenommen. Zu Beginn des neuen Semesters werden die Noten vom letzten Schuljahr bekannt gegeben.

John fand es merkwürdig, dass sie endlich so weit waren und die Schulen offiziell geschlossen hatten. Das musste er unbedingt den Mädchen erzählen; sie würden begeistert sein. Im Übrigen enthielt die Nachricht eine Spur Optimismus, da sie ab dem kommenden Herbst ein wenig Normalität versprach, und er war froh darüber.

6. Todesanzeigen: In den Gemeinden Black Mountain und Swannanoa wurden gestern 81 Todesfälle gemeldet. Alle Leichen müssen in den neuen Gemeindefriedhöfen bestattet werden: auf dem Golfplatz in Black Mountain und auf dem Grundstück der Christlichen Akademie Swannanoa oberhalb der Aue des Swannanoa Flusses. Die Todesursache muss vom diensthabenden Arzt des jeweiligen Stadtrates zwischen acht Uhr morgens und fünf Uhr nachmittags bestätigt werden.

Die Namen waren aufgelistet und John las sie. Einen kannte er: eine seiner Studentinnen im zweiten Studienjahr. Sie war niedlich gewesen, ein bisschen übergewichtig und mit einem Lächeln, das einen ganzen Raum erhellen konnte. Er erinnerte sich, dass sie an einer schweren Bienengift-Allergie gelitten hatte. Zu Beginn jedes Semesters war eine diesbezügliche Mitteilung an alle ihre Professoren geschickt worden, damit sie die Studentin sofort aus dem Hörsaal entließen, falls eine Biene durchs Fenster hereinflog. Er fragte sich, ob das ihre Todesursache gewesen war.

> 7. WARNUNG: Wenn sich in Ihrer Familie ein Todesfall ereignet und dieser Todesfall verheimlicht wird, obwohl die Familie Rationskarten angenommen hat, werden sämtliche Rationskarten aller engsten Familienangehörigen permanent konfisziert. Ausgenommen von dieser Regelung sind Kinder unter elf Jahren, die jedoch im erwähnten Fall umgehend ins Flüchtlingszentrum umgesiedelt werden. Falls Sie kein ständiger Bürger dieser Gemeinde sind, werden Sie und Ihre engsten Familienangehörigen im o. g. Fall ausgestoßen. Ausgenommen sind auch hier Kinder unter elf Jahren.

Die letzten beiden Sätze störten ihn, weil sie die Menschen in der Gemeinde noch immer in zwei Kategorien aufteilten.

> 8. NACHRICHTEN! Einer unserer Bürger, der uns nach einem Fußmarsch aus Greensboro erreicht hat, berichtet, dass sich ein funktionierendes Kurzwellenradio in Morgantown befindet. Der Bürger behauptet, einen Bericht der BBC in London gehört zu haben. Die britische Regierung hat ihre Solidarität mit den Vereinigten Staaten erklärt und organisiert gegenwärtig umfassende Hilfsmaßnahmen. Wir danken unseren Alliierten, die einst und jetzt zu uns stehen!

Das brachte John zum Lächeln. Und falls es stimmte, könnte das bedeuten, dass vielleicht, auch Kommunikationsgeräte unterwegs waren, sodass wieder eine Verbindung zur Außenwelt hergestellt werden konnte. Die Frage war jedoch: warum nur Großbritannien?

9. KRIEGSNACHRICHTEN! Derselbe Mitbürger berichtet, der Angriffsschlag sei vermutlich durch drei Raketen, die von einem Containerschiff im Golf von Mexiko abgefeuert worden waren, erfolgt. Unsere Streitkräfte sind im Irak, im Iran, in Saudi-Arabien, Pakistan und Korea in schwere Kämpfe verwickelt. Es werden Fortschritte an allen Fronten verzeichnet. Verantwortlich für den Angriff ist eine Allianz zwischen Streitkräften des Mittleren Ostens und Nordkoreas. Jüngste Berichte bestätigen den Einsatz einer ähnlichen Waffe über dem westlichen Pazifik, die einen totalen Stromausfall in Japan, Südkorea und Taiwan verursacht hat. Weiteren Berichten zufolge detonierte eine ähnliche Rakete auch über Osteuropa. Es wird berichtet, dass die Regierung zur Stunde die Verteilung von Radios aus einem geheimen Notreservelager organisiert. Die Kommunikation mit zentralen Regierungsstellen wird bald wiederhergestellt.

10. Sämtliche Bekanntmachungen auf dieser Anschlagtafel sind offiziell und treten mit sofortiger Wirkung in Kraft. Die Behauptung der Unkenntnis dieser Gesetze gilt nicht als Entschuldigung für ihre Missachtung.

Gezeichnet:
Charles Fuller
Direktor der öffentlichen Sicherheit

WIR WERDEN DEN ENDGÜLTIGEN SIEG ERRINGEN: GOTT SCHÜTZE UND ERHALTE DIE VEREINIGTEN STAATEN VON AMERIKA.

John löste den Blick vom Anschlagbrett und sah Makala an.

»Woran denkst du?«

»Ich komme mir vor wie in einem schlechten Film oder Roman«, seufzte sie. »Eigentlich müsste ›Es lebe der König!‹ oder ›Lang lebe unser glorreicher Führer!‹ oder so etwas Ähnliches auf dem Brett stehen.«

»So tief sind wir noch lange nicht gesunken«, sagte John kalt.

»Ich muss dich warnen: Ich gehöre zu diesen altmodischen Liberalen, die Verschwörungen hinter allem wittern, was die Rechten tun.«

Er sah sie an und bemerkte die Spur eines Lächelns auf ihren Lippen.

»Mir ging es früher mit den Linken genauso.« Nun war er es, der lächelte. »Jetzt kommt mir das alles so absurd vor.«

»Ja ... Wenn man sich klarmacht, was aus uns allen geworden ist, verglichen mit dem, wie wir vor drei Wochen waren ... Es ist immer noch unfassbar.«

Sie gingen zurück zum Edsel. Er bemerkte, dass man den Parkplatz am Polizeirevier von allen neueren, jetzt nutzlos gewordenen Autos geräumt hatte. Nun standen sechs VW Käfer in einer Reihe. Auf der Seite jedes Autos stand in Schablonenschrift: »Zur Verfügung gestellt von Jim Bartlett«. Unter dem Schriftzug prangte das alte Friedenszeichen. *Das geht Tom sicher gehörig auf den Keks,* dachte John. Auch standen zwei alte Jeeps auf dem Parkplatz, einer davon aus dem Zweiten Weltkrieg, mit einem aufgemalten weißen Stern auf der Motorhaube. John entdeckte auch diverse Autos aus den 50er- und 60er-Jahren, und sogar einige aus den 70-ern, als in Detroit vorwiegend Schrottkisten produziert worden waren, die nicht so lange überlebten wie die älteren Modelle. Außerdem gab es einige alte Motorräder und Mopeds.

Zu seiner großen Überraschung waren daneben auch ein paar Pferde angebunden, und er blieb stehen, um sie anzusehen.

»Sie stammen aus den Ställen der Kinderferienlager. Es gibt 40 Pferde in der Gemeinde«, sagte Makala. »Charlie hat die meisten übernommen, um die Straßen jenseits der Autobahn kontrollieren zu können.«

Sie ging auf eines der Pferde zu und streichelte seine Nüstern. Es wieherte vergnügt.

»Ich bin früher sehr gern geritten, und du?«

»O ja, sehr gern. Ich mochte das Gefühl der Freiheit, wenn man über weites, offenes Land reitet. Es ist aber eine Weile her.«

»Die armen Tiere.«

»Warum?«

»Charlie hat gesagt, wir können sie im Sommer noch benutzen, aber sobald uns die Rinder und Schweine ausgehen, kommen die Pferde an die Reihe.«

Er nickte wortlos.

Sie stiegen in den Edsel, Makala setzte sich hinter das Steuer, und sie fuhren in Richtung College. Als sie sich dem Eingangstorbogen näherten, erwartete sie dort ein großes, handgemaltes Schild:

HALT! BLEIBEN SIE STEHEN!

Makala ließ das Auto langsam ausrollen, und zwei von Johns Studenten, beide mit Jagdflinten bewaffnet, versperrten ihnen den Weg, die Waffen im Anschlag. Als sie ihn erkannten, grinsten sie.

»Was soll der Quatsch?«, fragte John.

»Tut mir leid, Professor. Interne Sicherheit. Manche der ausgebrochenen Flüchtlinge treiben sich immer noch in der Gegend herum. Seit Neuestem versuchen die Leute auch, sich über die alte Zollstraße auf der Rückseite dieses Grundstücks einzuschleichen. Sergeant Parker hat dort permanente Wachposten aufgestellt.«

John nickte und sagte nichts, während Makala durch das Tor auf das Collegegelände fuhr.

Hier schien alles ruhig zu sein, aber dann sah er sie, aufgereiht auf dem Platz vor Gaither Hall. Er bedeutete Makala, an den Rand zu fahren und zu halten.

Er blieb einen Augenblick lang im Auto sitzen und beobachtete die Szene. Verdammt, es war wie in einer Ausbildungskaserne. 50 Studenten, eine komplette Zugeinheit, standen in Habtachtstellung zur Waffeninspektion; und die jungen Leute waren in der Tat bewaffnet. Manche hatten Schrotflinten, andere Jagdgewehre, einige trugen Pistolen. Jede denkbare Schusswaffe war vertreten: von chinesischen SKS-Gewehren über Kaliber 22 halbautomatische Pistolen bis hin zur doppelläufigen 12-Millimeter-Schrotflinte. Er erkannte auch zwei .58-Springfield-Gewehre: nachgebaute Modelle aus dem Amerikanischen Bürgerkrieg.

Er stieg aus, um zuzusehen. Einige sahen in seine Richtung. Ein Mädchen grinste und begann zu winken, nahm aber sofort wieder Habtachtstellung an, als sie sich an ihre Aufgabe erinnerte.

Und da war auch Washington Parker, der langsam vor der Reihe auf- und abschritt. Er nahm einem der Studenten seine Waffe ab, zog den Bolzen zurück, spähte in den Lauf und stieß das Gewehr grob wieder in die Hände des Jungen.

»Nicht sauber genug! Willst du überleben? Dann halte deine Waffe sauber!«

John schlenderte langsam näher und die Blickrichtung der Studenten veranlasste Washington dazu, sich umzudrehen.

Der Anflug eines Lächelns überzog sein Gesicht, aber er nahm sofort Haltung an und salutierte zackig.

»Guten Tag, Colonel, Sir. Möchten Sie die Truppen inspizieren?«

John ertappte sich dabei, zurückzusalutieren.

»Fühlen Sie sich heute besser, Sir?«

»Ja, Mr. …« Er unterbrach sich. »Jawohl, Sergeant Parker, danke.«

Etwas verlegen wandte sich John seinen Studenten zu. Vor drei Wochen waren sie noch wohlbehütete Jugendliche gewesen. Mehr als einmal hatte er sie auf die privilegierte Stellung, die sie genossen, angesprochen. Er hatte sie darauf aufmerksam gemacht, dass Jugendliche in ihrem Alter in weit entfernten Ländern an Kriegsfronten ihr Leben verteidigen mussten, während sie hier in ihren Hörsälen dösten. Einige Absolventen des Montreat College waren im Irak gewesen, ein anderer in Afghanistan. Immer, wenn eine E-Mail aus Übersee eintraf, hatte John sie diesen Studenten vorgelesen; und nun standen sie bewaffnet in Reih und Glied vor dem College-Hauptgebäude, das das Immatrikulationsbüro, die Verwaltung, die Musikfakultät und eine der beiden Kapellen des Campus beherbergte.

Er wusste, dass sie jetzt eine Rede von ihm erwarteten, aber ihm fehlten die Worte. Er sah seine beiden Lieblingsstudenten Jeremiah und Phil am rechten Ende im Glied stehen. Auf ihren dunkelblauen College T-Shirts, die die ganze Gruppe als Uniform trug, prangten aufgemalte Sergeant-Streifen.

Jeremiah und Phil begegneten seinem Blick und er nickte ihnen zu.

Er fragte sich, ob diese Jungen und Mädchen wussten, was er im Park getan hatte. Natürlich wussten sie es, das ganze Städtchen wusste es, und er konnte dieses Wissen in ihren Augen sehen. Sie sahen ihn anders an als früher. Er war der Scharfrichter gewesen. Er war nicht mehr der

Geschichtsprofessor, den sie, obwohl er beim Militär gewesen war, als eher weichherzige Lehrkraft betrachtet hatten.

»Sie sehen großartig aus«, war alles, was er hervorbrachte, als er sich wieder Washington zuwandte. Dieser salutierte erneut und John grüßte zurück, bevor er auf die Gaither Hall zuging.

»Ein bisschen paramilitärisch, nicht?«, meinte Makala, die neben ihm herging.

John antwortete nicht.

Er betrat das Gebäude und wusste einen Moment lang nicht, was er erwarten sollte. Natürlich waren die Gänge dunkel und die Luft schwer und feucht. Zum Glück war das Haus alt; es stammte aus der Zeit vor den zentralen Klimaanlagen, sodass es im Inneren zumindest Luftzirkulation gab. Die Türen zum Immatrikulationsbüro und zur Verwaltung waren geschlossen, aber er hörte Klaviermusik aus der Kapelle. Er bedeutete Makala, ihm zu folgen, und öffnete die Tür.

Die Kapelle war in den 1930er-Jahren erbaut worden; gerade zu der Zeit, als in den Bergen Carolinas eine Seuche unter den Kastanienbäumen gewütet hatte. Damals hatte man die befallenen Bäume so schnell wie möglich gefällt; und deshalb bestanden alle Stützbalken, Paneele und Deckenplatten aus dem schönen, warmen, dunkelgoldenen Kastanienholz. Das Dekor wirkte zwar etwas streng – immerhin war es eine presbyterianische Lehranstalt –, aber in Johns Augen war es dennoch eine wunderbare Kapelle.

Einige Studenten standen um das Klavier auf dem Podium herum und Jessie, eine der Musikstudentinnen, klimperte ein bisschen herum. Eine andere Studentin, an die sich John erinnerte, Laura, sagte etwas zu ihr und Jessie spielte einige Akkorde. Laura begann zu singen. Sofort spürte John einen Kloß im Hals. Laura hatte dieses Lied im

Frühlingsmusikprogramm des Colleges gesungen. Obwohl es aus dem Musical *The Fantasticks* stammte, das John zu sentimental fand, besaß das Lied dennoch eine tiefe, schwermütige Schönheit, und nun empfand er es als Metapher all dessen, was jetzt geschah.

»Try to remember the kind of September
When life was slow and oh, so mellow …«

Er merkte, dass sich Makalas Hand in die seine schob, und sie schwiegen. Er spürte ein Zittern, das ihren Körper durchlief. Sie weinte.

Lauras Stimme hallte durch den Raum:

»Try to remember when life was so tender
That no one wept except the willow …«

John hörte Parker draußen, wo die Studenten nun die formelle Waffenpräsentation trainierten, Befehle schreien. Es war fast mehr, als er ertragen konnte. So etwas hätte hier niemals geschehen dürfen – aber es war geschehen.

Laura beendete die zweite Strophe und begann mit der dritten:

»Deep in December, it's nice to remember
Although you know the snow will follow …«

»Ich kann das nicht länger ertragen«, flüsterte Makala heiser.

Sie schlichen aus der Kapelle, ehe Laura und die anderen ihre Anwesenheit bemerkten.

Makala lehnte sich einen Moment lang schluchzend an ihn, und er schlang die Arme um sie. Doch dann löste sie sich abrupt aus seiner Umarmung, trat zurück und sah ihn an.

»Tut mir leid.«

»Es war eigentlich ganz nett«, sagte er.

In der Kapelle endete das Lied und er wollte gerade das

Gebäude verlassen, als er bemerkte, dass die Tür zum Büro des Collegepräsidenten Hunt einen Spalt offen stand. Er klopfte und trat ein. Kim McMurty, die Verwaltungsassistentin, saß nicht hinter ihrem Schreibtisch. Das war enttäuschend. Sie hatte ihn immer an die Schauspielerin Nicole Kidman erinnert – vielleicht war Kim sogar noch attraktiver –, und er musste zugeben, dass sie ihn auf freundschaftliche Weise anzog. Freundschaftlich, weil ihr Ehemann, der Direktor der Computerverwaltung, ein verdammt guter Freund von ihm war ... Abgesehen davon war Mary ihm immer noch schmerzlich gegenwärtig gewesen. Was war das, was war da eben mit Makala geschehen? Er wusste nicht, wie er sich jetzt ihr gegenüber verhalten sollte.

»Präsident Hunt? Dan?«

»Ich bin hier drin.«

John trat in das weiter hinten gelegene Privatbüro und erschrak.

Hunt schien innerhalb der letzten zwölf Tage um ebenso viele Jahre gealtert zu sein. Seine Augen lagen tief in den Höhlen und seine Haare waren ungepflegt und wirr. Plötzlich fragte sich John, wie er selbst wohl aussah: immer noch etwas wackelig auf den Beinen, unrasiert, dreckig und erschöpft.

»John, du siehst beschissen aus.«

»Mit allem Respekt, du siehst auch nicht besser aus.«

Dan deutete auf einen Stuhl und John setzte sich. Er hatte dieses Büro immer gemocht. Er blickte zurück und sah, dass Makala noch in Kims Büro stand. Sie nickte ihm zu, bedeutete ihm, dass sie draußen auf ihn warten würde, und ging hinaus.

Als er dieses Büro zum ersten Mal betreten hatte, um sich für den Job, den Bob Scales für ihn organisiert hatte, vorzustellen, waren ihm sofort die drei Gemälde an der hinteren Wand ins Auge gefallen. Das erste war genau das, was man im Büro des Präsidenten eines christlichen

Colleges erwarten durfte: der geschmackvoll gerahmte Druck eines Ausschnitts aus dem Deckengemälde der Sixtinischen Kapelle von Michelangelo; die Hand Gottes, die sich nach Adam ausstreckt.

Die anderen beiden Bilder hatten allerdings eine andere Wirkung. Das zweite war eine Art Übergang zwischen religiösen und militärischen Motiven: Es zeigte George Washington, wie er während des Unabhängigkeitskrieges in Valley Forge im Schnee kniete und betete. Das dritte war *The Nation Makers* von Howard Pyle, das atemberaubende Porträt einer Infanteriegruppe des Unabhängigkeitskrieges, die in die Schlacht marschierte. Die Männer waren angeschlagen, aber ungebeugt. Die amerikanische Flagge, kaum mehr als ein Fetzen, wurde entschlossen dem endgültigen Sieg entgegengetragen.

Die Gemälde hatten schon immer dort gehangen, aber als John nun durchs Fenster die Studenten beim Exerzieren sah, gewannen Pyles Werke eine ganz neue Bedeutung.

Dan schwieg, und dann griff er zu Johns Überraschung in die untere Schublade seines Schreibtischs und nahm eine Flasche mit schottischem Whisky und zwei Kaffeetassen heraus.

»Wenn der Aufsichtsrat das wüsste, würde er mich aufhängen«, sagte Dan, und John fragte sich, ob er scherzte oder es ernst gemeint hatte. Immerhin herrschte auf dem ganzen Collegegelände totales Alkoholverbot.

John nahm die ihm angebotene Tasse und hielt sie hoch, damit Dan ihm einen Drink eingießen konnte.

»Auf die Republik, Gott möge sie beschützen«, prostete Dan ihm zu.

Die beiden Männer leerten ihre Tassen in einem Zug; Dan atmete geräuschvoll aus, als er seine Tasse hinstellte.

»Was war mit dir los, John?«

»Ich nehme an, du weißt, dass ich eine Woche lang außer Gefecht war.«

»Wir haben uns Sorgen um dich gemacht, John. Pfarrer Abel und die Jungs und Mädchen haben jeden Tag in der Kapelle für dich gebetet.«

»Danke. Es hat definitiv gewirkt«, sagte John, während er auf seine Hand hinuntersah. »Und der Unterricht? Findet er noch immer statt?«

Dan schüttelte den Kopf.

»Die meisten Lehrkräfte wohnen etliche Kilometer von hier entfernt, also fällt der Unterricht aus.«

»Aber sie halten immer noch die täglichen Gottesdienste in der Kapelle ab?«

»Jetzt erst recht«, sagte Dan leise.

Das war beruhigend, verdammt beruhigend: eine Konstante zur Vergangenheit. Kirchen füllten sich allerdings immer in Krisenzeiten. John erinnerte sich, dass am Sonntag nach dem 11. September 2001 die kleine Kirche in Swannanoa, die Mary und er regelmäßig besuchten, bis zum Überlaufen voll gewesen war.

»Ich hatte das Gefühl, ich sollte herfahren und auf dem Campus nach dem Rechten sehen. Schließlich ist das College mein Arbeitsplatz.« Er hielt inne. »Nein, viel mehr. In vielerlei Hinsicht ist es mein Leben. Ich habe mich gefragt, ob ich hier irgendetwas tun kann.«

»Das weiß ich zu schätzen«, sagte Hunt leise, »aber ich glaube, du hast jetzt andere Verpflichtungen.«

John schwieg.

»Ich habe gehört, welche Rolle du im ›Rat‹ spielst, wie die Leute ihn nennen. Ich finde es großartig, dass du dort Mitglied bist. Der Rat braucht jemanden wie dich. Konzentriere deine Energie auf diese Aufgabe und mach dir über uns keine Gedanken.«

»Die Jungs und Mädchen hier sind wie meine Kinder, Dan. Ich mache mir Sorgen um sie.«

Von draußen drang die Stimme Washingtons herein, der jemanden zurechtwies. Wieder hörte er sich wie ein Drill-

Sergeant der Marines an: Er hatte genau die richtige Portion Sarkasmus in der Stimme, verwendete aber keinerlei sexistische, fäkale oder obszöne Ausdrücke.

»Wir verkaufen unsere Dienste, um zu überleben; um diese Mädchen und Jungen am Leben zu erhalten«, sagte Dan leise. »Aber es steckt noch mehr dahinter.«

John stand auf und trat ans Fenster, die leere Tasse noch in der Hand. Er beobachte, wie Washington, der die Inspektion beendet hatte, die Studenten nun einige schnelle Exerzierübungen machen ließ.

»Was geht da draußen vor?«, fragte John.

»Das ist der erste Zug der Kompanie A der Black Mountain Miliz«, erklärte Dan.

»Was?«

»Richtig gehört. Charlie Fuller und ich haben uns vor ein paar Tagen dazu entschlossen. Bis jetzt sind es 150 Studenten. Die anderen beiden Züge sind gerade auf einem Trainingsmarsch nach Graybeard und zurück. Wir hätten gern noch mehr Züge, aber bisher konnten wir nur diese bewaffnen. Sobald wir mehr Waffen bekommen, werden wir Kompanie B zusammenstellen.«

»Ist das nicht ein bisschen übertrieben?«, fragte John. »Ich weiß, dass Washington ein verdammt guter Mann ist, ein großer Mann sogar – aber was tut er da draußen, Dan? Geilt er sich mit alten Erinnerungen an Parris Island und Khe Sanh auf?«

»Um die Wahrheit zu sagen, ja. Du hast von dem Aufstand an der Barriere gehört, nehme ich an.«

»Ja.«

»Danach war Charlie der Meinung, dass wir eine Armee brauchen – wahrscheinlich, nachdem ihm Washington diesbezüglich etwas ins Ohr geflüstert hat.«

John seufzte.

»Vor drei Wochen dösten diese Kinder in ihren Hörsälen und versuchten, sich mit ihren Freunden und Freundinnen zum Knutschen auf den Aussichtsberg zu schleichen; und vielleicht, vielleicht haben sie sogar für ihr Examen gebüffelt. Und jetzt machen wir eine Armee aus ihnen?«

»Ich war jünger als sie, als ich das hier verloren habe«, sagte Dan und klopfte auf sein linkes Bein. Es klang hohl. »Und du warst mit 22 schon Lieutenant.«

»Schon, Dan, aber dies ist ein College. Ein kleines, christliches College in den Bergen von North Carolina. Das alles fühlt sich irgendwie nicht richtig an.«

»Wo sonst gibt es in diesem Tal 400 relativ intelligente Jungen und Mädchen in einigermaßen guter körperlicher Verfassung, die sich mit dieser Schule identifizieren? Und wo sonst gibt es Leute wie dich, mich und Washington, um sie zu führen?«

»Ich weiß es nicht«, seufzte John. Er sah, wie die Kolonne zur rechten Flanke schwenkte und weitermarschierte, wobei zwei Mädchen sich falsch drehten. Washington war sofort bei ihnen und schrie sie so heftig an, dass eines der Mädchen zu weinen begann, wobei sie sich aber immer noch bemühte, weiterzumarschieren.

»An dem Tag, bevor alles anfing, hatten wir hier 600 Jugendliche«, sagte Dan, der jetzt an Johns Seite stand und den Exerzierübungen ebenfalls zusah.

»Ungefähr 150 sind gegangen. Sie wollten versuchen, sich nach Hause durchzuschlagen. Das war eine schwere Prüfung. Du warst nicht hier, als wir uns an dem Tag in der Kapelle versammelten. Viele Gewissenskämpfe, viele Gebete. Ich riet ihnen, hierzubleiben. Ich habe ihnen gesagt, dass es ihren Eltern wahrscheinlich lieber wäre, sie hier in Sicherheit zu wissen, bis die Krise vorbei ist. Die meisten, die gingen, waren aus der unmittelbaren Umgebung, höchstens einen Tagesmarsch von hier; aber einige stammten aus Florida. Sie meinten, sie müssten trotzdem versuchen, nach Hause zu kommen.«

John schüttelte den Kopf. Diejenigen, die nach Florida

unterwegs waren, fanden sich nun wahrscheinlich von Hunderttausenden überrollt, die in die entgegengesetzte Richtung unterwegs waren.

»Die Übrigen beschlossen zu bleiben. Erinnerst du dich, wie wir vor einigen Jahren darüber diskutierten, das College mehr auf kommunale Dienste hin auszurichten? Einige andere Colleges, die mit uns konkurrierten, brüsteten sich ständig damit, also fügten wir dem normalen Lehrplan auch soziale Hilfsdienste hinzu. Nichts anderes tun wir jetzt.«

»Verdammt noch mal, Dan, es ist eine Sache, wenn Jugendliche in einem Obdachlosenzentrum oder einer Kindertagesstätte arbeiten. Aber sie wie eine Armee exerzieren zu lassen, ist etwas ganz anderes.«

»Das glaube ich nicht, John. Wie es in dem alten Lied von Bob Dylan heißt: ›The times, they are a-changin‹.«

Die Kolonne der Studenten kehrte um und marschierte über den Rasen zurück, die Waffen geschultert. John schauderte es bei diesem Anblick. Er sah das Pyle-Gemälde an, dann wieder die Studenten.

Mein Gott, es gibt keinen Unterschied zwischen ihnen, dachte er. Die Tradition des engen Exerzierens, Schulter an Schulter in Reih und Glied, ging auf die Zeiten zurück, in denen Armeen tatsächlich in dieser Formation in den Krieg marschiert waren. Heute ging es dabei eher um Disziplin und Gemeinschaftsgeist und um die Tatsache, dass Soldaten nun einmal marschieren können mussten. Aber nun gab es keinen Unterschied mehr. Er sah nichts anderes als das, worüber er mit großer Begeisterung bei den Treffen der Bürgerkriegstafelrunde geredet hatte, oder was er bei den nachgestellten historischen Schlachten des Unabhängigkeitskrieges gesehen hatte.

Dennoch gab es einen Unterschied: Dies hier war echt. Nach den Übungen in enger Formation würde Washington ihnen grundlegende Taktiken beibringen: Feuern und

Bewegung, feste Position halten, Treffsicherheit, Deckungsfeuer geben, Angriff auf eine feste Position, Führungsstil während der Kampfhandlungen, Nahkampftechniken, Erste Hilfe im Feld, Töten mit dem Messer, Töten mit bloßen Händen.

Der Anblick dieser Jugendlichen traf John genauso hart wie das, was er im Park hatte tun müssen.

»Washington hält große Stücke auf dich«, sagte Dan. »Er hat mir übrigens erzählt, was du im Park getan hast. Er sagt, du hast dich vorbildlich verhalten.«

»Mich vorbildlich verhalten? Ich habe mir die Seele aus dem Leib gekotzt.«

»Nein, das meine ich nicht. Wenn man zum ersten Mal einen Menschen erschießt, *muss* man erschüttert sein, solange man auch nur ein bisschen Herz hat; einen Funken Menschlichkeit.«

Er wandte den Blick ab.

»Ich habe mein Bein bei der Tet-Offensive in Vietnam verloren. Aber am Tag davor war ich der vorderste Mann einer Patrouille. Ich bog auf einem Pfad durch den Dschungel um die Kurve, und da stand er …« Er seufzte und schüttelte den Kopf. »Kennst du dieses eine Gedicht von Thomas Hardy?«

John nickte. *»›I shot at him and he at me, and killed him in his place…‹«*

»Ich habe zuerst geschossen. Er war der vorderste Mann seiner Einheit, und wir stießen einfach aufeinander. Ehe ich mich versah, hatte ich das ganze Magazin meines M-16 auf ihn abgefeuert. Ein irrsinniges Feuergefecht entstand und ich lag neben ihm auf dem Boden. Ich hörte, wie er nach Luft rang. Weißt du, was er gesagt hat?«

John schwieg. Er hatte den Verdacht, dass er wusste, was als Nächstes kommen würde.

»Er heulte nach seiner Mutter. Ich konnte genug Vietnamesisch, um das zu verstehen …«

Seine Stimme erstarb und John sah Tränen in seinen Augen.

»Der Junge, den ich erschossen habe«, sagte John, »heulte ganz bestimmt nicht nach seiner Mutter. Er starb voller Hass.«

»Vielleicht sieht er die Dinge jetzt anders«, erwiderte Dan. »Ich weiß, dass manche das nicht als rechtgläubig betrachten, aber es fällt mir schwer, Gott als unerbittlich zu empfinden; sogar nach dem Tod.«

John versuchte zu lächeln. Es gab einige auf dem Campus, deren Ansichten über die Erlösung ziemlich fundamentalistisch waren. Dan hatte nie zuvor diese Ansicht geäußert, aber jetzt empfand John sie als Erleichterung, denn die Erinnerung an die letzten Sekunden im Leben des hasszerfressenen Jungen waren wie ein immer wiederkehrender Albtraum.

»Washington hat mir erzählt, wie du reagiert hast, und die Jungs und Mädchen wissen es auch. Immerhin sind wir ein christliches College, und wenn du bei dieser Sache kaltblütig gewesen wärst, wäre die Reaktion ziemlich übel gewesen. Also hast du ihnen allen eine wichtige Lektion erteilt, John. Aber das, was du gesagt hast, war genauso eindrucksvoll.

Washington und später auch Charlie haben mir gesagt, dass wir als Gemeinde in dem Moment auf Messers Schneide standen. Charlie hatte zwar die richtige Entscheidung getroffen, aber er wusste nicht, wie er sie korrekt ausführen sollte.

Aber *du* hast es gewusst. In diesem Moment hätten wir uns in einen Haufen Barbaren verwandeln können, oder, noch schlimmer, in einen Haufen Barbaren, der einem Führer folgt. Sogar ein gutherziger Führer wie Charlie kann einen Mob nicht vor der Blutgier bewahren, wenn dieser Mob beschließt, seinen Anweisungen aus Lust an der Gewalt zu folgen. Und danach kommt immer der Untergang.

Du bist Historiker: Du weißt, dass von allen Revolutionen in der Menschheitsgeschichte nur eine Handvoll ihre Seele, ihre Ursprungsidee beibehalten und ihr Ziel erreicht hat.«

Dan deutete auf das Porträt des knienden George Washington im Schnee, was John trotz allem recht melodramatisch vorkam.

»Ich glaube nicht, dass wir gerade eine Revolution erleben«, entgegnete John. »Wir versuchen lediglich zu überleben, bis die Ordnung wiederhergestellt ist: Kommunikation und genügend Fahrzeuge auf den Straßen, um uns wieder als Nation miteinander zu verbinden.«

»Nehmen wir aber einmal an, dass das nicht geschieht«, sagte Dan leise.

»Was?«

»Dass es nicht geschieht, John, nehmen wir das einmal an. Nehmen wir an, dass Amerika, das gute, alte Amerika, das Land, das wir liebten, vor 18 Tagen um 4:50 Uhr nachmittags starb. Es starb an Selbstgefälligkeit, an Blindheit, an der Weigerung, der harten Wirklichkeit der Welt ins Gesicht zu sehen. Es starb an Selbstzufriedenheit und Egozentrik. Nehmen wir an, Amerika starb an diesem Tag.«

»Um Himmels willen, Dan, sag das nicht«, stöhnte John.

»Aber ich glaube, dass es so war, John. Ich glaube, dass unsere Feinde uns total unvorbereitet erwischt haben. Wir hätten es kommen sehen müssen. Ich wette, im Kongress schwirrten 100 Berichte herum, die uns warnten; Berichte von Experten, die wussten, wovon sie sprachen, und uns anschrien, dass wir für einen solchen Erstschlag total anfällig seien. Genau das ist allen Nationen, allen Imperien im Lauf der Weltgeschichte irgendwann widerfahren. Verdammt, du bist doch der Historiker, du weißt das ganz genau. Und in dem Moment, in dem es geschieht, glaubt niemand, dass es tatsächlich stattfindet. Man kann einfach nicht begreifen, dass jemand, den man als so unterlegen, so bedeutungslos, so rückständig und dadurch als keine große Bedrohung betrachtet, uns derart erniedrigen kann. Das weißt du, John. Der 11. September und Pearl Harbor waren im Vergleich zu diesem Coup Mückenstiche.«

»Die Mongolen, als sie im Jahr 1214 in Osteuropa einfielen«, sagte John leise. »Die teutonischen Ritter brachen angeblich beim Anblick ihrer Gegner vor der Schlacht von Liegnitz in hysterisches Gelächter aus, denn ihre Pferde waren so klein, dass sie wie Ponys wirkten. Sie dachten, dass sie diese Ponys bei der ersten Lanzenattacke einfach zermalmen würden. Die Ritter senkten ihre Lanzen, galoppierten zum Angriff, und 150 Meter später dezimierten die Mongolen sie total mit ihren Compound-Bögen, die bis dato in Europa unbekannt waren. Die Pfeile schlugen in 50 Metern Entfernung mit der Schlagkraft einer 9-Millimeter-Pistole ein. An dem Tag metzelten 30.000 Mongolen viele Zehntausende der besten Ritter Europas nieder.«

Dan nickte.

»Die französischen Ritter in Crécy verspotteten die Engländer mit ihren Langbögen. Die Briten verspotteten uns bei Monmouth und Cowpens. Die Deutschen verachteten 1941 die Russen«, sagte John.

»Und wir die Vietkong«, sagte Dan leise. »Für uns war das kein Kampf ums Überleben, aber für sie schon. Ich weiß noch, wie ich dort ankam, den Kopf voller unsinniger Phrasen: Wir würden sie einfach plattwalzen und gemütlich über sie hinwegspazieren, hieß es. Tja, seitdem bin ich nie wieder ohne Probleme gemütlich spazieren gegangen.

Diese Kinder da draußen werden unsere Nation in Zukunft prägen, John. Manche Professoren denken sicher, ich hätte dieses College an die Gemeinde verkauft; aber zum Teufel mit ihnen. Ich kenne ein College in der Nähe, das eine Fakultät für Friedensstudien eingerichtet hat. Wenn es irgendwo einen Protestmarsch gegen unser Militär gab, waren sie immer dabei; es war geradezu ihre Pflicht.

Falls ein Anwerber der Armee dorthin kam, wurde er sofort von allen Seiten angegriffen und verhöhnt – alles im Namen des Friedens, versteht sich. Kannst du dir vorstellen, dass du oder ich dort jemals einen Job bekommen hätten? Vielfalt wurde bei denen nur dann akzeptiert, wenn ihre Ansichten nicht angekratzt wurden; aber nun ist ein Wirbelsturm über uns gekommen.« Er schnaubte verächtlich. »Sie sind völlig hilflos. Ich wette, sie sitzen jetzt alle auf ihrem Campus herum wie die französischen Adligen in Versailles, als der Mob die Mauern stürmte. Ich wette, sie singen immer noch *Give Peace a Chance,* obwohl sie langsam verhungern.

Tja, und das jedenfalls wird meinen Studenten nicht passieren«, sagte Dan kalt. »Und unsere Gemeinde werden wir ebenfalls retten.

150 für Kompanie A und weitere 100 für Kompanie B, sobald wir die Waffen haben. Wenn du genau hinsiehst, wirst du bemerken, dass einige Jugendliche nachgebaute Springfield-Gewehre aus dem Bürgerkrieg tragen. Andere leisten Sozialdienst oder arbeiten an anderen Projekten. Einige haben bei dem Salmonellenausbruch geholfen, sie haben sich freiwillig für die Isolierstation gemeldet. Eine Studentengruppe macht bereits Feuerholz für den Winter. Professor Daniels von der Fakultät für Freilandstudien meint, dass wir ein paar alte Ölbrenner so umfunktionieren können, dass sie Holz verbrennen. Damit hätten dieses Gebäude und die Bibliothek Zentralheizung. Allerdings brauchen wir dafür über 300 Klafter Holz. Professor Lassiter redet davon, am Damm des Stausees eine Wasserturbine einzurichten. Er meint, sie könnte bis zum Herbst funktionsfähig sein, und dann hätten wir Strom.«

John konnte sich ein Lächeln nicht verkneifen.

Die meisten Städtchen in der Nähe hatten vor 100 Jahren auf diese Weise ihren ersten Strom erzeugt. Unternehmer reisten herum, verkauften den Gemeinden Generatoren und lehrten sie, diese mit einem Staudamm zu verbinden und etwas Draht zu verlegen – und schon besaßen sie das Wunder der Elektrizität.

»Professor Sonnenberg sagt, dass wir in unserer Bibliothek komplette Jahrgänge der Zeitschriften *Scientific American* und *Popular Mechanics* haben, die bis in die 1850er-Jahre zurückreichen. Diese Seiten sind jetzt kostbarer als Gold, denn sie enthalten 80 oder 100 Jahre alte Bauanleitungen für Radios, Telegrafen, Dampfmaschinen, Batterien und Verbrennungsmotoren und außerdem die Formeln fast aller damaligen Fortschritte im chemischen Bereich.

Außerdem haben wir in der Bibliothek fast alle Ausgaben von *Mother Earth News* und den *Foxfire*-Büchern.« Dan gluckste. »Die wurden zwar von den meisten Professoren mit Verachtung gestraft, aber es gab vor deiner Zeit hier einen beliebten alten Professor, inzwischen tot, der das war, was die Kinder einen ›Körnerfresser‹ nennen. Dieser Professor hat uns eine Goldmine an praktischem Wissen hinterlassen: wie man Nahrungsmittel findet, wie man sie konserviert, wie man sie lagert. Wir haben bereits einige Gruppen ausgeschickt, die mit diesen Büchern bewaffnet herumstreifen und genug ernten, um uns am Leben zu erhalten. Es ist schwer zu glauben, John, aber Klapperschlangen-Kebab schmeckt gar nicht so übel.

Es liegt alles in unseren Händen. Wir müssen nur anpacken und zugreifen. Aber dazu müssen unsere Studenten für unsere Sicherheit sorgen und nötigenfalls mehr Zeit für uns herausschinden.«

»Zeit wofür? Wir haben doch die Straßen und Bergpässe gesichert.«

»Du weißt von den Kämpfen dort, oder?«, fragte Dan.

»Ja.«

»Das war lediglich ein unorganisierter Mob. Es gibt aber fundierte Gerüchte, dass sich allmählich Gruppen formieren.

Die meisten sind einfach verängstigte Menschen, die sich zusammenschließen, um zu überleben und sich gegenseitig zu schützen; genau das, was wir hier auch tun. Aber es gibt auch Gerüchte über Kulte, John. Eine Familie, die gestern durchgelassen wurde, kam aus Tennessee. Sie waren nach Osten unterwegs und sagten, in Knoxville sei ein Mann, der behauptet, dies sei der Beginn eines Heiligen Krieges.«

»Lass mich raten: Wer seiner Vision der Heiligkeit nicht nachfolgt, der stirbt.«

Dan nickte.

»Er behauptet, Jesus sei, kurz bevor der Strom ausfiel, zu ihm gekommen und habe ihn mit seiner Mission beauftragt: Er sei der neue Johannes der Täufer, der den Weg für die endgültige Rückkehr Jesu bereitet. Großer Gott, angeblich folgen ihm bereits Hunderte und töten jeden, der anderer Meinung ist.«

»Nur ein paar Wochen haben genügt, um uns so weit zu bringen«, seufzte John.

Dan legte ihm eine Hand auf die Schulter.

»Denk an das Buch der Prediger, John: ›Krieg hat seine Zeit und Frieden hat seine Zeit‹ … Und an diesem Punkt sind wir jetzt angelangt. An dem Punkt, an dem Studenten auf dem Campus wieder Militärtraining absolvieren. Ich möchte daran glauben, dass es in ganz Amerika heute Tausende von Gruppen gibt, die genauso exerzieren, damit wir nicht zu einem Pöbelhaufen degenerieren, in dem der Stärkere den Schwächeren auffrisst, oder in dem wir einander aufgrund wahnsinniger Glaubenssätze im Blutrausch umbringen.

Darum exerzieren diese Jugendlichen da draußen. Und darum möchte ich, dass du sie anführst.«

»Ich?«, fragte John ungläubig. »Aber du bist doch derjenige, der diese Vision hat.«

»Ich bin Collegepräsident«, sagte Dan mit einem Lächeln. »Ein einbeiniger Collegepräsident.«

»Ein verwundeter Kriegsveteran«, gab John scharf zurück.

»Ja, ich war ein dummer 18-Jähriger aus Mocksville in North Carolina, der viel zu blöde war, um zu merken, dass er sich in einem Minenfeld befand. Aber ich bekam ein volles Veteranenstipendium und eine Behindertenrente. Mir war klar, dass ich nicht mehr rennen und Football spielen konnte, also musste ich etwas anderes tun, und hier bin ich nun.

John, während wir hier tun, was wir können, möchte ich, dass du in der Stadt die Leitung übernimmst. Charlie ist ein guter Mann, ein großartiger Mann, aber sein Augenmerk konzentriert sich auf die Gegenwart, auf das Überleben unserer Gemeinde. Gott möge ihn dafür segnen; aber wir brauchen mehr. Wir brauchen jemanden, der weiter voraussehen kann, der den Funken unserer ursprünglichen Vision am Leben erhält, genau wie in Arlo Guthries Lied »Patriots' Dream«. Jeder in diesem Städtchen respektiert dich inzwischen: die Studenten, die Gemeinde, die Polizei, Charlie – alle.«

»Warum?«, fragte John kalt. »Weil ich kotzen musste, als ich einem Junkie das Gehirn aus dem Kopf gepustet habe?«

»Nein, wegen der Dinge, die du gesagt hast, bevor du ihm das Gehirn aus dem Kopf gepustet hast, wie du es so salopp ausdrückst. Vielleicht hatte das Leben dieses armen, vom Teufel gerittenen Jungen doch einen Sinn. Vielleicht lag der Sinn darin, dir diesen wichtigen Moment dort zu ermöglichen.

Die Tatsache, dass du ihn hingerichtet hast, hat vielleicht bei manchen lediglich Angst und Ehrfurcht ausgelöst, aber die meisten haben auch deine Worte gehört und werden sie nicht vergessen. Das gibt dir Macht, John. Außerdem warst du mal ein Colonel und man wollte dich sogar zum General befördern, aber um Marys willen hast du das abgelehnt. Marys Familie gehört hier zu den Alteingesessenen, und die ganze Stadt sprach damals darüber, dass du die Beförderung ausschlugst, um sie nach Hause zu bringen. Du hast doch bestimmt schon vom ersten Tag an gespürt, wie sehr dich jeder hier respektierte.«

Um die Wahrheit zu sagen, hatte John nichts dergleichen gespürt; er war viel zu sehr auf Mary konzentriert gewesen. Außerdem war er im tiefsten Inneren sogar ein wenig verbittert gewesen, weil die Verantwortlichen im Pentagon keine Lösung für sein Problem gefunden hatten. Aber all dies lag nun in der Vergangenheit, und er dankte Gott aus vielen Gründen dafür, dass er hier war – besonders jetzt.

»Dan, meine gesamte Kampferfahrung beschränkt sich auf 100 Stunden beim ›Wüstensturm‹, und die meiste Zeit davon verbrachte ich in einem Bradley-Kommandopanzer. Es gab einmal eine kleine Erschütterung, als ein Artillerieprojektil 100 Meter entfernt einschlug, aber das war alles. Übertrage Washington diese Aufgabe. Er ist der Militärausbilder; er ist derjenige, der während des Vietnamkrieges in Khe Sanh war.«

»Er will den Posten nicht und ist mit allem, was ich jetzt sage, völlig einverstanden. Er hat es mir erklärt, als wir neulich diese Einheit geplant haben und die Frage des Kommandeurs aufkam. Ich habe sie zunächst offengelassen, weil ich dachte, er würde den Posten vielleicht übernehmen, aber er sagte sofort, dass du der richtige Mann dafür wärst.«

»Was genau hat er gesagt?«

»Er hat gelacht. Er sagte, er wisse, dass er der beste Ausbilder bei den Marines war, aber dass man mehr als das braucht, um eine Armee zu befehligen. Er will jemanden auf diesem Posten sehen, der eine höhere Bildung besitzt, der unter extremem Stress die Ruhe behält, der den Krieg studiert hat, seine Geschichte kennt und deshalb in einer Krisensituation richtig reagieren kann. Und dieser jemand bist du, John. Falls es jemals zu ernsthaften

Kampfhandlungen kommt, sollte meiner Meinung nach Washington an der Front sein, aber er möchte jemanden wie dich als Befehlshaber hinter sich wissen.«

»Ich glaube immer noch, dass er befehlen sollte.«

»Er ist eine Art Freiherr Friedrich von Steuben, der im Revolutionskrieg nach Valley Forge kam, um George Washingtons Truppen auszubilden, und das weiß er selbst am besten, auch wenn er zufällig Washington heißt. Es ist deine Aufgabe. Und auch Charlie meinte, dass, falls in dieser Krise eine Miliz erforderlich wird, du derjenige sein solltest, der sie kommandiert.«

»Na, ich danke vielmals.«

»John, ich glaube, du wärst überhaupt nicht infrage gekommen, wenn du auf diesen Posten erpicht wärst. Wir wollten jemanden, der diese Aufgabe hauptsächlich als Dienst an der Allgemeinheit sieht, und der vor allem auch bei der Verteidigung dieser Gemeinde weiter blickt und an die Zukunft denkt.

John, wir träumen von unserem Amerika. Wir wollen, dass unser Amerika wieder zu uns zurückkommt; aber ich glaube nicht, dass das geschehen wird. Das Amerika, das wir kennen, starb, als die Atomsprengsätze über der Atmosphäre explodierten. Und wenn das stimmt, dann ist es an uns. Wir dürfen nicht abwarten, sondern müssen Amerika so wieder aufbauen, wie wir es uns wünschen.«

KAPITEL ACHT

Tag 35

Eine festliche Atmosphäre lag in der Luft, als John auf seinen inzwischen angestammten Parkplatz vor der Feuerwache neben dem Rathaus fuhr.

Die Löschzüge, die vor über einem Monat herausgerollt worden waren, um in der Feuerwehrgarage Platz für die Notvorräte zu schaffen, standen immer noch draußen: bewegungslos, aber nicht mehr glänzend, sondern staubig. An der Stoßstange eines Löschfahrzeugs waren Pferde angebunden.

Die Menge stand erwartungsvoll herum und viele, die John näher kommen sahen, nickten ihm respektvoll zu.

Bei allen hatten die vergangenen 35 Tage Spuren hinterlassen. Die Gesichter waren hagerer, manche verkniffen. Generell war die Kleidung schmutzig und voller Schweißflecken, die Haare waren fettig, und viele Männer ließen ihre Bärte sprießen. Und alle stanken. John fragte sich, ob die Menschen vor 100 Jahren immer so gerochen hatten, ob dies der typische Geruch einer Menge ungewaschener Körper gewesen war. Oder lag es daran, dass die Leute bis vor 36 Tagen so sehr an Hygiene gewöhnt gewesen waren, dass sie ganz entsetzt waren, wenn ihr Deodorant versagte und sie andere »belästigten«, und mindestens einmal am Tag duschten – im Sommer oft sogar zweimal?

War dieser Zustand nun normal? Hatten George Washington, Thomas Jefferson und Abraham Lincoln so gerochen? Völlig normal, sodass es gar nicht auffiel?

Tom erschien grinsend in der Tür des Polizeireviers.

»Es funktioniert!«

Ein paar Jubelrufe waren aus der Menge zu hören, bevor die Leute allmählich auseinandergingen, aber einige schoben sich dicht an die Tür und die Fenster zum Konferenzraum, um hineinzusehen, als sei dort drinnen ein Wunder geschehen.

John drängte sich hindurch in das Gebäude.

»Wir fangen in ein paar Minuten an, aber bis dahin wollen wir es einfach genießen«, sagte Tom.

John betrat den Konferenzraum und schmunzelte über das alte Kurbeltelefon, das an die Wand montiert worden war.

»Ja, ja, ich höre Sie!«, schrie Charlie, der sich nach vorn zur Sprechmuschel beugte, die Hörmuschel mit der freien Hand ans Ohr gepresst.

»Ja, ich verstehe. Es funktioniert. Fahren Sie fort, führen Sie die Linie weiter. Ja, Ende der Durchsage. Auf Wiederhören.«

Er legte auf und wandte sich der Versammlung zu.

»Wir haben ein Telefonsystem!«

Applaus erschallte, der von der Menge draußen weitergetragen wurde.

John betrachtete den Apparat, den man, wie von ihm vorgeschlagen, in einem Antiquitätengeschäft aufgestöbert hatte. Ein ähnliches Telefon war im Polizeirevier von Swannanoa montiert worden. Die Arbeit hatten zwölf Fernleitungsmonteure getan: alte, ehemalige Angestellte der Telefongesellschaft, einige von ihnen Flüchtlinge, die man an den Straßensperren hereingelassen hatte.

Glasfaserkabel und moderne Verdrahtungssysteme waren unbrauchbar geworden. Man hatte altmodischen Kupferdraht auftreiben müssen, ein schwieriges Unterfangen, aber nach und nach war man an verschiedenen Orten fündig geworden. Eine alte Telefon- oder Telegrafenleitung, die einige Kilometer lang parallel zu den Eisenbahngleisen verlief, hatte sich als Fund von unschätzbarem Wert erwiesen. Die einzelnen Drahtstücke mussten vorsichtig miteinander verspleißt und dann auf Glas- oder Keramikisolierkörper gezogen werden – die meisten davon bestanden aus alten Limonadenflaschen.

Dies war die erste funktionierende Leitung; das Ziel war, sie bis Asheville zu verlängern. Erstaunlicherweise war eine altmodische Telefonschaltanlage aus den 1920er-Jahren im Keller der Enkelin einer Telefonistin entdeckt worden. Als das System in den 50er-Jahren durch die damals neuere Technik ersetzt worden war, hatte die alte Dame anscheinend ihre ausgediente Schaltanlage als Souvenir mit nach Hause genommen. Einige ältere, ehemalige Telefonmonteure versuchten sich nun daran zu erinnern, wie man eine solche Anlage anschloss; eine richtige Schaltanlage, die Dutzende von Telefonanschlüssen verwalten konnte.

Weitere Fortschritte waren zu verzeichnen. Auf einem Schrottplatz in Swannanoa war es gelungen, einen alten Sattelschlepper aus den 60er-Jahren zum Laufen zu bringen. Daraufhin hatte sich eine Debatte darüber entfacht, wer ihn bekommen sollte, und schließlich war er der Feuerwehr zuerkannt worden. Auf dem Auflieger waren nun Wasserschläuche, Leitern und andere Gerätschaften zum Löscheinsatz montiert worden. Sie hatten sogar eine Methode ausgetüftelt, den Motor zu benutzen, um eine Wasserpumpe anzutreiben.

Feuer war zu einer allgegenwärtigen Gefahr geworden. Wer noch Lebensmittel besaß, kochte mit Holz, und häufig entstanden Haus- und Buschbrände. Die Gemeinde hatte immer noch genügend Wasserdruck für die Siedlungen unterhalb von 726 Metern, der Höhe des Staudamms. Zu allen darüberliegenden Häusern musste man Eimer schleppen, und die Gefahr eines Feuers dort oben, das sich zu einem unkontrollierbaren Waldbrand auswuchs, machte allen große Sorgen.

In den beiden Gemeinden verkehrten nun insgesamt über 100 Fahrzeuge, und täglich wurden mehr zum Laufen gebracht. Einige Mechaniker hatten gelernt, die Elektronik zu umgehen und auszubauen, insbesondere bei Autos, die nur minimal davon abhängig gewesen waren, und alte, »konventionelle« Ersatzteile einzubauen, sodass man die Motoren wieder starten konnte.

Ein Moped-Laden hatte großen Erfolg dabei, sowohl seine relativ einfachen Maschinen als auch ältere Motorräder wieder funktionstüchtig zu machen.

Inzwischen waren so viele Fahrzeuge einsatzbereit, dass ein alter Generator bei Smiley's angeschlossen worden war und das Benzin aus Hamids unterirdischen Tanks wieder floss.

Smiley's war so etwas wie ein altmodischer »Dorfkrämer« geworden. Außer Hamids legendär gewordenem Zigarettenvorrat gab es zwar herzlich wenig zu verkaufen; aber er verteilte die Zigaretten nun im Tausch gegen tote Eichhörnchen, alte Silbermünzen oder was ihm sonst zusagte.

Fast bereute John nun seinen Sinn für Fairness damals, am ersten Tag, bei Hamid. Er hätte ein Dutzend Stangen kaufen sollen. Jetzt hatte er nur noch fünf Päckchen und erlaubte sich pro Tag lediglich fünf Zigaretten.

»Okay, Leute, wir fangen jetzt an, also bitte macht den Raum frei«, sagte Charlie.

Die Leute, die hereingekommen waren, um das Telefon zu bestaunen, verließen zögernd das Konferenzzimmer. Charlie zog die Jalousien zu.

Es war die übliche Gruppe: Charlie, Kate, Doc Kellor und John. Carl und Mike aus Swannanoa kamen nur dazu, wenn etwas besprochen werden sollte, das ihre Gemeinde direkt anging; aber heute waren sie mit einem Waldbrand bei Haw Creek beschäftigt, der sich zu einem richtigen Inferno auszuwachsen drohte.

Ein Ritus, auf dem John bestanden hatte, wurde nun vollzogen: Die ganze Gruppe wandte sich der amerikanischen Flagge zu, die in einer Ecke des Raums hing, und rezitierte den Fahneneid. Anschließend sprach Kate ein kurzes Gebet, bevor Charlie den Beginn des offiziellen Treffens verkündete.

»Ich bringe die Tagesordnung ungern durcheinander, aber ich habe etwas Wichtiges vorzubringen«, sagte John.

»Was?«

»Nachrichten von draußen.«

»Um Gottes willen, Mann, warum hast du das nicht gleich gesagt, als du hereingekommen bist?«, fragte Charlie.

»Alle waren so aufgeregt wegen des Telefons und, na ja, ehrlich gesagt, manches ist nicht unbedingt positiv.«

»Nun erzähl schon«, drängte Kate.

»Ein Radiosender ist jetzt in Betrieb. ›Die Stimme Amerikas‹.«

»Donnerwetter! Seit wann?«, rief Kate.

»Gestern Abend fuhr ich Auto und spielte mit dem Drehregler herum, und plötzlich kam er laut und deutlich herein.«

»Im Radio?«, rief Charlie. »Erzähl, was haben sie gesagt? Mein Gott, wir haben wieder Radio!«

»Das alte Radio im Edsel. Ich weiß nicht warum, aber wie gesagt, ich spielte mit dem Regler herum, und plötzlich war der Sender klar und laut da; auf der alten Zivilschutzfrequenz. Wir hörten etwa eine halbe Stunde zu, aber dann unterbrachen atmosphärische Störungen die Sendung.«

»Wir?«, erkundigte sich Kate gedehnt.

Er antwortete nicht. Makala war gekommen, um mit ihnen zu essen und nach Jennifer zu sehen, und er hatte sie zurück zum Konferenzzentrum gefahren, das nun als Pflegeheim und Isolierstation für Flüchtlinge diente.

»Also, was zum Teufel geht da draußen vor?«, fragte Tom.

»Sie senden vom Flugzeugträger *Abraham Lincoln* aus, der zu unserer Flotte im Persischen Golf gehörte, als alles anfing. Sie sind so schnell wie möglich hierher zurückgefahren. Sie sagten, das Schiff liege inzwischen irgendwo vor der Küste der Vereinigten Staaten und sei nun die Kommandozentrale für alle Rettungs- und Bergungsoperationen. Sie sagten, Hilfe sei unterwegs, und wiederholten diese Nachrichten alle fünf Minuten. Sie erklärten auch, dass die Nation sich immer noch im Ausnahmezustand befindet.«

»Das ist nichts Neues«, sagte Kate.

»Was für Hilfe?«, fragte Tom.

»Das haben sie nicht gesagt; außer, dass Notvorräte aus Großbritannien, Australien, Indien und China unterwegs sind.«

»Indien und China?«, wiederholte Charlie.

»Ja, das kam mir auch merkwürdig vor; wegen des früheren Berichts von der Detonation über dem Westpazifik.«

»Gegen wen kämpfen wir?«, fragte Tom.

»Das haben sie nicht gesagt; nur, dass unsere Streitkräfte im Iran, im Irak und in Korea kämpfen. Die gute Nachricht ist, dass Charleston, Wilmington und Norfolk zu Reorganisationszentren erklärt worden sind.«

»Was zum Teufel soll das bedeuten?«, wollte Kellor wissen.

»Ich nehme an, es bedeutet, dass alle funktionierenden Schiffe, die elektrischen Strom, Flugzeuge und ausgebildete Fachkräfte zur Verfügung stellen können, dorthin unterwegs sind – zu diesen drei Orten.«

»Charleston ist am nächsten – 402 Kilometer von hier«, seufzte Charlie. »Das hilft uns überhaupt nicht.«

»Ich weiß«, sagte John.

»Was ist mit dem Krieg?«, fragte Tom weiter.

»Ist abgesehen von diesen drei Städten irgendetwas bekannt?«, unterbrach Kate.

»Nichts. Ach ja, die ehemalige Außenministerin ist jetzt Präsidentin.«

Niemand kommentierte diese Nachricht.

»Anscheinend ist der Präsident an Bord der Air Force One gestorben. Sie konnten zwar noch abfliegen, aber das Flugzeug war nicht genügend abgeschirmt, um dem EMP zu widerstehen. Sie haben nicht gesagt, was mit dem Vizepräsidenten und dem Sprecher des Repräsentantenhauses geschehen ist.«

»Also gab es nichts, was uns direkt betrifft«, bemerkte Charlie, und niemand fügte etwas hinzu. *Merkwürdig,* dachte John, *unser Präsident ist tot und wir sagen, dass es uns nicht betrifft.*

»Das war alles. Danach haben sie Musik gespielt.«

»Was?«, fuhr Charlie auf. »Sie haben Musik gespielt?«

»Patriotische Musik. ›God Bless America‹, und als die Sendung abbrach, lief gerade ›Battle Hymn of the Republic‹.«

John sah in die Runde.

»Zumindest wissen wir, dass sie da sind.«

»Die legendären ›sie‹«, erwiderte Kellor kalt. »Das hilft uns keineswegs, und schon gar nicht bei dem, was ich jetzt sagen muss.«

»Heraus damit, Doc«, forderte ihn Charlie auf. »Was du uns gerade erzählt hast, deprimiert mich, John. Der Gedanke daran, dass sie so nahe sind … Vor anderthalb Monaten hätte eine C-130 mit medizinischen Vorräten in einer Stunde von Charleston hierherfliegen können. Jetzt könnten sie genauso gut auf der dunklen Seite des Mondes sein. Wie dem auch sei, fahren Sie fort, Doc.«

»Gestern gab es nur 13 Tote«, sagte der Arzt, und ein allgemeines, erleichtertes Murmeln erhob sich aus der Runde.

Dies war die geringste Todeszahl, seit sie angefangen hatten mitzuzählen. »Zwei erlagen Herzinfarkten, zwei waren Dialysepatienten. Die Letzten, glaube ich. Alle anderen Bürger unserer Gemeinde, die auf eine Dialyse angewiesen waren, sind bereits gestorben.«

Niemand sprach.

»Wir haben auch einen unserer Diabetiker verloren.«

Es war immer noch still im Raum, aber John spürte, wie sich die Blicke der anderen auf ihn richteten. Natürlich wussten sie Bescheid. Er starrte stumm geradeaus.

»Und wir hatten eine Geburt.«

»Wer?«, fragte Kate.

»Mary Turnbill. Ein gesundes, drei Kilo schweres Mädchen. Sie heißt Grace America Turnbill.«

»Das ist großartig«, sagte Tom laut.

»Bis jetzt hatten wir acht Geburten, und wir haben nur ein Kind und eine Mutter verloren. Noch ist das keine Basis für eine relevante Statistik, aber bis jetzt ist das immerhin besser als vor 150 Jahren.«

»Gute Arbeit, Doc«, sagte Charlie.

»Tja, jetzt komme ich zur Kehrseite. In einem gewissen Sinn erleben wir gerade die Ruhe vor dem Sturm, oder besser gesagt, die Ruhe zwischen zwei Stürmen. In den ersten Tagen waren die Todesfälle verheerend: alle, die intensive medizinische Betreuung brauchten, dazu die ersten Fälle von Lebensmittelvergiftungen und all diejenigen, die in mieser körperlicher Verfassung waren. Das machte ungefähr 1200 Tote von 10.000 aus, wie ihr wisst, davon 500 allein in Black Mountain und Swannanoa. Wir haben noch immer keine genaue Anzahl der Leute, die in den ersten paar Tagen eingewandert sind, aber es müssen weit über 1000 sein, also lasst uns als Gesamtzahl der Bevölkerung 12.000 annehmen, was durch die Todesfälle auf ungefähr 10.000 reduziert worden ist.«

»Das beinhaltet weder die Opfer der Kämpfe am Bergpass

noch die Flüchtlinge, die außerhalb der Barriere gestorben sind«, unterbrach Tom.

»Nein, im Moment rede ich nur von denjenigen, die eines natürlichen Todes gestorben sind. Ich will damit sagen, dass all diejenigen, bei denen es wahrscheinlich schien, dass sie schnell sterben würden, inzwischen tatsächlich gestorben sind. In den nächsten 15 Tagen dürfte die Anzahl der Todesopfer relativ gering sein, solange wir die Gemeinde stabil halten können und sich keine exotischen Krankheiten einschleichen. Aber leider muss ich sagen, dass danach die Todesfälle wieder zunehmen werden. In 30 Tagen wird es schlimmer sein als alles, was wir bisher erlebt haben.«

Kellor zögerte und sah John einen Augenblick lang an. Er wusste von Johns geheimem Insulinvorrat.

»Fast alle unsere Diabetiker vom Typ 1 werden in diesem Monat sterben. Die Apotheken hatten etwa ein Kontingent von einer Ampulle mit 1000 Einheiten pro Person. Dieser Vorrat geht langsam zu Ende. Wir müssen also damit rechnen, dass die ungefähr 120 Typ-1-Diabetiker in unserer Gemeinde alle sterben werden.«

Alle schwiegen.

»Weitere Todesfälle, mit denen wir im kommenden Monat rechnen müssen, sind schwere Asthmatiker, die ihre Inhalatoren nicht mehr ersetzen können, und Patienten mit schweren Herzrhythmusstörungen, die keine Beta-Blocker mehr bekommen. Darum glaube ich, dass wir uns momentan in einer Flaute befinden, bevor die nächste Welle über uns hinwegrollt.

Es gibt eine andere Angelegenheit, die wir bisher nicht angesprochen haben. Tom, Sie sollten anfangen, sich darauf vorzubereiten; und wir sollten vielleicht überlegen, ein weiteres Gebäude als Isolierstation zu übernehmen.«

»Wofür?«, erkundigte sich Kate.

»Schwere Psychosen.«

»Meinen Sie Wahnsinn?«, fragte Tom. »Verdammt, wir

sehen schon genug Verrückte am Bergpass. Und dazu noch die Selbstmorde im letzten Monat. Ich glaube, wir sind jetzt schon alle halb verrückt.«

»Es wird sich aber innerhalb weniger Tage verschlimmern«, sagte Kellor.

»Warum in wenigen Tagen?«, wollte Tom wissen.

»Ungefähr ein Viertel unserer Bevölkerung ist von Antidepressiva oder Beruhigungsmitteln abhängig: Prozac, Xanax, Lexapro, sogar das gute alte Lithium. Die meisten dieser Leute rannten gleich am Anfang in die Apotheken und legten sich einen Vorrat an, aber im Durchschnitt hat jede betroffene Person höchstens genug für 30 Tage.

Nun geht ihnen der Vorrat aus. Für manche wird der Entzug nicht so schlimm sein, andere werden sehr ernste Symptome haben, bis hin zu Halluzinationen. Dazu kommt der Stress, unter dem wir alle stehen. Als altmodischer Landarzt kann ich euch sagen, dass viele Leute, die diese Medikamente einnehmen, nur leicht neurotisch sind. Wir lebten aber in einer verwöhnten Gesellschaft, in der es fast zum guten Ton gehörte, irgendeine psychische Störung zu haben. Aber ungefähr fünf Prozent der Bevölkerung leiden an ernsten Psychosen. Bei einem bis zwei Prozent davon handelt es sich um schweren Verfolgungswahn und extrem aggressives Verhalten.«

»Mit andern Worten, wir dürfen mit vielen Wahnsinnigen rechnen«, sagte Tom.

»Sie sind derjenige, der damit zu tun haben wird«, erwiderte Kellor, »und ich denke, Ihre Männer sollten darüber informiert werden. Vor nicht allzu langer Zeit mussten die Familien allein damit umgehen. Sie haben ihre verrückten Onkel in deren Zimmer eingesperrt oder sie in eine der staatlichen Anstalten gesteckt, die wirklich Schlangengruben waren. Da gab es zum Beispiel im 18. Jahrhundert in England eine Anstalt namens Bethlehem, im Volksmund

Bedlam. Nach den alten Bildern zu urteilen war sie ein richtiges Höllenloch.

Wir haben uns mit diesem Problem nicht mehr beschäftigt, seit die moderne Psychopharmakologie in den 1960er- und 70er-Jahren nach und nach die neuen Drogen auf den Markt brachte. Dazu kamen die Gesetzesänderungen, die Zwangseinweisungen – außer in Extremfällen – größtenteils untersagen; und dadurch leerten sich die psychiatrischen Kliniken.

Wenn wir uns jetzt 50 Jahre in der Vergangenheit befänden, wären mindestens 100 unserer Mitbürger längst in irgendeiner Weise in ihrer Bewegungsfreiheit eingeschränkt, womöglich sogar in einer Zwangsjacke; entweder zu Hause oder in einer staatlichen Anstalt. Aber nun leben sie in unserer Mitte; und die Medikamente, die sie stabilisiert haben, sind aufgebraucht und nicht mehr erhältlich. Hunderte durchlaufen jetzt bereits diverse Stadien psychischer Instabilität. Ich versuche euch damit klarzumachen, dass wir bald an die 1000 Menschen in unserer Gemeinde haben werden, die in unterschiedlichem Maß psychisch instabil sind; und zwar nicht aufgrund der Krisensituation, sondern aufgrund ihres Zwangsentzugs von Medikamenten. Davon werden mindestens 50 bis 100 eine extreme Gefahr sowohl für andere als auch für sich selbst darstellen. Schwere Paranoiker, Schizophrene und Menschen mit wahnhaften Persönlichkeitsstörungen; manche davon mit einer kriminellen Vergangenheit. Sie wurden für geistesgestört erklärt, behandelt und dann wieder auf freien Fuß gesetzt. Charlie, ich glaube, Sie werden mir die Befugnis erteilen müssen, Menschen für geistig instabil zu erklären und sie, wenn nötig mit Gewalt, inhaftieren zu lassen. Wir werden Überwachungs- und Versorgungspersonal für sie finden müssen, und wir müssen entscheiden, wie wir sie ernähren.«

Charlie seufzte, strich sich den Bart und nickte.

»Hiermit verleihe ich Ihnen mit sofortiger Wirkung die Autorität, eine Person für geistesgestört zu erklären und sie inhaftieren zu lassen; nötigenfalls auch gegen ihren Willen und gegen den Willen ihrer Familie. Tom, du wirst für die Inhaftierung verantwortlich sein. Ich werde nachher draußen eine entsprechende Notiz aushängen.«

Kellor nickte.

»Ich glaube, wir haben 30 oder 40 Fälle, die wir schon vorsorglich einquartieren sollten – und ich meine: sofort; auch wenn sie noch Medikamente haben. Als Arzt weiß ich, welche meiner Patienten bereits lange vor dieser Krise am Abgrund standen. Patienten, die bereits schwere Schübe und Klinikaufenthalte hinter sich haben. Tom, du kennst wahrscheinlich einige von ihnen durch gewisse Vorfälle, die dazu führten, dass sie ins Gefängnis kamen oder in psychiatrische Anstalten eingewiesen wurden. Ich meine, wir sollten diese Leute aufgreifen, bevor sie außer Kontrolle geraten.«

»Nur eines noch«, sagte John leise.

»Was denn, John?«

»Wir sollten nicht vergessen, dass diese Macht früher auch dazu missbraucht worden ist, Menschen einzusperren, weil ihre Nachbarn sie nicht mochten oder weil sie politisch Andersdenkende waren. In noch dunkleren Zeiten hielt man Wahnsinn für ein Zeichen dämonischer Besessenheit, und das führte zu Hexenjagden. Wir haben jetzt schon ein paar kleine Kirchen in der Gemeinde, die predigen, diese Katastrophe sei eine Strafe Gottes für unsere Sünden; und dass jetzt die Endzeit angebrochen ist. Ich habe früher nie über das nachgedacht, was uns der Doc gerade über Massenpsychosen gesagt hat, aber es könnte schon sein, dass einige Leute diese Psychotiker, wenn sie trotz ihrer Störungen gute Redner sind, als Propheten sehen – oder dass man sie als Besessene verfolgt.«

»Verdammt, das hört sich langsam an, als wären wir im Mittelalter gelandet«, seufzte Kate.

»Das sind wir ja auch, Kate«, gab John zurück. »Wenn wir Leute hier haben, die psychisch in den Abgrund stürzen, oder wenn sie eine Vorgeschichte mit psychischen Störungen haben, werden wir sie zum Schutz der Allgemeinheit einsperren müssen. Es hat uns gerade noch gefehlt, dass ein Mob irgendeinem wahnsinnigen Propheten nachrennt oder eine Hexe steinigt. So weit könnte es tatsächlich kommen. Aber die Trennlinie zwischen Vernunft und Massenhysterie ist in diesem Fall sehr schmal, und wir wollen nichts übertreiben. Wir alle haben die Berichte über den Kult in Knoxville gehört. Wir wollen so etwas hier nicht mal im Ansatz haben.«

John sah zu Kellor, der zustimmend nickte.

»Noch etwas in diesem Zusammenhang«, sagte Kellor. »Alkohol. Der Andrang auf die Spirituosenläden hat schon am Tag eins die Regale fast geleert, und die anschließenden Plünderungen sorgten für den Rest.«

John ertappte sich dabei, an echten schottischen Malzwhisky zu denken: an die wenigen Deziliter, die noch in der Flasche hinter seinem Schreibtisch übrig waren.

»Die wirklich ernsthaft Alkoholkranken sind jetzt ohne Nachschub, und das kann hart werden. Meine Sorge ist, dass sie versuchen werden, alles Mögliche zu destillieren, um an einen Drink zu kommen.«

»Jeder einzelne Maiskolben wird zum Essen gebraucht und eingesammelt«, zischte Charlie. »Wenn wir jemanden erwischen, der versucht, Mais zu stehlen, um daraus Schnaps zu brennen, wird er strengstens bestraft.«

»Nein, das meine ich nicht, Charlie. Ich meine den Versuch, wirklich *alles Mögliche* zu destillieren, bis hin zur Bremsflüssigkeit. Ich habe bereits einen Idioten, der durch den Konsum von Methylalkohol blind geworden ist. Auch solche Fälle werden wir jetzt öfter haben.«

»Eine trockene Gemeinde«, gluckste Kate. »Noch lange nach der großen Wirtschaftskrise waren wir alkoholfrei. Sieht so aus, als würden wir das jetzt wieder werden.«

»Nun zu der schwierigeren Frage«, fuhr Kellor fort. »Essen.«

Alle, die am Tisch saßen, seufzten.

»Mit der letzten Kürzung der Rationen sind wir bei lediglich 1200 Kalorien am Tag pro Person gelandet. Unsere Vorräte reichen noch für höchstens zehn Tage. Ich fürchte, ich muss eine weitere Verringerung um ein Drittel vorschlagen, um die Reserven auf 15 Tage zu strecken.«

»Darüber habe ich auch nachgedacht«, sagte Charlie.

»Was ist mit den Tieren? Rinder, Schweine, Pferde?«

»Davon haben wir bereits ein Drittel vertilgt. Davon müssen wir so lange leben, wie es nur geht.«

»Für wie lange wird das sein?«, fragte Kate.

»Aber das Radio«, warf Tom ein. »Wenn die Dinge an der Küste sich allmählich normalisieren, könnte vielleicht in einem oder zwei Monaten Hilfe ankommen. Sie brauchen nur eine Elektrodiesel-Lokomotive. Die kann 10.000 Tonnen Lebensmittel und andere Vorräte herbringen.«

»Leichter gesagt als getan«, meinte John. »Als es uns erwischt hat, wurde jeder Zug auf jedem Gleis im ganzen Land lahmgelegt. Das ist nicht wie bei einer Autobahn, wo man einfach an einem kaputten Auto vorbeifahren kann. Sobald sie einige Loks zum Laufen gebracht haben, wird jeder liegen gebliebene Zug auf jedem Gleis irgendwohin rangiert werden müssen, um die Gleise zu räumen. Sämtliche Weichen werden per Hand umgelegt werden müssen.

Ich hatte gehofft, dass die Leute von der Smoky-Mountain-Eisenbahn irgendetwas mit ihrer Dampflok zustande bringen – ihre Gleise verbinden uns mit Asheville. Aber noch haben wir kein Wort darüber gehört.

Was für Hilfe wir auch erwarten können, sie wird von der Küste kommen. Wir sind jetzt wie das Amerika von vor

200 Jahren. Entfernt man sich einen Tagesmarsch von der Küste oder von den Ufern der großen Flüsse, befindet man sich in der Wildnis. Ihr solltet also nicht in der Hoffnung planen, dass die sagenumwobenen ›sie‹ auftauchen.«

»›Vielleicht‹ ist nicht dasselbe wie ›definitiv‹«, stimmte Charlie zu. »Ich bin derselben Meinung wie John. Überleg doch mal, Tom: Sagen wir, dass die Marine in den Hafen von Charleston einläuft. Dort gibt es eine Million Menschen ohne Essen. Momentan bin ich nicht sehr optimistisch, wenn die Entfernungen vom Ozean weiter sind, als ich spucken kann. Doc, was meinen Sie dazu?«

»Die Rationen werden knapp«, stellte Kellor nüchtern fest. »Dazu kommt, dass immer mehr Mitbürger Rationskarten beantragen, weil ihre privaten Vorräte zu Ende gehen. Dadurch haben wir immer mehr Münder zu stopfen, während gleichzeitig unsere Reserven schwinden.«

John hatte noch keine Rationskarten für seine Familie beantragt. Er war immer ein guter Gewehrschütze gewesen, und mit seinem 22er hatte er mehrere Beutelratten, einige Eichhörnchen für die Hunde und am Vortag erstaunlicherweise sogar einen Truthahn erlegt, der ein solches Festessen gewesen war, dass sie die Familie Robinson dazu eingeladen hatten. Lee Robinson hatte eine Literflasche Bier und eine Dose Mais beigesteuert. Makala war ebenfalls dabei gewesen und hatte einen Schokoladenriegel mitgebracht, den sie sich aufgehoben hatte. Sogar die Hunde hatten einige Reste abbekommen.

Die Beutelratten erinnerten John an eine alte Fernsehserie, in der »Granny« immer von Beutelrattenpastete geschwärmt hatte. Jen war entsetzt gewesen, als er das erste Exemplar mitgebracht hatte. Sie hatte versucht, es im Ofen draußen auf der Veranda zu braten und das war eine Katastrophe gewesen; aber inzwischen hatten alle sie zu schätzen gelernt, obwohl die verdammten Viecher ziemlich fett waren.

»Euch ist ja wohl klar, dass wir, wenn wir die Rationen auf 900 Kalorien am Tag beschränken, ungefähr bei der Kalorienzufuhr während der Belagerung von Leningrad angelangt sind? Die Abwehrkräfte der Leute sind schon jetzt beeinträchtigt; im Schnitt hat jeder Bürger bereits 15 Pfund oder noch mehr abgenommen. Für viele war das sogar etwas Gutes, aber allmählich kommen wir in die Phase, in der der Körper nicht mehr die Fettreserven konsumiert, mit denen die meisten Amerikaner gepolstert sind, sondern sich selbst.

Die physische Kraft wird ernsthaft beeinträchtigt, aber darauf komme ich gleich noch zurück. Bei den meisten, die von Rationen leben, werden die ersten Schädigungen im Lauf der nächsten paar Wochen auftreten. Das Immunsystem wird schwächer; das bedeutet, dass die Grippeepidemie unten in Old Fort, falls sie uns erreicht, wie die Grippewelle von 1918 sein wird, die in Amerika fast zwei Millionen Menschen dahingerafft hat. Ich schätze, dass zehn Prozent von uns innerhalb weniger Tage sterben, falls diese Grippe hier ausbricht. Ich glaube, wir müssen den freien Durchgang durch den Bergpass schließen, Charlie, oder zumindest unser Prozedere dort ändern. Gott allein weiß, wie viele Influenzaträger jeden Tag auf der Autobahn in Richtung Westen unterwegs sind.«

Charlie seufzte und sah Tom und John an.

»Wenn wir das tun«, meinte Tom, »wird es wieder Aufstände geben. Nur die Tatsache, dass wir die Leute westwärts durchgehen lassen, hat seit dem letzten großen Aufstand vor drei Wochen größere Probleme verhindert.«

»Ich stimme Tom zu«, sagte John. »Wenn wir die Barriere sperren, haben wir innerhalb weniger Tage einen Rückstau von ein paar Tausend, und sie werden noch verzweifelter sein als die erste Welle. Es wird blutige Kämpfe geben. Wir sollten sie durchlassen, aber wir müssen unseren Leuten einbläuen, schärfere Schutzmaßnahmen zu treffen.«

»Sie tragen bereits Schutzanzüge«, sagte Charlie.

»Ja, aber ich wette, sie ziehen sie mit bloßen Händen aus und waschen sich nicht gründlich genug.«

Er seufzte.

»Die Infektionsgefahr wird sowieso steigen, egal was wir unternehmen. Die Leute bleiben ja nicht auf den Straßen; viele schleichen durch die Wälder.«

»Darüber bekomme ich laufend Berichte«, sagte Tom. »Fremde brechen in Häuser ein und flüchten zurück in die Wälder, wenn jemand kommt. Höchstwahrscheinlich sind die Täter Auswärtige.«

John sah Kate an, aber sie sagte nichts. Der Begriff war bereits in den allgemeinen Sprachgebrauch übergegangen. Sogar diejenigen, die sich nicht am ersten Tag innerhalb der Stadtgrenzen befunden hatten, sondern dazugekommen waren, bevor die Sperren errichtet worden waren, benutzten den Ausdruck, als wollten sie sagen: »Ich bin jetzt hier, ich bin nicht einer von *denen.*«

»Was die Kalorien angeht, haben wir Gott sei Dank Juni. Skorbut ist kein Thema, denn wir haben genug Grünzeug – obwohl Suppe aus Löwenzahn und gekochtem Gras ein bisschen hart zu schlucken ist. Die ersten Gemüsesorten sind jetzt auch erntereif.«

Den ganzen Mai hindurch hatte Charlie sich die Erinnerungen der alten Leute zum Vorbild genommen und eine Kampagne der »Siegesgärten« ausgerufen. Jedes bisschen Saatgut war sorgsam bewahrt und ausgesät worden, und all die schönen Rasenflächen, einst ein weiteres Symbol für den Luxus einer verwöhnten Gesellschaft, waren umgegraben worden, um Salat, Kürbisgemüse, Bohnen und alles, was sonst noch essbar war, anzupflanzen.

»Trotzdem werden wir sehr bald alles aufgebraucht haben.«

»Verdammt noch mal, Doc«, sagte Kate scharf. »Wir haben immer noch 40 Rinder, etwa 200 Schweine und die Pferde. Swannanoa hat vielleicht sogar noch mehr.«

»Eine Kuh am Tag für 10.000?«, fragte Kellor rhetorisch. »Das sind bestenfalls knapp 57 Gramm Fleisch; weniger als ein billiger Hamburger in einem Fastfood-Restaurant – ohne das Brötchen. Sagen wir, zwei Kühe und ein Schwein pro Tag: knapp 140 Gramm Fleisch. Eigentlich immer noch nicht genug; und auch damit werden wir sämtliche Kühe in beiden Gemeinden in einigen Tagen aufgebraucht haben. Dann geben uns die Pferde weitere zehn bis zwölf Tage. Zum Schluss die restlichen Schweine. In allerhöchstens 70 Tagen werden wir alles aufgegessen haben. Was dann?

Und dabei konsumiert jeder nur 1000 bis 1200 Kalorien am Tag. Dann haben wir gar nichts mehr. Wirklich gar nichts.«

Er sah Charlie an.

»Wir müssen bis zum nächsten Frühling planen – viermal so lang, als wir es bisher getan haben.«

Charlie blickte zu John, der zögernd nickte.

»Wir dürfen nicht auf irgendwelche Hilfe von außen zählen, die vielleicht nie kommt. Um uns von Charleston aus zu erreichen, müssten sie zuerst in Columbia die Ordnung wiederherstellen, dann oben in Greenville, dann in Spartanburg. Da unten leben Millionen von Menschen, hier oben nur einige Hunderttausend … Und außerdem … außerdem werden sie glauben, dass wir hier in den Bergen genug haben. Alle denken immer, dass es in den Bergen viel zu essen gibt.«

»Und wenn wir versuchen, Don Barber mit seinem Flugzeug dorthin zu schicken?«, schlug Tom vor.

Einige nickten zustimmend.

»Zumindest wüssten sie dann, dass es uns noch gibt.«

Charlie schüttelte den Kopf.

»Das Flugzeug ist unersetzlich, um die Situation vor Ort im Auge zu behalten. Außerdem hat es vollgetankt nur eine Reichweite von allerhöchstens 320 Kilometern.«

»Wir könnten ein paar Reservetanks zum Anschnallen basteln, damit das Benzin für einen Flug nach Charleston reicht«, meinte Tom.

»Wozu?«, fragte Charlie.

»Um Hilfe anzufordern«, sagte Tom. »Himmel noch mal, zumindest könnte Barber Medikamente mitbringen. Doc Kellor könnte ihm eine Liste geben. Antibiotika, Betäubungsmittel …«

Er hielt inne und atmete tief durch.

»Vielleicht sogar Insulin.«

John sah ihn an, unsicher, wie er darauf reagieren sollte. Es war, als sei ein Tabu gebrochen worden: das Tabu, die Gefahr zu erwähnen, in der Jennifer schwebte. Er sah, dass die Augen des Polizeichefs voller Mitgefühl waren.

John konnte nicht sprechen. Ihn durchzuckte der Gedanke, dass Tom vielleicht recht hatte. Sicher würde es dort jemanden geben, der ihr in ihrer Not helfen konnte.

»Es tut mir leid, Tom«, sagte Charlie leise. »Und, John, Gott weiß, wie leid es mir für dich tut, aber ich muss Nein sagen.«

John blieb still. Sein schlimmster Albtraum war soeben vor dieser Gruppe bloßgelegt worden und er spürte, dass sein Standpunkt in dieser Frage rein egoistisch motiviert war. Er wusste auch, dass Charlie für die logische Entscheidung plädieren musste und dass er ihr würde zustimmen müssen – obwohl er am liebsten aufgesprungen wäre und alle angebrüllt hätte, Toms Vorschlag anzunehmen, sonst würde er den Rat verlassen.

Er merkte, dass er zitterte und dass seine Augen sich mit Tränen füllten. Es war ihm sehr peinlich.

»Es ist eine Frage der brutalen Vernunft«, fuhr Charlie fort. Er konnte John nicht direkt ansehen. »Wir haben Don Barbers Flugzeug, und es ist für unser aller Überleben unbedingt notwendig, dass wir es einsetzen, um die angrenzenden Gebiete zu beobachten. Wir alle kennen die

Gerüchte über die verschiedenen Banden, die sich überall bilden. Nur Don Barber und seine L-3 können uns warnen, wenn sie zu uns unterwegs sind.

Sicher, es könnte sein, dass die Navy tatsächlich da unten in Charleston ist, aber wie du selbst gesagt hast, John: Es gibt Millionen Menschen unten an der Küste, um die sie sich kümmern muss. Außerdem glaube ich, dass Doc Kellor folgende Vermutung teilen wird: Wie viel Insulin befindet sich normalerweise auf einem Marineschiff? Wahrscheinlich gar keins; und alles, was in Charleston vorrätig war, ist inzwischen bestimmt aufgebraucht.«

John senkte den Kopf. Er wollte nicht, dass jemand seine Tränen sah.

»Wenn ich da unten das Kommando hätte«, fuhr Charlie mit trauriger und distanzierter Stimme fort, »dann würde ich Don Barber ein paar nette Worte sagen und ihm vielleicht ein paar Beutelchen mit Antibiotika geben; und natürlich das hohle Versprechen, dass Hilfe unterwegs sei. Und dafür werde ich nicht unser einziges Flugzeug riskieren.

Abgesehen davon könnten sie Dons Flugzeug im schlimmsten Fall sogar beschlagnahmen, und das wäre das Ende.

Falls sie da unten mit dem Neuaufbau begonnen haben, kann das nur schrittweise vor sich gehen«, führte Charlie weiter aus. »Sie werden Leitungen bis zum nächsten Dorf legen, dort die Ordnung wiederherstellen und sich dann weiter landeinwärts vorarbeiten. Und jeder Schritt bedeutet, mehr Leute zu ernähren. Falls sie bis nach Columbia gelangen, haben sie eine Million Menschen mehr zu versorgen; oder südwärts nach Savannah kommen noch ein oder zwei Millionen dazu. Nein, sie werden nicht mit Notvorräten hier heraufkommen, um der Bitte von ein paar Tausend Leuten in den Bergen zu entsprechen, die ihren Hilferuf in einem uralten Flugzeug schicken.«

Es gab einen langen Moment der Stille, bis John endlich zustimmend nickte.

»Charlie, ich habe einen ziemlich krassen Vorschlag«, unterbrach Kellor schließlich das Schweigen.

»Ich höre.«

»Bis jetzt sind wir bei der Verteilung der Nahrung ziemlich egalitär vorgegangen. Jeder kriegt die gleiche Menge; die einzigen Ausnahmen sind Kleinkinder und schwangere oder stillende Frauen, die bekommen ein bisschen extra. Dagegen hat bis jetzt niemand etwas einzuwenden gehabt. Aber Sie sollten eine neue Klassifizierung erwägen.«

»Was?«

John, der sich allmählich von seinem Schock über das Insulin erholte, begriff, worauf der Arzt hinauswollte, und sah Charlie an. Dieser schien nicht mehr in Topform zu sein; er brauchte länger als früher, um schnelle Entscheidungen zu treffen. War das reine Erschöpfung, oder steckte etwas anderes dahinter?

»Höhere Rationen für die Polizei, die Schwerstarbeiter und die Miliz«, sagte Kellor.

»Das gefällt mir nicht«, warf Kate ein. »Das erinnert mich an den berühmten Satz aus *Farm der Tiere:* ›Manche Tiere sind gleicher als andere.‹«

»Kate, die Rationen sind so klein geworden, dass die Leute gerade noch genug Energie haben, um vom Bett aufzustehen und den ganzen Tag herumzusitzen. Wir haben Leute da draußen, die versuchen, das Feuer bei Haw Creek zu löschen. Männer, die Waldbrände bekämpfen, bekamen früher eine energiereiche Diät von mindestens 4000 Kalorien am Tag. Soldaten ebenfalls. Man kann nicht erwarten, dass Menschen bei 900 Kalorien am Tag Schwerstarbeit leisten. Wenn wir das tun, werden wir in drei Wochen alle am Rande des Zusammenbruchs stehen und zu schwach sein, um die Maisernte von den wenigen Farmen einzubringen; geschweige denn, die Straßensperren zu verteidigen und geistesgestörte Flüchtlinge unter Kontrolle zu bringen ...«

Kellors Stimme erstarb und er saß stumm da.

»Wir müssen es tun«, sagte John.

»John, ich hätte eigentlich erwartet, dass du in dieser Angelegenheit auf meiner Seite stehst«, erwiderte Kate.

John schüttelte den Kopf.

»Die ganze Menschheitsgeschichte ist voller Präzedenzfälle. In den belagerten Städten der Antike und des Mittelalters bekamen Soldaten immer höhere Rationen. Im Zweiten Weltkrieg standen bei uns zwar eher die psychologischen und moralischen Auswirkungen im Vordergrund, aber trotzdem ging es bei unseren Rationierungen vor allem um die Männer an der Front. Und in allen anderen Ländern war die Rationierung während dieses Krieges äußerst konkret und manchmal«, er zögerte, »eine Art Selektion.

Der Doc hat Leningrad erwähnt. Dort hatte man feststellen müssen, dass das Essen nicht ausreichte, um alle am Leben zu erhalten. Folglich erhielten in erster Linie die Soldaten und in zweiter Linie die unverzichtbaren Arbeiter genug Nahrung, um leistungsfähig zu bleiben. Erst eine Stufe tiefer folgten Schwangere, stillende Mütter, Kinder, und erst dann ...«

Er schwieg und sah Kellor an.

»Wir haben knapp über 10.000 Seelen in unseren Gemeinden. Und gerade genug Nahrung, um bis zum Herbst, wenn die Maisfelder und Obstplantagen ein bisschen abwerfen, 1000 bis 2000 Menschen gesund zu erhalten. Wenn wir versuchen, alle Leute auf dem gleichen Ernährungsniveau zu halten, bezweifele ich, dass viele überleben werden. Sie werden entweder verhungern oder von verzweifelten Menschen von außerhalb, die noch mehr Hunger haben als wir, überwältigt werden. Lange davor wird das bisschen Ordnung, das wir aufrechterhalten konnten, zusammengebrochen sein.«

»Lieber Gott, sprechen wir jetzt davon, unsere eigenen Mitbürger gezielt und absichtlich verhungern zu lassen?«, schrie Kate. »Wir sind doch in Amerika, um Himmels willen!«

Einen Moment lang sprach niemand. John fühlte sich tief getroffen von dem Wort »Amerika«. Das Land, in dem Milch und Honig flossen; das Land, in dem Fettleibigkeit das meistverbreitete Gesundheitsrisiko war und geradezu als nationales Privileg galt. Das Land der Fastfood-Ketten, die sich alle brüsteten, den größten und fettesten aller Hamburger zu servieren. Selbst vor der Krise hatte er sich oft gefragt, was wohl geschehen würde, wenn derartige Werbekampagnen, die Amerikas Verschwendungssucht demaskierten, in Liberia, dem Jemen oder Afghanistan gezeigt würden.

»›Gezielt und absichtlich verhungern lassen‹ ist ein bisschen brutal ausgedrückt«, entgegnete Kellor abwehrend.

»Auch ein solcher Tod ist ein bisschen brutal«, schoss Kate zurück.

»Es ist nichts als die bittere Wirklichkeit«, sagte John. Seine Stimme klang wie aus weiter Ferne. »So einfach ist das. Wir haben eine Menge *x* an Nahrung und eine Menge *y* an Menschen. Die Gleichung bricht in wenigen Wochen zusammen. Die Menge *y* an Menschen muss unterteilt werden, wenn überhaupt jemand überleben soll.«

»Wir müssen es tun«, bestätigte Charlie mit zitternder Stimme.

»Also, ich werde dem nicht zustimmen«, sagte Kate fest.

»Vergiss nicht, Kate: Im Moment ist das hier keine Demokratie mehr. Wenn du mit dem Vorschlag nicht einverstanden bist und keine Rationen für dich selbst beanspruchst, kann ich mit deiner Entscheidung leben.«

»Und ihr anderen alle?«, schrie Kate. »Jetzt habt ihr eure *Farm der Tiere;* jetzt seid ihr wie die Kommissare während der Hungersnöte in Russland. Glaubt ihr wirklich, dass die Leute das hinnehmen werden?«

»Ich persönlich werde keinerlei Extrarationen beziehen«, sagte Charlie.

»Das müssen Sie aber, Charlie«, unterbrach der Doc. »Ich kenne Ihren Gesundheitszustand; ich war Ihr Hausarzt. Sie leiden unter Bluthochdruck und Magensäure-Reflux. Ihre Leistungsfähigkeit lässt jetzt schon nach; jeder in diesem Raum kann das bestätigen.«

»Das ist nur die Erschöpfung«, entgegnete Charlie scharf. »Ich brauche nur eine einzige Nacht ungestört durchzuschlafen.«

»Bockmist«, fauchte der Doc. »Sie arbeiten für zwei, essen aber so wenig wie alle anderen. Sie werden sich kaputt machen; Sie sind schon fast kaputt.«

»Na wunderbar, dann gebe ich also bekannt, dass wir eine Menge Leute verhungern lassen werden, während ich selber fett und zufrieden herumlaufe.«

John senkte den Kopf.

»Er hat recht«, flüsterte er. »Ich möchte nur in einem einzigen Punkt widersprechen: Wir können nichts davon öffentlich bekannt machen.«

»Jetzt hörst du dich endgültig an wie ein kommunistischer Kommissar!«, zischte Kate.

Er funkelte sie an.

»Glaubst du, dass mir das, was ich eben gesagt habe, gefällt?«, schoss John zurück. »Aber, Charlie, wenn du jetzt da rausgehst und bekannt machst, dass ab sofort manche Leute Extrarationen bekommen, gibt es binnen einer Stunde einen Aufstand. Ich schlage vor, dass wir einige Extrarationen unauffällig zum Campus transportieren. Das, worüber wir gerade sprechen, betrifft größtenteils sowieso die Menschen dort. Wer Extrarationen bekommt, erhält sie dort – und *nur* dort. Aber was Charlies persönliches Beispiel angeht, ist das allein seine

Entscheidung – und ich muss sagen, ich halte sie für hoch moralisch.«

Charlie nickte und setzte sich langsam wieder hin.

»Heimlich Nahrungsmittel transportieren? Heimlich essen, während andere verhungern?« Kate schüttelte angewidert den Kopf. »Ich hätte nie gedacht, dass wir so schnell an diesen Punkt kommen und dem auch noch zustimmen … ausgerechnet hier, im Herzen unserer Stadt.«

»Die ersten Opfer des Aufstands wären die Auswärtigen«, sagte John. »Bisher werden sie scheinbar akzeptiert, in manchen Fällen wurden sogar Freundschaften geschlossen. Das alles würde zusammenbrechen, Kate. Ich wette sogar, es käme zu Mord und Lynchjustiz, und zu einem massiven Aufschrei, alle hinauszuwerfen, die am Tag eins nicht bereits hier gewohnt haben. Danach würden unsere zwei Gemeinden anfangen, einander scheel anzusehen. Eigentlich hat Swannanoa mehr Essen pro Person als wir – sogar viel mehr, wenn man ihre zusätzlichen Rinder und Schweine mitrechnet. Unser Bündnis würde zerfallen, und die Leute hier würden fordern, dass wir nach Swannanoa einmarschieren und ihre Rinder beschlagnahmen.

Hast du zugehört, Kate? Es wäre wie in der Frühgeschichte, wie in der Bibel. Wir würden einander wegen der Rinder überfallen. Dann wäre jeder sich selbst der Nächste und wir würden alle sterben, sobald jemand von außerhalb mit einer starken, gut organisierten Truppe anrückt. Das sind deine Alternativen, Kate. Also, was sollen wir tun?«

Sie starrte ihn böse an, unfähig, ihm eine Antwort zu geben.

John sah Tom an, der während der ganzen Debatte geschwiegen hatte. Er nickte zustimmend.

»Ich weiß, dass ich dann keine Chance mehr hätte, die Ordnung aufrechtzuerhalten. Ich müsste die College-Miliz zu Hilfe rufen; aber auch dann würden einige der

Jugendlichen als Auswärtige betrachtet, und der Mob wäre bereit, sich auf sie zu stürzen. Es wäre eine Schweinerei ersten Grades, Kate. John hat recht: Wir müssen es tun, aber heimlich.«

»Mit anderen Worten, wir sollen heimlich Essen für gewisse Auserwählte horten, damit die übrigen Menschen, wenn sie es herausfinden, zu schwach sind, um etwas dagegen zu unternehmen.«

John starrte sie an.

»Ja.«

»Ihr Schweine.«

»Kate, genau so ist es in der Geschichte der Menschheit immer gewesen. Allerdings hat sich Amerika bisher nicht damit herumschlagen müssen ...«, er hielt inne. »Außer vielleicht in gewissen Gegenden in den Südstaaten während des Bürgerkriegs. Aber selbst damals hielt es sich in Grenzen. Wir haben noch nie etwas in dieser Größenordnung erlebt; aber es muss getan werden, wenn wir überleben wollen. Wir können nicht gleichzeitig die soziale Ordnung aufrechterhalten, uns verteidigen und an alle die gleiche Nahrungsmenge ausgeben. Wenn wir das versuchen, sterben alle.«

»Ich werde keine Extrarationen annehmen.«

»Niemand zwingt dich dazu«, sagte John sanft.

»Kate, du darfst außerhalb dieses Zimmers nicht darüber sprechen«, sagte Charlie bestimmt.

Sie starrte ihn böse an.

»Sonst was?«

»Sonst lasse ich dich verhaften.«

»Sieg Heil, mein Führer!« Sie hob ihren Arm zum Faschistengruß.

»Verdammt noch mal, Kate!«, brüllte Charlie, und seine Stimme überschlug sich fast. »Mir gefällt es genauso wenig wie dir, also mach mich deswegen nicht an!«

Sie senkte den Kopf.

»Es muss in diesem Zimmer bleiben«, betonte John.

»Kriegst du eine Extrawurst?«

»Zum Teufel, nein. Wir haben immer noch genug.«

»Also gut, Charlie. Wenn weder du noch ich noch irgendein anderer von uns hier Extrarationen bekommt, bin ich einverstanden.«

»Tom muss auf der Liste der Extrarationen stehen«, warf Kellor ein.

»Einen Scheißdreck muss ich.«

John sah Tom an. Seine rundliche »Vorkriegsfigur« war schnell zusammengeschmolzen und er hatte seinen Gürtel um einige Löcher enger geschnallt.

»Alle, die bei der Polizei arbeiten, alle Feuerwehrleute, die Miliz, alle, die unverzichtbare Arbeiten leisten, müssen erhöhte Rationen bekommen«, sagte John. »Auch die Totengräber.«

Ein langes Schweigen folgte.

»Und du auch, Doc.«

Kellor nickte.

»Ich verstecke mich nicht hinter falschem Heldentum. Ich verabscheue den bloßen Gedanken daran, aber ich weiß, dass meine Leistungsfähigkeit nachlässt. Gestern musste ich einen offenen Knochenbruch behandeln. Einer der Quincy-Jungen fiel vom Pferd. Zum Schluss dachte ich, ich würde in Ohnmacht fallen. Wenn wir in diesem Städtchen nicht genügend arbeitsfähige Ärzte und Krankenschwestern haben, sind wir sowieso alle tot.«

»Wie viele werden wir verlieren?«, fragte Charlie.

»Wann?«

»Sie haben gesagt, die Kurve wird langsam wieder steigen. Wie viele werden wir in zwei bis drei Monaten verlieren?«

Kellor sah in die Runde.

»Ein Drittel bis die Hälfte, wenn wir dem Plan folgen, den wir gerade besprochen haben.«

»Und wenn nicht?«, fragte Kate.

»Dann werden wir es ein bisschen länger hinauszögern, Kate, vielleicht 30 Tage, und dann werden bis zum Winter alle tot sein.«

Niemand sprach.

»Malthus' Theorie scheint endlich bewiesen zu sein«, sagte Charlie. »Das war ein englischer Ökonom Anfang des 19. Jahrhunderts, der behauptete, dass sich die Menschen grundsätzlich schneller vermehren, als die Lebensmittelerzeugung damit Schritt halten kann. Unsere Bevölkerung hier ist drei- bis viermal so hoch wie das, was unsere ›Wirtschaft‹ versorgen kann. Letztlich ist es eine Frage der Infrastruktur. Ich wette, dass momentan im dünn besiedelten Südkalifornien Tausende Tonnen Gemüse verrotten. Der Mittlere Westen wird binnen sechs Wochen in ungeerntetem Mais geradezu ersticken. Aber es gibt keine Möglichkeit, den Überschuss hierher zu transportieren.«

Stille. John wusste, dass alle an Essen dachten – der übliche Gedanke derer, die mit Unterernährung und Verhungern konfrontiert sind. Er konnte sich die gewaltigen, vieltausendköpfigen Rinderherden in Texas und Oklahoma deutlich vorstellen – und noch näher, lediglich 320 Kilometer weiter östlich, lagen die großen Schweinezuchtfarmen. Letztere waren nicht gern gesehen; sie wurden normalerweise in den ärmsten Gemeinden angesiedelt und zogen jeweils 5- bis 10.000 Schweine auf, die sich von der Geburt bis zum Schlachten kaum bewegen konnten. Der Gestank und die Umweltverschmutzung trieben dort die Grundstückspreise in den Keller. Und jetzt hätten die Leute hier Gott auf Knien für eine einzige Zuchtfarm gedankt.

Doch selbst das würde ihnen nicht helfen, begriff John. Die Züchter waren auf wöchentliche Lieferungen von Hunderten Tonnen Futter angewiesen. Falls die Zuchtanstalten noch nicht ausgeplündert worden waren, spottete die Vergeudung dort zweifellos jeder Beschreibung: Verhungernde

Tiere; und Menschen, die bisher quasi geglaubt hatten, Fleisch käme aus Styroporpackungen, versuchten nun, einem Schwein nachzujagen, es zu schlachten und auszunehmen. Nein, nicht einmal das. Sie würden abschneiden, was sie brauchten, andere würden sich auf den Rest stürzen wie Geier, und der Rest würde einfach in der Sonne verwesen. Falls einige Schweine hatten entkommen können, waren sie jetzt in den Wäldern. Bald würden sie verwildern und genauso gefährlich werden wie Wildschweine.

Charlie rührte sich endlich.

»Gibt es noch irgendetwas zu besprechen?«

Schweigen.

»Eine eher unwichtige Angelegenheit, aber sie wird allmählich doch zur Gefahr: Hunde.«

John sah ihn an.

»Viele Hunde laufen jetzt frei herum. Sie hungern und verwildern. Letzte Nacht gab es eine Konfrontation auf der Fifth Street: Zwei Kinder wurden von einem Rudel Hunde in die Enge getrieben. Glücklicherweise hatte ihr Vater eine Jagdflinte und konnte einige Hunde erschießen, und die anderen rannten davon.«

Nach dem Horror der vorangegangenen Diskussion wusste John, dass er eigentlich nicht so extrem hätte reagieren sollen, aber trotzdem schnürte sich ihm plötzlich die Kehle zu. Die Narren Zach und Ginger wurden immer hungriger und bettelten bei jeder Mahlzeit immer aufgebrachter; und die Familie teilte immer noch ein paar Brocken mit ihnen. Die meisten Eichhörnchen, die John in der letzten Woche erlegt hatte, waren den Hunden roh vorgeworfen worden.

»Ich glaube, wir müssen anordnen, alle Hunde in der Stadt zu erschießen«, sagte Charlie.

»Nein, verdammt noch mal, nein«, knurrte Tom. »Ich werde eher in der Hölle schmoren als nach Hause zu gehen, Rags nach draußen zu zerren und ihm vor meinen Kindern das Gehirn aus dem Kopf zu blasen. Auf keinen Fall. Wenn sie wild herumstreunen und eine Gefahr darstellen, okay. Aber das nicht.«

»Was hat der Vater gestern mit den Leichen der Hunde gemacht, die er erschossen hatte?«, fragte Kellor leise.

»Gott im Himmel, daran habe ich gar nicht gedacht«, antwortete Charlie.

»Wie viele Hunde haben wir in der Stadt?«, fragte Kellor weiter. »Mindestens 2000, denke ich. Das wäre sogar bei vollen Rationen genug Fleisch für mindestens drei oder vier Tage. Bei halben Rationen anderthalb Wochen.«

»Fahren Sie zur Hölle, Doc!«, fuhr Tom ihn an, und John war überrascht, Tränen in den Augen des Polizeichefs zu sehen. Zum ersten Mal seit dem Beginn dieser Krise, seit der anfänglichen Panik, den Hinrichtungen und dem Kampf an der Barriere war es nun Tom, der in Tränen ausbrach.

»Wir haben Rags eine Woche vor der Geburt meines Jüngsten bekommen. Er ist seit zehn Jahren bei uns und gehört genauso zur Familie wie die Menschen. Er würde sterben, um uns zu verteidigen, und ehrlich gesagt, ich würde dasselbe für ihn tun. Ich gebe ihn nicht her, und das ist mein letztes Wort.«

»Tom, alles, worüber ich vorhin sprach«, sagte Kellor sanft, »betraf lediglich die erste Stufe des Verhungerns. Ich habe es nicht über mich gebracht, die nächste Stufe zu erwähnen. Diejenigen, die bis zum Herbst überleben, werden höchstwahrscheinlich vor dem Ende des Winters sterben. Glauben Sie, dass bis dahin noch irgendwelche Hunde am Leben sein werden? Und wenn doch, werden sie verwildert sein und in Rudeln leben wie Wölfe. Sie werden Menschen töten, um zu überleben.«

»Wir werden lange, bevor es so weit kommt, Hilfe erhalten!«, entgegnete Tom laut. »Es wird doch bereits alles arrangiert. Sie haben gehört, was John erzählt hat.

Charlie, ich schere mich einen Dreck darum, was du sagst. Ich werde weder Rags noch sonst einem Hund, für den sein Besitzer noch sorgt, irgendetwas antun.«

Tom war rot im Gesicht. Er erinnerte John an einen Knaben in einem sentimentalen Film über einen Hund oder ein anderes geliebtes Haustier: die obligatorische Szene, in der das Kind seinen Hund verlieren soll; aber die Zuschauer wissen, dass alles gut ausgehen wird – außer in Filmen wie *Sein Freund Jello* oder *Frühling des Lebens,* die John als Kind gesehen und bei denen er sich strikt geweigert hatte, sie jemals wieder anzusehen.

Ihm kamen selbst die Tränen, als er an Zach und Ginger dachte. Wie würde Jennifer reagieren? Ginger war ihre Freundin, sie waren unzertrennlich. Es war entsetzlich genug, dem Schicksal, das Jennifer drohte, die Stirn zu bieten; aber ihr das auch noch anzutun? Ginger umzubringen? Nein, John würde sich ebenfalls weigern. Und im tiefsten Inneren wusste er, dass er auch ohne Jennifer zu demselben Schluss gekommen wäre.

»Ich stimme Tom zu«, sagte John.

»John, wir müssen die Sentimentalitäten hinter uns lassen«, beschwor ihn Kellor.

»Es ist mehr als das«, zischte John. »Es ist ein weiterer Rückschritt in unserer Entwicklung.«

»Vor zehn Minuten hast du zugestimmt, dass wir manche Menschen schneller verhungern lassen müssen als andere. Was zum Teufel meinst du jetzt mit einem Rückschritt?«

»Ich weiß, dass es nicht logisch ist. Aber irgendwie gehört das doch zu uns Amerikanern: Für uns sind unsere Haustiere mehr als beschränkte Tiere. Die Briten sind uns in dieser Hinsicht ähnlich. Für alte Menschen sind sie die letzte Quelle der Liebe und des Trostes. Für Kinder sind sie die engsten Freunde, die immer alles verstehen, auch wenn die Erwachsenen es nicht tun …«

Er schämte sich, denn er hatte angefangen zu weinen.

»Ich würde jeden Hund in der Stadt töten, wenn ich dadurch ein Menschenleben retten könnte«, schoss Kellor zurück.

»Dadurch würde uns etwas Wichtiges für immer genommen; wir würden eine Grenze überschreiten, die ich nicht überschreiten will. Lieber nicht leben als … Nein.«

»Die Grenze existiert«, antwortete Kellor. »Sie besteht, ob es uns nun gefällt oder nicht.«

Charlie meldete sich zu Wort.

»Wie wäre es mit Folgendem? Streunende Tiere werden erschossen und die Kadaver dem allgemeinen Nahrungsvorrat hinzugefügt. Hundebesitzer müssen ihre Tiere im Haus halten oder an der Leine führen. Wenn jemand beschließt, sein Tier selbst zu töten, darf er es für seinen eigenen Lebensmittelvorrat behalten. Findet ihr das akzeptabel?«

Tom nickte heftig.

»Also gut.«

»Aber sie werden jeden Tag an Gewicht verlieren: Fleisch, das als Nahrung verwendet werden könnte«, versuchte Kellor, sie umzustimmen, »und sie werden Nahrung vertilgen, die Menschen, die ohnehin langsam verhungern, an sie abtreten.«

»Das ist ihre Entscheidung«, sagte Tom.

Sein Gefühlsausbruch war ihm offenbar peinlich. Er wischte sich übers Gesicht und stand auf.

»Noch etwas, Charlie?«

Charlie schüttelte traurig den Kopf.

»John, wir sollten diesen Radiosender kontinuierlich abhören. Wir könnten ein altes Autoradio ausbauen, an ein paar Batterien anschließen und eine Antenne basteln.«

»Gute Idee.«

»Vielleicht kommen sie bald«, sagte Charlie hoffnungsvoll.

»Ja, Charlie. Vielleicht.«

John verließ den Konferenzraum und machte sich auf den Heimweg. Sein Autoradio war nun ständig auf die ›Stimme Amerikas‹ eingestellt, aber er empfing nur Störgeräusche, zwischendurch ab und zu eine kaum hörbare Stimme, die gleich wieder in den Störungen unterging.

Er überlegte, ob er bei Hamid vorbeifahren und vielleicht irgendetwas gegen ein paar Zigaretten eintauschen sollte, um seinen Tag abzurunden, obwohl es immer noch mitten am Vormittag war. Das Treffen hatte ihn völlig erschöpft.

Er öffnete das Handschuhfach. Darin befanden sich Munition für die Glock, die er an der Hüfte trug, sowie das, was er seine »Reserve« nannte: eine Zigarette. Er zündete sie an und nahm einen tiefen Zug, während er in die State Street einbog und die Grundschule in Sicht kam. Die einst makellose Rasenfläche davor war nun zerklüftet, zertrampelt und die Grasnarbe an mehreren Stellen aufgerissen. Einige Kinder waren auf dem Schulhof und spielten Baseball. Sie sahen abgemagert aus und erinnerten ihn an Fotos von deutschen Kindern, die in den Trümmern des Zweiten Weltkriegs spielten.

Das Kochfeuer brannte. Heute gab es Pferdefleisch. Eines der älteren Tiere, dem Tod bereits nah, war erschossen worden. Eine Gruppe Menschen stand um das Feuer und zerteilte den Pferdekadaver. Die Beine ragten in die Luft, und dies rief eine weitere Erinnerung an einen Film aus dem Zweiten Weltkrieg in ihm wach: Deutsche Zivilisten zerhackten und zerlegten in den Trümmern Berlins ein totes Tier. Einer von Toms Männern stand in der Nähe, die Schrotflinte locker unter dem Arm, und hielt Wache. Alles, jedes Gramm Fett, alle Knochen, sämtliche Innereien würden in den Kessel kommen. Auch Grünzeug würde beigemischt werden. Mindestens 50 weitere Menschen standen herum und sahen hungrig zu.

John fuhr an der Schule vorbei und setzte seine Fahrt fort, die Autobahn zu seiner Linken. Makalas BMW stand immer noch da, wo er vor 35 Tagen zum Stehen gekommen war. Er war versucht, die zusätzlichen anderthalb Kilometer zur Isolationsstation zu fahren, vor dem Gebäude anzuhalten und nach ihr zu rufen. Wäre er dort hineingegangen, hätte er mindestens drei Tage lang in Quarantäne bleiben müssen. Sie fehlte ihm. Er verlangsamte die Fahrt und fuhr an der Abzweigung zu seinem Haus vorbei, doch als er die Ausfahrt zum Konferenzzentrum erreichte, überlegte er es sich anders und fuhr einige Hundert Meter weiter auf eine Brücke zu, die unmittelbar hinter dem Bergpass als Autobahnüberführung diente. Er stieg aus und nahm einen letzten Zug aus seiner Zigarette, bevor sie bis zum Filter heruntergebrannt war.

Das Motorengeräusch seines Autos erregte die Aufmerksamkeit einiger seiner ehemaligen Studenten, die auf der Brücke Wache hielten. Sie wandten sich um und winkten, als sie John erkannten.

Seine alten Studenten. »Meine Kinder«, hatte er sie immer genannt. *Verdammt, Mary und ich waren genauso alt wie sie, als wir uns kennenlernten, und niemand hätte es wagen dürfen, uns als Kinder zu bezeichnen. Mary war mit 20 Jahren definitiv kein Kind mehr* … Er erinnerte sich an viele verrückte gemeinsame Nächte, in denen sie bis zur Morgendämmerung kein Auge zugetan hatten und dann zu ihren Vorlesungen gegangen waren. Aber nun, nach all den Jahren, die inzwischen hinter ihm lagen, betrachtete John die Studenten, die hier Wache hielten, tatsächlich als Kinder.

Sie waren uniformiert. Blaue Jogginghosen der Universität, blaue, langärmlige Hemden, College-Baseballmützen … und Schusswaffen. Manche trugen weite, weiße Seuchenschutzanzüge. Eines der Mädchen, bewaffnet mit einem Jagdgewehr, sprach über die aus liegen gebliebenen Autos errichtete Doppelbarriere hinweg mit einer Gruppe von Flüchtlingen auf der anderen Seite. Im vergangenen

Semester war sie in seinem Geschichts-Einführungskurs gewesen. Sie war hübsch, sogar ein bisschen sexy mit ihren langen, blonden Haaren, blauen Augen und engen Blusen; und doch kam sie ihm nun vor wie ein Kind. Seine eigene Tochter war nur etwa zwei Jahre jünger als sie.

Und jetzt stand seine ehemalige Studentin mit angelegtem Gewehr da und war bereit zu schießen, falls jemand versuchte, über die Autos zu klettern und durchzubrechen.

Einer der Ärzte, begleitet von einer Krankenschwester, beide in Schutzanzügen, ging an einer Flüchtlingsschlange vorbei, die durchgelassen worden war. Er kontrollierte die Ausweise und befragte die Leute; vielleicht fand er den einen oder anderen, dessen Fertigkeiten ihn zum Bleiben qualifizierten. Fertigkeiten auf einer Liste, die John und Charlie ausgearbeitet hatten … Menschen, die mit Dampfmaschinen gearbeitet hatten, Elektriker, Ärzte, Bauern, Werkzeugmacher, Öl- und Gaschemiker und so weiter.

Ein Mann aus der Schlange wurde ausgewählt und trat vor. Er blickte ängstlich zurück, war aber dann erleichtert, als man einer Frau und drei Kindern gestattete, ihm zu folgen. *Fünf Mäuler mehr zu stopfen,* dachte John. Er hoffte, dass die Qualifikationen des Mannes diesen Tausch als verdammt gutes Geschäft rechtfertigen würden. Die Familie wurde auf einen Pfad dirigiert, der zu Makalas Arbeitsplatz führte.

Jemand mit einem Handpumpenbehälter, der früher Unkrautvernichtungsmittel enthalten hatte, ging an der Schlange vorbei und besprühte jede Person mit einer Mixtur, die sich Kellor ausgedacht hatte. Diese würde zumindest Läuse und Flöhe erledigen; aber sie war außerdem ein psychologisches Werkzeug, denn sie machte jedem deutlich, dass er ein anderer war, sobald er die Linie überschritten hatte; dass er sich nun von den Übrigen unterschied.

Die Gruppe setzte sich in Bewegung, angeführt und gefolgt von je zwei Studenten in Schutzanzügen, die Jagdflinten trugen. Dahinter folgte ein VW Käfer, an dessen Türen die Worte »Black Mountain Miliz« prangten. Im Fahrzeug befanden sich ein Student und ein Mitglied von Toms Polizeimannschaft. Alle Waffen, die aus der Flüchtlingsschlange konfisziert worden waren, lagen auf dem Rücksitz und würden ihren Besitzern zurückgegeben werden, sobald sie die andere Barriere bei der Ausfahrt 59 passierten.

»He, Colonel, Sir!«

Washington Parker stand an der Barriere.

John winkte.

Parker winkte zurück und bedeutete ihm, er solle herunterkommen. Seine Geste vermittelte eine gewisse Dringlichkeit.

Die Flüchtlingsschlange unter der Brücke war ein herzzerreißender Anblick. Alle trugen zerrissene, schmutzige Kleidung und einige schoben Einkaufswagen, in denen Kinder saßen.

John ging zum Ende der Brücke und rutschte die Böschung zur Straße hinunter.

»Guten Morgen, Colonel.«

Erschrocken entdeckte er im hohen Gras einen seiner Studenten. Er trug einen Tarnanzug und hatte sein Gesicht grün bemalt. Es war Brett Huffman, einer seiner Baseballspieler, ein verdammt netter Junge, ein Hinterwäldler aus Madison County. Er hatte ein Baseballstipendium bekommen, interessierte sich sehr für Geschichte und wollte Lehrer werden. Eine geborene Führungspersönlichkeit, respektiert von allen Kommilitonen. John bemerkte die Sergeant-Streifen auf dem Ärmel seiner Tarnjacke. Er hatte einen Brocken Kautabak im Mund.

»Brett, was zum Teufel …«, setzte John an.

»Vinnie Bartelli liegt auf der andern Seite der Brücke im

Gras, genauso getarnt wie ich. Falls es Schwierigkeiten an der Barriere gibt, oder wenn jemand da unten versucht, abzuhauen, dann …«

Er verstummte einen Moment lang und streichelte liebevoll das 30/30 Savage-Gewehr mit aufmontiertem Zielfernrohr.

»Gestern musste ich auf jemanden schießen, Sir. Es war ein guter Schuss, ich traf ihn ins Bein. Gott sei Dank musste ich ihn nicht töten.«

John konnte nicht antworten. Bretts Stimme klang gepresst, dennoch schwang bereits ein Anklang der gewollten Banalität darin mit, die er beim »Wüstensturm« während der Besprechungen nach den Einsätzen so oft gehört hatte. Gutherzige Jugendliche, die zu Killern abgerichtet wurden und versuchten, sich abgebrüht zu geben, obwohl sie immer noch unter Schock standen.

»Aber ich schätze, dass er mit einer Kugel im Bein so oder so bald abnibbelt.«

»Sie haben getan, was Sie tun mussten«, tröstete ihn John.

»Ja, Sir … Trotzdem. Es erinnerte mich an das erste Reh, das ich erlegt habe. Das gleiche Gefühl, vielleicht sogar schlimmer.«

»Passen Sie auf sich auf, Brett.«

»Ja, Sir.«

John rutschte die Böschung vollends auf die Straße hinunter. Er blickte zurück und es war unmöglich, Brett in seiner Tarnung zu sehen. Es leuchtete ihm ein, dass viele dieser Studenten, die aus ländlichen Gegenden stammten und Erfahrungen als Jäger, Pfadfinder oder ganz einfach beim Zelten hatten, jetzt schnell lernten. Auf der anderen Seite der Autobahn bewegte sich die lange Schlange der Flüchtlinge.

Sie kamen nur langsam vorwärts. Ein paar sahen John apathisch an. Sie schienen aus einem andern Zeitalter zu kommen. Manche waren offensichtlich völlig unvorbereitet getroffen worden. Ein Mann trug einen dreiteiligen Geschäftsanzug, abgestoßene Lederschuhe und hatte einen Verband um den Kopf. Er sah aus wie ein Anwalt oder ein Topmanager … ohne irgendwelche Fertigkeiten, die ihm hier auch nur einen Teller Suppe eingebracht hätten. Erschöpfte Eltern, Seite an Seite, die einen quietschenden Einkaufswagen mit abgenutzten Rädern schoben, zwei schlafende Kinder mit bleichen Gesichtern darin.

Manche Flüchtlinge gingen sogar barfuß. Nur wenige hatten an jenem ersten Tag daran gedacht, welch immensen Wert gutes Schuhwerk haben würde: feste Laufschuhe, geeignet für große Entfernungen. John verfluchte sich, dass auch er nicht daran gedacht und sich nicht am ersten Tag einige zusätzliche Paare aus dem Campingladen geschnappt hatte. Der Erfolg der Feldzüge im Bürgerkrieg hatte oft nur davon abgehangen, welche Seite die besseren Schuhe besaß, denn diese waren meist bereits nach einem Monat auf dem Marsch abgenutzt. Den Flüchtlingen, die 240 Kilometer in Schnürhalbschuhen oder einfachen Turnschuhen zurückgelegt hatten, blieb bald überhaupt nichts mehr an den Füßen, und John sah mehr als einen, dessen Schuhe nicht zusammenpassten.

Eine Frau erinnerte ihn ein bisschen an Makala, wie sie am ersten Tag ausgesehen hatte: Sehr sexy geschnittenes, graues Geschäftskostüm, immer noch Strümpfe an den Beinen, wenn auch zerfetzt. Sie hatte die hohen Absätze ihrer Pumps abgeschlagen, um das Gehen etwas zu erleichtern, und hinkte langsam vorüber.

Sie fing seinen Blick auf, zwang sich ein Lächeln ab und strich ihre fettigen, stumpfen Haare zurück.

»Hallo, ich heiße Carol«, sagte sie und bewegte sich auf die Sperre am Mittelstreifen zu, die Hand zum Gruß ausgestreckt. Es war, als würde er in ihr der verlorenen Welt wiederbegegnen. Eine wache, professionell aussehende

Frau, intelligentes Gesicht, sexy, die Hand zu einem warmen Händedruck ausgestreckt, um die Besprechung zu beginnen, von der sie sich einen Vorteil versprach, denn sie war es gewohnt, in solchen Meetings das zu bekommen, was sie wollte.

»Ma'am, bitte treten Sie zurück und entfernen Sie sich von der Barriere.« Das war eine seiner Studentinnen, das Gesicht hinter der Maske des Schutzanzugs verborgen und mit angelegtem Gewehr. »Bleiben Sie hinter dem weißen Streifen, wie man Ihnen befohlen hat.«

Carol blieb stehen und sah sie an.

»Ich wollte nur Guten Tag sagen.«

Die Studentin richtete ihr Gewehr auf die Frau.

»Ma'am, bitte treten Sie zurück. Wenn Sie versuchen, die Barriere zu überqueren, schieße ich.«

Die anderen Flüchtlinge in der Schlange wandten sich um. Einige erstarrten, andere drängten sofort auf die andere Straßenseite.

»Sie alle«, rief die Studentin, »versuchen Sie nicht, die Straße zu verlassen.«

Carol sah John flehend an.

»Was ist das nur für ein Ort?«, sagte sie und ihre Stimme brach.

»Wir sind eine kleine Stadt, die versucht, am Leben zu bleiben«, sagte John.

»Ma'am!«

John hob beruhigend die Hand und sah die Studentin an.

»Stehen Sie bequem und senken Sie Ihre Waffe. Ich kümmere mich um diese Angelegenheit.«

»Colonel, Sir. Erlauben Sie ihr nicht, sich Ihnen zu nähern. Ich möchte nicht, dass Sie unter Quarantäne gestellt werden.«

»Colonel?«, fragte Carol. Sie versuchte immer noch, ihr professionelles Geschäftslächeln aufrechtzuerhalten, als seien sie einander soeben vorgestellt worden. »Dann sind

Sie also der befehlshabende Offizier. Es freut mich, Sie kennenzulernen.«

John rang sich ein Lächeln ab.

»Colonel außer Dienst, jetzt Professor am College. Ich bin hier nicht der Kommandeur.«

»Ich habe gesehen, dass einige Ihrer Leute Menschen aus der Schlange herauszogen und wegführten. Auf der Straße sagt man, dass Menschen, die besondere Fähigkeiten haben, hierbleiben dürfen.«

John speicherte diese Information. Wenn dieser Richtsatz jenseits der Barriere bekannt war, würde man die Sicherheitsvorkehrungen verschärfen müssen. Sonst würden sich die Leute alle möglichen Berufe und Fähigkeiten ausdenken, um bleiben zu können.

»Stimmt das? Dürfen sie bleiben?«

»Ich weiß nicht«, log John.

»Sie haben uns gefragt, was wir für Berufe haben. War das der Grund?«

»Wirklich, Ma'am, ich weiß es nicht.«

»Hören Sie, ich bin Public-Relations-Beraterin beim Tabakkonzern Reynolds.«

Sie sah die Studentin an, die ihr Gewehr immer noch auf sie gerichtet hielt.

»Um ehrlich zu sein, Colonel, Ihr Verfahren ist verbesserungswürdig: Ein besseres Interagieren mit der Öffentlichkeit wäre angebracht. Ich kann Ihnen helfen, einen diesbezüglichen Plan zu entwickeln, der Ihnen zukünftig helfen wird, viele Probleme zu vermeiden.«

Es war ein perfektes, professionell vorgebrachtes Verkaufsgespräch, und es brach ihm das Herz, ihr zuzuhören. Sie war so sehr daran gewöhnt, mit dieser Methode zu gewinnen, dass sie glaubte, sie sogar jetzt erfolgreich einsetzen zu können.

»Es tut mir leid, Ma'am. Ich treffe diese Entscheidung nicht. Sie liegt im Bereich des Arztes und der Polizei.«

Plötzlich brach ihre professionelle, geschäftliche Haltung, ein Relikt der alten Welt, zusammen.

Sie kam noch einen Schritt näher und streckte jetzt flehend beide Hände aus.

»Bitte, lassen Sie mich bleiben!«

Er konnte nicht antworten.

Sie kam noch einen Schritt näher.

»Möchten Sie mit mir schlafen?«, fragte Carol. »Ich meine es ernst. Lassen Sie mich bleiben. Sie werden mich mögen.«

Sie sah auf ihr verschlissenes Geschäftskostüm hinunter.

»Wenn ich mich zurechtgemacht habe, werden Sie mich mögen, glauben Sie mir.« Sie sah ihn jetzt mit leicht zur Seite geneigtem Kopf aus großen Augen an. »Haben Sie zu Hause eine Badewanne? Ich würde wahnsinnig gern ein Bad nehmen, und wenn Sie mich danach sehen … Sie werden mich wirklich mögen. Sie dürfen mir sogar beim Baden helfen; ich weiß, dass Ihnen das gefallen wird.«

»Carol, bitte nicht«, sagte John. »Tun Sie sich das nicht an. Bitte nicht.«

Sie brach in Tränen aus.

»Ich soll mir das nicht antun?«, schluchzte sie, ihre Stimme fast hysterisch. »Ihnen meine Möse anbieten, um am Leben zu bleiben? Vor drei Nächten wurde ich vergewaltigt. Von vier Männern, die behaupteten, sie hätten Essen in einer Hütte versteckt. Ich hatte es halbwegs erwartet, aber ich war so hungrig, dass es mir egal war. Hören Sie das?«

»Es tut mir leid.«

Sie schluchzte.

»Am nächsten Morgen gab mir einer von ihnen eine Schüssel wässrige Suppe, und ich hielt das fast für einen guten Tausch. Bitte, Colonel, ich werde die Nacht mit Ihnen verbringen, wenn Sie mir erlauben, zu bleiben, und mir ein bisschen Essen geben.«

Und dann ging sie weiter auf die Barrikade zu.

»Ich schieße!«, schrie die Studentin.

John hob bittend seine Hände und sah seine Studentin an.

»Nicht!«

Ein Schuss löste sich aus dem Gewehr. Carol schrie und duckte sich. Die anderen Flüchtlinge warfen sich zu Boden.

Entweder hatte die Studentin absichtlich zu hoch gezielt, oder sie hatte aus Nervosität danebengeschossen. Auf jeden Fall zog das Mädchen bereits den Bolzen zurück und die Patronenhülse, die auf das Pflaster schlug, klang wie eine Glocke.

»Der nächste Schuss trifft Ihren Kopf!«, brüllte die Studentin.

»Carol, bewegen Sie sich nicht!«

Er setzte sich in Richtung Barriere in Bewegung. *Zum Teufel mit der Quarantäne.*

»Colonel, nicht!«

Es war Washington Parker. Er kam angerannt, seinen .45 Colt gezückt. Doch dann spürte er offenbar, dass seine Waffe eine Panik auslösen würde, denn er steckte sie wieder ins Holster.

Er trat vor die Studentin.

»Richten Sie das Gewehr in die Luft, bitte«, sagte er ruhig, und sie gehorchte.

Jetzt wandte er sich an die Flüchtlinge.

»Es war ein Versehen, Leute, nur ein Versehen. Bitte gehen Sie weiter. An der Ausfahrt 64 gibt es reichlich frisches Wasser, dort können Sie sich waschen und ein bisschen ausruhen.«

Er deutete auf die Familie mit den Kindern im Einkaufswagen.

»Ich wette, Ihre Kleinen brauchen ein Bad. Es ist gleich nach der Kurve. Aber Sie müssen in der Mitte der Straße bleiben.«

Sie rappelten sich auf und zogen sich zurück zu dem weißen Streifen, der die beiden Fahrspuren trennte.

Washington ging auf Carol zu, aber nicht zu nah.

»Ma'am, bitte stehen Sie auf. Niemand wird Ihnen etwas tun, wenn Sie aufstehen und sich von der Barriere entfernen.«

»Tun Sie, was er sagt, Carol«, bekräftigte John.

Sie stand zitternd auf.

John sah sie an und es war, als sähe er jetzt eine andere Person; als hätten sich die letzten Reste ihres Stolzes und ihrer Anständigkeit aufgelöst. Eine Frau, die vor sechs Wochen wahrscheinlich ein Büro mit Panoramafenster, einen Parkplatz mit ihrem Namen, ein großzügiges Spesenkonto und ein verdammt gutes Aktienpaket besessen hatte, war jetzt bereit, ihren Körper für eine Ruhestätte in der Nacht und einen Teller Suppe zu verkaufen.

»Carol, sind Sie in Ordnung?«

Sie erwiderte nichts, ihr Gesicht war beinah ausdruckslos. Sie wandte sich um und reihte sich wieder in die Schlange der Flüchtlinge ein.

Irgendetwas sagte John mit düsterer Gewissheit, dass sie nicht mehr lange leben würde; dass sie an dem Punkt angelangt war, an dem eine Rasierklinge, die ihr die Pulsadern aufschnitt, eine willkommene Erlösung darstellte. Er war versucht, sie zurückzurufen, trat sogar über den Mittelstreifen und ging tatsächlich einen Schritt auf sie zu.

»Colonel.«

Er sah zurück. Es war Washington, der den Kopf schüttelte.

Washington wandte sich der Studentin zu, die den Schuss abgefeuert hatte.

»War das ein Warnschuss, oder haben Sie auf sie gezielt?«

»Ich weiß es nicht genau.« Ihr Flüstern war kaum hörbar.

»Sie haben sich in zwei Punkten geirrt«, sagte Washington

scharf, und das Mädchen stand nun zitternd in Habtachtstellung. »Die Frau hatte noch nicht versucht, die Barriere zu überqueren. Ihr Befehl lautet, erst dann zu schießen, wenn sie die Barriere überqueren oder wenn sie sich gegen Sie wenden.«

»Sie kam Professor Matherson immer näher – ich meine dem Colonel, Sir.«

»Ich heiße nicht ›Sir‹. Ich bin Sergeant Parker. Konzentrieren Sie sich auf Ihre Befehle und handeln Sie danach. Nun zum zweiten Punkt: War das ein Warnschuss oder nicht? Ich habe euch allen gesagt, dass ich der Einzige bin, der einen Warnschuss abgibt. Wenn Sie schießen, dann feuern Sie einen tödlichen Schuss ab. Ein Warnschuss ist eine vergeudete Kugel, und wir haben nicht genug Munition, um sie zu vergeuden.«

»Ich glaube, dass ich auf sie gezielt habe.«

Washington nahm ihr das Gewehr weg.

»Gehen Sie zurück zur Barriere. Sie können dort helfen, die Flüchtlinge zu befragen. Ich werde jemanden hierher abkommandieren, der den Mumm hat, richtig zu zielen.«

Das Mädchen wandte sich entmutigt ab und ging. Ihre Schultern bebten.

Parker rief einem der Jungen an der Barriere zu, die Flüchtlinge zu eskortieren, und John kam an seine Seite.

»War das vielleicht ein bisschen zu hart?«, fragte Washington.

John schüttelte den Kopf.

»Ich habe meinen Töchtern immer und immer wieder gesagt: Wenn ihr schießt, dann zielt richtig. Aber diese bedauernswerte Frau hatte es nicht verdient, erschossen zu werden.«

»Ich weiß«, seufzte Washington. »Was hat sie getan? Ihnen angeboten, mit Ihnen zu schlafen?«

»Ja.«

»Das erlebe ich zwanzigmal am Tag; aber nicht etwa,

weil ich so gut aussehe«, sagte Washington. Sein Versuch, einen Witz zu machen, schlug fehl.

»Es ist einfach krank. Ich höre hier oben mehr und mehr Geschichten über Vergewaltigung, Mord, sogar Diebstahl von Säuglingsnahrung. Auf der Straße werden sie immer verzweifelter. Sie waren drauf und dran, ihr zu erlauben, hierzubleiben, nicht wahr?«

»Ja. Ich sah ihr an, dass sie am Abgrund steht. Ich glaube, dass sie in ein paar Tagen tot sein wird.«

Beide sahen Carol nach, die am Schluss der Schlange weiter voranstolperte.

Washington seufzte.

»Ja, Gott beschütze sie. Sie haben recht. Man kann es den Leuten ansehen, wer durchkommt. Diese arme Frau gehört nicht dazu. Es gibt in dieser Welt keinen Platz mehr für sie, und das, was sie noch anzubieten hat, baut sich schnell ab.«

John senkte den Kopf.

»Es ist alles so beschissen«, seufzte er.

»Ich sehe jeden Tag Hunderte wie sie«, sagte Washington müde. »Sir, wenn wir auch nur eine einzige Person, die uns nicht faktisch beim Überleben helfen kann, hereinlassen, bricht alles zusammen.«

John antwortete nicht. Er dachte an das Stück Schokolade, das er als Notvorrat in seinem Auto aufbewahrte für den Fall, dass er irgendwo strandete. Er war versucht, es zu holen, aber dann wäre es nicht mehr da, wenn Jennifer es brauchte.

»Vielleicht hat sie Glück«, sagte Washington. »Vielleicht nimmt sie irgendein Kerl auf, der ein Stück weiter oben wohnt.«

»Gott helfe uns, wenn wir tatsächlich bereits so tief gesunken sind.«

»Ich habe das auch in Vietnam gesehen, Sir. Verdammt, die 19-jährigen Soldaten dachten, sie wären im Himmel. Eine Nacht mit einer Frau für zwei Dollar? Aber wenn man diese Mädchen ansah – und ich sage Ihnen, südostasiatische Mädchen gehören zu den schönsten der Welt –, dann machte es einen ganz krank. 15-jährige Mädchen, die in der Schule sein sollten, standen auf der Straße und verkauften ihren Körper, um ihre Eltern und ihre kleinen Geschwister zu ernähren. Und jetzt haben wir dasselbe hier in Amerika.«

Washington schüttelte den Kopf.

»Verdammt sollen alle Kriege sein …«, seufzte er.

»Sie wollten mich hier unten wegen irgendetwas sprechen?«, wechselte John das Thema.

»Seit heute Morgen kommen üble Gerüchte herein. Ich glaube, Charlie sollte davon wissen. Ich werde gleich zurück in die Stadt fahren, um ihm davon zu erzählen.«

»Um was geht's?«

»Die Flüchtlinge reden von irgendeiner Gruppe, die sich ›The Posse‹ nennt. Sie haben die Autobahn an sich gerissen. Sie sind im Gebiet um Charlotte. Manche sagen, dass sie auf der Route 77 in Richtung Statesville unterwegs sind. Sie haben viele Fahrzeuge.«

»›The Posse‹? Hört sich an wie etwas aus dem Wilden Westen.«

»Nein, es ist schlimmer. Die Posse war der Name einer Bande, die schon vor dem Krieg existierte. Sie hatte Zweigstellen im ganzen Land. Punks und Delinquenten, die jemandem einfach aus Spaß eine Kugel durch den Kopf jagten, lange bevor das alles hier begann. Auch Drogenhändler sind dabei, der ganze Abschaum dieser Erde. Es gibt die Posse schon länger, aber jetzt sind unsere schlimmsten Albträume wahr geworden, und deshalb gehören nun alle dazu, die am rücksichtslosesten überleben wollen.«

Erst jetzt wurde John bewusst, wie isoliert ihr kleines Städtchen war. Vor einigen Jahren hatte die Zeitung in Asheville ein paar Artikel über aufkeimende Bandenaktivität veröffentlicht, aber die örtliche Polizei hatte das Problem schnell in den Griff bekommen.

»Die Posse. Eine arme Frau in der letzten Gruppe, die wir durchgelassen haben, sagte, die Posse habe sie einige Tage gefangen gehalten, aber sie konnte entkommen. Ich will gar nicht darüber reden, was sie mit ihr angestellt haben; es war einfach völlig krank. Auf der anderen Seite der Barriere reden alle darüber. Es ist wie eine urbane Legende, die sich durch die Flüchtlinge auf der Straße verbreitet. Manche sprechen von 1000 oder mehr gut bewaffneten Mitgliedern. Sie bewegen sich vorwärts wie eine Barbarenhorde aus der Antike.«

»Verdammt«, fluchte John. Wieder stiegen Bilder aus Filmen vor ihm auf: die *Mad Max*-Reihe und all die billigen Nachfolgerfilme dieses Genres aus den späten 1980er- und frühen 90er-Jahren.

»Ich denke, wir müssen unsere Wachsamkeit erhöhen. Ich habe das beunruhigende Gefühl, dass sie bereits zu uns unterwegs sind, falls das Gerücht stimmt. Sie werden denken, dass es da oben in den Bergen reichlich zu essen gibt, und dass Asheville der ideale Ort zum Erobern wäre, um sich dort einzunisten. Sie werden den Flüchtlingen hierher folgen«, sagte Washington.

»Ich habe eine Radiosendung gehört«, lenkte John ab.

»Meinen Sie ›Die Stimme Amerikas‹?«, fragte Washington.

»Woher wissen Sie das?«

»Gestern Nacht saß ich hier oben, um alles im Auge zu behalten. Das Radio in dem schönen Ford Mustang funktioniert noch, und ich habe es irgendwie zufällig eingeschaltet. Verdammt, es war wie eine Rückblende. Ich saß in dem alten Mustang und habe halbwegs erwartet, Wolfman Jack oder Cousin Brucie zu hören. Das waren damals meine Lieblings-DJs.«

John schmunzelte.

»Ja.«

»Ungefähr eine Stunde lang kam das Signal stark und deutlich rein. Ich wünschte nur, sie würden mit dem patriotischen Gedudel aufhören und guten, alten Rock oder Rhythm and Blues spielen. Auf jeden Fall habe ich es gehört.«

»Was halten sie von dem Sender?«

»Reine Propaganda, um die Moral zu stärken. Vielleicht sind die Nachrichten für die Küstenstädte relevant, aber für uns, ob heute oder nächste Woche, ist es Bockmist. Wir müssen auf uns selber aufpassen. Ich lasse an der Barriere verbreiten, dass die Leute lieber umdrehen und in Richtung Küste gehen sollen. Ich weiß, dass es verrückt ist, denn die meisten haben nicht mehr genug Kraft, um es zu schaffen; aber vielleicht wirkt es auf der ganzen Strecke zumindest als Gegengerücht.«

John nickte.

»Die Kehrseite ist allerdings«, sagte John, »dass die Posse noch schneller herkommen wird, wenn sie das erfährt. Aufgrund der Notstandsgesetze werden wir jeden Einzelnen dieser Hurensöhne erschießen müssen, denn das Letzte, was diese Dreckskerle wollen, sind Autoritäten. Wir müssen sofort einen guten taktischen Plan ausarbeiten, um uns gegen einen groß angelegten Angriff zu verteidigen. Das ist jetzt wichtiger als die allgemeine Flüchtlingskontrolle, um den einen oder anderen Verzweifelten daran zu hindern, sich bei uns einzuschleichen. Falls irgendwelche Ex-Militärs zur Posse gehören, werden sie zuerst einen Spähtrupp ausschicken und uns dann gezielt und brutal angreifen. Wir müssen unsere Hintertüren streng bewachen: den Eisenbahntunnel und die alten Straßen nach Old Fort. Wir stehen jetzt nicht mehr normalen Flüchtlingen gegenüber, sondern einer Armee, die genauso rücksichtslos ist wie jede andere Streitmacht in der Geschichte.«

Washington nickte zustimmend.

»Ich glaube, ich fahre jetzt nach Hause«, sagte John.

Die beiden gaben sich zum Abschied die Hand und John kletterte die Böschung wieder hinauf zur Brücke. Er nickte Brett zu, der noch immer im Gras verborgen lag.

»Fran ist da unten gerade ganz schön nervös geworden. Ich bin froh, dass sie diese Frau nicht erschossen hat.«

»Ich auch«, erwiderte John – aber dennoch fragte er sich, ob ein Kopfschuss nicht sogar ein Akt der Gnade gewesen wäre.

Er stieg in den Edsel und fuhr nach Hause.

Als er in die Auffahrt einfuhr, rannten die beiden Narren Zach und Ginger von der Veranda herunter, um ihn zu begrüßen. Er wollte sich bücken, um sie zu streicheln, aber stattdessen umarmte er sie.

»Daddy!« Es war Jennifer, und Pat war bei ihr.

»Alles okay?«

»Klar, Daddy.«

Er betrachtete Jennifer eingehend. Sie hatte ein paar Pfund abgenommen. Jen hatte ihr bei jeder Mahlzeit so viel zugeschoben wie möglich; Fleisch und Gemüse – wobei das Gemüse jetzt aus gekochtem Löwenzahn bestand. Er sah zum Obstgarten hinauf. Wenn sie doch nur Pfirsichbäume hätten, dann hätten sie in wenigen Wochen Pfirsiche ernten können. Aber es waren Apfelbäume, und die Früchte reiften viel zu langsam.

Er hatte nie viel Interesse für die acht Obstbäume aufbringen können, abgesehen von ihrer Schönheit im Frühling. Die reifen Äpfel im Herbst waren ziemlich sauer, und normalerweise hatten sie sie einfach auf den Boden fallen lassen. Die ganze Familie war entzückt gewesen, wenn das Fallobst Bären angelockt hatte.

»Sie musste vorhin ein bisschen Schokolade essen«, sagte Pat. »Ihr Blutzucker war niedrig.«

»Petze«, zischte Jennifer.

»Ich hab' deinem Vater versprochen, auf dich aufzupassen.«

»Ich kann auf mich selber aufpassen.«

Er umarmte beide Mädchen, die sich stritten, während er ins Haus ging.

Jen schlief halb. Auf ihrer Brust lag ein Buch, ein altes Buch über den Bürgerkrieg.

»Wo ist Elizabeth?«

»Ben und sie sind spazieren gegangen«, antwortete Jen, setzte sich auf und rieb sich die Augen.

»Sie gehen in letzter Zeit oft spazieren«, stellte John fest.

»Tja, mein Schwiegersohn, und du solltest dich jetzt lieber hinsetzen.«

»Warum?«

»Ich glaube, du musst mit den beiden reden.«

»Worüber?«

»Über Sex. Und Schwangerschaft.«

»Verdammt noch mal, Jen, nicht jetzt, nicht heute. In Verbindung mit ihr will ich daran nicht einmal denken.«

»Das wollen die wenigsten Väter. Aber offen gesagt, lieber Schwiegersohn, ich glaube, deine 16-jährige Tochter ist jetzt – wie soll ich es ausdrücken – eine Frau.«

»Jesus, bitte, lass uns jetzt nicht darüber sprechen.«

»Tyler und ich kamen ziemlich schnell dahinter, was dich und Mary damals betraf.«

Er errötete. Jen hatte das nie zuvor erwähnt. Er sah sie an.

»Fast vom ersten Tag an wussten wir Bescheid, schätze ich. Zumindest ich. Tyler versuchte wie jeder Vater, die Augen davor zu verschließen. Aber ich sehe jetzt dasselbe in deiner Tochter, John.«

»Jen, nicht jetzt«, stöhnte er gequält. »Es passiert gerade so viel anderes.«

Jen nickte langsam.

»Und du willst dich dieser Sache nicht stellen. Das ist verständlich, aber du musst, John. Die beiden haben Angst, sie sehen keine Zukunft, und deshalb verschwinden die alten Hemmungen. Ich bin alt genug, um mich an den

Zweiten Weltkrieg zu erinnern. Damals war es das Gleiche. 18-Jährige, die sich erst ein paar Tage oder Wochen kannten, sagten sich ›Was soll's?‹ und heirateten – oder sie *mussten* ein paar Monate später heiraten. Bei unserem Gefasel über die ›Heldengeneration‹ des Zweiten Weltkriegs vergessen wir gern, wie jung sie alle waren und wie viel Angst sie hatten. Also, sieh der Wirklichkeit ins Gesicht, lieber Schwiegersohn. Du bist hier der Geschichtsprofessor. Du weißt, was während eines Krieges in Kindern vorgeht.«

Allzu viel hatte sich heute bereits ereignet. Er stand auf und warf einen Blick in Jennifers Zimmer. Sie und Pat spielten gerade eine Partie mit Jennifers Pokémon-Karten.

Ihre Hautfarbe sah nicht normal aus, etwas zu gelblich und blass.

Lieber Gott, ein einziges Flugzeug mit Nachschub für Asheville, nur ein einziges, und meine größte Sorge wäre verschwunden.

»Würdest du bitte mit ihr reden?«, fragte er, als er sich Jen wieder zuwandte.

»Feigling! – Ja, das habe ich sogar bereits. Aber ich glaube, dass du als Vater ebenfalls mit beiden reden solltest.«

»Also gut, nachher«, sagte er ein wenig zu schnell.

Er sah Zach und Ginger an und ging zum Waffenschrank. Er nahm die Schrotflinte und ging aus der Tür, gefolgt von den beiden Hunden, die hofften, dass es heute vielleicht doch noch etwas zu essen geben würde, falls ihr Herrchen und Meister Glück hatte.

KAPITEL NEUN

Tag 63

Hundegebell weckte ihn auf und er wusste augenblicklich Bescheid: Jemand war ins Haus eingedrungen.

Nachdem letzte Woche die Familie Connor in ihrem Haus am oberen Ende der Straße ermordet worden war, hatten sie einen Plan ausgearbeitet und eingeübt. Alle vier Connors, die Eltern und beide Kinder, waren getötet und das Haus auf der Suche nach irgendwelchen Nahrungsbrocken von oben bis unten durchwühlt worden.

Er zögerte nicht und hielt die Jagdflinte im Anschlag, während er tief gebückt aus dem Büro schlich.

Die beiden Hunde bellten und knurrten wie verrückt. Dann hörte er den Knall einer Schusswaffe und einen schrillen Schrei.

Er trat ins Wohnzimmer. Die Hintertür zur Küche war weit geöffnet. Zwei Männer, zumindest sah es so aus.

Dies also war der Moment, und er handelte, ohne zu Zögern.

Der erste Schuss trennte dem Mann, der in der Tür gestanden hatte, fast den Kopf von den Schultern. Der zweite Mann drehte sich um, Johns erster Schuss verfehlte das Ziel, aber der zweite traf ihn in den Bauch und schleuderte ihn rückwärts gegen die Küchentheke.

Die Mädchen waren gründlich trainiert worden: Wenn ein Eindringling im Haus war, sollten sie sich auf dem Boden hinter dem Bett verkriechen. Das Wasserbett, in dem sie nun alle schliefen, war eine perfekte Deckung …

Nach ein paar Sekunden fing Elizabeth an, »Daddy!« zu schreien.

»Bleibt, wo ihr seid!«

Tief gebückt kam er um die Ecke in die Küche. Der eine Mann war definitiv tot; das konnte John sogar im schummrigen Mondlicht erkennen. Der andere wimmerte und zuckte krampfhaft. Neben ihm lag Zach, der erbärmlich heulte, während Ginger, die Nackenhaare gesträubt, den Verletzten anknurrte.

John war klar, dass draußen noch jemand sein konnte, aber er kroch zuerst zu dem Verletzten, hob dessen Pistole vom Boden auf – sie fühlte sich an wie ein Kaliber-22-Revolver – und steckte sie in seinen Gürtel. Der Tote hatte keine Schusswaffe gehabt, lediglich eine Machete, die John mit der freien Hand ergriff.

Er näherte sich der weit geöffneten Tür und wollte hinausgehen, aber dann überlegte er es sich anders, zog sich, wieder gebückt, ins Haus zurück und schlich zuerst zu Jennifers und dann zu Elizabeths Zimmer, um sich zu vergewissern, dass es keinen dritten Eindringling gab.

Er warf einen kurzen Blick durch die Tür seines ehemaligen Schlafzimmers.

»Ich bin okay. Bleibt, wo ihr seid!«, zischte er. »Elizabeth, du hast deine Waffe.«

»Ja, Daddy.« Ihre Stimme zitterte.

»Wenn ich hierher zurückkomme, werde ich zuerst rufen. Falls jemand anders hereinkommt, schießt du, ohne zu zögern.«

»Ja, Daddy.«

Er schlich durch sein Büro, dann durch die Vordertür, die er vorsichtig öffnete, und umkreiste das Haus.

Niemand sonst war da. Er schlüpfte durch die Hintertür in die Küche und probierte die Kellertür. Sie war immer noch fest verschlossen. Noch einmal, tief gebückt, glitt er an Jennifers und Elizabeths ehemaligen Zimmern vorbei.

Nervös öffnete er die Schranktüren. Beide Zimmer waren leer.

Er kehrte in die Küche zurück.

»Jen, zünde eine Kerze an und komm her.«

Eine Minute später erleuchtete flackerndes Licht die Küche. Jen schrak zurück, als sie den ersten Mann sah, dem John buchstäblich das Gesicht weggeschossen hatte. Der zweite wimmerte nun lauter, zusammengekrümmt. Und dann war da auch noch Zach.

John ging zu seinem alten Kumpel, dem langjährigen treuen Freund, der ihnen allen mit seinem Gebell das Leben gerettet hatte. Er war von einer Kugel in den Rücken getroffen worden, direkt hinter den Schultern.

»O Gott, Zach«, stöhnte John. Und wie so viele Hunde, wenn sie ernsthaft verletzt waren, leckte Zach Johns Hand, als würde es ihm dadurch besser gehen.

John sah Jen mit aufgerissenen Augen an.

»Ihr müsst mir helfen.« Das war der verwundete Mann. »Bitte, helft mir.«

John staunte selbst über seine schnelle Reaktion. Die Glock, die er sogar umgeschnallt trug, wenn er schlief, schussbereit mit einer Patrone im Lauf, glitt in seine Hand, bevor er selbst es begriffen hatte.

»John?« Das war Jen.

Er drückte ab. Beim explosiven Krachen der 9-Millimeter begannen Elizabeth und Jennifer wieder zu schreien.

»Alles in Ordnung!«, rief John. »Alles okay, Mädchen, aber bleibt, wo ihr seid.«

John sah Jen an, die erstarrt und entsetzt dastand.

»Ich hätte ihn in der Stadt ohnehin hinrichten müssen, wenn er das hier überlebt hätte.«

John hatte in der letzten Woche fünf Menschen hingerichtet. Zwei davon waren Ortsansässige gewesen, die ein Schwein gestohlen und getötet hatten. Sie hatten in einer Höhle in der Bergwand gehockt und sich mit dem Fleisch vollgestopft, als man sie aufspürte. Die armseligen Narren hatten offensichtlich nicht kapiert, dass Hungrige bratendes Fleisch auf eine Entfernung von einem Kilometer riechen konnten. Die anderen drei waren beim Eindringen in ein Haus erwischt worden, genau wie die beiden hier auf dem Boden.

»Jen, du musst mir helfen, sie aus dem Haus zu schleppen. Ich will nicht, dass die Mädchen diese Schweinerei sehen.«

Wieder erregte Zachs Winseln Johns Aufmerksamkeit, und er drehte sich um. Ginger lag an Zachs Seite und leckte ihren alten Freund.

Er fühlte eine so heftige Traurigkeit, dass sie ihn zu überwältigen drohte. Das Töten hatte ihm nicht das Geringste ausgemacht. Washington Parker hatte recht: Nach der ersten Hinrichtung wird es immer leichter. Diese Männer hatten sein Heim überfallen und seine Mädchen bedroht, und dass er sie getötet hatte, ließ ihn völlig kalt.

Aber Zach. Ginger und Zach bestanden inzwischen nur noch aus Haut und Knochen, und durch das einst glänzende Fell zeichneten sich deutlich die Rippen ab. Trotz des Verbots, Hunde frei herumlaufen zu lassen, hatte John sie den Wald nach Beute durchforsten lassen, denn ihr altes Jagdrevier lag lediglich hundert Meter vom jetzigen Pisgah Nationalpark entfernt. Natürlich hatte er sich Sorgen gemacht, dass irgendwelche Leute, die ebenfalls auf der Jagd unterwegs waren, die Hunde erlegen könnten, aber bis jetzt hatten sie Glück gehabt.

Er kniete neben Zach nieder. Der Hund hob den Kopf und leckte wieder Johns Hand.

»Danke, alter Freund«, flüsterte John. »Danke für alles.«

»Soll ich das für dich machen?«, flüsterte Jen.

Er sah erschrocken zu ihr auf.

»Nein, er war unser Hund – Marys und meiner.«

Er zog den 22er, der dem Toten gehört hatte, spannte den Hahn und drückte den Lauf hinter Zachs Ohr. Ginger stand auf und wimmerte laut; sie spürte, dass etwas Schlimmes im Gang war ... John konnte es nicht tun und brach in Tränen aus.

»Ich kümmere mich um ihn«, flüsterte Jen. »Geh jetzt raus und nimm Ginger mit. Du willst sicher auch nicht, dass sie es sieht. Geh.«

Jen verließ kurz das Zimmer und kam mit dem letzten Päckchen Zigaretten und der Whiskyflasche, die nur noch einen kostbaren Schluck enthielt, zurück.

»Mädchen«, rief Jen, »die Gefahr ist vorbei, aber bleibt noch auf dem Boden in eurem Zimmer liegen!«

John sah Zach an. In diesem Moment fühlte er sich wie ein Feigling, ein erbärmlicher Schwächling. Er kniete sich hin und küsste Zach auf die Stirn. Der Hund war blutig und keuchte heftig. John stand wieder auf und fasste Ginger am Halsband, um sie nach draußen zu ziehen, wo er sie losließ. Er zündete die Zigarette an und entkorkte die Whiskyflasche.

»Schon gut, mein lieber Zach«, hörte er Jen in der Küche sagen. »Sag Tyler, dass ich ihn liebe. Du erinnerst dich doch noch an unsere alte Hündin? Jetzt kannst du wieder mit ihr spielen ...«

Beim gedämpften Knall des Revolvers beugte John sich über die Verandabrüstung und heulte. Ginger wimmerte und drängte ihre Schnauze an seine Beine.

Er erlebte einen surrealistischen Moment der Desorientierung. *Ich habe gerade zwei Männer getötet, ohne auch nur eine Sekunde zu zögern. Und jetzt heule ich wegen eines Hundes ...*

Einen Moment später kam Jen aus der Tür. Sie trug Zach, der in eine Decke gehüllt war.

»Er ist so leicht«, sagte sie leise. »Für ihn ist es besser so.«

»Ich werde ihn begraben, sobald es hell wird«, sagte John.

»Nein, John.«

»Was?«

Und dann verstand er. Nein, nicht Zach. Das konnte er nicht.

»Ich würde kotzen. Die Mädchen auch. Das können wir nicht.«

»Bring ihn runter zu den Robinsons. Für sie ist es nicht das Gleiche. Die arme kleine Pat verhungert allmählich.«

»Sie beziehen Rationen. Das Horten irgendwelcher Extranahrung ist strafbar. Sie würden ihre Rationskarten verlieren. Laut Gesetz dürfen wir ihn essen, aber sie nicht. Ich bin verpflichtet, ihn dem kommunalen Nahrungsvorrat zu übergeben.«

»John, du bist so verdammt kaltblütig und logisch in manchen Dingen, und in anderen ein solcher Idiot. Bring ihn zu den Robinsons, jetzt sofort. Sie können uns später etwas im Tausch dafür geben.«

John nickte schließlich.

Sie gab ihm Zachs Kadaver.

»Ich werde Lee bitten, uns mit den Leichen zu helfen. Sorg dafür, dass die Mädchen dem Wohnzimmer und der Küche fernbleiben. Sagst du es ihnen?«, fragte John

Sie nickte.

John ging langsam in Richtung Auto.

»Beweg dich keinen Zentimeter weiter«, zischte eine Stimme aus dem Dunkeln.

Er erstarrte und verfluchte sich innerlich. Es gab also doch einen dritten Mann; vielleicht sogar einen vierten und fünften. John machte sich bereit, Zach fallen zu lassen und einen Ruf auszustoßen, um Jen und die Mädchen zu warnen, bevor es ihn erwischte.

»John, bist du das?«

Und jetzt erkannte er die Stimme. Es war Lee Robinson.

»Gott im Himmel, Lee, ja, ich bin's.«

»Ich habe Schüsse gehört und bin gekommen, um euch zu helfen.«

»Danke, Lee.«

Dieser trat aus dem Dunkel und näherte sich.

»John, was trägst du da? O Gott, nein, nicht einer der Hunde.«

»Zach. Wenn er und Ginger uns nicht gewarnt hätten, dann hätten sie uns erwischt. Es waren zwei. Ich hab sie beide getötet. Zach wurde von einem der Dreckskerle angeschossen.«

»Ich habe gerade vor einer Minute noch einen Schuss gehört.«

»Ich konnte es nicht«, gab John zu und merkte, dass er Zach noch enger an sich drückte. »Was für eine Scheiße. Jen musste es tun.«

»Das ist okay, John, das ist okay.« Lee legte seinen Arm um Johns Schultern. *Südstaatler,* dachte er. *Die verstehen das mit den Hunden.* Er spürte, dass Lee ein wenig zitterte; er hatte Zach auch gemocht, sein alter Hund Max und Zach waren dicke Freunde gewesen. Max war vor einer Woche verschwunden, wahrscheinlich erlegt, als er im Wald unterwegs war, und Lee war über den Verlust völlig niedergeschmettert gewesen.

John bekam sich wieder in die Gewalt und beide standen stumm da, den Blick auf Zach gerichtet. Jeder wusste, was der andere dachte.

»Nimm ihn, Lee«, war alles, was John sagen konnte.

»John, nicht in einer Million Jahren hätte ich gedacht, dass es je so weit kommen würde.«

John übergab ihm die Hundeleiche.

»Ich bringe ihn Mona. Sie wird so respektvoll sein, wie sie …« Lees Kehle schnürte sich ebenfalls zu und ihm versagte einen Augenblick lang die Stimme. »Danke. Ich bin allmählich ganz verzweifelt wegen Pattie. Die Rationen reichen einfach nicht. Zach hat auch ihr das Leben gerettet, John.«

John begann seine Fahrt in die Stadt einige Stunden später. Die Leichen der Räuber lagen auf der Veranda, als er wegfuhr. Bartletts Erntewagen, wie alle den alten VW-Bus nun sardonisch nannten, konnte später hergeschickt werden, um sie abzuholen.

John berührte ihr Tod so wenig, dass er lediglich an die beiden Extrarationen dachte, die nun als Lohn für die Aushebung der Gräber im Golfplatzfriedhof ausgegeben werden mussten. Inzwischen befanden sich dort 1500 Gräber, und weitere 500 auf dem Fußballplatz der christlichen Schule von Swannanoa.

Kellor hatte recht behalten. Die Todesfälle stiegen rapide an. Gestern waren an die hundert verhungert, die meisten waren ältere Menschen. Als Nächstes würde die jüngere Elterngeneration folgen.

Als Historiker wusste John, dass dies das normale Muster war, obwohl ein neutraler Beobachter – ein Akademiker, der unbeteiligt in seinem Sessel saß – wahrscheinlich gedacht hätte, dass die Kinder zuerst stürben. Aber welche Eltern würden essen, während ihr Kind verhungerte? An den Rationsausgabestellen – insgesamt fünf in beiden Gemeinden – standen nun fast 95 Prozent der Überlebenden täglich in einer endlosen Schlange, um einen Teller Suppe und ein Brötchen oder ein Stück Brot zu bekommen.

Ein weiteres »Staatsgeheimnis« war, dass die strengstens bewachte Bäckerei, die in einem ehemaligen Pizzalokal mit Holzofen eingerichtet worden war, begonnen hatte, Sägemehl in den Teig zu mischen, um die Mägen zu füllen. Genau so war es auch in Leningrad gewesen, was John dazu inspiriert hatte, es vorzuschlagen.

Viele Eltern arbeiteten, um Sonderrationen zu erhalten, brachten das Essen ihren Kindern nach Hause und starben dann. Man hoffte, dass Nachbarn oder Verwandte die Waisen aufnehmen würden, wenn beide Elternteile tot waren.

Charlie und Tom waren gezwungen gewesen, den strikten

Befehl zu erteilen, dass Personen, die Extrarationen erhielten, diese sofort an der Ausgabestelle essen mussten. Trotzdem schmuggelten viele ein Brötchen in ihren Kleidern nach Hause. Manche hatten ihre Taschen sogar mit Plastikfolie ausgekleidet und gossen ihre Suppe hinein, wenn sie sicher waren, dass niemand zusah. Dann gingen sie langsam und vorsichtig nach Hause, wo vielleicht zwei, drei oder vier hungrige Kinder auf sie warteten.

Ironischerweise gab es gleichzeitig, zumindest nach den Aussagen der ›Stimme Amerikas‹, einige Anzeichen dafür, dass weiter unten an der Küste gewisse Hilfsmaßnahmen bereits Wirkung zeigten.

Die neu gebildete Regierung hatte ihren Sitz nun auf dem Flugzeugträger *Abraham Lincoln*. Noch immer galten die Notstandsgesetze. Berichten zufolge waren die Mais- und Weizenernte im Mittleren Westen gesichert, und die Erträge würden mithilfe wiedereröffneter Eisenbahnlinien verteilt werden. Das südöstliche Hauptquartier der Notstandsregierung war in Charleston etabliert worden, und täglich wurden Berichte über die Fortschritte des Wiederaufbaus gesendet. Es wurde sogar behauptet, dass ein Atomkraftwerk in Georgia wieder funktionsfähig sei; aber es schien, als fänden alle Fortschritte entweder an der Küste oder in der Gegend um Atlanta in Georgia statt. John fragte sich, ob jemand in den höheren Rängen der Kommandohierarchie entschieden hatte, die obere Hälfte South Carolinas und das westliche North Carolina ganz aufzugeben.

Allerdings waren Flugzeuge über sie hinweggeflogen. Hauptsächlich Düsenjäger, aber auch die eine oder andere großräumige C-17-Frachtmaschine. Asheville hatte nach einer Weile zugegeben, dass über eine Luftbrücke Ersatzteile für den Generator des Krankenhauses geschickt worden waren.

Asheville hielt sich nach außen weitgehend bedeckt. Die

Telefonleitung, die Black Mountain eingerichtet hatte, reichte nun zwar bis ins Rathaus von Asheville, aber die Kommunikation war vorwiegend einseitig, als wolle sich der dortige Stadtdirektor für die Kraftprobe »Flüchtlinge gegen Wasservorrat« rächen.

Der Gedanke, dass womöglich irgendwelche medizinischen Vorräte nach Asheville eingeflogen worden waren, machte John schier verrückt. Washington musste ihn fast mit körperlicher Gewalt davon abhalten, hinzufahren und frisches Insulin zu fordern. Er hatte persönlich mit Burns, der immer noch als Stadtdirektor fungierte, telefoniert und ihn um Auskunft über Insulin gebeten, aber Burns hatte jede Insulinlieferung abgestritten und hinzugefügt, selbst wenn das Medikament geliefert worden wäre, hätte er die Ausgabe außerhalb Ashevilles unter keinen Umständen gestattet.

John war wie besessen vom Insulin. Vor zwei Tagen war Jennifers Blutzucker hoch gewesen. Sie hatte eine Injektion bekommen, aber ihr Zuckerpegel war immer noch zu hoch.

Endlich war er zu Makala gegangen und sie hatte Jennifer gründlich untersucht. Anschließend zog sie John beiseite.

»Die letzten drei Fläschchen Insulin«, hatte sie gesagt, »sind wahrscheinlich verdorben.«

Letzten Endes war die dreifache Dosis nötig gewesen, um Jennifers Zuckerspiegel wieder zu senken.

Ihre Zeit hatte sich um zwei Drittel verkürzt.

Und Hilfe – falls Hilfe überhaupt existierte – war immer noch so weit weg wie die dunkle Seite des Mondes.

Mehr als die Hälfte der Diabetiker in der Stadt waren bereits tot, und die Übrigen folgten ihnen nun ziemlich schnell.

Er schaltete den Motor aus, lehnte sich zurück und zündete sich eine weitere Zigarette an – bereits die sechste an diesem Tag … *ach, zum Teufel mit dem Zählen.*

Er saß nur da, rauchte und sah auf die Autobahn. Die Autos standen immer noch dort, wo sie vor zwei Monaten stehen geblieben waren.

Irgendwie haben wir schon vom ersten Tag an alles verdrängt, begriff er.

Jeder, der auch nur die geringste Ahnung von EMPs und der damit verbundenen Bedrohung für die Nation hatte, hätte allein bei dem Gedanken an den Angriff auf die Barrikaden gehen müssen. Während des Zweiten Weltkriegs war die gesamte Nation mobilisiert worden: die vielen Parolen, ›Lose Lippen versenken Schiffe‹, die Schrottsammlungsaktionen, die Wachen, die im Bundesstaat Iowa auf den Eisenbahnbrücken aufgestellt worden waren … Vieles davon war absurd gewesen, wie sich Jahre nach dem Krieg herausgestellt hatte, als man die eigentliche Bedrohung verstand. Es hatte keineswegs Legionen von Spionen und Saboteuren in Amerika gegeben, und die wenigen, die tatsächlich im Land tätig gewesen waren, hatte das FBI innerhalb weniger Tage verhaftet. Dennoch: Es hatte eine Bedrohung bestanden, und obwohl sie gering schien, hatte man Maßnahmen dagegen ergriffen. Aber jetzt? Die Bedrohung war hundertmal schlimmer gewesen, und nichts, absolut nichts war dagegen unternommen worden. Wütend drückte er die Zigarette aus und zündete eine neue an.

Wenn alle darüber unterrichtet worden wären, so wie in den 40er- und 50er-Jahren, als die Zivilverteidigung zum Lehrplan jeder Schule gehörte; wenn die Bevölkerung schon lange vor dem Tag eins mit den einfachen, praktischen Schritten vertraut gewesen wäre, die als Erstes zu tun waren, dann wäre Charlie bereits für die Folgen eines EMP-Angriffs trainiert gewesen und hätte seine Truppen schnell aufstellen können … und wenn sie zumindest einige kleine Vorräte eingelagert hätten, so wie die Bewohner der bekannten Tornado- oder Orkangebiete es routinemäßig taten – wären sie dann heute so hilflos gewesen?

Das Verbrechen, das eigentliche Verbrechen, war von denjenigen begangen worden, die das Ausmaß der Bedrohung gekannt und dennoch nichts dagegen unternommen, noch nicht einmal Vorbereitungen getroffen hatten. Verbittert fragte er sich, ob die Schuldigen nun genauso litten wie die restliche Bevölkerung, oder ob sie sicher in den Regierungsbunkern saßen, in denen Nahrungsmittel, Wasser und Medikamentenvorräte auf sie warteten, die für viele Jahre reichen würden … und ihre Familien? Der Gedanke daran erfüllte ihn mit Zorn. Er wusste, was er getan hätte, wenn er jetzt dorthin hätte gelangen können: Er hätte ihnen Jennifer vorgeführt und ihnen dann alles angetan, was er sich nur vorstellen konnte.

Aber er erkannte auch seine eigene Verdrängung seit dem ersten Tag, auch wenn er sich zumindest bemüht hatte, Insulin zu bekommen. *Essen, Dosen, Trockenvorräte, einen 50-Pfund-Sack Reis oder Mehl, Schuhe, Batterien, ein zusätzliches Zuckermessgerät für Jennifer, sogar irgendeine verdammte Empfängnisverhütung für Elizabeth, Hundefutter, einen Wasserfilter, damit wir nicht alles abkochen müssen, was wir nun aus dem vor Algen grünen Swimmingpool beziehen ... das alles hätte ich organisieren sollen.*

Nun waren mehr als zwei Monate vergangen, und die Bewohner seines kleinen Städtchens in North Carolina verhungerten allmählich. *Ich habe das alles schon am ersten Tag relativ gut verstanden, und doch habe ich es seitdem vermieden, dem Schlimmsten ins Auge zu sehen,* dachte er. *Doch Kellor hat das alles in der Zusammenkunft vor fast einem Monat angesprochen, als wir die Entscheidung trafen, die Rationen für die meisten Leute zu reduzieren, aber wir haben die schreckliche Wirklichkeit immer noch verdrängt.*

Amerika, die Kornkammer der Welt, das Land, das problemlos eine Milliarde Menschen ernähren konnte, verhungerte nun. Die beiden Radiokanäle der ›Stimme Amerikas‹ berichteten täglich über die ersten Feldfrüchte, die jetzt im südlichen Teil des Mittleren Westens geerntet wurden, und über den Viehtrieb aus dem Westen. Das alles hörte sich für John genauso an wie die alten sowjetischen und chinesischen Radiosendungen während des Kalten Krieges, in denen täglich mit großen Fortschritten geprahlt wurde, während die Menschen im Elend lebten und buchstäblich verhungerten.

Die Nahrung war vorhanden, aber sie würde niemals hier eintreffen; jetzt nicht mehr. Das bedeutete, dass mehr als 20 Prozent der Bürger bereits tot waren und über die Hälfte binnen 30 Tagen gestorben sein würden, während Millionen Tonnen von Nahrungsmitteln verrotteten, weil es immer noch keine Möglichkeit gab, das Nötigste dorthin zu bringen, wo es am dringendsten gebraucht wurde.

Die Medikamente. Ja, auch sie waren vorhanden – irgendwo. Vielleicht sogar riesige Vorräte, irgendwo in Übersee; aber die Fabriken, die sie herstellten, lagen in den Städten, und die Städte hatten keinen Strom, höchstens vielleicht hie und da einige vereinzelte Orte. Die Leute, die in den Fabriken gearbeitet hatten, versteckten sich irgendwo oder waren nun Flüchtlinge – vielleicht gehörten sie sogar zu den Menschen, die jetzt tot an der Barriere lagen. Und selbst wenn eine Fabrik plötzlich wieder Strom hätte – Insulin wurde aus genetisch veränderten Bakterien in Laboratorien erzeugt. Aber die Laboratorien, vielleicht in New York oder Arizona, waren gut 1600 Kilometer entfernt. Und die Fläschchen, in die es eingefüllt wurde? Die wurden vielleicht in Mexiko hergestellt und mit Lastwagen in die Tausende Kilometer entfernten Fabriken transportiert ... und dann, wenn sie in den Fabriken mit Insulin gefüllt worden waren, wurden die Fläschchen wieder in klimatisierte Lastwagen geladen, zu den Flughäfen gebracht und in Spezialbehälter, die vielleicht in Mississippi fabriziert worden waren, verpackt, bevor man sie weiterleitete. Und so ging es immer weiter.

Intravenöse Medikamentenzufuhr. Die Plastikbeutel für intravenöse Behandlungen wurden an relativ wenigen Orten hergestellt. Eine Million täglich. Diese wurden dann in steriler Umgebung verpackt und zu Fabriken geschickt, die sie entweder mit Blut füllten, das vielleicht von Spendern stammte, die Tausende von Kilometern entfernt lebten, oder mit diversen Flüssigkeitslösungen, die vielleicht in Oregon gemischt und dann nach Texas versandt worden waren, um dort eingefüllt zu werden.

Unendlich viel kam auch aus Übersee. Güter, die mit elektrischen Ladekränen von Containerschiffen in Lastzüge umgeladen wurden. Vielleicht war der Kunststoff, aus dem die Beutel bestanden, aus Öl hergestellt worden, das aus Kuwait stammte und dann nach Texas verschifft wurde, wo man es raffinierte und diverse Chemikalien ausfilterte. Den so entstandenen Rohstoff transportierte man nach Louisiana, wo er endgültig in Kunststoff verwandelt wurde, und manche dieser Kunststoffe bildeten das Ausgangsmaterial für die transparenten IV-Beutel, die schließlich in Asheville eintrafen.

Ein solch gewaltiges, aufwendiges, schönes, kompliziertes Netz: das komplizierteste Netz in der ganzen Menschheitsgeschichte. Aber die ganze Zeit hatten Feinde gelauert, im Hintergrund verborgen; Feinde, die die Amerikaner jahrelang ignoriert und eines Tages zu hassen gelernt hatten. Der Hass verwandelte sich allmählich, wie stets bei den Amerikanern, in Distanzierung, dann in Verachtung und schließlich in das behagliche Gefühl, letztlich bereits gesiegt zu haben – vielleicht sogar einfach dadurch, dass sie alle sich gewünscht hatten, die Feinde seien nicht mehr da. Was hatte der 11. September letztlich bewirkt, wenn man es kalt und nüchtern betrachtete? Der Tag hatte 3000 Menschen den Tod gebracht. War die Ökonomie am nächsten Tag zusammengebrochen? Hatte Johns Tochter Jennifer auch nur eine einzige Insulininjektion verpasst? Waren die Arbeiter in einer Fabrik, die Insulin herstellte, am 11. September in Panik davongerannt? Nein. Und trotz aller Entrüstung, trotz aller mitfühlenden Tränen – wenn man nicht gerade selbst Freunde oder Verwandte verloren hatte, hatte sich die Welt nicht verändert; abgesehen von der Irritation durch die verschärften Flughafenkontrollen.

John kam der Gedanke, dass das Netz dieser Gesellschaft den wunderschönen Spinnennetzen glich, die er als kleiner Junge im Garten gesehen hatte, wenn sie im Morgentau sichtbar geworden waren. Weiträumige, schöne, komplizierte Gebilde. Doch bei einer einzigen Berührung mit einem Streichholz fiel das ganze Netz einfach zusammen, und falls die Spinne diesen Tag überlebte, blieb ihr nichts anderes übrig, als das ganze Netz von Grund auf neu zu spinnen. *Das wussten unsere Feinde und haben ihre Pläne danach ausgerichtet ... und ihre Pläne hatten Erfolg.*

Er warf die zweite Kippe aus dem Fenster, zündete noch eine Zigarette an und fuhr in die Stadt, um den Überfall auf sein Haus zu melden und Jim zu bitten, den Erntewagen hinaufzuschicken.

Die Suppenschlange an der Grundschule formierte sich bereits, obwohl die Ausgabe der täglichen Ration erst mittags begann. Ein Schweinekadaver hing an einem Baum, eigentlich war es kaum mehr als ein Ferkel gewesen. Er war bereits abgeschabt bis auf die Knochen, die auch in die Suppe kommen würden.

Die Menschen in der Schlange waren bis auf die Knochen abgemagert, der Gewichtsverlust deutlich sichtbar. Viele konnten sich kaum noch auf den Beinen halten. Die Bäuche der Kinder begannen anzuschwellen. Fünf Leichen lagen an der Bordsteinkante, damit der Erntewagen sie abholen konnte. Man hatte sie aus den Häusern gezerrt und ihnen nicht einmal mehr die Würde erwiesen, sie mit Laken zuzudecken. Es waren ein Mann, drei Kinder – ihre Eltern waren wahrscheinlich schon vorher gestorben, sodass sich niemand mehr um sie kümmerte – und eine Frau, die offensichtlich Selbstmord begangen hatte, wie ihre aufgeschlitzten Handgelenke bezeugten.

John fiel die Frau bei der Barriere ein … Carol hatte sie geheißen. Wahrscheinlich hatte auch sie längst Selbstmord begangen.

Das Flüchtlingszentrum leerte sich allmählich. Die Insassen begannen, in die Häuser der verstorbenen Ansässigen zu ziehen.

Während der kurzen Fahrt konnte er den einsetzenden Zusammenbruch spüren. Die Leichen vor der Grundschule, die staubigen, mit Müll übersäten Straßen. Ohne regelmäßige Wartung waren die Gullys mit Unrat verstopft. Einige Bäume waren umgestürzt und nur so weit zurückgeschnitten worden, dass ein einziges Fahrzeug passieren konnte. Eine der wunderschönen, hohen Kiefern vor der Grundschule war quer über die Straße gefallen und hatte die vordere Terrasse des Cafés gegenüber zertrümmert. Auch hier hatte man nur genug Holz weggeschnitten, um den Verkehr durchzulassen, und der Rest blieb liegen.

Nichts war unternommen worden, um das Dach des Lokals zu reparieren. Das Innere war dem Wetter preisgegeben und mehrmals waren Plünderer eingebrochen, die jetzt sogar das alte Fett aus den Fritteusen kratzten, um es zu essen.

Jedes Mal, wenn John daran vorbeifuhr, brach es ihm fast das Herz. Vor langer Zeit hatte er dieses Café häufig am Morgen besucht. Mary wäre über sein Frühstück aus gebratenem Speck, Spiegeleiern und Bratkartoffeln entsetzt gewesen, aber er hatte das Lokal geliebt. Der Besitzer war ein fleißiger Mann, den er ehrlich respektierte; er hatte aus einem kleinen Loch einen Ort gemacht, der als beliebtestes Frühstückscafé in ganz Black Mountain galt. Lastwagenfahrer, Bauarbeiter, Ladenbesitzer – und mindestens ein Professor – hatten es zu ihrem morgendlichen Stammplatz auserkoren. Wie oft hatte John den frühen Vormittag dort verbracht, nachdem er seine Töchter zur Schule gebracht hatte? Wie oft hatte er dort vor seiner ersten Vorlesung eine gute Mahlzeit genossen, eine Zigarette, einen freundschaftlichen Schwatz, oder sich mit einem der schönen Geduldsspiele beschäftigt, die der Besitzer eigenhändig aus Holz geschnitzt hatte?

»Was für eine wunderbare Welt wir früher hatten«, seufzte er.

Der Parkplatz der Bank an der nächsten Ecke erstickte allmählich im Unkraut, dem nur noch die Kinder aus dem Flüchtlingszentrum Einhalt geboten, indem sie allen Löwenzahn, den sie finden konnten, pflückten und aßen. Die Bank selbst war eine der letzten ihrer Art gewesen, denn der Besitzer war ortsansässig, und sein Geländewagen parkte immer noch davor, bedeckt mit Staub und getrocknetem Schlamm.

John fuhr an Hamids Laden vorbei. Davor standen ein paar Fahrzeuge: ein VW Käfer, die Rostlaube eines 1965er Chevrolets und ein paar Mopeds. Hamid hatte einige Zigaretten gegen einen alten Generator eingetauscht und dann noch ein paar Glimmstängel mehr, um ihn reparieren zu lassen. Es war ein gewaltiges Ereignis gewesen, als er ihn eingeschaltet hatte und die Lichter schwach zu glühen begannen. Er benutzte den Strom für zwei Dinge: für eine Kühlbox und für eine der Pumpen für seine Benzintanks. John hatte sofort daran gedacht, Hamid zu bitten, Jennifers Insulinfläschchen in der Kühlbox zu lagern, aber Makala hatte ihm davon abgeraten. Der vom Generator erzeugte Strom floss ungleichmäßig, manchmal fiel er sogar ganz aus, und dann erwachte er wieder zum Leben. Es war besser, das Medikament bei einer gleichmäßigen Temperatur von knapp 13 Grad zu lagern, als bei fünf Grad, die vielleicht plötzlich auf 16 oder gar 21 Grad stiegen, um dann wieder auf den Gefrierpunkt zu sinken.

Dennoch hatte sich Hamid als zuverlässiger Freund erwiesen – eine Schuld, die John nie würde begleichen können. Jedes Mal, wenn er den Laden betrat, kam er sich vor wie ein Bettler.

»Für mein Lieblingsmädchen«, sagte Hamid immer, wenn er John ein kleines Päckchen in die Hand drückte: eine Zeitungsseite, in die ein oder zwei kostbare Pfund Eis eingewickelt waren, mit denen John die Temperatur des restlichen Insulins um ein paar Grad senken konnte.

»Ich schulde dir immer noch 20 Dollar«, sagte John jedes Mal, und darauf lächelte Hamid nur, denn auch er hatte kleine Mädchen und wusste, was das bedeutete; und er war stolz darauf, ein Amerikaner zu sein, der einem Freund helfen konnte.

Makala. Komisch, John hatte in den letzten Tagen gar nicht an sie gedacht. *Meine Art des Verhungerns,* dachte er. Die unnötigen Körperfunktionen schalteten sich als erste ab. Mary war seit vier Jahren tot und in dieser Zeit hatte er sich an die Enthaltsamkeit gewöhnt. Er wusste, dass Makala an ihm interessiert war; in einer anderen Zeit wären sie bestimmt miteinander intim geworden, aber nicht jetzt. Außerdem wollte er das instabile Gleichgewicht seiner Familie nicht durcheinanderbringen. Jen war Marys Mutter – wie würde sie reagieren? Und die Mädchen? Sie mochten Makala bestimmt als Freundin, aber was, wenn sich daraus mehr entwickelte? Bei Jennifer verblasste allmählich die Erinnerung an ihre Mutter, aber Elizabeth war zwölf gewesen, als Mary starb, ein sehr verletzliches Alter. In ihrem Zimmer hing immer noch ein halbes Dutzend Fotos, die sie und ihre Mutter zusammen zeigten, und dazu eins, das John besonders berührte: ein schön gerahmtes

Porträt von Mary bei ihrer Schulabschlussfeier. Die Farben verblassten allmählich, aber trotzdem sah Mary genauso aus wie damals, als er sie auf dem College kennengelernt hatte.

Er fuhr auf den Parkplatz des Rathauses. Das rumpelnde Geräusch eines Generators draußen schwoll an und ab und wechselte die Tonhöhe, je nachdem, wie viel Strom gerade verbraucht wurde.

Einer der Löschzüge wurde gerade gewaschen. Die Mechaniker hatten es endlich geschafft, die ganze Elektronik zu umgehen, und die technischen Innereien gründlich umgerüstet. Seit zehn Tagen lief der Motor wieder.

Er betrat das Rathaus. Charlie war in seinem Büro und sah auf, als John hereinkam. In der Ecke stand sein ungemachtes Feldbett.

Charlie hatte mindestens 15 Kilo abgenommen, sein Gesicht war hager. Er hielt eine Tasse, deren Inhalt wie irgendein Kräutertee aussah.

»Zwei Tote liegen oben bei mir. Ich habe sie in den frühen Morgenstunden erschossen«, sagte John sachlich.

»Damit sind es heute Morgen bis jetzt acht«, sagte Charlie mit heiserer Stimme.

John setzte sich und betrachtete seine Zigarettenschachtel. Sie enthielt noch 14 Stück. Er bot Charlie eine an und dieser nahm sie, ohne zu zögern.

»Verdammt, Charlie, du musst mindestens *eine* Extramahlzeit zu dir nehmen.«

Charlie schüttelte den Kopf.

»Es macht wahrscheinlich sowieso bald keinen Unterschied mehr.«

»Warum?«

»Wir glauben, dass die Posse hierher unterwegs ist.«

»Was?«

»Don Barber ist vor ein paar Stunden mit seiner Aufklärungsmaschine losgeflogen, um die Autobahn 40 in

Richtung Hickory für uns zu observieren. Er ist noch nicht zurück. Vor vier Tagen hatten wir keinen einzigen Flüchtling oben an der Barriere; vor zwei Tagen 100, gestern mehr als 200. Es ist, als ob sie irgendetwas von hinten vorantreibt. Sie bringen Gerüchte, dass Morganton total ausgeplündert worden ist – eine richtige mittelalterartige Brandschatzung. Gestern Nacht gab es auch eine Erschießung auf der Autobahn.«

»Das wird allmählich zur täglichen Routine«, sagte John kalt.

»Diesmal war es anders. Es war einer der wenigen, die ostwärts unterwegs sind. Ein großer Kerl. Er sah relativ gut genährt aus.«

»Was hat er getan?«

»Washington hat ihn bemerkt. Er hatte nur so ein Gefühl im Bauch, weil er einen Tag davor denselben Kerl nach Westen unterwegs gesehen hatte. Er fiel ihm auf, weil er eben so gut genährt war. Washington mischte sich unter die Eskorte, die diesen Kerl und andere Flüchtlinge ostwärts begleitete, und spielte den Ahnungslosen. Der große Typ stellte ihm eine Frage nach der anderen: Wie viele hier wohnten, wie viel Essen übrig war, ob es eine organisierte Verteidigung gab.«

»Ein Spion?«

»Genau.«

»Washington stellte ihn kurz vor dem Bergpass zur Rede und wurde fast umgebracht. Der Kerl hatte nämlich das, was Washington eine ›alte Zuhälterknarre‹ nannte, im Ärmel seiner Jacke versteckt, einen kleinen 22er Revolver. Er hat sogar den ersten Schuss abgefeuert, bevor Washington ihn wegblies.«

»Ist Washington okay?«

»Nur eine kleine Fleischwunde in der Seite. Kellor sagte, zweieinhalb Zentimeter weiter und er wäre schlimm dran gewesen, so wie es jetzt mit der Versorgung aussieht.«

»Wo ist Washington jetzt?«

»Oben beim College.«

»Ich glaube, wir sollten hinfahren.«

Charlie nickte, und die beiden stiegen in Johns Edsel.

Die Fahrt zum Campus erinnerte ihn wieder an die verlorene Welt, die vor ein paar Monaten noch existiert hatte: sein tägliches Pendeln zwischen seinem Haus und dem College, weniger als sechseinhalb Kilometer. Wieder dachte er an Rührei mit Speck. Das wäre jetzt unbeschreiblich gut gewesen.

Fast hätte er Charlie davon erzählt. Inzwischen kreisten die Gedanken der meisten zwanghaft ums Essen, aber jetzt war es ein Tabu, davon zu sprechen; ein grober Verstoß gegen den guten Ton. Es machte einen nur verrückt, wenn man darüber redete, was man alles essen würde, sobald »die Lage sich besserte«.

Als sie die Abbiegung nach North Fork passierten, lagen zwei weitere, mit Laken bedeckte Leichen vor einem Haus.

»Ach, Scheiße, nicht die Elliots«, seufzte Charlie.

Drei Kinder standen auf der Rasenfläche, alle dünn wie Bohnenstangen – außer, dass ihre Bäuche geschwollen waren. Sie klammerten sich an eine Nachbarin. In den letzten Wochen hatten immer mehr Kinder geschwollene Bäuche. Kellor hatte John erklärt, dass es Hungerödeme waren, ein Flüssigkeitsstau im Gewebe, der sich bildet, wenn die Körperfunktionen sich abbauen. Er hatte immer den Kanal gewechselt, wenn solche Bilder im Fernsehen aufgetaucht waren, meist in Werbevideos für verschiedene Kinderhilfsaktionen. Es waren immer Kinder in Afrika oder in irgendwelchen Katastrophengebieten in Asien gewesen, die geschwollene Bäuche hatten. Er fragte sich, ob jetzt, in diesem Moment, irgendwo auf der Welt, wo es noch Strom gab, solche Bilder auf den Fernsehschirmen erschienen: »Spenden Sie für die hungernden Kinder in Amerika.«

O Gott, was für ein ernüchternder Gedanke. Werden

unsere Freunde in Übersee, denen wir so oft geholfen haben, ohne etwas dafür zu verlangen, nun uns beispringen? Sind bereits mit Nahrungsmitteln beladene Schiffe eilig auf dem Weg zu uns ... oder ist die Reaktion Schweigen oder, schlimmer noch, Hohngelächter und Verachtung?

»Er hat eine Extraration als Totengräber bekommen; sogar zwei Rationen, weil er zwei Gräber täglich aushob«, unterbrach Charlie Johns Grübeln.

»Und er brachte sie nach Hause zu seinen Kindern und seiner Frau«, sagte John leise.

Sie fuhren vorbei, ohne langsamer zu werden.

Sie passierten drei Jugendliche, Jungs im Teenageralter. Zwei trugen 22-kalibrige Revolver, der dritte eine Luftpistole. Und natürlich hatte der offensichtlich Jüngste einen geschwollenen Bauch. Die drei pirschten vorsichtig vorwärts, ihre Blicke nach oben in die Bäume und auf die Telefon- und Stromleitungen gerichtet.

Höchstwahrscheinlich gab es in der Stadt kaum noch Eichhörnchen und Hasen, sodass nun die Vögel zu potenziellen Zutaten für den Kochtopf geworden waren. Auch John ging bei seinen Jagdausflügen immer öfter leer aus, wenn er sich nicht tief in den Pisgah-Wald wagte. Seine Eingeweide zogen sich zusammen, wenn er daran dachte. Zach war nicht einmal mit einer Mahlzeit im Magen gestorben. Gestern hatte John fast mit seiner Ginger um einen Hasen gekämpft, den er erlegt hatte. Ginger hatte nur die Knochen bekommen, nachdem Jen jedes Faserchen Fleisch in ihr Hasenragout geschabt hatte.

»Weißt du was? Uns geht allmählich die Kleinkalibermunition aus«, sagte Charlie, als sie an den Jungen vorbeifuhren.

»Die meisten, die eine 22er im Schrank hatten, nahmen sie selten heraus und besaßen lediglich eine Schachtel mit 50 bis 100 Patronen. Soweit ich weiß, liegt der Standardtausch jetzt bei fünf Kugeln für einen Hasen oder ein Eichhörnchen.«

Zum Glück besaß John noch einige Hundert Patronen, aber die Jagdflintenmunition wurde knapp. Die Munition der größeren Kaliber hatte er für andere Zwecke aufbewahrt.

Das Tor vor ihnen war verbarrikadiert. Bisher hatten die Studenten, die das Tor bewachten, sein Auto immer erkannt und ihn durchgewinkt. Aber heute nicht. Sie zwangen ihn anzuhalten, während ein Student eine Jagdflinte auf ihn anlegte und eine Studentin um das Auto herumkam und hineinsah.

»Guten Morgen, Sir. Geht's Ihnen gut?«

»Sie sind Rebecca, richtig?«

»Ja, Sir.«

Sie sah auf den Rücksitz, nickte, und zwei Studenten starteten den VW, der die Einfahrt blockiert hatte. Sie ließen ihn vorwärtsrollen, damit John passieren konnte, und fuhren ihn anschließend zurück, sodass die Absperrung wieder geschlossen war.

»Die Kinder werden vorsichtiger.«

»Kein Wunder, bei all den Toten von den Einbrüchen«, sagte John. »Gott allein weiß, wie viele andere Einbrecher Erfolg hatten, und wie viele Familien nun tot in ihren Häusern liegen und verwesen.

Ich glaube, wir können davon ausgehen, dass einige Mitglieder der Posse bereits bei uns eingeschleust worden sind, um uns zu beobachten und zu entscheiden, ob es sich lohnt, uns zu erobern; und sei es auch nur, um leichter in Asheville einfallen zu können. Vielleicht haben sich manche sogar hier in Häuser eingenistet, um zu sehen, ob wir uns vorbereiten.«

Sie bogen in den Weg, der hinauf zur Gaither Hall führte. Schon von Weitem sahen sie die Studentenarmee. Die Tage der Grundausbildung waren längst vorüber und sie übte nun vor der Bibliothek Deckungsfeuer, Zurückziehen und Neuformieren. Washington ging vor den Reihen auf und ab und brüllte Befehle, als John parkte und den Motor ausschaltete.

Washington wandte sich ihm zu und salutierte zackig, was John immer noch irritierte. Dennoch erwiderte John den Gruß.

Die Studenten waren überall: tief hingekauert, zwischen Bäumen versteckt, unter Fahrzeugen verborgen, hinter den Fenstern der Gebäude. Weiter oben auf dem Weg sah John die Gruppe, die wahrscheinlich die »heiße Streitmacht« bildete: Kompanie B, positioniert hinter dem Wohngebäude der Mädchen. Zwölf funktionierende Fahrzeuge: einige VWs, ebenfalls von Jim Bartlett zur Verfügung gestellt, sowie ein paar ländliche Kleinlaster. Auf einer der Ladeflächen war eine Maschinengewehr-Attrappe montiert. Diejenigen, die es bedienten, wurden in Somalia als »Techniker« bezeichnet, glaubte John sich zu erinnern.

Washington hob sein Megafon an die Lippen.

»Captain Malady. Los!«

Kevin Malady war ausgerechnet Aushilfe in der Bibliotheksverwaltung gewesen. Mit seinen kräftigen, breiten Schultern, dem vollen schwarzen Haar und dem kantigen Kinn sah er ein bisschen aus wie Arnold Schwarzenegger, sodass die Studenten ihm den Spitznamen »Conan der Bibliothekar« verliehen hatten. Er war ein ehemaliger Soldat und hatte 2003 im Irak als Sergeant einer Panzereinheit gedient. Kurz vor der Krise hatte er seine Bibliotheksassistenz gekündigt und geplant, sich im Herbst in die Theologiefakultät der Universität Princeton einzuschreiben. Nun war er Kommandeur der Kompanie B.

Während des laufenden Angriffsmanövers war seine Expertise unübersehbar. Die Techniker legten gerade simuliertes Deckungsfeuer, während ein Fahrzeug mit einem vorn aufmontierten Pflug auf die Barrikade zuraste.

Natürlich hielt es kurz davor an und Washington brüllte, die Barriere sei erfolgreich durchbrochen worden.

Malady befahl weiteren Truppen, ihre Deckung hinter gestrandeten Autos zu verlassen und durch die Barrikade zu stürmen.

Hätte sich dieses Szenario vor einigen Monaten abgespielt, hätten die Studenten gelacht, das Ganze als sportliches Spiel betrachtet und frenetisch gejubelt. Aber jetzt nicht. Stumm folgten sie den Befehlen ihrer Offiziere, einige davon Fakultätsmitglieder mit Militärerfahrung. Die Verteidigungseinheit zog sich zurück und versuchte, die Angreifer dorthin zu locken, wo die Gefechtszone wäre, falls Truppen den Bergpass an der Autobahn eingenommen hätten. Einige Hundert Meter hinter dem Bergpass wurde die Straße auf einer Seite von einer hohen Betonmauer begrenzt, einem langen Lärmschutz, der errichtet worden war, um das Konferenzzentrum vor den Straßengeräuschen abzuschirmen.

Washington hatte bereits Schusspositionen an der Rückseite der Mauer eingerichtet. Die neue, erst vor einigen Jahren erbaute College-Kapelle, die das berühmte Fresko *Heimkehr des verlorenen Sohnes* von Ben Long beherbergte, diente nun als Mauersimulator, und die Studenten schnellten plötzlich hinter dem Dachfirst hervor.

»Genau so!«, schrie Washington. »Sobald es losgeht, zählt nur überlegene Feuerkraft. Gebt es ihnen, hart und schnell. Versetzt sie in Panik!«

Allmählich ließ die Konzentration der Studenten auf die Übung nach. Sie standen nur noch herum. Das Manöver war zu unrealistisch: keine Platzpatronen, keine Laserpacks.

Anfangs hatten sie Paintball-Gewehre benutzt, aber die waren schon nach zwei Tagen aufgebraucht.

Washington blies in seine Trillerpfeife.

»Schluss jetzt. Wegtreten. Eine Stunde Pause, Essensausgabe um 12 Uhr.«

Zu Johns großer Überraschung blies jemand den Appell zum Abtreten auf einer Querpfeife, und es lief ihm kalt den Rücken hinunter. Es war der junge D'Inzzenzo, kein Collegestudent, sondern ein Junge aus der Nachbarschaft, der vor einiger Zeit angefangen hatte, sich in der Nähe des Colleges herumzudrücken. Er war Mitglied des historischen Vereins gewesen, der den Bürger- und Unabhängigkeitskrieg nachspielte. Washington fand ihn sympathisch, und nun war er der offizielle Pfeifer der Miliz und blies »Yankee Doodle«, um das Ende der Übung anzuzeigen.

»Gute Marschmusik«, kommentiere Washington, als John den Jungen betrachtete, der ein Bürgerkriegskäppi trug. »Die Studenten lieben das Lied, und es ist gut für die Moral.«

Überall kamen Studenten aus den Gebäuden und ihren Verstecken hervor, alle bewaffnet. Ihre Ausrüstung war nach und nach aufgewertet worden. Die meisten trugen großkalibrige, halbautomatische Gewehre. Ein hoher Prozentsatz der Kompanie B hatte Rotwildjagdgewehre, viele davon mit Zielfernrohr. Charlie hatte bereits angekündigt, dass er die vollautomatischen Waffen, die im Polizeihauptquartier untergebracht waren, im Fall ernsthafter Kampfhandlungen Washington zur Verfügung stellen würde. Einige Zivilisten hatten sich ebenfalls gemeldet, einer davon war mit einem illegalen, vollautomatischen M16 und über 400 Schuss Munition angekommen und hatte gesagt, er würde der Miliz beitreten, wenn er im Kampf diese Waffe tragen durfte. Er war ein Veteran aus dem Vietnamkrieg.

Beide Kompanien waren durch Veteranen ergänzt worden, die aktiven Militärdienst absolviert hatten, einige sogar im Koreakrieg. Insgesamt gehörten nun fast 100 ehemalige Soldaten zur Miliz. Sie mochten alt sein, aber sie hatten Kampferfahrung und waren als Truppen- und Zugführer eingesetzt worden.

Unterdessen brachten die sogenannten Überlebenskünstler, darunter die legendäre Familie Franklin, den Studenten bei, Landminen und hausgemachte Raketenwerfer aus PVC-Röhren zu basteln. Die Mitglieder des Bürgerkrieg-Reenactment-Vereins bedauerten, dass sie keiner echten Kanone habhaft werden konnten, aber nun mischten sie Schwarzpulver und fabrizierten ein Feldgeschütz aus Stahlrohr, das mit Kartätschen geladen wurde.

Wenige Augenblicke nach dem Beginn der Pause hatten sich die Studenten wieder in normale Jugendliche verwandelt. Einige Jungen lachten und frotzelten laut miteinander. Augenblicklich bildeten sich mehr als ein Dutzend Paare, die einander ganz offen umarmten und ohne den geringsten Versuch, ihre Absichten zu kaschieren, Arm in Arm auf den Wald hinter der Wissenschaftsfakultät zusteuerten.

»Wir kriegen bald ein ernsthaftes Problem, und wir dachten, wir sollten bei dir vorbeischauen«, sagte Charlie. Seine Stimme war dünn und rau.

Washington nickte und die drei bogen in einen schattigen Pfad zur alten Steinbrücke, die vom Gregor-Schlafsaal bis zum Hauptgebäude führte. John hatte diese Stelle immer besonders geliebt. Oft hatte er auf der Brücke gesessen und das Flüsschen betrachtet, das unter ihm vorbeirauschte. Andauernd waren Studenten vorbeigekommen, es war der ideale Ort für einen Plausch mit ihnen gewesen, oder um sich gemeinsam mit anderen Rauchern heimlich eine Zigarette anzuzünden – eigentlich eine Missachtung der Regeln, denn das Brücklein war keine ausgewiesene Raucherzone. Der Dekan hatte es jedoch längst aufgegeben, John deshalb zu rügen, und der Collegepräsident fand es sogar gut, dass ein Fakultätsmitglied zusammen mit den Studenten der administrativen Steifheit ein bisschen trotzte.

Sie gingen in Präsident Hunts Büro. Dieser kam nur noch selten auf das Collegegelände, obwohl er kaum einen halben Kilometer entfernt wohnte. Obwohl John, Pfarrer

Abel und Washington ihn geradezu beschworen hatten, weigerte sich Hunt, Extrarationen für sich und seine Frau anzunehmen, und hatte kategorisch verkündet, jedes Gramm Nahrung müsse »unseren Soldaten und Freiwilligen zugutekommen«. Diese Großmut war typisch für ihn und zugleich der Grund dafür, dass sein Leben nun nach und nach erlosch.

Sie setzten sich an den Konferenztisch, doch dann hörten sie ein summendes, stotterndes Motorengeräusch und eilten zum Fenster.

Es war Don Barber in seiner Aeronca L-3, die Streifen der D-Day-Invasion von 1944 auf Flügeln und Rumpf weithin sichtbar. Das Flugzeug passierte den Bergkamm von Lookout Mountain und senkte sich in das enge Tal des Cove. Don kreiste kaum 25 Meter über den Baumwipfeln über dem Campus und neigte das Flugzeug grüßend nach links und rechts, bevor er geradeaus nach Süden flog, um auf der provisorischen Piste auf dem Parkplatz von Ingram's Einkaufszentrum zu landen.

»Lasst mich raten«, begann Washington. »Die Posse ist hierher unterwegs.«

John und Charlie nickten.

»Das war abzusehen. Früher oder später mussten sie ja von uns hören, und nun meinen sie, dass es sich lohnt, uns zu überfallen.

Wann ist er abgeflogen? Vor zwei, drei Stunden?«

»Zweieinhalb«, antwortete John. »Die Maschine fliegt durchschnittlich mit etwa 100 Stundenkilometern. Er bringt bestimmt keine guten Nachrichten; sie müssen bereits ziemlich nah sein.«

Sie setzten sich wieder an den Tisch.

»Einer der Jungs hat gestern Abend einen Bären erlegt. Er ist unten im Schuppen. Das gibt heute Mittag fast ein Pfund Fleisch für jeden.«

Sofort lief John das Wasser im Mund zusammen. Sie

hatten nun schon zweimal einen Bären erlegt. Das Fleisch war zwar unglaublich fett, aber es machte gründlich satt.

»Ich wünschte nur, wir könnten Präsident Hunt dazu überreden, mitzuessen. Ich habe ein paar Mädchen zu ihm geschickt, sie haben ihn angefleht, aber er hat nur gelächelt und abgelehnt. Sie weinten, als sie zurückkamen, und sagten, er sehe furchtbar aus.«

»Typisch Dan«, sagte John leise. »Und vielleicht hat er recht. Die Mädchen und Jungs müssen in guter Verfassung bleiben. Wir können nicht zulassen, dass sie schwach wie kleine Kätzchen herumstolpern, wenn die Posse auftaucht.«

»Sind sie bereit?«, fragte Charlie.

Washington schüttelte den Kopf.

»Nicht sehr beruhigend, verdammt noch mal«, sagte Charlie scharf.

»Hör mal, Charlie, ich liebe diese Kinder. Ich kenne sie seit Jahren. Im Grunde sind sie fast alle gutherzige Kleinstadt-Jungs und -Mädchen. Wir sind schließlich ein christliches College und haben deshalb Studenten mit entsprechenden Wertvorstellungen und Ansichten angezogen. Zumindest haben die Eltern das so gesehen, auch wenn ihre Sprösslinge es nicht unbedingt so aufgefasst haben.

Wenn du aber die harsche Wirklichkeit sehen willst, kann ich ein paar junge Männer für dich auswählen. Jungs, die in Sozialwohnungen in Charlotte, Greensboro und Atlanta aufgewachsen sind. Sie werden dir eine andere Auffassung der Realität darlegen. Da lebten Kinder von zwölf Jahren, die Gleichaltrige umbrachten und damit prahlten, Bandenmitglieder zu sein. 16-Jährige, die schon im Gefängnis gesessen und vielleicht sogar Kinder gezeugt hatten, mit Augen so kalt wie tote Schlangen, und die meisten waren mit 25 schon tot.«

»Der uralte, kranke Witz«, seufzte John. »Man findet nun mal keinen Drogendealer mit einem Bausparvertrag.«

»Genau«, meinte Washington. »Bis vor zwei Monaten dachten die Studenten hier an gute Noten, alberten herum und heirateten nach dem College. Die Reiferen unter ihnen schlossen tatsächlich Bausparverträge ab. Aber falls es so weit kommt, stehen ihnen jetzt nicht einfach irgendwelche Bandenmitglieder aus den Städten gegenüber. Wer wird von der Posse angelockt? Zwielichtige Dreckstücke, die zu allem bereit sind, um zu überleben. Dazu die Psychopathen, von denen Kellor gesprochen hat. Eine tolle Mischung. Was ist mit den Kerlen, die im Gefängnis saßen, als der EMP uns traf? Wo sind die jetzt? Erinnert euch: In unserer stolzen Nation sitzen proportional zur Bevölkerungszahl mehr Menschen im Gefängnis als in jedem anderen Land der Welt.

Und nach der Katastrophe? Lässt man sie verhungern? Richtet man sie hin? Vielleicht hat der eine oder andere Direktor einer Hochsicherheitsanstalt das sogar getan. Das Essen geht aus, und er lässt alle antreten und erschießt sie, statt sie entkommen zu lassen. Aber die Insassen von Gefängnissen mit geringer Sicherheitsstufe sind bestimmt schon nach drei Tagen über den Maschendrahtzaun geklettert. Die blöden Teenager, die wegen Drogenmissbrauchs saßen, sind wahrscheinlich nach Hause gegangen, aber es gab auch in diesen Anstalten wirklich üble Typen. Die haben sich wahrscheinlich zusammengerottet und sehen die Welt jetzt als eine Art Schlaraffenland, das ihnen weit offen steht und ihnen alles bietet, was sie wollen, wenn sie nur den Mumm haben, es sich zu nehmen.«

Washington schüttelte den Kopf.

»Uns hier im Osten sind die Nahrungsmittel ausgegangen«, fuhr Washington fort. »Ich wäre optimistischer, wenn wir im Mittleren Westen wären, im Getreide- und Rindergebiet, aber hier? Wenn man die Bevölkerungsdichte gegen die Menge der vorhandenen Nahrung aufrechnet … es ist aus, vorbei.

Und diese Typen, diese Barbaren, die kennen jetzt nur eine Devise: Essen finden, sich damit vollstopfen, alles ausplündern, und allen anderen mehr Schmerzen zufügen, als sogar sie sich je erträumt haben. Ausschließlich daran denken sie jetzt, während wir um unseren Tisch hocken, über Rationen und die Würde unseres Colleges debattieren und überlegen, ob wir unsere Hunde erschießen und essen sollen oder nicht.«

Beim letzten Satz zuckte John zusammen. Washington, der natürlich noch nicht wusste, was an diesem Morgen passiert war, bemerkte seine Reaktion nicht.

Das Telefon läutete.

Das Läuten eines Telefons war immer noch überraschend. Die drei sahen einander an und John ging zum Schreibtisch des Collegepräsidenten, um den Hörer abzuheben. Es war ein altes Wählscheibentelefon aus den 40er- oder 50er-Jahren. Der Hörer war schwer, das Kabel nicht spiralförmig: Gerade und schwarz hing es einfach herunter.

»Matherson.«

»John, bist du's? Hier spricht Tom.«

»Was gibt's, Tom?«

»Ich bin hier mit Don Barber. Ich habe ihn gerade abgeholt und ins Rathaus gebracht.«

»Was hat er gesehen?«

»Er ist immer noch verdammt aufgewühlt.«

»Kannst du mit ihm herkommen?«

»Klar, John. Wir sind in fünf Minuten da.«

»Bis gleich.«

Die Leitung summte noch einige Sekunden, bis Judy, die Telefonistin im Rathaus, die Verbindung trennte und die Leitung still wurde.

John legte auf.

»Ich glaube, wir haben echte Probleme. Barber wird in ein paar Minuten mit seinem Bericht hier sein.«

Während sie warteten, redeten sie über Belangloses. John

stand am Fenster und rauchte eine Zigarette: bereits die siebte an diesem Tag. Eine Studentengruppe tauchte hinter dem oberen Schlafsaal der Jungen auf: ein halbes Dutzend Mädchen und ein paar Jungs. Die restlichen Studenten nannten sie die »Müsli-Mannschaft«. Vor »dem Tag« hatte man sie eher links liegen gelassen, aber jetzt verspottete sie niemand mehr. Die meisten studierten im Hauptfach Biologie oder Naturkunde und waren inzwischen sehr fachkundig, was das Sammeln von Essbarem anging. Sie wussten, welche Wurzeln sie ausgraben mussten, welche Gewächse sich zum Brauen diverser Tees eigneten und welche Pflanzen medizinische Eigenschaften hatten. In der Jeanshosentasche eines Mädchens steckte ein schmutziges, zerlesenes Exemplar von Petersons Pflanzenführer. Ein anderes Mädchen trug einen Korb voller Pilze. Bislang waren beim Pilzesammeln keine Fehler gemacht worden. Ein Mädchen und ein Junge schleppten gemeinsam einen großen, geflochtenen Korb voller Grünzeug. Die beiden sahen aus, als seien sie einem Gemälde von Rousseau entsprungen: die Idealisierung der Welt, wie sie aussehen würde, wenn die Zivilisation verschwände.

Der uralte Jeep aus dem Zweiten Weltkrieg, den Tom zu seinem offiziellen Einsatzwagen auserkoren hatte, bog um die Ecke und hielt vor Gaither Hall. Barber und Tom stiegen aus und kamen direkt ins Büro.

Barber sah die Zigarette in Johns Hand und stöhnte.

»Verdammt, ich habe seit Jahren keine mehr geraucht«, sagte er leise. »John, darf ich?«

John zögerte, nickte aber dann und gab ihm eine. Jetzt blieben ihm nur noch elf.

Don machte einen tiefen Lungenzug, seufzte, ging zum Tisch und setzte sich.

»Sie kommen«, sagte er.

Niemand sprach.

»Old Fort ist nur noch Schutt und Asche. Dort flog ich

zuerst hin. Da waren mindestens 50 Fahrzeuge voller …«
Er unterbrach sich, sog erneut an der Zigarette und machte eine angewiderte Geste. »Ich finde keine Worte, um den Abschaum zu beschreiben, der in diesen Fahrzeugen saß. Sie waren im Stadtzentrum, das größtenteils in Flammen stand. Es wird immer noch gekämpft, aber das Städtchen ist am Ende.«

Er seufzte und sah aus dem Fenster.

»Scheiße, es war wie 1951 in Korea. Wenn ich bloß eine Geschützbatterie mit 105-Millimeter-Kanonen hätte, dann könnten wir ihre Vorhut mit einer einzigen Salve auslöschen.«

»Ihre Vorhut?«, hakte Washington nach.

Barber nickte.

»Geben Sie mir eine Minute, Washington. Mein Gehirn läuft jetzt ein bisschen ruhiger. Lassen Sie mich alles der Reihe nach erzählen.«

Niemand sagte etwas.

»Ungefähr 50 Fahrzeuge, wie gesagt. Die meisten waren im Stadtzentrum, und die Barbaren liefen Amok. Ich konnte ganz deutlich sehen, wie sie die Menschen niederschossen, mitten auf der Straße. Sie zwangen sie aus den Gebäuden, indem sie alles in Brand setzten. Auf der Autobahn standen ungefähr zehn weitere Fahrzeuge. Sie haben auf mich geschossen … in meinem Flugzeug ist jetzt eine saubere Reihe von etwa einem Dutzend Löchern.

Dann dachte ich, ich sollte entlang der Route 70 weiterfliegen, und dann entlang der Autobahn zurück. Auf der 70 war nicht viel zu sehen, aber sie waren offensichtlich schon da gewesen. Die Gebäude neben der Straße brannten alle, aber ein paar Hundert Meter weiter standen Menschen im Freien, die noch lebten. Als seien die Dreckskerle einfach durchgerauscht. Auch Marion wurde nicht besonders hart angegriffen. Wahrscheinlich haben sie es einfach umgangen, weil es relativ weit von der Straße entfernt liegt. Dort hatten sie auch an allen Zufahrtsstraßen gut bemannte Straßensperren errichtet, und es gab Kampfspuren, aber im Prinzip sieht es so aus, als hätte der Abschaum kein Interesse daran gehabt.«

»Glaubt ihr, die werden auch an uns kein Interesse haben?«

»Doch«, sagte John energisch. »Erstens haben uns ihre Spione observiert und sie wissen, dass wir immer noch ein paar Ressourcen haben. Zweitens, um nach Asheville zu gelangen, eine ideale Stadt zum Ausplündern, müssen sie zuerst bei uns durchkommen. Drittens, sie sind schon unterwegs und können nicht mehr umkehren. Vielleicht planen sie noch einen Angriff auf Marion für die Zukunft, aber momentan glaube ich, dass wir das Ziel sind.«

Washington nickte zustimmend.

»Was geschah dann, Don?«, fragte John.

»Ich flog weiter Richtung Morganton, bis zur Autobahnausfahrt 103.«

Er senkte den Kopf.

»Ich dachte, Charlotte sei schlimm dran, als ich damals darüber flog, nachdem alles angefangen hatte. Aber das war etwas ganz anderes. Natürlich gab es chaotische Mobs in Charlotte, aber die meisten waren einfach Leute, die versuchten, Dinge zu nehmen und dann wegzulaufen oder überhaupt aus der Stadt zu fliehen. Das hier war anders.«

»Inwiefern, Sir?«, fragte John.

»Kennen Sie das Gelände des psychiatrischen Krankenhauses dort?«

Alle nickten. Broughan, die staatliche Klinik für Psychiatrie, lag ungefähr einen Kilometer von der Autobahn entfernt inmitten wunderschöner Wiesen, unweit des friedlichen, typischen Südstaatendörfchens Morganton, dessen Hauptstraße von Häusern aus der Zeit vor dem Bürgerkrieg gesäumt war.

»Es war ein gottverdammter Scheißalbtraum.«

John war über Dons Ausdrucksweise schockiert. Don war ein gläubiger Mann, der regelmäßig in die Kirche ging.

»Wie schlimm?«, fragte Washington.

»Gott im Himmel, ich glaube, sie bringen Menschen um und essen sie dann«, flüsterte er.

Einen Moment lang sprach niemand. Don starrte vor sich hin und paffte seine Zigarette bis auf den Filter hinunter.

»Das ist nicht Ihr Ernst«, flüsterte Charlie.

Don sah ihn mit brennenden Augen an.

»Glauben Sie, ich würde über so was Witze reißen?«, fauchte er. »Ein paar Hundert Fahrzeuge waren im Kreis um das Krankenhaus geparkt, als ob sie dort in einer Wagenburg kampierten, genau wie die Planwagen der Pioniere damals auf den Trecks nach Westen. Alte Autos, Jeeps, Lastwagen, sogar ein paar Sattelschlepper. Die Erde innerhalb des Kreises war schwarz von einem großen Feuer, das immer noch schwelte. Es war noch früh, als ich darüber flog, und ich sah sie überall herumliegen und wahrscheinlich ihren Rausch ausschlafen. Das Krankenhaus brannte und die Leichen lagen ringsum verstreut. Auch die Stadt brannte größtenteils, und auch da lagen überall Tote. Aber das, was innerhalb dieses Kreises aus alten Autos, Lastern und Motorrädern stattfand, das war das Entsetzlichste.«

Er machte seine Zigarette aus, warf sie in eine leere Kaffeetasse und sah John flehend an. John gab ihm noch eine und zündete auch sich selbst eine an. Jetzt waren es nur noch neun.

»Sie hatten da so eine Art Galgen aufgestellt. Leichen hingen daran …« Don zitterte und begann zu weinen.

»Sie waren aufgeschlitzt worden. Bei manchen fehlten Arme und Beine. Zehn oder mehr. Sie hingen da wie Schweinekadaver beim Ausweiden. Mein Gott …«

Er kämpfte um Fassung.

»Ich sah auch noch andere Leute, offensichtlich

Gefangene. Als ich über sie hinwegflog, sahen sie zu mir herauf, sprangen wild auf und ab und winkten, wie unschuldige Opfer in einem Albtraum. Einer der Dreckskerle sah auch zu mir rauf und gerade, als ich über ihm war, schlitzte er einer Frau den Hals auf, extra, damit ich es sah.

Und dann wäre ich fast abgeschossen worden. Sie haben ein automatisches Schnellfeuergewehr und feuerten damit auf mich. Eine Reihe Geschosse traf meinen Steuerbordflügel. Ich ging im tiefen Sturzflug bis auf sechs Meter Höhe hinunter, legte mich seitwärts und flog Slalom.«

Er lächelte.

»Wie in alten Zeiten. Mann, ich war damals verdammt gut – ich konnte meine Maschine zwischen zwei Bäumen hindurchzwängen, die keine zehn Meter auseinanderstanden, und dazu noch mit einer Telefonleitung auf der anderen Seite.«

Seine Konzentration schien nachzulassen.

»Ich will einfach nicht glauben, was ich da gesehen habe.«

John seufzte und lehnte sich zurück, tief in Gedanken versunken. Kannibalismus. Leningrad. Stalingrad. Dort waren es Zivilisten gewesen, die vor Hunger wahnsinnig wurden. Es gab auch Reportagen aus China sowie erschreckende, genau dokumentierte Berichte über japanische Soldaten im Zweiten Weltkrieg, die aufgrund ihrer Taktik, von Insel zu Insel zu springen, abgeschnitten wurden und vielleicht in völlige Verzweiflung gerieten oder aber ein entsetzliches Ritual praktizierten, um ihre amerikanischen Kriegsgefangenen zu schockieren.

»So was gibt es doch nicht hier«, stöhnte Charlie. »Bei uns nicht. Das ist Amerika, um Gottes willen.«

»Ja, hier«, sagte John leise. »Warum sollten wir anders sein?«

»Verdammt noch mal, wir sind doch Amerikaner, so etwas geschieht hier einfach nicht.«

»Denkt an den Donner Pass, an dem 1846 ein Treck im Westen eingeschneit wurde. Sie zogen Lose, um zu bestimmen, wer erschossen und gegessen werden sollte. Oder an den Walfänger *Essex,* der Anfang des 19. Jahrhunderts im Sturm kenterte. Auch da hat die Besatzung per Los entschieden, wer allen anderen als Nahrung dienen sollte. Nicht zu vergessen der Serienmörder Jeffrey Dahmer und unsere krankhafte Faszination für diese Filme über Hannibal Lecter. Und dann 60 Tage lang kaum oder gar kein Essen, weil der Strom ausgefallen ist. In der Tat: Hier auch, darauf kannst du Gift nehmen«, sagte John kalt.

»Wahrscheinlich handelt es sich da unten um irgendeinen Kult. Wie Doc Kellor sagte: Psychopathen, die frei herumrennen.«

Der Kult in Knoxville, dessen Führer behauptete, Johannes der Täufer zu sein, war immer noch aktiv. Es gab auch Berichte über andere Kulte: Ein Verrückter behauptete, der Messias zu sein. Andere sprachen in Zungen und suchten Antworten im Buch der Offenbarung. Wieder andere, knapp jenseits des Wahnsinns, sprachen von einer Invasion Außerirdischer. Er dachte an einen kleinen Zirkel in den Bergen bei Haw Creek: einige Dutzend Familien und eine Kirche. Berichten zufolge reichten sie Giftschlangen von Hand zu Hand. Sie hatten sich total abgeschottet und behaupteten, dies sei die Endzeit und die Rache Gottes sei über ihnen. Niemand wagte sich näher als 150 Meter an ihre Barriere heran. John fragte sich, welchen Wahnsinn sie da oben inzwischen praktizierten.

»Sie haben nichts zu verlieren«, fuhr John fort. »Unsere Nation ist im Ausnahmezustand. Sie haben geplündert, vergewaltigt, gemordet. Sie wissen: Falls die Zivilisation jemals wieder die Oberhand gewinnt, falls es je wieder irgendeine Art von Ordnung gibt, wird man sie an die Wand stellen und erschießen. Nichts zu verlieren.

Und dazu kommt die allgemeine Angst. Wir hier haben

damals gefolgert, dass es sich um einen EMP handelte. Aber die anderen, besonders Leute, die von vornherein nicht ganz stabil waren? Was ist deren Antwort? Gott ist zornig, Gäa die Erdgöttin hat eine Sauwut, Satan hat die Herrschaft übernommen?«

Er merkte, dass er selbst am Rande der Hysterie war. Seine Hände zitterten leicht. Er nahm sich noch eine Zigarette und warf auch Don eine zu.

»Satan hat die Herrschaft übernommen. Vielleicht predigt das der Anführer der Posse, wer das auch sein mag. Gott hat sich von Amerika abgewandt, Satan hat gewonnen, also ist alles erlaubt. Ich bezweifle, dass sie alle das tatsächlich glauben; ich hoffe immer noch, dass die meisten von ihnen genauso große Angst vor ihrem Anführer haben wie wir. Aber ich wette, wer auch immer der Führer ist, er behauptet, Insiderinformationen von Gott oder Satan oder von wem auch immer zu besitzen.«

»Wahnsinn«, flüsterte Charlie.

»Denk an Jonestown. Das waren auch Amerikaner, obwohl sie in Guyana lebten. An die tausend von ihnen begingen Selbstmord, weil ein verdammter Verrückter ihnen sagte, sie müssten vergiftete Limonade trinken, denn Gott habe das durch ihn befohlen.

Es ist nur folgerichtig. Erst bekommen die Menschen Angst, dann fallen alle unsere Krücken weg, die wir immer als selbstverständlich hingenommen haben. Ich wette, nach diesen letzten 60 Tagen rennen Dutzende von Propheten im Land herum und schreien ›Folgt mir!‹. Wenn auch nur ein Zehntel von einem Prozent das tut, ergibt das Hunderttausende von Barbaren, die überall einfallen, und wir Übrigen rennen vor ihnen wie verängstigte Karnickel davon.

Verdammt sollen die Feinde sein, die uns das angetan haben! Sie haben die menschliche Natur nur allzu gut verstanden; sie wussten, wie fragil die Zivilisation ist, und wie schwer es ist, sie zu verteidigen. Und wir hatten das vergessen.«

Keiner sprach, bis sich Don regte.

»Ich bin entlang der Autobahn zurückgeflogen«, sagte er leise. »Zwischen Morganton und Old Fort auf der Straße habe ich insgesamt 250 Fahrzeuge gezählt.«

»Also 1000 bis 1500 Leute«, meinte Washington.

»Und vergessen Sie nicht, meine Herren: Ich war ausgebildeter Artillerieaufklärer, ich weiß, wie man Objekte erkennt und zählt.«

»Das bezweifeln wir nicht«, sagte Charlie.

»In diesem Fall wäre das auch ein Fehler. Und nun zur taktischen Schwierigkeit.«

»Sie kommen von hinten«, stellte John fest.

»Genau. Darum bin ich auf dem Rückweg über das College geflogen. Ich habe auf der alten Schotterstraße am Fuß der Berge bei Andrew's Geysir 24 Fahrzeuge ausgemacht; einige auch auf dem verlassenen, gepflasterten Weg. Es gab noch ein paar weiter oben, an der Kreuzung der Eisenbahn und des Schotterwegs. Sie kennen nicht nur die Autobahn, sondern auch unsere Hintertür.«

»Und die alten Feuerwehrwege?«, fragte Charlie.

Don schüttelte den Kopf.

»Schwer zu erkennen, das Laub ist im Sommer so dicht«, sagte er.

»Das bezweifle ich«, warf Washington ein. »Wenn sie keine Ortsansässigen dabeihaben, sind diese Straßen das reinste Labyrinth. Ich vermute eher, sie werden die verlassene, gepflasterte Straße und den Schotterweg weiter im Norden nehmen und von der Eisenbahnlinie her unsere Flanke angreifen. Dort werden sie zuerst zuschlagen.«

»Der Meinung bin ich auch«, sagte Charlie.

»Sie könnten am späten Nachmittag schon Stellung für einen Flankenangriff bezogen haben«, sagte Don.

John nickte.

»Sie müssen einen guten Militärtaktiker dabeihaben. Einen Profi, der die Gegend gut genug ausgekundschaftet hat, um die Straßen an unserer Flanke als beste Erstangriffsroute zu erkennen. Sie werden kurz vor dem Morgengrauen angreifen«, führte John aus. »Sie hoffen, uns im Schlaf zu erwischen. Wenn ich einer von ihnen wäre und hätte Don herumfliegen sehen, würde ich wissen, dass wir gewarnt sind. Also werden sie möglichst schnell zuschlagen, damit wir keine Zeit haben, uns vorzubereiten.

Wir könnten zwar beten, dass sie nur ein Mob sind, der aufgrund seiner zahlenmäßigen Überlegenheit und des Überraschungsmoments einfach alles überrennt, aber es sieht so aus, als wären auch Ex-Militärs dabei. Im schlimmsten Fall sogar professionelle Kundschafter, die genau wissen, wie man das Terrain, die Verteidigungsmöglichkeiten und die Zugänge analysiert und daraus eine Angriffsstrategie entwickelt.

Ihre Vorhut ist in Old Fort, um es für die Nachhut zu sichern, die heute etwas später ankommen wird. Ich schätze, vereinzelte Stoßtrupps werden bereits am späteren Nachmittag vordringen, also müssen wir uns ihnen schon vor der potenziellen Front entgegenstellen. Wenn sie unsere Stellungen sehen und unsere Kampfkraft einschätzen können, wird es noch schwieriger für uns, die Stellung zu halten. Sie werden heute Nacht in Old Fort lagern, den Ort verwüsten und uns vor dem Morgengrauen angreifen.«

»Wir werden sie erwarten«, sagte Washington scharf und stand auf.

»Wir geben unseren Truppen jetzt das Essen aus und stellen sie anschließend in Position. Washington, wir beide haben schon über dieses Szenario gesprochen und sind mit den Plänen vertraut. Ich will alle Kommandeure in einer Stunde zur Einsatzbesprechung hier haben. Tom, du evakuierst die Häuser hinter unserer Rückzugslinie, jenseits der alten Zollstraße, wie besprochen. Charlie, ich will jeden

Bürger, der eine Schusswaffe halten kann, in der Reserve haben. Mr. Barber, ich hoffe, Sie können den größten Teil des Tages in der Luft verbringen. Aber bleiben Sie hoch genug, Sir, sehr hoch; Sie sollen nur ihre Truppenbewegung beobachten«, sagte John.

Washington sah sich im Zimmer um, ein dünnes Lächeln im Gesicht. Der völlig abgemagerte Charlie sagte nichts, aber sein Blick sprach Bände: John war nun der Chef.

»Ich glaube, wir sollten uns an die Arbeit machen, meine Herren«, sagte John.

Tom ging zu seinem Auto, Don neben ihm.

Washington sah John und Charlie an.

»Meine Herren, ich glaube, es wäre wichtig, dass Sie uns in die Kapelle begleiten und dann mit uns essen.«

Zwei Stunden später, nach der Einsatzbesprechung und einer Landkartenübung – die geologischen Karten aus dem kleinen Landkartenladen in Black Mountain ausgebreitet auf dem Tisch –, hatte John das Gefühl, dass jeder seine Aufgabe verstanden hatte. Einige Zugführer waren Studenten. Jeremiah und Phil waren zu Unterleutnants im ersten und zweiten Zug der Kompanie A befördert worden. Die anderen Offiziere waren Veteranen aus der Stadt: einige vom »Wüstensturm«, einige vom Vietnamkrieg.

John ging in den Speisesaal. Eigenartig. Er sah eigentlich aus wie immer: die Theke, wo die Essensmarken gescannt worden waren, die runden Tische, die Doppeltüren, die zur Essensausgabe führten.

Es war ein Raum, der viele glückliche Erinnerungen heraufbeschwor, und auch einige melancholische. Als er zum ersten Mal hierhergekommen war, war dieses College anders gewesen, als er erwartet hatte. Er hatte befürchtet, dass ihn sein alter Kommandant in seinem Eifer, ihm einen Job in Marys Heimat zu suchen, in irgendein Fundamentalistennest gesteckt hatte. Nicht, dass er auf der philosophischen Ebene grundsätzlich etwas dagegen gehabt hätte, aber, Amerikaner oder nicht, er war trotzdem ein Katholik aus New Jersey. Seine Befürchtungen hatten sich als völlig unbegründet erwiesen. Dieses College hatte sich als der freundlichste Ort entpuppt, an dem er jemals gearbeitet hatte.

Er war mit offenen Armen in eine Gemeinschaft aufgenommen worden, in der freundschaftliche intellektuelle Debatten gefördert wurden. Zwar neigten einige vielleicht dazu, allzu schnell über andere zu urteilen, aber ganz im Gegensatz zu dem, was die Leute außerhalb des Südens gemeinhin über Südstaatler dachten, waren die meisten völlig unvoreingenommen und erklärten, genau dies sei die eigentliche Essenz dessen, was Christus zu vermitteln versucht hatte. Jedem Professor ging es in erster Linie um die Interessen seiner Studenten. Das College war besser, als John es sich je hatte vorstellen können, und jetzt, in diesem Moment, wurde ihm wieder bewusst, wie sehr er alle Menschen hier liebte – besonders »die Kinder«, die nun in Tarnanzügen an den Tischen saßen und ihre Waffen in Bereitschaft an die Wände gelehnt hatten.

Die Tradition der Fakultätsmitglieder war es, nicht abgesondert zu essen, sondern zusammen mit den Studenten an den Tischen zu sitzen und mit ihnen zu lachen, zu debattieren, zu argumentieren, sie zu necken und anzuregen.

Mary hatte in ihrem ersten Studienjahr dieses College besucht, bevor sie zur Duke Universität wechselte, wo der Wettbewerb mehr im Vordergrund stand. Immer, wenn sie herkam, war es wie eine Rückkehr nach Hause gewesen. Einige der Professoren hatten sie sogar vor langer Zeit selbst unterrichtet.

Zum Schluss war sie oft hierhergekommen, um mit John zu Mittag zu essen. Immer kamen die Studenten zu ihr an den Tisch, und diejenigen, die über ihren Zustand Bescheid wussten, küssten sie auf die Stirn, umarmten sie oder verließen den Tisch mit dem Satz: »Ich bete jeden Tag für Sie, Ma'am.«

Und dann war sie fort.

Aber auch in den vier Jahren danach hatte er so viele glückliche Momente hier erlebt, so viele gemeinsame Mahlzeiten, und auch die absolut lächerlichen, aber rührenden kleinen Theaterszenen, die die Fakultät den promovierten Studenten immer beim Abschiedsfrühstück am Morgen ihrer Abschlussfeier vorführte.

Und jetzt …

Das Cafeteria-Buffet war geschlossen, die Essensausgabe viel weiter hinten, die Tische näher an der Hintertür, und vom Grill draußen roch es intensiv nach Bärenbraten. Die meisten Studenten hatten ihre Teller bereits bekommen. Die Portionen waren exakt bemessen: eine Scheibe Bärenfleisch, Grünzeug, eine Tasse Kräutertee und das war's. Aber zumindest erhielt jeder mindestens ein Pfund Fleisch, während alle anderen in der Stadt in diesem Moment lediglich eine Suppe mit ein paar winzigen Fleischbrocken bekamen.

Trotz ihres Hungers hielten sich alle zurück. Niemand stürzte sich auf das Essen, alle saßen an ihren Tischen und redeten.

John sah Charlie an.

»Du wirst essen«, sagte er scharf.

»John?«

»Charlie, du wirst etwas essen.«

Er schob Charlie vor sich her und sie reihten sich in die Schlange ein. Es dauerte nur wenige Sekunden, bis sie ihre Teller bekamen, denn das Fleisch war schon vorher geschnitten worden. John bemerkte, dass das Küchenpersonal sogar eine Waage hinter dem Tranchiertisch hatte, auf der jede Scheibe Fleisch gewogen wurde, bevor sie auf den Teller kam. Vielleicht war die Messung nicht hundertprozentig akkurat, aber sie vermittelte eine Botschaft, die jeden Protest im Keim erstickte.

John folgte Washington zu einem Tisch direkt vor den

nun geschlossenen Türen, die früher zum Cafeteria-Buffet geführt hatten. Als sie ihren Tisch erreichten, verstummten alle im Raum und richteten ihre Blicke auf sie.

Ohne Aufforderung trat Pfarrer Abel vor und sprach ein Tischgebet. Danach schlugen John und einige andere das Kreuz.

Nur Washington blieb stehen.

»Ich bin stolz auf euch«, sagte er.

Im Raum war es absolut still, egal wie sehnsüchtig mancher das Festessen vor sich anstarrte – so viel Fleisch hatten sie seit Wochen nicht mehr gesehen.

»Ich bin stolz auf jeden von euch: auf die, die uns das Essen gebracht haben; besonders auf den Scharfschützen Brett Huffman.«

Brett, der den Bären erlegt hatte, stand auf. Es gab eine Runde Applaus und Jubelrufe.

»Aber auch auf alle anderen. Auf alle, die sammeln und auf alle, die suchen. Auf alle, deren Aufgabe manche vielleicht als glanzlos betrachten: die Arbeit im Flüchtlingszentrum, auf der Isolationsstation, beim Holzmachen.«

Er sah sich im Zimmer um.

»Heute Nacht oder morgen steht uns eine Schlacht bevor.«

Ein Raunen ging durch den Saal.

»Ihr alle habt die Gerüchte über die Gruppe gehört, die die ›Posse‹ genannt wird. Wir haben gerade erfahren, dass sie hierher unterwegs ist.«

Niemand sprach, aber John sah die besorgten Blicke, die sie untereinander austauschten.

»Spätestens morgen um diese Zeit wird die Schlacht toben, und einige von euch werden sterben. Ich habe euch nie angelogen, und ich fange auch jetzt nicht damit an. Einige von euch werden sterben.«

Jetzt hatte er ihre gebannte Aufmerksamkeit wie nie zuvor.

»Ihr seid nun Soldaten. Ihr alle. Egal, ob ihr speziell

dafür ausgebildet wurdet oder nicht. Jeder Student an diesem College ist nun mobilisiert, genau wie wir es früher schon besprochen haben. Wer nicht zu unseren zwei Kriegskompanien gehört, wird nachrücken und als Sanitäter dienen, oder als Bote, oder andere Aufgaben erfüllen, für die ihr trainiert habt. Ich erwarte von jedem Einzelnen von euch, dass ihr eure Pflicht als Soldaten erfüllt.«

Washington setzte sich und John war aufgestanden, bevor er sich dessen bewusst geworden war.

Einige hatten begonnen, ihr Fleisch zu schneiden, aber als er stand, wandten sich ihm alle Blicke zu.

»Heute Nacht oder morgen werdet ihr kämpfen. An diesem Tag werdet ihr unwiderruflich erwachsen werden, das ist tragisch, aber unvermeidlich. Ihr verteidigt Tausende von Menschen in dieser Stadt, die zu schwach sind, sich selbst zu schützen. Und jetzt möchte ich geradeheraus reden. Ich werde einen Moment still sein und möchte, dass ihr die Mahlzeit vor euch betrachtet. Dieses Essen ist ein Opfer, das andere gebracht haben, damit ihr die Kraft habt, sie und auch euch selbst zu verteidigen.«

Wie angekündigt schwieg er und niemand sprach. Fast alle sahen auf ihre Teller hinunter.

»Erinnert euch!« Er lachte leise und traurig. »Erinnert euch, wie wir uns vor zwei Monaten über das Essen hier beklagt haben, wie wir unsere Teller beluden und dann die Hälfte weggeworfen haben. Und jetzt, heute Nacht, werdet ihr Männern und Frauen die Stirn bieten, die bereit sind, euch und jeden anderen für das Fleisch auf euren Tellern, das ihr vor zwei Monaten weggeworfen hättet, umzubringen.«

Er zögerte, aber er wusste, dass es gesagt werden musste.

»Oder sogar für euer *eigenes* Fleisch, falls sie gewinnen. Weniger als 60 Kilometer von hier schreckt die Posse in ihrer Grausamkeit nicht davor zurück, Menschen zu schlachten, um sie zu essen.«

Die Studenten rutschten unbehaglich auf ihren Stühlen herum.

»Seid euch dessen bewusst, dass keine vier Kilometer von hier, unten in der Stadt Black Mountain, heute Morgen ein halbes Dutzend Menschen verhungert ist. Sie starben, damit ihr essen könnt und die Kraft habt, zu überleben und uns zu verteidigen.«

Er seufzte und wollte sich hinsetzen, hielt aber inne.

»Manche von euch haben meine Kurse über Militärgeschichte besucht. Ihr wisst, wie locker wir über die Kriege der Vergangenheit gesprochen haben, und wie weit entfernt das damalige Leid schien. Ihr erinnert euch an einige Redner, die ich eingeladen habe, Veteranen aus einer Generation, die wir heute als Helden bezeichnen.«

Er riss sich zusammen und ließ seinen Blick durch das Zimmer schweifen. In seinen Augen standen Tränen.

»Heute Nacht, morgen, in den kommenden Jahren, werdet auch ihr – *müsst* ihr – Helden werden. Ihr müsst diesen Kampf gewinnen. Und dann müsst ihr euch daran erinnern, was Amerika einst gewesen ist, und das Land wieder aufbauen … und ihr dürft niemals vergessen …«

Er seufzte und senkte den Kopf.

»Ihr dürft niemals vergessen.«

Er setzte sich wieder und einen Moment lang herrschte Stille.

Laura, das Mädchen aus dem Chor, stand auf und stimmte die Nationalhymne an.

»Oh, say can you see, by the dawn's early light ...«

Augenblicklich standen alle auf und sangen mit. Niemals hatte John die Nationalhymne so gehört.

Er sah sie alle an und versuchte einzustimmen, aber seine Emotionen erstickten seine Stimme.

Als die letzte Strophe zu Ende war, brach Jubel aus und

alle außer Laura setzten sich wieder. Sie lächelte John an und sechs Chormitglieder gesellten sich zu ihr. Gemeinsam sangen sie das zeitlose, geliebte, sentimentale irische Volkslied, während ihre Kommilitonen aßen.

»O Danny boy, the pipes, the pipes are calling
From glen to glen and down the mountainside …«

John senkte den Kopf und betrachtete seine Mahlzeit. *Vielleicht die Hälfte, oder vielleicht ein Viertel für mich,* dachte er, *der Rest ist für Jen, die Mädchen und Ginger.*

Nachdem die Mahlzeit beendet war, bildete sich eine Prozession. Die amerikanische Flagge und die Fahne des Colleges wurden vorangetragen, die Studenten schritten hinterher und der Pfeifer spielte, während alle zur Kapelle mit ihrem berühmten Fresko des verlorenen Sohnes von Ben Long marschierten. Der Gottesdienst würde kurz sein und direkt auf den Punkt kommen müssen, denn John hatte Pfarrer Abel gewarnt, dass die Zeit drängte.

Sie begannen mit dem Vaterunser. Gerade, als das Gebet beendet war, öffneten sich die Hintertüren der Kapelle und Präsident Hunt humpelte herein, gestützt auf den Arm eines Studenten. Alle standen auf, viele mit Tränen in den Augen. Präsident Hunt kam nach vorne und stand unter dem Fresko. Langsam zog er eine Bibel aus seiner Tasche.

»Ich habe diese Bibel in Vietnam bei mir getragen«, sagte er mit heiserer, schwacher Stimme. »Ich habe sie in der Nacht festgehalten, in der ich mein Bein verlor. Damals habe ich jede Nacht einen bestimmten Psalm gelesen, und den möchte ich jetzt mit euch teilen … Wir nennen ihn den Soldatenpsalm; Nummer 91.«

Er öffnete die Bibel nur halb; offensichtlich kannte er den Psalm auswendig.

»›Wer unter dem Schirm des Höchsten bleibt, der ist geborgen im Schatten des Allmächtigen …‹« Seine Stimme wurde fester, während er sprach.

»›Fürchtet euch nicht vor dem Grauen in der Nacht, noch vor den Pfeilen, die des Tages fliegen, noch vor der schädlichen Pestilenz, die im Finstern schleicht, noch vor der Seuche, die im Mittag Verderben bringt.‹«

Es war mitten am Nachmittag, als John schließlich nach Hause kam. Die ganze Stadt war unterwegs – zumindest alle, die immer noch die Kraft hatten, sich zu bewegen. Don hatte noch einen Erkundungsflug unternommen und bestätigt, dass die Posse in der Tat in Bewegung war und Marion bereits passiert hatte. Das erste Scharmützel war auf halber Höhe des Berghanges am Swannanoa Pass ausgebrochen; ironischerweise nicht weit entfernt von der Stelle, wo vor 140 Jahren während des Bürgerkriegs der vielleicht letzte Kampf im Osten von der Südstaatler-Miliz ausgefochten worden war, in dem sie einige Yankee-Plünderer zurückschlugen. Sechs Kundschafter der Posse waren auf dem ungepflasterten, verlassenen Weg vorgedrungen und beim Aussichtspunkt, wo die Würstchenbude gewesen war, erledigt worden.

Ein weiteres Scharmützel fand auf demselben Weg weiter nordwärts statt: Scharfschützen aus dem Hinterhalt. Ein Student war gefallen, ein anderer wurde vermisst.

In der Stadt bildeten die Männer, die noch die Kraft dazu hatten, eine zweite Verteidigungslinie.

Charlie war im Rathaus und kochte vor Wut. Er hatte den Bericht nach Asheville weitergegeben und um Unterstützung gebeten. Und sie hatten Black Mountain abgeschrieben. Sie behaupteten, dass sich ihnen eine Gruppe der Posse aus dem Süden näherte und dass Hendersonville bereits niedergebrannt sei. Es gäbe keine vernünftige Verteidigungsposition, aus der sie sie hätten zurückschlagen können. Ihre gesamte Kampfkraft war auf den Süden konzentriert.

Tom berichtete jedoch, dass Ashevilles Straßensperre kurz vor der Ausfahrt 53 – am Engpass zwischen der Autobahn und der Route 40 – dennoch stark von der Asheville-Miliz bemannt sei, dass diese Einheit aber nicht bereit sei zu helfen.

Black Mountain und Swannanoa standen allein da. Asheville rechnete wahrscheinlich damit, dass die beiden Orte entweder den Angriff abwehren und die Einfallenden zurückschlagen konnten, oder, falls sie doch überrannt wurden, den Gegner zumindest so schwächten, dass ihm die Kraft für eine weitere Offensive fehlte. Vielleicht war das Ashevilles Rache für die Weigerung bezüglich der Flüchtlinge, obwohl Charlie sie gewarnt hatte, dass er, wenn das Städtchen fiel, die Hauptwasserleitung sprengen würde, und zur Hölle mit Asheville.

Um drei Uhr nachmittags war die Miliz durch die Stadt marschiert, als sei sie einer fernen Vergangenheit entsprungen: vorne weg der Pfeifer in seinem Bürgerkriegskäppi und seiner blauen Jacke, der immer wieder »Yankee Doodle« blies. Ein Trommler aus der High School und ein Fahnenträger vervollkommneten das lebende Bild, wie aus einem alten Unabhängigkeitskriegsgemälde. Die Straße war von hungernden Zivilisten gesäumt, die jubelten und weinten, als die Prozession vorbeizog.

Einige erinnerten sich noch an solche Paraden, die vor 60 Jahren stattgefunden hatten, und konnten kaum fassen, dass nun in ihrer Heimatstadt Jugendliche genau wie vor langer Zeit in den Kampf gegen Feinde marschierten, die noch vor zwei Monaten Bürger derselben Nation gewesen waren.

Ihre blauen Trainingsuniformen vom College hatten sie nun gegen Tarnkleidung getauscht, die die Bürger der Stadt gestiftet hatten. Sie trugen diverse Kleidungsstücke aus

Läden mit Armeebeständen und Jagdbedarf; manches davon zu weit für die zierlicheren Mädchen in den Reihen. Dennoch unterstützte die Aufmachung den Eindruck des organisierten Militärs. Einige Veteranen trugen Helme, und noch mehr trugen Waffen, die in nicht allzu ferner Vergangenheit eine Razzia der staatlichen Waffenaufsichtsbehörde ausgelöst hätten, darunter ein paar Thompson-Schnellfeuergewehre, einige AK 47, ein paar 12-schüssige, halbautomatische Gewehre, ein beeindruckend aussehendes Kaliber-50-Scharfschützengewehr und mehrere exotische Sturmgewehre. Auf der Ladefläche eines Kleinlasters befanden sich einfache Sprengladungen, einige primitive Landminen und Hunderte von Blechdosen, gefüllt mit Metallschrott und Sprengladungen, die mit einem Streichholz angezündet und dann geworfen wurden.

Es war eine heikle Angelegenheit gewesen, diese Büchsen zusammenzubasteln. Nach dem Gottesdienst waren ein Student getötet und zwei verwundet worden, als die Sprengladung einer solchen »Granate« während der Vorbereitung explodierte.

Es war in der Tat wie etwas aus der Vergangenheit, dachte John, als er ihnen zusah, wie sie auf ihrem Weg ostwärts zum Bergpass die Black Mountain Road entlangmarschierten und in die State Street einbogen. Er stand in Habtachtstellung an der Ecke und salutierte. So blieb er stehen, bis die beiden Infanteriekompanien und die zusätzliche Nachhutkompanie vorbeigezogen waren. Trotz des ernsten Anlasses fing John den Blick des einen oder anderen Studenten auf, den Anflug eines Lächelns, ein kaum sichtbares Zuwinken, als seien sie doch noch spielende Kinder, auch wenn sie nun Gewehre, Flinten, Sprengladungen, selbst gebastelte Raketenwerfer und Granaten trugen.

Washington und er hatten sich fast geprügelt, als sie über den Plan diskutierten, und einen Moment lang hatte John gedacht, dass Washington ihn lediglich aus oberflächlichen, traditionellen Gründen seit zwei Monaten »Colonel« genannt hatte. Doch am Ende hatte Washington Johns Plan zugestimmt, obwohl er gewarnt hatte, dass er ihre Verluste verdreifachen und sie vielleicht »den Sieg« kosten würde.

Nachdem der Zug der Miliz in Richtung Bergpass verschwunden war, wies John mehrere Hundert freiwillige Zivilisten ein, von denen einige kaum noch stehen konnten, teilte ihnen ihre Aufgaben zu und zeigte ihnen ihre Standorte. Charlie veranlasste unterdessen, dass zwei kostbare Rinder an die Front gebracht wurden, um dort geschlachtet und gebraten zu werden, damit alle vor dem Kampf etwas in den Bauch bekamen. Kellor hatte deshalb fast einen Tobsuchtsanfall bekommen, denn er behauptete, es sei besser, mit leerem Magen in den Kampf zu ziehen, um Komplikationen bei eventuellen Bauchverletzungen zu vermeiden. Washington und John hatten sich jedoch durchgesetzt. Sie vertraten den Standpunkt, es sei besser, einige eventuell auf diese Art zu verlieren, als die halbe Armee vor Hunger in Ohnmacht fallen zu sehen. Auch die letzten wertvollen Vitaminrationen waren hervorgeholt worden und jeder Kämpfer hatte eine doppelte Dosis geschluckt.

Carl führte weitere 500 Leute aus Swannanoa an – alle, die dort noch ein Gewehr tragen und kämpfen konnten.

Endlich hatte John das Gefühl, dass er sich die Zeit nehmen konnte, seine Familie zu evakuieren. Ihr Haus befand sich genau dort, wo jetzt die vorderste Frontlinie erwartet wurde, und er hatte beschlossen, seine Familie zum Cove in die Nähe des Colleges zu bringen. Jens Haus lag zwar seit zwei Monaten verlassen, war aber trotzdem noch intakt, obwohl jemand dort eingebrochen war und alles durchsucht hatte, was eine eingeschlagene Tür und zwei kaputte Fenster bezeugten.

Erst als er in die Auffahrt seines Hauses einbog, wurde

ihm bewusst, dass er das Haus vor nur neun Stunden verlassen hatte. Unglaublich in Anbetracht dessen, was inzwischen alles geschehen war.

Die beiden Leichen lagen immer noch auf der Veranda. Der Erntewagen war nicht gekommen und wegen der Hitze zogen sie bereits Fliegenschwärme an. Jen stand in der Tür und als er ausstieg, kam Ginger winselnd auf ihn zu. Ihr Kopf war gesenkt und sie schien ganz verängstigt zu sein. Jennifer warf sich in seine Arme.

»Daddy.« Sie begann zu weinen

Er begriff plötzlich, dass er über dem Vormarsch der Posse und den Vorbereitungen fast vergessen hatte, was heute Morgen hier geschehen war.

Jen kam zu ihm und ihre Augen sagten ihm, dass etwas nicht stimmte. Waren etwa weitere Plünderer gekommen?

»Sind alle okay?«, keuchte John.

»Ja, wir sind alle okay.«

»Gott sei Dank.«

»Du siehst erledigt aus, John.«

»Ich kann jetzt nicht viel erklären, Jen, aber wir haben nur eine Stunde Zeit, um zu packen und zu evakuieren. Wir ziehen in dein Haus.«

»Warum, um Gottes willen?«

»Spätestens morgen wird es hier eine Schlacht geben. Wir evakuieren jeden auf beiden Seiten der Autobahn.«

»John, wir müssen uns hinsetzen und reden.«

Jennifer lag noch immer in seinen Armen, und er drückte sie fest an sich.

»Es tut mir so leid wegen Zach, Liebes. Er war ein so tapferer kleiner Kerl. Der beste Hund der Welt.«

»Ich weiß, Daddy.«

»John, es geht um etwas anderes«, sagte Jen.

Er sah sie an.

»John, bitte, komm mit mir ins Haus.«

Allzu viel geschah auf einmal; der Ton ihrer Stimme

versetzte ihn fast in Panik. Hatte es irgendetwas mit Jennifer zu tun?

Er löste sich aus ihrer Umarmung und sah sie an. Ihre Züge waren hager und die Haut gelblich, aber sonst hatte sie sich nicht wesentlich verändert.

»Jennifer, Süße, ich glaube, Ginger möchte gern spielen«, sagte Jen.

Es klang nicht wie ein Vorschlag und Jennifer merkte es.

»Okay, Grandma.«

»Und sorge dafür, dass sie von den Leichen auf der Veranda wegbleibt.«

So, wie Jen das gesagt hatte, der ganze Hintergrund dieser Worte erschien John als weiteres Anzeichen des zivilisatorischen Zusammenbruchs: Man schickt sein Kind nach draußen, um mit dem Hund zu spielen, aber es soll von den Männern wegbleiben, die Daddy heute Morgen erschossen hat, sonst betrachtet sein geliebter Golden Retriever sie als Mahlzeit.

Er folgte Jen ins Wohnzimmer. Elizabeth und Ben saßen zusammen auf dem Sofa und hielten sich an den Händen. Irgendwie wusste John sofort, um was es ging. Zu seiner Überraschung stand Makala in einer Ecke. Als er eintrat, wandte sie sich ihm zu.

Elizabeth sah zu ihm auf und holte tief Luft.

»Dad, ich bin schwanger.«

Er war wie vom Donner gerührt und konnte nicht sprechen. Er sah Ben an, der den Arm schützend um Elizabeth gelegt hatte. Ben versuchte, ihm direkt in die Augen zu sehen, senkte dann aber den Blick.

John wandte sich ab, denn er hatte Angst davor, was er eventuell sagen oder tun könnte. Er zündete sich eine Zigarette an und ging zum Erkerfenster.

Jen kam an seine Seite.

Hinter sich hörte er Elizabeth weinen, und Ben flüsterte ihr etwas zu.

»John?«

Es war Jen, die neben ihm stand und seinen Namen flüsterte.

»Tu jetzt um Gottes willen das Richtige, John.«

Er wandte sich wieder um und sah zurück.

»Wie?«, war alles, was er sagen konnte, aber die Absurdität seiner Frage wurde ihm sofort bewusst. Mit ihren 16 Jahren sah Elizabeth ihrer Mutter bereits erstaunlich ähnlich. John war 21 gewesen, als er Mary kennengelernt hatte, und sie war 20. Natürlich wusste er, »wie«.

Aber Elizabeth war sein kleines Mädchen, das ihn früher mit seinen »Bussis« fast erstickt und ihm gesagt hatte, es würde ihn für immer lieben.

Er ging auf die beiden zu und sah zu seinem Entsetzen Angst in Elizabeths Augen. Ben stand auf.

»Sir, falls es hier einen Schuldigen gibt, dann bin ich das.« Seine Stimme zitterte und brach mit einem pubertären Quietschen. »Es ist meine Schuld, nicht ihre.«

»Nein, Ben. Wir sind beide schuld.«

Sie stand auf und legte ihren Arm um ihn.

»Dad, wir lieben uns.«

John setzte sich langsam und schüttelte den Kopf.

»Mein Gott«, seufzte er. »Ihr seid Kinder auf der High School. Ihr wolltet doch aufs College.«

»Jetzt nicht mehr«, sagte Elizabeth, nun mit kräftigerer Stimme. »Daddy, das ist jetzt vorbei. Aus und vorbei.«

Er sah zu ihr auf.

Sie war immer schlank gewesen, genau wie ihre Mutter, aber jetzt war sie noch schmaler.

Er wollte es nicht sagen, aber er tat es doch.

»Vielleicht liegt es am Nahrungsmangel – vielleicht bist du deshalb … spät dran.«

»Nein, John«, mischte sich nun Makala ein. »Ich habe einen Schwangerschaftstest ergattert. Das Resultat war positiv. Sie bekommt ein Baby.«

Als sie das Wort »Baby« aussprach, lächelten Ben und Elizabeth einander an, wie so viele Menschen durch alle Zeiten.

John sah die beiden wieder an: Wie schmal sie war, und sie nahm immer noch ab. Er war zwar Katholik, wenn auch kein praktizierender, aber ihm kam der Gedanke an Abtreibung, obwohl das für ihn eigentlich ein Tabu war. Es könnte sie vielleicht umbringen, dieses Baby zu bekommen.

»Ich muss nachdenken«, sagte John und stand auf, um in sein Büro zu gehen.

In der Tür blieb er stehen und sah zurück.

»Wir müssen in einer Stunde evakuieren. Fangt also an, zu packen ...« Mehr konnte er nicht sagen. Er verließ das Zimmer.

Er setzte sich an seinen Schreibtisch. Die Flasche dahinter war leider weg, verdammt. Er fummelte in seiner Brusttasche nach Zigaretten und zog das Päckchen heraus. Er zündete sich eine an.

Wie gelähmt starrte er aus dem Fenster zum Garten, wo Jennifer ein Stöckchen für Ginger warf. Die Hündin bewegte sich zwar langsam, aber sie versuchte immer noch zu spielen.

»John?«

Er sah auf. Es war Makala.

»Störe ich?«

»Ja und nein.«

»Darf ich mich zu dir setzen?«

Er nickte und sie setzte sich auf den Stuhl neben seinem Schreibtisch.

»Woran denkst du?«

Er seufzte.

»Die ganze Welt ist zur Hölle gefahren. Weißt du, dass ich heute Morgen zwei Männer getötet habe?«

»Ich habe die Leichen gesehen. Sie hatten es nicht anders verdient.«

»Und Zach?«

»Um ihn tut es mir leid, John. Aber er starb mit Würde.«

John senkte den Kopf. *Ist das alles wirklich nur einige Stunden her?,* dachte er.

»Eine Horde Barbaren ist hierher unterwegs. Morgen walzen sie uns vielleicht nieder. Falls das geschieht, ist das alles hier irrelevant. Jennifer wird tot sein. Falls wir Glück haben, wirst auch du tot sein, und Elizabeth, und wir alle. Das ganze Land … tot.«

»Darum musst du akzeptieren, was Elizabeth passiert ist.«

»Was? Sie ist ein Kind, Makala. Sie wäre jetzt in die elfte Klasse gekommen, und dieser Drecks…«, er hielt inne. »Ben wäre eine Klasse über ihr. Mein Gott, Makala! Und ich soll das akzeptieren?«

»Seit Tausenden von Jahren sind Kinder schwanger geworden, die sogar jünger waren als sie. Besonders im Krieg.«

»Aber mein kleines Mädchen doch nicht!«

»Doch, dein kleines Mädchen auch.« Sie berührte sein Knie.

»Hör zu, John. Wir beide wissen, dass wir keine allzu großen Chancen haben. Die beiden wissen es auch. Sie glauben, dass sie einander lieben. Ich hoffe bei Gott, sie lieben einander tatsächlich. Sie wollen diese Facette des Lebens erfahren; genauso sehr, wie du es wolltest – wie ich es wollte, wie wir alle es wollten.«

Er sah sie an und konnte nichts darauf erwidern.

»Gib ihnen deinen Segen. Ich weiß, dass es dir schwerfällt. Aber tu es einfach. Gib ihr deinen Segen, damit sie daraus Kraft beziehen kann.«

Er sah Tränen in Makalas Augen.

»Sie ist ein gutes Mädchen, John. Du und Mary habt sie großartig erzogen. Mach aus diesem Ereignis jetzt keine moralische Frage. Sie waren zwei verängstigte Kinder in einer Welt, die zur Hölle fährt; es war geradezu unvermeidlich, dass das geschah. Wenn dieser verdammte Krieg nicht wäre, dann wäre alles anders gewesen. Aber es ist, wie es ist. Das musst du akzeptieren.«

Er nickte. »Sag Ben, er soll zu mir kommen.«

Einen Augenblick später stand Ben stocksteif und mit weit aufgerissenen Augen in der Tür. John winkte ihn herein.

»Sir, Sie können mit mir machen, was Sie wollen. Aber bitte, geben Sie nicht Ihrer Tochter die Schuld.«

In diesem Moment wurde John milder gestimmt. Er konnte sehen, dass der Junge halbwegs erwartete, sich vor dem Lauf einer Schrotflinte zu sehen oder zumindest eine Tracht Prügel zu beziehen. Und er hatte den Mumm, sich dem zu stellen.

»Liebst du meine Tochter?«

»Mehr als alles auf der Welt, Sir.«

»Das tue ich auch. Sie und Jennifer.«

»Ich weiß, Sir.«

John nickte. Er wollte nicht weiter daran denken, *wie* Ben seine Tochter liebte; das wollte wohl kein Vater. Dennoch sah John, dass Ben, obwohl er erst 17 war, in diesem Moment versuchte, ein Mann zu sein. In den kommenden Tagen würde er ein Mann sein müssen.

John stand auf, zögerte kurz und gab Ben die Hand.

»Danke, Sir.« Bens Stimme zitterte ein wenig.

John nickte.

»Aber nenn' mich noch nicht ›Dad‹«, sagte er schließlich. »So weit bin ich noch nicht.«

»Ja, Sir.«

Er wusste, dass Elizabeth im Zimmer nebenan alles mit angehört hatte. Sie kam herein und warf sich in seine Arme.

»Danke, Dad.«

Jetzt war er doch gründlich gerührt. Ihre Stimme klang immer noch wie die seines kleinen Mädchens.

Auch Jennifer stand nun lächelnd in der Tür.

»Du wirst sie also doch nicht umbringen?«, fragte sie. Das nahm allen für einen Moment die Spannung.

»Nein, natürlich nicht, Liebes.«

»Gut«, sagte sie und verschwand.

Er hatte das Gefühl, dass jetzt irgendein Ritus angebracht sei. Als sich Elizabeth aus der Umarmung löste, nahm er ihre Hand und legte sie in Bens.

»Wenn wir die nächsten paar Tage überstanden haben, dann, na ja … da unser Priester verschwunden ist, werden wir Pfarrer Black bitten, die Trauung zu vollziehen.«

Elizabeth lächelte und lehnte ihren Kopf an Bens Schulter.

»Aber im Moment haben wir andere Sorgen. Wie ich vorhin gesagt habe, wir müssen das Haus in einer Stunde verlassen. Ihr Mädchen packt jetzt alles ein, was ins Auto passt. Ben, geh zu deiner Familie und sag ihnen, dass sie ebenfalls wegmüssen; sie sollen vorerst mit uns zum Cove kommen. Sie können bei uns wohnen, falls nötig.«

Elizabeth und Ben sahen einander an.

»Ihr könnt euch später verabschieden, wir haben keine Zeit zu verlieren. Sag deiner Familie, dass ich sie in einer Stunde zum Cove hinauffahre. Seid also bis dahin bereit.«

Er zögerte. Das, was er nun sagen musste, tat ihm plötzlich furchtbar weh. »Ben. Wir werden höchstwahrscheinlich spätestens morgen früh angegriffen. Du musst dich bei der Stadtreserve melden.«

»Ja, Sir.«

Elizabeth fing an zu weinen.

»Dad, kann er nicht mit uns im Cove bleiben?«

»Auf keinen Fall«, sagte Ben entschlossen.

Sie sah zuerst Ben und dann John an, die Augen voller Tränen.

»Das ist jetzt seine Pflicht«, sagte John leise.

Ben sah Elizabeth an, zögerte und küsste sie sanft auf die Lippen.

»Ich sehe dich später, mein Herz.«

Sie konnte nicht antworten und umarmte ihn stürmisch.

»Elizabeth, hilf deiner Großmutter und Jennifer beim Packen.«

Sie zögerte.

Ben befreite sich aus ihrer Umarmung.

»Mir wird schon nichts passieren, Liebling. Geh jetzt.«

Sie verließ weinend das Zimmer und Ben wandte sich wieder John zu.

John öffnete seinen Waffenschrank. Er betrachtete die Waffen und nahm eine seiner besten heraus, einen M1-Karabiner.

»Weißt du, wie man ihn lädt, und kannst du damit umgehen?«

»Erinnern Sie sich nicht, Sir? Sie haben mich doch letztes Jahr zum Schießen mitgenommen und hatten dieses Gewehr dabei.«

John überprüfte das Magazin. Es war voll, und er hatte auch noch eine Schachtel Munition dafür.

»Nimm das. Du wirst es brauchen.«

Ben nickte.

»Melde dich bei Charlie Fuller. Sag ihm, dass ich dich zu seinem Kurierdienst eingeteilt habe.«

»Sir, Sie versuchen nicht, mich zu schützen, oder?«

John log mit einem Kopfschütteln.

»Du wirst mittendrin sein, mein Sohn.«

Ben nickte ernst. Er hob den Karabiner und wog ihn in der Hand.

»Bitte, lassen Sie mich erst Elizabeth helfen, Sir.«

»Na gut, ich gebe dir noch ein paar Minuten.«

Er sah John an, seine Augen ernst.

»Falls mir etwas passiert, Sir …«

John rang sich ein Lächeln ab.

»Du wirst schon heil durchkommen, Ben. Geh jetzt und hilf Elizabeth.«

»Ja, Sir.«

Ben verließ das Zimmer und Makala stand lächelnd in der Tür.

»Du hast das Richtige getan.«

»Darüber muss ich erst nachdenken.«

Zu seiner Überraschung kam sie herein und küsste ihn auf die Lippen.

»Ich gehe jetzt besser ins Konferenzzentrum und evakuiere die Leute dort. Aus dem, was ich gerade gehört habe, schließe ich, dass sich dort einiges abspielen wird.«

John nickte.

»Ich fahre dich hinauf. Charlie hat wahrscheinlich schon einige Fahrzeuge dorthin geschickt, um die Leute wegzubringen. Wir evakuieren jeden, von hier bis in die Stadt. Sobald deine Patienten umgesiedelt sind, meldest du dich bei Doc Kellor. Ich glaube, da wirst du am dringendsten gebraucht.«

»Wird es schlimm?«

John nickte abermals.

»Sehr schlimm, glaube ich.«

Sie drückte seine Hand und ging hinaus, um den Mädchen beim Packen zu helfen.

Er sah sich um. Was sollte er mitnehmen? Natürlich die Waffen. Sieben Gewehre, das Original Springfield-Repetiergewehr aus dem Bürgerkrieg und die nachgebaute Hawkins Kaliber-50-Steinschlossmuskete mitgerechnet. Vorerst würde er sie einfach in den Kofferraum legen. Sein Blick schweifte erneut durch das Büro. Was sollte er noch mitnehmen? Das Foto von Mary natürlich. Als er es von der Wand nahm, dachte er an Makala im Nebenzimmer. *Keine von beiden hätte etwas dagegen,* dachte er mit einem traurigen Lächeln.

Er nahm das Bild aus dem Rahmen und steckte es in seine Tasche. Dann überprüfte er die Magazine der Glock und der Jagdflinte und rief seiner Familie zu, sich zu beeilen.

KAPITEL ZEHN

Tag 64

Der ganze Berghang nördlich und südlich der Autobahn stand in Flammen. Er starrte auf das Inferno und nichts in ihm regte sich, obwohl auch sein Haus irgendwo in diesem Flammenmeer stand.

Einzelne Schüsse waren immer noch zu hören. Eine Verteidigungseinheit der Posse hatte sich in einem einstöckigen Haus verbarrikadiert, das auf einem Seitenweg einige Hundert Meter vom Bergpass entfernt stand und den Blick zur Autobahn hatte. Das war eine Schlüsselposition, denn von dort sah man sowohl die Autobahn als auch den verlassenen gepflasterten Seitenweg und die Eisenbahngleise.

Zwei Angehörige seiner Miliz rannten auf das Gebäude zu. Sie näherten sich ihm aus dem toten Winkel. Dort parkte ein Lastwagen. Sie krochen unter das Fahrzeug, kamen auf der anderen Seite wieder heraus und rollten sich zu einer Seitenwand des Hauses. Das Mädchen öffnete ihren Rucksack, der Junge nahm ein Feuerzeug und hielt die Flamme an eine Zündschnur.

Der Rucksack enthielt ein sechs Zentimeter langes PVC-Rohr, gefüllt mit zehn Pfund Schwarzpulver und Nägeln. Das Mädchen stand auf und schleuderte den Rucksack durch ein zerbrochenes Fenster, danach fiel sie rücklings um, von einem Schuss in die Brust getroffen.

Er hörte Schreie aus dem Haus. Jemand stand auf und wollte den Rucksack aus dem Fenster werfen, kam aber in einem Kugelhagel von draußen um.

Die Explosion schien die Seite des Hauses einfach abzureißen.

Mit rauen, kehligen Schreien rannte ein Dutzend Milizkämpfer herauf und stieß durch die Trümmer ins raucherfüllte Innere des Hauses vor.

Sekunden später stürzten einige Mitglieder der Posse aus der Vordertür. Keiner von ihnen schaffte es weiter als zwölf Meter.

Nun blieben noch zwei weitere Häuser oben auf dem Bergrücken. Etwa 20 Kämpfer der Posse hatten sie besetzt, aber jetzt waren sie von allen Seiten eingekesselt. Ein Bombardement aus Molotowcocktails regnete auf die Gebäude herab. Von drinnen kamen einzelne Salven aus automatischen Gewehren.

Die Sturmtruppen warteten. In nur acht Stunden waren sie zu Veteranen geworden: keine blödsinnigen Heldentaten mehr, keine »Mir nach!«-Sturmangriffe. Eines der Häuser fing endlich an zu brennen, dann das zweite. Feuersalven drangen von draußen durch jedes Fenster, um die Besetzer niederzuhalten.

Es waren zehn weitere Minuten und zwölf gegen den Holzbau geworfene Molotowcocktails nötig, bis endlich das ganze Haus bis zum Dach in Flammen stand. Schreie kamen von drinnen. Als die Vordertür aufflog, war die Miliz bereit: Die ersten sechs, die aus dem Haus kamen, wurden sofort getroffen. Die letzten beiden waren Frauen, die auf die Knie fielen und die Hände hoben.

Niemand schoss auf sie und sie krochen von dem Inferno weg, bevor sie sich mit den Gesichtern nach unten flach auf den Boden warfen und um Gnade flehten.

Nur noch ein besetztes Haus war übrig: dasjenige, aus dem das automatische Gewehrfeuer gekommen war. John, der das Gefecht beobachtete, ahnte, wer sich darin befand.

Er hob ein Megafon auf.

»Ich will Gefangene aus diesem Haus!«, schrie er.

Das Haus brannte lichterloh.

»Kommt raus und wir werden nicht schießen!«, rief John.

Sekunden später flog die Tür auf und sechs Männer und eine Frau wankten nach draußen und warfen ihre Waffen weg.

»Auf die Knie, Hände über den Kopf!«

Sie taten wie befohlen, und die Studentenmiliz umzingelte sie.

Das Donnern des Feuergefechts verklang nach und nach: eine Salve in der Nähe des zweiten Eisenbahntunnels, eine kurze Schussfolge vom Rattlesnake Mountain. Das lauteste Geräusch verursachte nun der Waldbrand, der sich, vom leichten Westwind getrieben, beiderseits der Autobahn weiterfraß.

Er beobachte das Terrain. Manche Milizkämpfer verließen nun ihre Deckung, richteten sich vorsichtig auf und sahen sich um. Die meisten duckten sich wieder, als die Schüsse eines Heckenschützen vom Bergkamm herunterzischten. Sekunden später antwortete ein explosiver Kugelhagel den Schüssen. Danach herrschte Schweigen. Ein Mitglied der Miliz erschien oben auf dem Kamm, hielt sein Gewehr hoch und gab das Zeichen, dass der Bergkamm gesichert sei.

John richtete sich auf, verließ seine Beobachtungsposition neben der Autobahnbrücke, ging zur anderen Seite und rutschte über den Abhang auf den Asphalt der Fahrbahn hinunter: fast ein Signal, dass der Krieg vorbei war.

Viele Dutzend andere standen benommen und schweigend auf.

Er sah den Straßenabschnitt hinauf, der zum lediglich 100 Meter entfernten Bergpass führte. Er war mit Grauen gepflastert. Mit fast jedem Schritt begegnete man Körpern, so verdreht, wie nur Tote daliegen können. Ströme von Blut sickerten von der Straße in die Rinnsteine. Unter den Leichen zuckten Hunderte von Verwundeten.

Er drehte sich um, sah zurück zur Ausfahrt 66 und hob sein Megafon an die Lippen.

»Sanitäter! Sanitäter hierher!«

Diese hatten einige Hundert Meter weiter hinten gewartet, bis die letzten Mitglieder der Posse am Bergkamm, den sie zu Beginn des Kampfes besetzt hatten, ausradiert waren.

Die Posse musste irgendeinen Ortskundigen bei sich gehabt haben; aus freien Stücken oder gezwungenermaßen. Zwei Stunden vor der Morgendämmerung waren 50 von ihnen auf dem wenig befahrenen Kazuma Trail erschienen, einem Weg, den nur Bergwanderer und Mountainbiker kannten. Er führte von Piedmont im Tal bis zum höchsten Punkt des Kamms, von wo aus man die Autobahn und die parallel verlaufenden Straßen gut im Blick hatte.

Innerhalb weniger Minuten hatten sie die Häuser eingenommen und die Verteidiger ausgemerzt. Sie bedeckten den Pass mit flächendeckendem Feuer, sodass die Soldaten festsaßen und nicht zurückschießen konnten.

Minuten später begann der Hauptangriff: 50 Fahrzeuge rollten die Seitenstraßen herauf, Männer und Frauen marschierten durch den Eisenbahntunnel. Dazu dröhnte eine Kolonne aus fast 200 Fahrzeugen von Old Fort herauf, ein Dieselsattelschlepper mit einem vorn anmontierten Schneepflug führte die Kolonne an.

Die vordere Barriere fiel, und gleich danach die nächste Rückzugsstellung: die Autobahnbrücke, auf der John jetzt stand, denn die Häuser weiter oben waren die perfekte Position, um auf ihre Stellungen herunterzufeuern.

Obwohl die Eroberung der Häuser und des Bergrückens oberhalb des Passes sie überraschte, war der schnelle Rückzug von Anfang an ein Teil der Strategie gewesen, die Washington und John ausgearbeitet hatten.

Washington war ein exzellenter Marine, ein hervorragender Ausbilder und Anführer; aber jetzt wurde John bewusst, dass seine eigene Rolle als Colonel keineswegs reiner Bockmist gewesen war … auch darin hatte Washington recht behalten.

Der Plan Washingtons war eine klassische Verteidigungstaktik auf hoch liegendem Terrain gewesen, und John hatte ihn abgelehnt.

»Zu schnell zu gewinnen wäre fast so schlimm wie zu verlieren«, hatte er gesagt. »Wir drängen sie am Bergrücken zurück, sie erleiden Verluste und ziehen sich zurück; und dann bleiben ihnen zwei Möglichkeiten: Entweder gehen sie woandershin, oder sie warten auf einen günstigen Zeitpunkt, um uns zu überrollen. Ich glaube, sie würden die zweite Option wählen. Wer auch immer die Bande anführt, kann sich keine einzige Niederlage leisten, denn seine eigenen Leute würden sich gegen ihn wenden, ihn töten und uns dann so oder so wieder angreifen.«

Johns schlimmster Albtraum war es, dass sich die Posse nach einer schnellen Niederlage nach Old Fort zurückzog und dann von dort aus in aller Ruhe kleinere Vorstöße, Überfälle und Plünderungen organisieren konnte. Das würde die Miliz zwingen, 24 Stunden am Tag Wache zu halten. Früher oder später würden sie einen Fehler machen: Sie würden eine Schwachstelle übersehen, ein Wachsoldat würde einschlafen, und der Feind könnte in der Nacht die ganze Stellung stürmen. Nein, John wollte sie hinter dem Bergkamm festnageln. Sie sollten den Pass ruhig besetzen, dann konnte die Miliz sie einkesseln.

»Mit den Bergen zu beiden Seiten können wir sie in eine klassische Cannae-Situation locken, genau wie bei der Schlacht von Hannibals Truppen gegen die Römer oder der Mongolen gegen die europäischen Armeen.« Johns ehemalige Studenten, die nun Befehlshaber waren und am Vortag an den taktischen Gesprächen teilgenommen hatten, begriffen sofort: Man täuscht Schwäche vor, lockt dadurch die feindlichen Truppen auf den Pass und kesselt sie dort ein.

»Wenn sie erstmal alle drin sind – und ich meine *alle!* –, will ich keinen Einzigen am Leben lassen.«

Dies war der Plan gewesen, von dem Washington glaubte, er würde ihre Verluste verdreifachen; aber John hatte argumentiert, dass sie dadurch den Feind vollkommen auslöschen konnten, anstatt ihn einfach zurückzudrängen, sodass er später erneut angreifen würde.

Die Tragödie war, dass die Kompanie A, die den Pass bewachte, schon während des Eröffnungsmanövers abgeschnitten worden war. Kein Einziger von ihnen war lebend herausgekommen. Dies hätte fast eine Niederlage bedeutet, da die Überlebenden des zweiten Zuges an der zweiten Verteidigungslinie, der Brücke bei der Ausfahrt 66 und dem darüberliegenden Pflegeheim, zu schnell nachgaben.

Es war wie eine Flutwelle gewesen. Die Angreifer ahnten schon den Sieg und stürmten unaufhaltsam vorwärts, sie stießen bis zu dem Punkt vor, an dem die Route 70 und die Autobahn nur wenige Meter voneinander entfernt verliefen – genau dort, wo John Makala zum ersten Mal begegnet war. Ihr BMW war nun umgekippt und bildete einen Teil der Barriere an der Hauptverteidigungslinie – dort, wo die Autobahn in einer Kurve zur Eisenbahnbrücke führte. Diese war eher mangelhaft entworfen worden, was den Verkehr anging, denn bei jeder Vereisung nach einem Wintersturm verlor mindestens ein Autofahrer dort die Kontrolle. Falls irgendein Straßenarchitekt jedoch an militärische Kampfhandlungen gedacht hatte, war sie ideal. Sie war wie ein Hügel ohne Flanken, um die man sich hätte sorgen müssen, und bot ein anderthalb Kilometer langes, klares Schussfeld auf die Straße. Hinter der Brücke führte ein steiler Abhang zum alten Wasserturm, einer weiteren hervorragenden Position. Dort wurde die Flanke von einem Einschnitt im Wald, durch den die Hochspannungsleitungen verliefen, geschützt. Dadurch ergab sich ein perfekter Kessel mit freiem Schussfeld für die Miliz, das jedweder

Teil der Posse, der versuchte, den Turm zu erreichen, überwinden musste.

Schließlich die Falle selbst: Auf den flankierenden Abhängen des Bergpasses verbarg sich die Kompanie B, ausgestattet mit den besten Langstreckenwaffen, die die Stadt zur Verfügung hatte: großkalibrige Jagdgewehre mit Zielfernrohren. Alle Gebäude zu beiden Seiten der Autobahn – einige Hundert Eigenheime, darunter Johns eigenes Haus sowie ein Wohnwagenpark – waren in Brandfallen verwandelt worden. Man hatte in jedem Haus eimerweise Benzin deponiert. Sobald das Signal gegeben wurde, das Heulen der Löschzugsirene und das Abfeuern von Signalraketen, sollten diejenigen Studenten, die nicht als Soldaten ausgebildet worden waren, sich schnell auf Mountainbikes und Mopeds in Bewegung setzen und jedes Haus in Brand stecken. John hatte auf die übliche Brise auf dem Pass gezählt. Die sich erwärmende Luft unten in Piedmont würde aufsteigen und die kühle Luft vom Pass oben ansaugen, wodurch der Wind verstärkt wurde. Das Glück war auf ihrer Seite, denn der heiße Sommer hatte dafür gesorgt, dass alles so trocken wie Zunder war.

Hunderte von Einzelbränden vereinten sich zu einem tödlichen Inferno. Die Flammen fraßen sich ostwärts und schnitten Rückzugsmöglichkeiten ab. Die einzige freie Passage führte entweder zurück auf die Autobahn oder zur Eisenbahnlinie. Beides waren nun Todeszonen.

Am anderen Ende des Kessels, im Westen der Autobahnbrücke, wartete der Rest der Kompanie B und jeder Bürger, der eine Waffe tragen konnte, war hinter dem Abhang versteckt.

Es war ein Blutbad.

Sobald die Außenverteidigung gefallen war, drängte die zweite Welle der Posse nach. Hunderte von Fahrzeugen preschten über den Bergrücken und die Insassen waren, genau wie John gehofft hatte, völlig undiszipliniert. Sie glaubten, der Sieg sei nah und drängten deshalb nach vorn, um mit dem Plündern und Abschlachten zu beginnen.

Der Kampf an der Brücke war fast wie eine Schlacht aus dem Bürgerkrieg gewesen. Hunderte von Männern und Frauen waren aus ihren Verstecken gesprungen, hatten ihre Gewehre angelegt und alles zerfetzt, was sich vor ihnen bewegte. Die Fahrzeuge der Posse rasten in die Straßensperre, und die Schlacht wurde zum Nahkampf. Gleich darauf entzündeten sich die Brände auf den gegenüberliegenden Abhängen und breiteten sich rasch aus. Als die letzten Fahrzeuge heranrollten, versperrte ihnen die Einheit unter Captain Malady den Fluchtweg nach hinten. Dazu benutzte sie die beiden automatischen Waffen mit den 6000 Patronen, die Tom ihnen zugeteilt hatte. Sie wurden von Bürgern unterstützt, die »illegale Waffen« besaßen, sowie von Studenten mit einigen Hundert der gefährlichen, selbst gemachten Granaten.

Dennoch hatten die Streitkräfte auf der Brücke beinahe kapituliert. Einige kritische Minuten lang war John außer Gefecht gewesen, bewusstlos infolge einer Explosion. Aber irgendjemand hatte die ungenügend ausgebildete Reserve zusammengehalten, und sie war ungeachtet der Verluste vorwärtsgestürmt.

Dann brauchten sie nur noch zu töten und die Einkesselung zu schließen. Die Gegner konnten sich ihr Schicksal ausmalen und kämpften im wahnsinnigen Blutrausch. In einem solchen Kampf bot Kapitulation keinen Ausweg, das wussten sie. Es gab kein Entrinnen, keinen Rückzug, um abzuwarten und dann einige Tage oder Wochen später erneut anzugreifen. An diesem Tag würden sie alle sterben. Das Tragische war, dass Black Mountain und Swannanoa diesen Sieg sehr teuer bezahlen mussten.

Washington hatte vor der Schlacht davor gewarnt und vorgeschlagen, dem Feind als Alternative eine falsche Fluchtroute offenzulassen, um ihn dann weiter unten am

Abhang in einer zweiten Todeszone aufzureiben. Aber John war klar gewesen, dass es keine andere Möglichkeit gab. Mit gut ausgebildeten Streitkräften wäre dieser Plan tatsächlich eine Alternative gewesen, aber mit dem Material, das er nun hatte, könnte die Posse vielleicht doch durchbrechen und wirklich entkommen – und das würde monatelange, verbissene Guerillakämpfe gegen die rachsüchtigen Überlebenden bedeuten.

Die Kämpfe hatten sieben schreckliche Stunden gedauert; sieben Stunden, in denen sie den verlorenen Boden Schritt für Schritt mit Blut bezahlten und zurückeroberten.

Die Sanitäter trafen sehr schnell ein. Verwundete aus den ersten Stunden des Angriffs, denen es gelungen war, sich zu verstecken und nicht abgeschlachtet zu werden, sowie die Verwundeten des unerbittlichen Gegenangriffs, um die Posse zurückzudrängen, lagen zu Hunderten entlang der Straße. Von der Südseite fraß sich das Feuer seinen Weg ostwärts und Schreie gellten herüber. Wer da oben festsaß, verbrannte nun. John musste an die »Schlacht der Wildnis« im Jahr 1864 denken. Man konnte in den Geschichtsbüchern über den Bürgerkrieg Beschreibungen dieser Schlacht lesen und sich dabei fern und unbeteiligt fühlen. Aber jetzt nicht mehr. Zwar waren hoffentlich alle, die da oben in den Flammen starben, Mitglieder der Posse, aber dadurch wurde es nicht weniger schrecklich.

Hinter ihm kamen nun Toms Männer herauf, in offener Formation. Alle paar Schritte blieb einer von ihnen stehen, senkte seine Pistole, zielte auf einen verwundeten Posse-Soldaten und drückte ab.

Die Verwundeten des Trupps sollten ausnahmslos erschossen werden, und John wollte, dass die Polizisten und die älteren Männer aus der Stadt diese Aufgabe ausführten; nicht seine »Kinder«. Diese waren inzwischen zwar abgehärtet, aber er wollte nicht, dass sie zu hart wurden.

John erklomm den steilen Weg zum Kamm und fand ihn

schließlich. Ein Pulk Studenten war um eine Leiche versammelt, die Köpfe gesenkt, manche in Tränen.

Washington Parker war tot, gefallen in den ersten Minuten des Kampfes. So, wie er jetzt dalag, die Arme waren weit ausgebreitet, ähnelte er einer Christusstatue. In seinen Arm geschmiegt lag eine tote Studentin, als hätte er in den letzten Sekunden seines Lebens versucht, sie zu beschützen und zu trösten. Oder vielleicht war es umgekehrt gewesen.

Washington hatte darauf bestanden, an vorderster Front zu kämpfen. Er hatte argumentiert, dass die Kinder ihn dort besonders brauchten, denn sie hatten die schwierige Aufgabe des fingierten Rückzugs. Genau wie der Rest des ersten Zuges war auch Washington nicht lebend herausgekommen.

John hatte die unsinnige Hoffnung gehegt, dass Washington sich vielleicht irgendwo hatte verstecken können. Aber er hatte gewusst, wie unwahrscheinlich das war.

John kam näher.

Der Mann war genau so gestorben, wie er es gewollt hätte, begriff John: bei der Aufgabe, »seine Jungs und Mädchen« an der Front zu befehligen. John dagegen empfand Scham, weil er die Schlacht als Kommandant von der hintersten Linie aus geführt hatte.

Washingtons »Soldaten« zogen langsam in einer langen Reihe an ihm vorbei: vom Krieg geschockte Jugendliche mit verkrampften Gesichtern, die Kleider schweißdurchtränkt. Viele trugen Verbände. Sie kamen von den Bergabhängen herunter und von der Autobahn herauf, sie versammelten sich hier und erwiesen ihrem Sergeant die letzte Ehre.

Jeder, der vorbeikam, verlangsamte seinen Schritt und John sah ihnen zu, hörte ihre Abschiedsworte.

»Danke, Sir.« »Mögen Sie jetzt in Gott ruhen, Sir.« »Es tut mir so leid, Sir.«

Mit erschreckender Intensität erinnerte sich John an den berühmten Artikel über den Tod eines beliebten Offiziers und die Reaktion seiner Männer darauf, die der Kriegsreporter Ernie Pyle im Zweiten Weltkrieg geschrieben hatte.

Eines der Mädchen kniete sich hin, berührte Washingtons Gesicht und ging dann weiter. Manche schwiegen, manche sprachen ein Gebet oder bedankten sich. Andere fluchten verzweifelt und bitter.

John gesellte sich zu ihnen und näherte sich Washingtons Leiche. Alles, was er zustande brachte, war die Habtachtstellung. Er salutierte und ging weiter. Seine Gefühle waren in diesem Moment tot, er war immer noch im Schockzustand. Später, allein, würde er um Washington weinen.

Weitere Schüsse erklangen von hinten, und die Hupe eines VW-Busses, der sich um die Trümmer schlängelte und in die Stadt raste, um Verwundete in das Hauptlazarett zu bringen.

Noch mehr Fahrzeuge fuhren herauf: die alten Farmlaster und ein Sattelschlepper, der zu einem großen Pritschenwagen umgebaut worden war, damit er einige Dutzend Verwundete auf einmal transportieren konnte.

»John?«

Er sah Makala vortreten und umarmte sie fest, ohne darüber nachzudenken. Sie bebte vor Schluchzen.

»Gott sei Dank. Es gab ein Gerücht, du wärst tot.«

Er schüttelte den Kopf.

Ja, sein Gesicht war verbrannt. Die Posse hatte tatsächlich einige primitive Raketenwerfer gebastelt. Sie bestanden aus Stahlrohren, die auf die Ladeflächen von Lastwagen geschweißt worden waren. Ein Geschoss war auf der Brücke explodiert und John war einige Minuten lang bewusstlos gewesen.

Sie löste sich aus der Umarmung, trat einen Schritt zurück und hielt ihre Hand hoch.

»Folge meinem Finger mit den Augen«, sagte sie und bewegte diesen hin und her. Dabei beobachtete sie ihn konzentriert.

»John, du hast vielleicht eine Gehirnerschütterung. Und du hast Verbrennungen zweiten Grades.«

»Das ist jetzt scheißegal. Kümmere dich erst um die anderen.«

Sie nickte und ging zu einer der Verletzten, einem Mädchen aus der Volleyballmannschaft des Colleges. Sie lag zusammengekrümmt da und heulte, beide Hände auf dem Bauch. John sah zu, wie Makala sich neben sie kniete, einige tröstende Worte sprach, ihr die Haare aus der Stirn strich und mit einem Markierstift die Zahl 3 auf ihre Stirn schrieb. Makala beugte sich tiefer, küsste das Mädchen sanft und ging zu einem Jungen, der danebenlag. Sein Bein war unterhalb des Knies zertrümmert, und er – oder jemand anders – hatte es mit einem Tourniquet abgebunden. Er war bewusstlos. Makala legte einen Finger auf seinen Hals, um seinen Puls zu überprüfen, schrieb »1« auf seine Stirn und stand auf.

»Eine Eins! Hierher!«, rief sie.

Zwei Jugendliche mit einer Bahre rannten herbei, einer der Träger sah dabei das Mädchen mit dem Bauchschuss und verlangsamte seinen Schritt. John sah den Schmerz in seinem Gesicht. Die beiden waren vor einem Jahr miteinander gegangen und sogar als »das ideale Paar« bezeichnet worden, bis das Mädchen die Beziehung beendete. Auf einem kleinen College wusste jeder über jeden Bescheid. Manchmal war das nicht so gut, manchmal auch recht nett.

»Hierher! Dieser hier! Los, beeilt euch!«, schrie Makala.

Der Junge, aus dessen Augen Tränen strömten, wurde von dem Mädchen, das das hintere Ende der Bahre trug, vorwärtsgeschoben. Sie legten den Jungen mit dem zertrümmerten Bein auf die Bahre, drehten um und rannten die Straße hinunter. Makala stand bereits beim nächsten

Verwundeten, den Stift in der Hand. Jetzt war sie, wie die Menschen aus der Antike vielleicht gesagt hätten, die Wächterin des Todes: Die 1 bedeutete sofortige Behandlung, die 2 bedeutete eine Behandlung, nachdem alle mit der Nummer 1 versorgt worden waren, und 3 … 3 bedeutete: keine Überlebenschancen. Es durften keine Ressourcen vergeudet werden.

Keiner der Studenten, die in den Kampf gezogen waren, wusste von dieser Triage, nur diejenigen, die als Sanitäter eingesetzt waren, und natürlich alle, die jetzt halfen, das Schlachtfeld zu säubern und Ordnung zu schaffen. Aber es hatte nicht lange gedauert, bis die Verwundeten, die von dieser Selektion betroffen waren, es erraten hatten.

Ein Mädchen, dessen Körper von mehrfachen Schussverletzungen zerfetzt war, lag im Graben an der Mittelstreifenbarriere. Makala sah sie kaum an, schrieb eine »3« auf ihre Stirn und ging weiter. Das Mädchen sah weinend zu John auf.

»Was hat sie geschrieben? Was hat sie geschrieben?«

John kniete sich neben sie. Es war ein Wunder, dass sie noch am Leben war. Eine Schusswunde hatte ihren Oberschenkelknochen zertrümmert. Er begriff nicht, warum die Oberschenkelarterie nicht zerfetzt war. Sie war auch in den Bauch und in die Brust getroffen worden. Blutiger Schaum hatte sich auf ihren Lippen gebildet. Er kannte sie nicht. Wahrscheinlich war sie eine Erstsemester-Studentin, die sich noch nicht in seine Vorlesungen eingeschrieben hatte.

»Sie hat eine ›2‹ geschrieben, Liebes«, log er. »Andere haben noch schlimmere Verletzungen als du. Hilfe wird bald zu dir kommen.«

Sie versuchte zu lächeln, aber sie begann bereits, in die ewige Nacht hinüberzugleiten. John beugte sich tiefer und küsste sie auf die Wange.

»Schlaf jetzt, Süße. Es wird dir bald besser gehen.«

Sie nahm seine Hand, ihr Griff war erstaunlich stark.

»Daddy?«, flüsterte sie. »Daddy, hilf mir.«

»Daddy ist hier.«

Sie begann, unkontrolliert zu zittern.

»Müde bin ich, geh' zur Ruh', schließe meine Äuglein zu«, flüsterte er heiser.

Vater, lass die Augen dein … Ihre Lippen formten die Worte stumm. Das Zittern hörte auf. Sie war tot.

John strich die Haare aus ihrer verschwitzten Stirn und küsste sie abermals. Dann entzog er seine Hand sanft ihrem nun leblosen Griff und wandte sich ab.

Von den Hügeln wehte der Klang entfernter Schüsse herüber. Auch näher, weiter hinten, wurde geschossen, da Toms Männer fortfuhren, die Verwundeten der Posse zu töten.

Vor ihm, auf der Flanke des Bergpasses, lagen die rauchenden Trümmer von Don Barbers Aufklärungsflugzeug. Während der heftigsten Momente des Kampfes hatte John gesehen, wie Barber niedrig anflog und Rucksäcke voller Sprengstoff abwarf. Er hatte einen der feindlichen Sattelschlepper vernichtet und war dann plötzlich zum Schlachtfeld abgeschwenkt.

John hatte Don explizit befohlen, sich aus den Kampfhandlungen herauszuhalten, hoch oben zu bleiben, alles zu beobachten und zu berichten. In den ersten Stunden hatte er das auch getan. Er stieg auf, observierte, ging im Sturzflug auf das Rathaus herunter und ließ eine Notiz mit den neuesten Schlachtnachrichten an einer gewichteten Schnur fallen, bevor er wieder steil aufstieg, um weiter zu observieren. Die Informationen waren äußerst wichtig gewesen. Sie sagten ihm, aus welcher Richtung die Posse kam und – noch wichtiger – wann die gesamten feindlichen Einheiten angetreten waren, damit er die Falle zuschnappen lassen konnte.

Doch genau wie er befürchtet hatte, konnte sich Don nicht aus dem Kampf heraushalten und hatte schließlich doch beschlossen, die Bodentruppen zu unterstützen.

Don Barber lag in den Trümmern … tot. Er trug seine alte Uniform aus dem Koreakrieg. John verlangsamte seinen Schritt, salutierte und ging dann weiter.

Eine Reihe Gefangener wurde an der westlichen Fahrspur der Autobahn entlanggeführt. Ihre Hände waren gefesselt und zusätzlich waren sie alle mit einem Seil aneinandergebunden. Es waren ungefähr 30, darunter auch die letzten Überlebenden aus dem brennenden Haus.

Eine Wache, die sie anführte, sah John an und bedeutete ihm, zum Fernfahrerrastplatz oben auf dem Kamm des Passes zu gehen, wohin auch sie unterwegs war.

Der Rastplatz war in Wirklichkeit eine Abbiegespur auf dem Scheitel des Kamms, ein obligatorischer Halt für alle kommerziellen Fahrzeuge, insbesondere für Sattelschlepper. Den Lastwagenfahrern, die dort anhielten, wurde die Weiterfahrt erst erlaubt, wenn sie die Straßenkarte mit den Fluchtspuren für Fahrzeuge, deren Bremsen auf dem langen Gefälle versagten, gründlich studiert hatten. Eine Ampel hing über der Spur und war so eingerichtet, dass sie die Fahrzeuge in sicherem Abstand voneinander durchließ oder sie zurückhielt, falls sich weiter unten ein Unfall ereignet hatte. Das alles lag nun natürlich in ferner Vergangenheit. Zum Glück für die Stadt hatte einer der Sattelschlepper, die hier zu Beginn des Krieges stecken geblieben waren, Salzgebäck geladen, aber das war natürlich längst weg.

Dieser Platz war als Kommandozentrale für die Grenzlinie der Barriere ausgewählt worden. Es schien bereits eine Ewigkeit her zu sein. Jetzt strömten viele dorthin, als folgten sie einem Ruf.

John ging weiter die Straße entlang, und einige Studenten gesellten sich zu ihm. Sie hielten ihre Waffen in Bereitschaft und bildeten eine Ehreneskorte für ihn. Ein Student war ihm als Wache zugeteilt worden, aber dieser junge Mann war durch dieselbe Explosion bei der Ausfahrt 65 getötet worden, die John bewusstlos zu Boden geworfen hatte.

Die Gefangenen wurden auf die Lastwagenspur gedrängt, wo etwa 20 weitere bereits warteten.

Als sich die zweite Gruppe näherte, sahen diejenigen, die bereits dort waren, ihr nervös entgegen. Manche standen auf und starrten ihren Anführer an – einen kleinen, schlanken Weißen mit kurz geschorenen, grauen Haaren, tätowierten Armen und einem hässlich verzerrten Gesicht, das aussah, als sei es vor langer Zeit von einem Messer verunstaltet worden. Er war unter den Letzten gewesen, die aus dem brennenden Haus geflüchtet waren.

Malady, noch am Leben, den Arm in einer blutdurchtränkten Schlinge, kam auf John zu.

John lächelte und streckte ihm die Hand entgegen, die Kevin mit seiner Linken ergriff.

»Gute Arbeit, Kevin, verdammt gut.«

»Ich habe aber viele Jungs und Mädchen verloren«, sagte er traurig. »Es wurde verdammt ekelhaft, als diese Drecksäcke merkten, dass sie eingekesselt waren. Zuerst haben die Kinder gezögert, auf jemanden zu schießen, der bereits am Boden lag und schwer verwundet oder tot aussah, aber sie lernten schnell …«

Seine Stimme versagte.

Er betrachtete die jungen Soldaten, die ihre Gefangenen kalt anstarrten.

»Hast du manche von ihnen befragt?«

»Und ob. Sie konnten nicht schnell genug labern und sich gegenseitig beschuldigen. Jeder behauptet, er sei gezwungen worden. Dieses Stück Scheiße da drüben ist ihr Anführer.«

Kevin sah auf den hässlichen Mann.

»So unscheinbar er auch aussieht, der ist der Boss. Anscheinend eine große Nummer als Drogenhändler in Greensboro. War der Kontaktmann für die größten Lieferungen von Koks und Heroin aus Florida. Er mag vielleicht weich aussehen, aber alle haben Angst vor ihm, sogar die Schlimmsten unter ihnen. Sie sagen, er behauptet, einen direkten Draht zu Satan zu haben; dass Gott Amerika aufgegeben habe und dass jetzt der Satan herrsche. Er sagt auch, er sei direkt aus der Hölle entsandt worden, um Satan den Weg zur Herrschaft über Amerika zu ebnen.«

»Und die Geschichten über Kannibalismus?«, fragte John.

Kevin nickte und spuckte aus.

»Die sind alle wahr.«

John ging auf den Anführer zu, der ihn ansah und dann tatsächlich lächelte.

»Lass mich raten: Du bist hier der General.«

John antwortete nicht.

»Ein brillanter Plan. Ich wette, du bist dieser Professor. Ich habe von einer unserer Gefangenen von dir gehört. Ein süßes Ding war das. Wir haben sie gestern aufgegriffen.«

John erstarrte. Höchstwahrscheinlich das Mädchen, das sie während des Scharmützels auf dem Feldweg verloren hatten.

»Dieser Kampf riecht für mich nach Beispielen aus der Militärgeschichte. Die Schlacht von La Drang vielleicht? Lock sie an, komm näher, umzingle sie? Ich habe das im Kino und im History Channel im Fernsehen gesehen.«

»Und du bist direkt hineinspaziert«, sagte John sarkastisch.

»Ja, in der Tat. Wahrscheinlich hat Er das so gewollt.«

»Er?«

»Satan natürlich.«

Der Mann drehte sich zu den anderen Gefangenen um.

»Habe ich euch nicht gesagt, dass er euch verlassen würde, wenn ihr ihm eure Seelen nicht bedingungslos und in allen Dingen ausliefert? Jetzt seid ihr tatsächlich zum Höllenfeuer verdammt. Gott hat diese Welt verflucht, und weil ihr mich enttäuscht habt, hat sich auch Satan von euch abgewandt. Statt an seiner Seite zu herrschen, werdet ihr für euren Ungehorsam zur ewigen Strafe verdammt.

Diese Hunde werden keine Gnade zeigen. Statt euch heute Nacht mit ihrem Fleisch zu stärken, wie Satan es befohlen hat, werdet ihr nun zu Aas für Hunde und Krähen … oder vielleicht …«

Er sah John verschlagen an. »Vielleicht werden sie sich ja jetzt an eurem Fleisch stärken.«

John, seine Glock halb im Anschlag, war versucht, dem Mann an Ort und Stelle das Gehirn aus dem Schädel zu schießen.

Die anderen Gefangenen starrten ihn großäugig an. Manche fingen an zu weinen. Andere knieten sich mit gesenkten Köpfen hin und ergaben sich ihrem Schicksal.

Es war so verdammt seltsam, dachte John, wie manchmal die unwahrscheinlichsten Leute, wie dieser Mann hier, so große Macht über andere ausüben konnten. Er hatte eine enorme Präsenz. Seine Stimme war klangvoll, warm und stark. Wie seltsam, dass manche das besaßen; dass sie einen solchen Wahnsinn von sich geben konnten und andere ihnen trotzdem blindlings folgten.

»Kannibalen«, sagte John kalt.

Der Mann sah zu ihm auf, sein Gesicht zu einem Lächeln verzerrt, das fast freundlich aussah.

»Mein Freund. Du weißt genug über alles, was geschehen ist. Du weißt, dass diese Nation verloren ist, bis auf die wenigen Auserwählten, die die Kraft zum Überleben haben. Das Fleisch der Schwachen ist für uns bestimmt, für die Lebenden, als Heiliges Sakrament, um uns zu stärken, damit wir weiterleben und damit unser Wille triumphiert.«

Er wandte seinen Blick von John zu seinen Leuten.

»Denn ich habe das ganze Land durchkreuzt, herauf und herab, nah und fern, und ich habe das Land bedacht, das einst war. ›Ziehe deine Hand von ihm ab, beschütze es nicht länger, und das Land, das dich einst anbetete, wird dich verfluchen.‹ Und so ist es geschehen, und das Land ist nun gewiss verflucht; und wir sind die Boten, entsandt, um es zu reinigen.«

Er sah zurück zu John.

»Das Mädchen, das wir gestern gefangen haben, war wirklich süß; ich glaube, sie war das Beste, das mir bis jetzt untergekommen ist. Gut gemästet für unser heiliges Opfer.

Du weißt sicher, dass die Eingeborenen von Neuguinea ihre Feinde ›Langschweine‹ genannt haben. Wohlgenährte Menschen schmecken tatsächlich so. Wie Schweinefleisch.«

John hob seine Glock und drückte die Mündung gegen die Stirn des Mannes.

»Komm schon, du Hurensohn«, flüsterte der Mann. »Sei wie ich: Trinke mein Blut, wenn ich tot bin, so wie ich deines getrunken hätte. Ich weiß, dass du Hunger hast. Tu es, und alle, die dir folgen, werden es dir gleichtun, weil auch sie Hunger haben.«

John zögerte, dann zog er ihm die Pistole über den Schädel und der Mann fiel hin.

John wandte sich an die Hunderte von Menschen, die ihn inzwischen umringten.

»Ihr habt es aus seinem eigenen Mund gehört.«

Niemand sprach, alle waren maßlos schockiert und angeekelt.

John sah sich um.

»Bringt mir ein Seil.«

Einer seiner Studenten kam mit einer Seilrolle heran. Der Henkersknoten war bereits geknüpft worden. John deutete auf die Querstrebe aus Aluminium, die die Verkehrsampel trug.

Das Seil wurde über die Querstrebe geworfen. Einige hatten den Mann bereits aufgerichtet. Er hatte erwartet, erschossen zu werden, und als er die Schlinge sah, begann er zu schreien und um sich zu treten. Sie zerrten und schleppten ihn unter die Ampel, wo ihm das Seil um den Hals gelegt und fest angezogen wurde.

John trat zu ihm und hätte fast mit ihm gesprochen, überlegte es sich aber anders. Es würde keine letzten Worte geben.

»Kraft des mir von den Bürgern von Black Mountain und Swannanoa verliehenen Amtes erkläre ich, dass dieser Mann schwerer Verbrechen beschuldigt und verurteilt wurde. Er ist ein vielfacher Mörder und Kannibale, er hat Menschenfleisch gegessen. Er ist nicht einmal eine Kugel wert.«

John trat zurück.

»Hängt ihn auf.«

Sie zogen ihn mit dem Seil hoch, und lange Minuten trat er krampfartig aus, bevor er endlich starb. Seine Anhänger sahen entsetzt zu. Einige fielen auf die Knie und schrien, dass sie alles bereuten und sich danach sehnten, errettet zu werden. Einer rief sogar nach einem Priester, um zu beichten.

John betrachtete sie und wandte sich ab. Er sah Tom an, der mit grimmigem Gesicht dabeistand.

»Häng so viele von ihnen auf, wie du kannst, und erschieße den Rest dieser Dreckskerle. Bring an dem Lastwagen da drüben ein Schild mit dem Wort ›Kannibalen‹ an.«

Tom nickte. Binnen Minuten wurden sechs weitere Gefangene gehenkt.

Den anderen stand nun ihr eigenes Schicksal vor Augen. Sie schrien und bettelten, und John stand schweigend da und sah einfach zu.

»John?«

Makala war an seiner Seite.

»Um Gottes willen. Einige von ihnen sind kaum mehr als Kinder. Höchstwahrscheinlich waren die meisten aus Angst dabei.«

Er sagte nichts.

»John, das ist Lynchjustiz. Es ist außer Kontrolle geraten. Es ist genau das, was du in unserer Stadt verhindern wolltest. Sieh dir nur an, was aus uns geworden ist.«

Er sah erst sie an, dann seine jungen Soldaten und die Bürger, die gekämpft hatten. Er sah das wilde, grausame Glühen in ihren Gesichtern.

Zehn Gefangene wurden zur Mauer an der Raststätte geführt, die meisten unter Schreien und Flehen. Sie wurden erschossen. Ihre Leichen wurden über die Brüstung geworfen, wo sie am Fuß der steilen Klippe auf den Felsen zerschmetterten.

Eine Minute später wurden zehn weitere erschossen, begleitet von zustimmenden Rufen.

Und in diesem Moment lief eine Bildfolge in Johns Erinnerungen ab, wie ein alter, grobkörniger Film. Russen wurden an schnell errichteten Galgen im kalten Winter von 1941 aufgehängt; die Stiche Goyas mit den Abbildern spanischer Gefangener mit flehend erhobenen Händen, die von den Truppen Napoleons niedergeschossen wurden; nackte Gefangene, die von der SS zu einem Graben geführt wurden, sich dort hinknieten, erschossen wurden und als leblose Puppen in den Graben fielen. Es war das Gesicht des Krieges, aller Kriege, und jetzt war es hier. *Und es waren wir selbst,* dachte John, *die wir uns gegen uns selbst richteten, während wir um das letzte Stück Brot kämpften, und jetzt sogar um die Leichen der Toten.*

Acht waren noch übrig. Toms Männer zerrten sie auf die Füße und schleppten sie zum Rand der Schlucht.

John trat vor, seine Glock in der Hand. Tom, der ihn auf sich zukommen sah, trat zurück, denn er dachte, John wollte sie eigenhändig erschießen.

Er musterte die acht. Einige standen aufsässig da, genau wie damals der Halbstarke mit der Schlangentätowierung. John sah ihnen in die Augen und fragte sich, wieso. *Ist das in uns allen?* Er drehte sich um und blickte zurück. Die Leute, die zusammengekommen waren, schwiegen sofort; auf mehr als einem ihrer Gesichter lag der gleiche kalte Ausdruck. Er wandte sich langsam wieder den Gefangenen zu.

Makala hatte recht. Drei von ihnen waren kaum aus dem Kindesalter heraus, 14 oder höchstens 15 Jahre alt, obwohl alle drei den gleichen distanzierten, kalten Blick hatten. Er fragte sich, ob sie schon so gewesen waren, bevor das alles anfing: Bandenmitglieder, wie Washington gesagt hatte; Kinder, die damals schon töteten und es als Witz betrachteten.

Daneben stand eine zitternde Frau von etwa 20 Jahren, so verängstigt, dass Urin an ihrem Bein herunterlief und eine Pfütze zu ihren Füßen bildete. Der Nächste war ein alter Mann, die Augen leer und wahnsinnig. Neben ihm stand ein lateinamerikanischer Junge. Seine Lippen bewegten sich, die spanischen Worte kaum hörbar, doch es war offensichtlich, dass er das *Ave Maria* betete.

»Kevin.«

Malady kam an Johns Seite.

»Zieh dein Messer.«

Kevin sah John an, zögerte, tat aber schließlich, wie ihm befohlen worden war.

Die Augen von einem der drei trotzigen Männer weiteten sich. »Erschießt mich und bringen wir's hinter uns«, sagte er kalt, »aber nicht das Messer, Mann.«

»Schneide ihre Fesseln durch.«

»Wie bitte?«

»Ich sagte, schneide ihre Fesseln durch.«

Kevin trat hinter die Gefangenen und schnitt ihre Hände frei. Keiner von ihnen bewegte sich.

John sah seine Studenten, seine Nachbarn und Freunde an.

»Es ist vorbei«, sagte er.

Ein unzufriedenes Raunen ging durch die Menge.

»Was hindert diese Arschlöcher daran, heute Nacht zurückzukommen und uns die Kehlen durchzuschneiden?«

John schüttelte den Kopf.

»Ich habe mich geirrt.«

»Indem Sie sie umgebracht haben?«, rief jemand aus der Menge.

»Sie haben unsere Verwundeten gnadenlos abgeschlachtet!«, schrie ein Mädchen; eine seiner Studentinnen, deren Hauptfach Bibelstudien gewesen war.

»Und wir haben die ihren getötet. Washington und ich hatten das befohlen, weil wir kaum genügend Vorräte haben, um unsere eigenen Leute zu versorgen.«

»Kannibalen!«

John nickte.

»Ja. Manche zweifellos, ja. Ich werde diese hier nicht befragen, weil sie lügen würden, um ihr Leben zu retten.«

Er schüttelte müde den Kopf.

»Ich beende es hier und jetzt, weil ich anfing, es zu genießen. Ich hasse sie. Ich hasse den Dreckskerl, der da hängt, mehr, als ich je einen Menschen in meinem ganzen Leben gehasst habe …

Aber ich werde mich nicht in ihn verwandeln. Ich werde nicht zulassen, dass wir uns in sie verwandeln. Gott helfe uns, wir sind kurz davor, genauso zu werden wie sie. Jetzt, in diesem Moment.«

Er wartete nicht auf eine Reaktion, sondern wandte sich den Gefangenen zu.

»Ich werde kein Scheißritual durchführen, bei dem ihr mir schwört, dass ihr von hier fortgeht, niemals wiederkommt und alles bereut.«

Der lateinamerikanische Junge nickte, ging in die Knie und schlug wiederholt das Kreuz.

»Vergesst nicht, was ihr hier gesehen habt. Kommt niemals wieder hierher. Für das, was ihr getan habt, tragt ihr alle jetzt für immer das Kainszeichen. Falls ihr anderen Banden wie der euren begegnet, dann erzählt ihnen, was hier geschehen ist, und sagt ihnen, dass sie die gleiche Niederlage erleben werden.

Ich habe nur eine Bitte. Wir haben euch das Leben geschenkt. Nehmt kein weiteres Leben. Sonst werdet ihr mit Sicherheit in Ewigkeit verdammt sein.«

Er wandte sich langsam von ihnen ab.

»Geht!«

Sechs zögerten nicht, sie drehten sich einfach um und rannten davon. Der kniende Junge sah mit großen Augen zu John auf und rutschte näher, als wollte er seine Füße küssen. John trat einen Schritt zurück und bedeutete dem Jungen, aufzustehen und zu gehen.

»Gracias, Señor.« Er drehte sich um und rannte weg.

Die junge Frau, die aus Angst uriniert hatte, stand nur da, unfähig, sich zu bewegen.

»Geh«, sagte John sanft.

»Wohin?«

»Geh einfach.«

»Es tut mir leid. Gott verzeihe mir, es tut mir leid. Ich weiß nicht, wie ich mit dem, was ich getan habe, weiterleben soll. Es tut mir leid.«

Schluchzend drehte sie sich um und ging langsam fort.

John wandte sich an die Menge.

»Schneidet die Leichen ab«, sagte er und hielt inne. »Bis auf den Anführer. Ich möchte, dass ein Schild unter ihm angebracht wird, auf dem steht: ›Hingerichtet als Anführer der Bande mit dem Namen Die Posse, die aus Mördern, Vergewaltigern und Kannibalen bestand. Möge Gott ihm und allen, die ihm folgten, verzeihen.‹«

John steckte seine Glock ein und ging zu den anderen zurück. Seine Soldaten, Nachbarn und Freunde traten stumm zur Seite, um ihn durchzulassen.

»Sie haben das Richtige getan, John«, flüsterte jemand.

Seine Soldaten. Er sah sie an, während er vorbeiging. Manche brachen nun endlich zusammen. Der posttraumatische Schock nach dem Kampf, vielleicht auch ausgelöst durch das, was hier soeben geschehen war.

Einige brachen in Tränen aus und wandten sich zur Unterstützung an andere. Andere standen still und schweigend da. Relativ viele lagen auf den Knien und beteten. Andere gingen umher, blieben stehen, drehten Leichen um, brachen heulend zusammen und umarmten ihre im Kampf gefallenen Lieben.

John fühlte sich schwach und ihm war leicht übel.

»John, lass mich dich zurück in die Stadt bringen.«

Makala war an seine Seite gekommen und hatte ihre Hand in die seine gelegt.

Er blieb stehen und umarmte sie.

»Danke, dass du mich davon abgehalten hast«, flüsterte er. »Ich hatte die Kontrolle verloren.«

»Es ist okay, mein Lieber. Es ist schon okay.«

Sie hob den Kopf und küsste ihn. Die Geste kam etwas überraschend und viele, die gerade an ihm vorbeigingen, sahen es und blickten diskret in eine andere Richtung.

Plötzlich fühlte er sich wirklich so schwach, als würde er gleich in Ohnmacht fallen, und ging in die Knie.

»Tragbahre!«

Er sah auf und schüttelte den Kopf.

»John, du hast eine Gehirnerschütterung. Du stehst unter Schock, du musst dich hinlegen.«

»Ich muss zu Fuß von hier weggehen. Hilf mir einfach.«

Er stützte sich auf sie und ging über das Schlachtfeld.

Ein Schlachtfeld, dachte er. Erinnerungen an Fotos der Toten bei Gettysburg im Bürgerkrieg, der Leichen in der pazifischen Brandung von Tarawa, der toten Marines an Bord eines Panzers bei Hue in Vietnam. Immer Fotos – aber die Fotos transportierten den Gestank nicht.

Das Schlachtfeld stank nicht nur nach Kordit, sondern

auch nach dem kupferartigen Geruch von Blut, nach Fäkalien, Urin, Erbrochenem und rohem, aufgerissenem Fleisch. Aber dies war Menschenfleisch, oder war es zumindest gewesen. Dazu kam der Geruch der brennenden Fahrzeuge: Gummi, Benzin, Öl – und noch ein anderer, erschreckender Geruch nach brennenden Leibern, die aufquollen und aufplatzten, während sie im Feuer brieten.

Die Feuer zu beiden Seiten der Autobahn waren vor einer Stunde noch eine Waffe gewesen. Jetzt war es ein Waldbrand mit einer intensiven Hitze, die Hunderte von Metern entfernt noch spürbar war. Angefacht von der westlichen Brise fraß er sich bereits weiter, hatte den Bergkamm überwunden und dehnte sich nun nach unten ins Tal aus, auf Old Fort zu. Die Leichen des Feindes, aber auch die Leichen seiner eigenen Leute rösteten in den Flammen.

Da nun alles vorbei war, streiften Hunderte herum, die nach geliebten Menschen suchten: Söhne suchten ihre Väter, Mütter ihre Söhne, junge Liebhaber suchten ihre Geliebten, Freunde suchten ihre verlorenen Freunde.

Film – schon wieder ein Film. Die Szene aus *Alexander Nevsky* nach der Schlacht auf dem Eis: die traurige Musik, der unheimliche Dämmerungseffekt der Beleuchtung, weinende Ehefrauen und Mütter auf der Suche nach ihren gefallenen Lieben.

Und wieder wurde ihm bewusst, dass dies kein Film war, sondern Wirklichkeit. Ein Junge, einer der robusteren aus der College-Footballmannschaft, brach weinend zusammen, hob den zerschmetterten Körper eines Mädchens auf und wiegte ihn in seinen Armen. Er schrie, und seine Freunde umringten ihn schweigend, bis er die Leiche fallen ließ und seine Pistole zog, um sich zu erschießen. Seine Freunde warfen ihn zu Boden und hielten ihn fest.

John stolperte weiter.

Eine Kolonne Fahrzeuge auf der Straße vor ihm. Ein Sattelschlepper, beladen mit Verwundeten. Makala winkte

Hilfe herbei. Hände ergriffen ihn, zogen ihn auf die Ladefläche. Makala kletterte hinterher.

Das Dröhnen des Dieselmotors, der Qualm der Abgase, als sie sich in Bewegung setzten. Als sie die Rampe der Ausfahrt 65 passierten, nahm die Geschwindigkeit zu. Der Fahrer drückte auf die Hupe, als sie in die State Street einbogen und vor dem großen Möbelhaus im Stadtzentrum hielten. Alle Möbel waren auf die Straße geworfen worden, bis auf die Betten und Sofas im Hauptverkaufsraum.

Aber das improvisierte Lazarett war bereits zum Überlaufen voll.

»Alle Einser hierher!«, schrie jemand. »Zweier da drüben!«

Vier Einser, alle auf Tragbahren, wurden von der Ladefläche des Sattelschleppers gehievt und eilig hineingetragen.

John sah Makala an.

»Ich muss da hineingehen.«

»John, du hast zwar eine Gehirnerschütterung, aber sie ist nicht sehr schwer, hoffe ich. Ich glaube, es wäre besser, ich würde dich nach Hause schaffen und ins Bett stecken. In einer Woche oder so bist du wieder auf den Beinen. Jen kann sich um die Verbrennungen kümmern.«

»Nein, ich muss da hineingehen. Das sind meine Kinder … meine Soldaten.«

Sie widersprach ihm nicht. Ein paar Bürger halfen ihm von der Ladefläche. Als der letzte Verwundete in den Laden getragen wurde, legte der Fahrer den Rückwärtsgang ein, stieß in Richtung Montreat Road zurück, beschrieb eine Kurve auf dem Parkplatz des Rathauskomplexes und raste dann zurück zum Schlachtfeld.

John stand vor der Tür, hielt inne und holte tief Luft.

Er löste sich aus Makalas Umarmung und ging hinein.

Fast wäre er rückwärts wieder nach draußen getaumelt, aber dann blieb er wie angewurzelt stehen.

Es war das Schwerste, was er in seinem ganzen Leben

jemals getan hatte. Schlimmer, als Mary in den Armen zu halten, als sie starb; schlimmer als alles andere.

»Jesus, gib mir Kraft«, flüsterte er, und dann ging er weiter hinein.

Dutzende lagen auf dem Boden, alle mit einer 1 auf der Stirn. Manche weinten, manche lagen still da und bemühten sich um Fassung. Manche hatten das Glück, bewusstlos zu sein. Er sah alle erdenklichen Wunden.

Er ging langsam durch den Raum. Wenn jemand seinem Blick begegnete, blieb er stehen und rang sich ein Lächeln ab. Manche erkannte er und schämte sich seiner lebenslangen Unfähigkeit, sich Namen zu merken. Er konnte sich nur bücken und eine tröstende Hand ausstrecken, während er immer und immer wiederholte: »Ich bin stolz auf dich ... Keine Sorge, sie werden dich ganz schnell zusammengeflickt haben ... Danke, ich bin stolz auf dich ...«

Er verließ den Raum, und im nächsten schreckte er tatsächlich zurück und Makala kam an seine Seite. Er sah sie an und fragte sich, wie in aller Welt sie mit dem, was er nun sah, fertig wurde.

In den beiden Städtchen hatte es am Tag eins neun Ärzte und drei Tierärzte gegeben. Einer war inzwischen gestorben. Nun standen elf Tische in diesem Raum und auf jedem lag ein Schwerverletzter, umringt von einem medizinischen Team. In dieser Notsituation arbeiteten auch die Tierärzte mit.

Die Betäubungsmittel aus den Praxen der Tierärzte und Zahnärzte kamen nun zum Einsatz. Er sah Kellor bei der Arbeit, der Anblick war grauenhaft. Kellor amputierte einem Mädchen das Bein oberhalb des Knies. Das Knie war nur noch eine Masse aus zermalmtem Fleisch und zertrümmerten Knochensplittern. Das Mädchen warf den Kopf hin und her und weinte.

Entsetzt sah John Makala an.

»Wir benutzen örtliche Betäubung für Amputationen«,

flüsterte sie. »Wir müssen die Vollnarkose für die schwereren Fälle aufheben.«

»Die schwereren?«

Aber in Wirklichkeit brauchte er keine Erklärung. Kopfwunden, zertrümmerte Kiefer, Brust- und Bauchverletzungen wurden ausselektiert, weil es nicht genügend Antibiotika gab; selbst wenn die Verletzten die chirurgischen Eingriffe überlebt hätten.

Er ging zu dem Mädchen auf dem Tisch. Es sah zu ihm auf, die Augen geweitet wie die eines Hasen, der angeschossen wurde und den Todesschuss erwartet. Sein Herz barst fast vor Emotionen. Er kannte sie.

Er ergriff ihre Hand.

»Laura?«

»O Gott, ich spüre es«, keuchte sie.

»Halte durch«, sagte John.

Das Geräusch war fürchterlich. Kellor sägte den Knochen durch. John riskierte einen Blick nach unten und sah, dass er eine Metallsäge benutzte, wahrscheinlich aus dem Eisenwarenladen. *Mein Gott, sie haben nicht einmal richtige chirurgische Instrumente.*

»O Gott!«

John drückte ihre Hand fest, beugte sich tiefer und sah sie an.

»Sieh mich an, Laura, sieh mich an!«

Sie starrte zu ihm auf.

»Laura, denk an dein Lied: *›Try to remember ...‹*«

»*›The kind of September ...‹* Jesus, bitte hilf mir!«

Das Geräusch der Säge verstummte. Jemand, der Kellor assistierte, nahm das abgeschnittene Bein vom Tisch. Kellor trat zurück.

»Schwester, binden Sie den Stumpf ab ...« Er zog seinen Mundschutz herunter und sah zuerst John, dann Laura an.

»Laura, Liebes, das Schlimmste ist jetzt vorbei«, sagte Kellor. »Wir geben dir bald noch eine Betäubungsspritze.«

Sie nickte schluchzend, und John konnte seine Hand kaum aus ihrem Griff lösen.

Kellor sah John an, als sie sich vom Tisch abwandten.

»Wir haben kein Betäubungsmittel mehr, bis auf ein wenig Oxycodon«, flüsterte er. »Gott möge ihr und all diesen Kindern beistehen.«

Kellor riss seine Latexhandschuhe herunter und ließ sie zu Boden fallen.

»Schwester, ich mache fünf Minuten Pause. Bereiten Sie den Nächsten vor.«

John fühlte sich schuldig, Laura zu verlassen, aber Kellor bedeutete ihm, ihn aus dem Operationssaal zu begleiten.

»John.«

Es war Makala.

»Ich werde jetzt hier gebraucht. Ich bin mit der Triage oben am Pass fertig.«

Er nickte ihr zu, aber sie hatte sich bereits abgewandt und signalisierte einem Assistenten, ihr Isopropylalkohol über die Hände zu gießen.

John folgte Kellor und kam an anderen improvisierten Operationssälen vorbei. Der Boden war glitschig vom Blut. Als John herunterblickte, stellte er leicht schockiert fest, dass er mit Sägemehl bedeckt war. Gerade streute ein Assistent noch mehr aus, sogar während die Ärzte operierten.

Als sie am letzten Tisch vorbeigingen, wandte sich eine Ärztin gerade von dem Operierten ab.

»Gottverdammt!«

Sie riss ihre Handschuhe ab, trat zurück und lehnte sich schluchzend an die Wand. Sie funkelte John an, als sei er in eine Welt eingedrungen, die er niemals hätte betreten sollen.

Zwei Assistenten nahmen den leblosen Jungen vom Tisch, die Brust immer noch weit geöffnet nach den verzweifelten Bemühungen der Ärztin, ihn zu retten.

Kellor fasste John am Arm und führte ihn aus dem Zimmer.

»Ein Freund ihrer Tochter«, flüsterte er. »Sie waren Nachbarn.«

Das nächste Zimmer war als postoperativer Aufwachraum eingerichtet worden und bot kaum noch Bewegungsfreiheit. Es gab einen kostbaren kleinen Vorrat Blutplasma aus der Klinik in Swannanoa. Sechs Flaschen waren an Tropfgestelle angeschlossen worden, wurden aber nicht unbedingt denjenigen zugeführt, die sie am meisten benötigten, sondern jenen, denen eine einzige Flasche das Überleben sichern konnte.

Einige Bürger, die nicht mitgekämpft hatten, riskierten nun ihr Leben, indem sie Blut spendeten. Aufgrund ihres geschwächten Zustands konnte jedem lediglich ein knapper halber Liter entnommen werden, aber für viele war selbst diese kleine Menge zu viel. Dennoch stellten sie sich zur Verfügung.

Wer seine Blutgruppe kannte, wurde mit einem entsprechenden Verwundeten gepaart. Mit einem Markierstift hatte man auf Rücken und Brust derer, die vor der Schlacht ihre Blutgruppe gewusst hatten, die entsprechende Zahl geschrieben. Die Bluttransfusionen wurden direkt vorgenommen. Für John sah es absolut primitiv aus: Sie benutzten altmodische Gummischläuche, Quetschtuben und Nadeln. Die Spender lagen auf Pritschen, die höher waren als die der Blutempfänger, damit die Schwerkraft half, das Blut zu transferieren.

Kellor führte John durch eine Seitentür nach draußen ins Freie. Nach den letzten 20 Minuten konnte John kaum begreifen, dass es hier immer noch eine Welt voller Sonnenlicht und sanftem Wind gab … doch dann sah er die lange Reihe regloser Körper auf dem Parkplatz hinter dem Laden … die Toten.

Er fummelte in seiner Tasche. Er hatte nur noch zwei

Zigaretten übrig. Mit zitternden Händen zog er eine heraus und zündete sie an.

Kellor sah ihn an und hob einen Finger.

»Makala hat mich bereits diagnostiziert. Gehirnerschütterung.«

»Und einige Verbrennungen. Du musst Brandsalbe auf dein Gesicht auftragen, und einen sterilen Verband. Jen kann dafür ein Laken in heißem Wasser kochen. Du kannst dir keine weitere Infektion leisten; du bist immer noch von der letzten geschwächt.«

»Okay, Doc.«

»John, wir werden in ein paar Tagen ein fürchterliches Problem haben.«

»Was denn noch? Nach alldem hier?«

»Seuchen. Ich war auf dem Schlachtfeld, nachdem ihr sie von der Brücke zurückdrängt hattet. Ich habe einige von der Posse gesehen. Ich habe auch mit einigen geredet, bevor …«

Seine Stimme erstarb.

»Bevor Toms Männer sie erschossen haben.«

»Sprich weiter.«

»John, ihr Lager war voller Krankheiten. Influenza, Hepatitis. Ich glaube, es waren auch einige Exoten vertreten; vielleicht Typhus. Ein einziger Blick auf ihre Körper zeigte, dass sie nicht viel besser dran waren als die Menschen, die sie terrorisierten. Ich glaube, wir werden in wenigen Tagen eine Epidemie hier haben, die noch schlimmer wird als die letzte. Bei all dem überall verspritzten Blut – viele von der Posse waren offensichtlich drogensüchtig –, wir könnten es mit Hepatitis B und C zu tun haben, vielleicht sogar mit HIV.«

»Informiere Charlie«, stöhnte John, »ich kann nicht noch mehr ertragen.«

»Charlie?«

John sah ihn an.

»John, hast du es nicht gehört? Charlie ist tot. Er fiel in der Schlacht an der Überführung.«

»Oh, Jesus. Ich habe ihm gesagt, er sollte hierbleiben. Er war zu schwach. Sein Job war nicht an der Front.«

»Du hast Charlie doch gekannt«, seufzte Kellor. »Er wäre niemals hinter den Linien geblieben, nicht in einem solchen Moment.«

»Verdammt.«

»John, du bist jetzt hier in der Stadt der Hauptverantwortliche.«

»Was?«

»Charlie hat dich dazu ernannt. Er hat es mir gesagt, kurz bevor er starb. Kate war auch dabei, sie hat es bezeugt und zugestimmt. Du bist nun der Stadtdirektor der Notstandsregierung.«

John sackte gegen die Wand.

»Jetzt will ich nur nach Hause.«

Kellor nickte und legte einen tröstenden Arm um ihn.

»Die Dinge werden sich für den Rest des Tages von selbst regeln. Sonst bin ja immer noch ich da. Und, John …«, er zögerte. »Ich glaube auch, du solltest nach Hause gehen.«

»Warum?«

John nahm den letzten Zug aus seiner Zigarette und warf sie auf den Boden.

Kellor griff in Johns Brusttasche, nahm die letzte heraus, die allerletzte seiner Zigaretten, bot sie ihm an und gab ihm Feuer.

»Mein Gott, was noch?«

Aus seiner Tasche holte Kellor einen Ring heraus, den Klassenring einer High School.

»Was ist das?«, fragte John.

»Bens Ring.«

John konnte nicht sprechen. Er hielt ihn nur in der Hand und sah ihn an. Der Ring war mit getrocknetem Blut bedeckt.

»Er starb vor einer Stunde. Er wurde als 3 ausselektiert, aber ich sah ihn auf der Brücke und habe ihn trotzdem hergebracht, John.«

Kellor deutete mit dem Kopf auf eine der Leichen; eine der wenigen, die mit einem Laken zugedeckt waren.

»Er war ein guter Junge, John. Ein verdammt guter Junge. Er hielt auf der Brücke aus, als sie überrannt wurde. Viele Leute sahen ihn dabei; Menschen, die kurz vor der Panik standen. Er rief sie zusammen und ermutigte sie zur Attacke, bevor er fiel. Ich dachte, du wüsstest es. Du warst nur einige Meter von ihm entfernt, als der Gegenangriff begann.«

John konnte nicht sprechen.

Kellor seufzte.

»John, er wird ein Kind hinterlassen, auf das du stolz sein kannst. Stolz darauf, dass Ben sein Vater war. Irgendwann komme ich zu euch rauf und erzähle Elizabeth von ihm. Verdammt noch mal, ich habe vor 17 Jahren geholfen, ihn auf die Welt zu bringen.«

Er schüttelte den Kopf.

»Ohne Jungen wie ihn – ohne viele wie ihn – hätten wir den Kampf vielleicht verloren.

Er bat mich, dir zu sagen, dass es ihm leidtat, dich zu enttäuschen. Und er bat dich, das Kind zu lieben, das Elizabeth bekommen wird.«

Kellor begann zu weinen.

»Zur Hölle mit alldem hier«, seufzte er und sah John wieder an.

»Geh jetzt nach Hause zu Elizabeth.«

John fand keine Worte.

Er ging zu der Leiche und wollte das Laken herunterziehen, aber Kellor hielt ihn zurück.

»Nein, John. Behalte ihn so in Erinnerung, wie er im Leben war.«

John sah auf den Leichnam herunter.

»Du bist mein Sohn«, flüsterte er. »Und ich werde gut für dein Baby sorgen, das verspreche ich dir. Ich bin stolz auf dich, mein Sohn.«

Steif wandte John sich ab und ging weg.

Er umrundete das Gebäude und kam auf die State Street. Ein weiterer Lastwagen mit sechs Verwundeten auf der Ladefläche fuhr gerade an. Drei von ihnen trugen Zweier auf den Stirnen, die anderen Einser.

Er ging weiter und bemerkte sie kaum.

»Der Teufel soll mich holen, Colonel, wir haben tatsächlich gewonnen!«

Er machte sich nicht einmal die Mühe, nachzusehen, wer ihn angesprochen hatte.

Sein alter Edsel stand vor dem Rathaus. Eine Menschenmenge hatte sich dort versammelt. Jemand hatte ein einziges Wort auf die Anschlagtafel geschrieben: »SIEG!!!«

Manche stellten ihm Fragen, als er näher kam, andere baten um Befehle, wieder andere wollten wissen, was sie nun tun sollten.

Er antwortete nicht, sondern stieg einfach ins Auto. Die Schlüssel steckten, der Motor startete und er fuhr rückwärts aus dem Parkplatz.

Das Radio war eingeschaltet. Die ›Stimme Amerikas‹.

»Heute früh dockte ein Containerschiff aus Australien in Charleston an. Unsere Alliierten haben uns mehr als eine Million Rationen geschickt. Außerdem 1000 Sprechfunkgeräte, sechs Dampflokomotiven …«

Er schaltete ab.

Die Barriere stand noch beim Tor zum Cove und wurde von zwei Studenten bewacht. Er hielt an.

»Wie ist die Lage, Sir?«

Er sah das Mädchen an, das eine Pistole in der Hand hielt.

»Sir, sind Sie in Ordnung?«

»Wir haben gewonnen«, war alles, was er sagen konnte.

Das Mädchen grinste und salutierte. Sie bedeutete dem anderen Studenten, den VW, der das Tor blockierte, zurückzuschieben.

John fuhr hindurch und bog in die Hickory Lane ein. Er hielt vor der Nummer 12, dem Haus von Jen und Tyler.

Als er in die Auffahrt einfuhr, kamen sie alle vier aus der Tür: Jen, Jennifer, Ginger mit wedelndem Schwanz … und Elizabeth.

Als sie auf ihn zurannten, blieb er im Auto sitzen, unfähig, sich zu bewegen. Er sah Elizabeth an, gerade 16 ½ Jahre alt. Noch gab es kein sichtbares Anzeichen des Lebens, das in ihr wuchs … sie war selbst kaum mehr als ein Kind.

Jennifer erreichte das Auto als Erste und schreckte zurück.

»Dad, du siehst fürchterlich aus!«

»Ich bin okay, Liebes. Nur ein bisschen angesengt.«

Elizabeth war nun neben Jennifer, Ginger drängte sich dazwischen und wollte John ablecken.

O Gott. Genauso war es vor kaum zwei Monaten. Er kam nach einer Vorlesung und der anschließenden Büroarbeit nach Hause. Dienstags und donnerstags hielt er von 14:30 bis 16 Uhr Vorlesungen, und die Mädchen waren vor ihm zu Hause. Immer kamen die Hunde herausgeprescht, dicht gefolgt von Jennifer; und seine Teenagertochter hielt das Ritual zumindest pro forma aufrecht, indem sie ihm eine kurze Umarmung und einen Kuss gab.

Er konnte sich nicht bewegen, er konnte nicht aus dem Auto aussteigen.

Jen sah nun zum Autofenster herein.

»Was ist passiert?«

»Alles wird gut«, sagte er schließlich. »Wir haben gewonnen. Sie sind weg.«

Jennifer jubelte, packte Ginger und tanzte mit ihr herum. »Wir haben gewonnen, wir haben gewonnen, wir haben gewonnen!!!«

Er starrte vor sich hin. *Die Sieger kehren aus dem Krieg zurück,* dachte er. Triumphzüge, Jubel, Applaus. Wieder einmal ein Filmstoff; aber jetzt? Wie war das in der Realität?

»John?«

Jen beugte sich durchs Fenster.

»Du bist verletzt.«

»Nichts Ernstes. Eine leichte Gehirnerschütterung, ein paar Verbrennungen. Ich werde schon wieder.«

»Dad, wo ist Ben?«, fragte Elizabeth.

John sah an Jen vorbei auf seine Tochter.

»Lasst mich raus«, sagte er sanft.

Jen öffnete die Autotür, und als ihre Blicke sich kreuzten, wusste er, dass Jen verstand. Sie konnte es in seinem Blick lesen.

Er stieg aus und steckte die Hand in seine Tasche. Er erinnerte sich, dass der Ring mit getrocknetem Blut verkrustet war. Verzweifelt rieb er ihn mit der Hand.

»Dad, ich habe dich nach Ben gefragt. Hast du ihn gesehen?«

»Ja, Liebes.«

John ging auf die Haustür zu. Jen eilte voraus, um sie ihm zu öffnen.

»Also geht es ihm gut?«, fragte Elizabeth. »Ich wusste, es würde ihm gut gehen.«

John konnte das verzweifelte Wunschdenken in ihrer Stimme hören.

Er ging ins Haus. Jen hatte alle Fenster aufgemacht, um den abgestandenen, muffigen Geruch, der sie hier begrüßt hatte, zu vertreiben. Sonnenlicht flutete durch die Erkerfenster herein, die auf den rauschenden Bach im hinteren Garten blickten.

Dies war Tylers Lieblingsplatz im Haus gewesen: Die Erkerfenster, immer weit geöffnet – außer, wenn draußen alles vor klirrender Kälte erfror, und er saß auf dem bequemen Sofa unter den Fenstern, sah hinaus und lauschte dem rauschenden Bach, der über die Felsen tobte.

John setzte sich.

»Elizabeth, komm her.«

»Dad?«

Schon, als sie sich zu ihm setzte, begann sie zu weinen.

Er griff in seine Tasche und entnahm ihr den Ring.

»Ben wollte, dass du ihn bekommst«, sagte John. Er bemühte sich, seine Stimme zu kontrollieren, seinen Schmerz nicht zu zeigen.

Sie nahm den Ring und wog ihn in den Händen. John hatte ihn nicht besonders gründlich reinigen können. Bröckchen getrockneten Blutes lagen auf ihrer Handfläche.

»Eines Tages«, sagte er zärtlich, »eines Tages wirst du deinem Kind diesen Ring geben und ihm erzählen, was für ein wunderbarer Mann sein Vater war.«

Sie warf sich in Johns Arme und weinte, schluchzte hysterisch, bis sie keine Tränen mehr hatte.

Die Schatten wurden länger. Er erinnerte sich, dass Jen ihm Suppe gebracht und gesagt hatte, der Kaplan des Colleges habe sie geschickt. Und dass sie zu Bens Eltern gegangen sei, die in ein verlassenes Haus eingezogen waren. John erinnerte sich an Jennifers Stimme aus dem Raum, der nun ihr Schlafzimmer war; wie sie mit Jen sprach, weinte und betete. Zuletzt hatten sie gemeinsam das Ave Maria gebetet. Das samtene Geräusch von Gingers Pfoten, die auf und ab lief und schließlich aufs Bett kletterte, um seufzend neben Jennifer einzuschlafen.

Als es endgültig dunkel war, richtete sich Elizabeth wieder auf, schmiegte sich an seine Schulter und weinte sich in den Schlaf.

Er hielt Elizabeth die ganze Nacht hindurch fest, bis zur Morgendämmerung.

KAPITEL ELF

Tag 131

In Black Mountain herrschte die Atmosphäre einer Geisterstadt, als John in den Ortskern einfuhr und seinem allmorgendlichen Ritual nachging, einmal das Zentrum zu umrunden, um nachzusehen, ob in der Nacht irgendetwas geschehen war.

Makala saß still neben ihm. Er nahm an, dass sie sich auf den Plan konzentrierte, den sie für das bevorstehende Telefonat geschmiedet hatten.

Die Schaufenster der einst so schmucken Läden entlang der Cherry Street waren verschmiert und schmutzig. Sein alter Lieblingsladen, das Ivy Corner, war in der letzten Woche niedergebrannt. Es war ein Unfall gewesen, verursacht durch zwei Hausbesetzer. Man hatte das Feuer ausbrennen lassen, da es keine anderen Gebäude bedrohte, und John hatte die Besetzer nicht bestraft.

Papierfetzen, Staub und Blätter wirbelten auf der herbstlichen Brise durch die Straße. An der Ecke State Street und Black Mountain Street hatte ein Teenager eine Marktbude errichtet. Sie bestand aus einem Eichenholzschreibtisch, den man hinausgeworfen hatte, als das Möbelhaus in ein Lazarett umfunktioniert worden war. Er hatte zwei fette Eichhörnchen und einen Hasen an einer Stange aufgehängt. Auf einem handgeschriebenen Schild stand: »Eichhörnchen sieben Patronen, Hase 20 Patronen. Tausch möglich.«

Im gleichen Maß, wie das Essen knapper wurde, stiegen die Preise. Patronen waren jetzt allerdings ebenfalls knapp.

Johns ursprüngliche Prognose, dass Zigaretten zur Währung werden könnten, hatte sich als falsch herausgestellt. Fast alle waren schon vor langer Zeit aufgeraucht worden. Manchmal gierte er immer noch danach. Patronen waren nun die bevorzugte Währung, besonders Kaliber 22 und Schrotpatronen.

Für seine eigenen Jagdausflüge hatte er sein Kaliber 22 zugunsten der Kaliber 50 Hawkins-Steinschlossmuskete aufgegeben. Ein Mitglied von Johns alter Bürgerkriegstafelrunde hatte ein Geschäft daraus gemacht, Schwarzpulver zu mischen. Dank seines Hobbys, historische Schlachten nachzuspielen, hatte er eine Methode entdeckt, aus alten Autobatterien Salpeter und Schwefel zu gewinnen. Auch das Blei für die Kugeln stammte aus Autobatterien.

John fuhr am Lazarett vorbei. Es war leer. Die Verwundeten, die immer noch pflegebedürftig waren, hatte man nach Gaither Hall transferiert, denn dieses Gebäude war dank des umgerüsteten Dampfkessels beheizt. Makala führte nun dieses Krankenhaus und kümmerte sich um die fast 40 Menschen, die immer noch ums Überleben kämpften.

Die Verluste waren hoch gewesen: über 700 Tote, davon 120 Studenten, sowie 700 Verwundete. Ein Drittel der Verwundeten war gestorben und manche lagen auch jetzt noch im Sterben.

Fast ein Drittel aller Studenten war somit in der Schlacht gefallen oder unmittelbar danach gestorben, ein weiteres Drittel war verwundet worden. Ein entsetzlich hoher Preis. Wenn er im Unterricht, vor so langer Zeit, wie es nun schien, von Schlachten des Bürgerkriegs gesprochen hatte, in denen die Regimenter bis zu zwei Drittel ihrer Männer verloren, waren das stets nur Zahlen gewesen. Jetzt war es real, furchtbar real. Phil und Jeremiah waren beide im Kampf gefallen, genau wie so viele seiner anderen Kinder, wie er sie einst genannt hatte.

Gestern hatte er wieder einer Beerdigung beigewohnt: Laura, die ihr Bein verloren hatte. Sie war zu schwach gewesen, um die postoperative Infektion niederzukämpfen.

Die Trauerfeier war herzzerreißend gewesen. Nur eine Handvoll Menschen waren erschienen: alle, die die Kraft dazu hatten. Als sie ins Grab gesenkt wurde, sangen die überlebenden Chormitglieder ein Lied, das irgendwie zur Hymne des Colleges und der Schlacht geworden war: »The Minstrel Boy«:

»The minstrel boy to the war has gone,
In the ranks of death will ye find him ...«

Die Gefallenen der Schlacht waren auf dem Veteranenfriedhof am Rande der Stadt bestattet worden. Ein ganzer Abhang des Friedhofs war mit ihren Gräbern bedeckt. Man sprach davon, ihnen eines Tages ein Denkmal zu setzen ... eines Tages.

Alle waren der Meinung, dass ihnen ein besonderer Ruheplatz zustand und sie nicht lediglich auf dem Golfplatz verscharrt werden sollten.

Immer noch gab es das eine oder andere Scharmützel, bei dem die Miliz vonnöten war. Eine kleine Bande Plünderer hatte es geschafft, die Berge bei Swannanoa zu überwinden, und an der alten Route 9 zugeschlagen. Eine Woche danach hatte John eine Expedition nach Old Fort geführt, um die wenigen überlebenden Mitglieder der Posse auszuheben, denen es irgendwie gelungen war zu entkommen. Die meisten davon waren verwundet. Dies hatte sechs weitere Tote aus dem College gefordert. Was das Örtchen Old Fort selbst anging, war kaum noch ein Zivilist am Leben, nachdem die Posse dort eingefallen war.

Die überlebenden Studenten-Soldaten in Johns Einheit waren nun endgültig abgehärtet.

Kellor hatte mit seiner Prophezeiung einer erneuten Epidemie recht behalten. Wenige Tage nach der Schlacht hatte das begonnen, was manche nun den »Pestmonat« nannten.

Der Golfplatz wies 3000 neue Gräber auf. In einem davon ruhte Doc Kellor. Der medizinische Stab war besonders hart getroffen worden, und nun blieben nur noch zwei Ärzte und ein Tierarzt. Es war tatsächlich wie in den mittelalterlichen Pestjahren gewesen: Die meisten Mediziner hatten heroisch ihre Pflicht erfüllt, bis sie selbst niedergestreckt wurden – bis auf einen. Dieser war geflüchtet und hatte sich in seiner Hütte verbarrikadiert. Nun war er ein Geächteter, von der Gemeinschaft ausgestoßen.

Die schlichte Kombination von Krankheit und Hunger hatte zu einer Todesrate geführt, die der Pest im 14. Jahrhundert in nichts nachstand. Dazu kamen Hunderte, die sich mit Hepatitis A infiziert hatten; andere waren Träger von B und C, die erst später ausbrechen würden. Dazu kamen die üblichen kleinen Verletzungen und Schnittwunden, die zu Amputationen und zum Tod führten.

Es war die Zeit des Massensterbens. Nur 40 Prozent der Menschen, die vor zwei Monaten in beiden Gemeinden gewohnt hatten, waren noch am Leben. Es war der fürchterlichste Krieg seit dem Mittelalter. Die legendären 25 Millionen Todesopfer der Sowjetunion während des Zweiten Weltkrieges hatten lediglich ein Siebtel der Gesamtbevölkerung ausgemacht.

Und jetzt schwammen sie geradezu in Nahrung, wenn auch nur kurzfristig. Die sorgfältig bewachten Maisfelder hatten eine Rekordernte produziert. Jeder Apfelbaumgarten wurde kahlgeerntet, auch die wurmigen Früchte wurden eingesammelt. Die diesjährigen Kürbisse wogen mindestens 15 bis 20 Pfund. Die Sammler des Colleges ernteten ganze Körbe voll mit Nüssen, Sonnenblumen- und Pinienkernen. Mancherorts im Wald fanden sie sogar die

Überreste längst vergessener Obstgärten, wo einst ein kleiner Bauernhof gewesen war.

Aber das Essen war sorgfältig eingeteilt worden, denn es musste bis zum kommenden Frühling reichen. Letzten Endes war also das, was zunächst wie eine Überfülle wirkte, in Wirklichkeit kaum genug, um alle durch den Winter zu bringen.

Fleisch dagegen war kaum noch vorhanden; lediglich hin und wieder ein Eichhörnchen, ein Hase, ein Waschbär oder eine Beutelratte. Rehe, Bären und sogar Wildschweine waren fast ausgerottet worden. Noch einmal erwiesen sich hier die Erinnerungen an das Leben am Rand der Wildnis in den Bergen, wo man sich angeblich einfach eine Flinte schnappen und ein paar Stunden spazieren gehen musste, um dann 100 Pfund Fleisch oder mehr heimzuschleppen, als falsch. Wenn Tausende dieselbe Idee hatten und die Jagdsaison 365 Tage im Jahr dauerte, verschwand das Wild sogar in einem Gebiet von 800 Quadratkilometern fast spurlos.

Jagdgruppen vom College stiegen nun hinauf in die Berge, blieben drei oder vier Tage fort und kamen trotzdem mit leeren Händen zurück. Der Wald war leer gejagt worden.

Es gab also Nahrungsmittel, aber ihre Haltbarkeit im Verhältnis zu der Zeitspanne, in der die Menschen sich davon ernähren mussten, war zu gering, und das Sterben ging weiter – selbst jetzt, während die Äpfel sorgfältig zum Trocknen aufgehängt und der Mais in Trockenscheunen gelagert wurde; rund um die Uhr von Bewaffneten bewacht. Die wenigen älteren Mitbürger, die noch lebten, wurden dazu herangezogen, die Jüngeren die fast ausgestorbene Kunst der Lebensmittelkonservierung zu lehren. Das Problem war jedoch, dass sowohl Konservendosen und -gläser als auch die Gummiringe zum Versiegeln der Gläser kaum noch zu finden waren.

Jeden Tag hatte John die Angst um Makala fast gelähmt, denn sie befand sich mitten in den schlimmsten Situationen. Bislang war sie jedoch verschont geblieben. Während des Pestmonats hatte sie um Johns Haus einen großen Bogen gemacht und war nur gekommen, als erst John und dann Jen schließlich die Grippe hatten. Aber dank der guten Pflege und einer Portion Glück waren die Symptome innerhalb einiger Tage verschwunden. Elizabeth hatte sich ebenfalls angesteckt, und John hatte überhaupt keine Bedenken, als sie ihr Recht auf größere Rationen und die inzwischen selten gewordenen Antibiotika, die ihr als Schwangerer zustanden, auch nutzte. Zum Glück war Jennifer verschont geblieben.

Für sie war das Risiko der Influenza jedoch das geringste Problem.

Alle konzentrierten sich nun auf Jennifer. Das restliche Insulin hatte vor zwei Wochen seine Wirksamkeit verloren – über einen Monat früher als John gedacht hatte. Mit dem letzten Fläschchen riskierte Makala mehrere Injektionen, die zusammen 800 Einheiten ausmachten, um Jennifers Zuckerspiegel von 520 auf 140 zu senken. Jetzt betrug er allerdings 600 und stieg weiter an. Vor sechs Tagen war sie kollabiert. Alle Symptome, über die Kellor John vor langer Zeit informiert hatte, waren eingetreten: zunächst extremer Durst, fast unkontrollierbares Urinieren, eine kleine Schürfwunde am Knie, die nicht heilte und nun schwer infiziert war, rote Streifen an den Beinen bis fast in die Leistengegend, 39,4 Grad Fieber. Ihr Immunsystem war bereits zusammengebrochen und die Nieren standen kurz vor dem Versagen … ihr kostbarer kleiner Körper stellte seine Funktionen nach und nach ein.

Er wusste, dass er zum Bergpass fahren sollte, um die Wache dort zu inspizieren, aber das war jetzt zweitrangig. Mit der Rundfahrt durch die Stadt hatte er seine Pflicht für den Moment erfüllt, obwohl er kurz nach den Ruinen des Front Porch Cafés am Straßenrand zwei Leichen gesehen hatte, die bereit zum Abtransport waren. Er machte sich im Geiste eine Notiz, Jim Bartlett anzurufen.

Er fuhr in seine übliche Parklücke vor dem Rathaus und stieg aus. Makala begleitete ihn.

Judy war nun sozusagen zum Mittelpunkt der Stadt aufgestiegen, da sie von ihrer bescheidenen Rolle als Sekretärin zur Telefonistin avanciert war. Sie kannte jeden hereinkommenden und hinausgehenden Anruf, lebte im Büro und hörte nachts das Radio ab, das man aus dem blauen Ford Mustang ausgebaut hatte, um eventuelle Nachrichten von draußen mitzubekommen, die sie dann auf dem Anschlagbrett vor dem Rathaus aushängte.

Auf dem Weg hinein sah er die neuesten Nachrichten: Asheville hatte nun angeblich eine zuverlässige Funkverbindung mit Charleston. Vier Lastwagen mit Notvorräten waren in Greenville in South Carolina angekommen, einen davon hatte man Asheville bis zum Ende der Woche versprochen. Eine Nachricht, die man John telefonisch mitgeteilt hatte, war allerdings nicht ausgehängt worden: Ein Hubschrauber mit einer Ladung Medikamenten war kurz vor der Morgendämmerung am Memorial Krankenhaus gelandet.

Mit diesem Wissen wäre jeder, der sich noch bewegen konnte, sofort nach Asheville aufgebrochen, und John wusste, dass Asheville es keinem von ihnen erlauben würde, die nun ständig bewachte Barriere an der Ausfahrt 53 zu passieren. Das war die Vergeltung für die Weigerung Black Mountains und Swannanoas, im vergangenen Frühling die Flüchtlinge aufzunehmen. Jetzt wurden zwar die wenigen Flüchtlinge von außerhalb, die weiter nach Westen ziehen wollten, durchgelassen, aber wenn jemand aus Swannanoa oder Black Mountain die Barriere überschreiten wollte, um Tauschgeschäfte zu machen, wurde er zurückgeschickt.

John betrat das Büro und Judy sah von ihrer Telefonschaltanlage auf.

»Hallo, Chef.«

»Judy, verbinde mich bitte mit dem Memorial Krankenhaus. Schalte das Gespräch durch meine Leitung und die im Konferenzzimmer.«

»Mach' ich sofort.«

Er ging in sein Büro, das einst Charlies gewesen war. John hatte darin nicht allzu viel verändert. Er hatte lediglich ein eingerahmtes Polaroid-Foto aufgehängt: das Bild der Überlebenden aus der Gruppe, die nun die 1. Einheit der Black Mountain Rangers genannt wurde. 81 Soldaten standen vor Gaither Hall. Man hatte das Foto eine Woche nach der Schlacht aufgenommen. Sie sahen 20 Jahre älter aus als die Jungen und Mädchen auf dem Foto daneben, das die frisch Promovierten des Colleges zeigte und zwei Tage vor »dem Tag« geknipst worden war. Manche waren auf beiden Fotos zu sehen. Die Jugendlichen auf dem Bild der Abschlussfeier sahen frisch und enthusiastisch aus; bereit, es mit der ganzen Welt aufzunehmen, voller Zuversicht und Freude. Die Ranger sahen zwar ebenfalls aus, als seien sie bereit, es mit der Welt aufzunehmen – aber durch Töten. Das Foto erinnerte John immer an ein Gemälde des Schlachtenmalers Tom Lea aus dem Zweiten Weltkrieg, das einen völlig traumatisierten Marine bei Peleliu im Pazifik darstellte und den Titel *The Two Thousand Yard Stare* trug.

»Chef, ich habe eine offene Leitung. Sie können abheben.«

»Memorial Krankenhaus.« Die Stimme hörte sich schwach und entfernt an.

»Black Mountain hier«, sagte Judy. »Können Sie einen Anruf von Dr. Matherson, Direktor der öffentlichen Sicherheit in Black Mountain, zu Krankenhausdirektor Dr. Vance durchstellen?«

Makala hatte Judy geraten, Johns alten akademischen Titel zu benutzen. Zwar sahen Doktoren der Medizin meist auf andere akademische Doktorgrade herab, aber vielleicht half es dennoch, dem Gespräch Nachdruck zu verleihen.

»Bitte warten Sie«, meldete sich die Stimme am anderen Ende.

John sah Makala an, die am alten Kurbeltelefon im Konferenzraum stand.

Fünf Minuten vergingen, dann zehn. Er saß auf der Arbeitsfläche seines Schreibtischs und wartete nervös. Sein Herz raste. Das einzige Geräusch war das Rauschen in der Leitung – dann kam endlich eine entfernte Stimme.

»Vance hier.«

»Dr. Vance, hier spricht«, er zögerte kurz, »John Matherson, Direktor der öffentlichen Sicherheit in Black Mountain.«

»Was wollen Sie?«

Er konnte die Erschöpfung in Vances Stimme hören. John sah Makala an und nickte. Er fürchtete, dass seine Gefühle ihn überwältigen würden, wenn er das Gespräch fortsetzte, und der Mann am anderen Ende hatte keine Zeit für emotionale Bittsteller.

John war durch Charlies Tod in diese Lage gebracht worden. Nun musste er die Entscheidungen darüber treffen, wer Rationen bekam und wer nicht. Er hatte 22 Menschen wegen Plünderung von Nahrungsmitteln zum Tod verurteilen müssen. In einer Nacht hatten 15 davon zwei Rinder geschlachtet, und einer von ihnen war außerdem wegen Kannibalismus verurteilt worden. Zum Glück konnte er diese Aufgabe inzwischen an drei andere Leute delegieren: einen aus Swannanoa, einen aus Black Mountain und einen Professor vom College.

John hatte viele, viele Bittsteller anhören müssen, und jedes Mal musste er seine Entscheidung gerecht fällen. Gerechtigkeit bedeutete in diesem Zusammenhang: Er musste ermessen, wer noch eine Chance hatte, bis zum Frühling durchzukommen, und wer ausselektiert wurde.

»Dr. Vance, hier spricht Makala Turner. Ich war chirurgische Oberschwester der kardiologischen Abteilung im Overlook-Krankenhaus in Charlotte. Ich habe direkt mit Dr. Billings zusammengearbeitet. Jetzt führe ich die Oberaufsicht über alle Notfallbehandlungen hier in Black Mountain.«

Sie hatte diese Erklärung sorgfältig vorbereitet, um eine Atmosphäre der Ebenbürtigkeit zu schaffen und sich die Tradition des gegenseitigen professionellen Respekts zunutze zu machen.

»Ach ja, Billings, wie geht's ihm?«, fragte Vance. Dann machte er eine Pause, als ihm die Absurdität seiner Frage bewusst wurde.

»Doktor, an dem Tag, an dem alles anfing, war ich zum Memorial unterwegs, um Ihrem Unterweisungsvortrag über die neue Methode der Kauterisation für P. A. T.-Arrhythmie beizuwohnen.«

Eine Pause.

»Das scheint eine Million Jahre her zu sein.« John hörte, dass die Stimme am anderen Ende weicher wurde.

Makala hatte alles genau durchdacht. Er sah zu ihr hinüber, aber sie stand mit dem Rücken zu ihm und er konnte keinen Blickkontakt herstellen.

»Schwester Makala …«

»Turner«, sagte sie. »Dr. Vance, wir haben hier eine Situation, bei der Sie Abhilfe schaffen könnten.«

»Die wäre?« John hörte, wie die Anspannung in Vances Stimme zurückkehrte.

»Wir haben gehört, dass letzte Nacht ein Hubschrauber Ihrem Krankenhaus medizinische Vorräte geliefert hat.«

Eine lange Pause. »Ja, das ist richtig.«

»Dr. Vance, wir haben hier ein Mädchen, zwölf Jahre alt, mit Typ-1-Diabetes.«

»Und sie lebt immer noch?« Die Stimme enthielt eine Spur Ungläubigkeit.

»Sie wurde sorgfältig beobachtet und ist ein zähes Kind. Ihr Vater hatte genug Insulin für fünf Monate, aber der Vorrat ist nun zerfallen und hat keine Potenz mehr.«

»Erstaunlich, dass sie so lange durchgehalten hat.«

John verkrampfte sich unwillkürlich bei dem klinisch-kalten Ton, mit dem Makala nun über Jennifer sprach.

»Dr. Vance, war auch Insulin in dieser Lieferung?«

Eine Pause.

»Gibt es Insulin?«, schaltete John sich wieder in das Gespräch ein, seine Stimme angespannt.

»Ja.«

Danach wieder eine Pause.

»Wie lange ist sie schon ohne Insulin?«, fragte Vance weiter.

Makala drehte sich schnell zu John um und schüttelte den Kopf.

»Ihre letzte Injektion war vor vier Tagen.«

Das war eine Lüge; es waren mehr als zwei Wochen vergangen.

Stille am anderen Ende.

»Blutzuckerspiegel?«

»310«, wieder eine Lüge; er war jetzt mehr als doppelt so hoch und stieg immer noch.

»Dr. Vance?«

»Ja.«

»Wir können ein Fahrzeug schicken, um eine Ampulle abzuholen; nur 1000 Einheiten. Das würde ihr das Leben retten.«

Vance seufzte – und bei diesem Seufzen wusste John Bescheid. Wie viele Menschen hatten genau diesen Seufzer von ihm gehört, wenn er wieder jemandem eine tränenreiche Bitte um nur einen einzigen Teller Suppe mehr, um zwei oder drei antibiotische Tabletten oder gar um einige der kostbaren, im Tresor gelagerten, noch stärkeren Z-Pac-Antibiotika abgeschlagen hatte?

»Und für wie lange wird das ihr Leben retten?«, sagte Vance schließlich. »Einen Monat? Das Insulin, das man uns geliefert hat, wird uns wahrscheinlich für die nächsten Monate reichen müssen, denn wir werden wohl kaum mehr bekommen. Es ist für diejenigen vorgesehen, die mit weit niedrigeren Dosierungen überleben können, als Typ-1-Diabetiker sie normalerweise brauchen.«

»Dr. Vance, wir können sie binnen einer Stunde in Ihr Krankenhaus bringen. Nur eine einzige Injektion, um sie zu stabilisieren. Wir haben gehört, dass die Straße nach Columbus und weiter in Richtung Charleston vielleicht offen ist. Wir werden die Fahrt riskieren, wenn Sie uns helfen können, sie zu stabilisieren.«

»Sie und ich wissen beide, dass die Straße keineswegs offen ist. Zwölf Menschen haben gestern von hier aus versucht, lediglich Greenville zu erreichen, und wurden von Plünderern in Saluda Gap ausradiert«, antwortete Vance. »Und selbst wenn Sie durchkämen, besteht nicht die geringste Chance, mehr Insulin zu bekommen. Die zuständigen Stellen in Charleston haben Insulin und ein paar Hundert andere Medikamente als Priorität A eingestuft. Das bedeutet: Ausgabe nur an Menschen unter 45 und über 18 Jahren, mit hohen Überlebenschancen und der Fähigkeit, irgendeine Arbeit zu verrichten. Sie haben mir genau fünf Fläschchen geschickt.«

Frustriert dachte John an Don Barbers Flugzeug.

»Besteht die Möglichkeit, sie von Ihnen aus irgendwohin zu fliegen?«, fragte John energisch. »Bestimmt gibt es am Flughafen in Asheville noch flugfähige Maschinen.«

»Es gab sie, aber jetzt nicht mehr. Die letzten zwei haben wir vor einer Woche verloren. Die Piloten sind einfach mit ihren Familien davongeflogen und verschwunden. Und selbst wenn wir die Möglichkeit hätten, gäbe es 100 andere Fälle, denen ich den Lufttransport zuerst genehmigen würde.«

Makala signalisierte John, den Mund zu halten, und es folgte eine lange Pause, die fast eine Minute dauerte.

»Es tut mir leid, aber meine Antwort lautet Nein. Und jetzt entschuldigen Sie mich bitte …«

John stand auf.

»Wir sprechen über meine Tochter!«, schrie er.

»Das habe ich vermutet«, sagte Vance. »Und ich vermute auch, dass ihre letzte Injektion weit länger als vier Tage zurückliegt.«

»Bitte, Dr. Vance. Bitte, sie ist meine Tochter. Nur eine einzige Injektion!«

»Sie heißen John, nicht wahr?«

»Ja.«

»John, wie gesagt, man hat mir fünf Fläschchen geschickt. Ich habe zwei Kinder in diesem Krankenhaus, die an Diabetes Typ 1 leiden und gerade noch am Leben sind, aber Gott möge mir verzeihen, sogar ihnen enthalte ich das Medikament vor, weil ich 30 erwachsene Diabetiker unterschiedlichen Grades habe, die mit kleinen Dosen viel länger überleben können. Vielleicht muss ich den ganzen Rest des Jahres auf diesen Vorrat zurückgreifen, um zu versuchen, diejenigen zu retten, die gerettet werden können.«

»Bitte, um Gottes willen!«

»John. Hören Sie mir bitte zu. Eine Injektion wird die Enddiagnose Ihrer Tochter nicht verändern. Sie wird nur das Unvermeidbare hinauszögern. Mein Gott«, sagte er müde, »glauben Sie, ich sage Ihnen das gern? John, ich habe genug Anästhesie für vielleicht 20 Operationen, aber wir müssen Hunderte durchführen. Schmerzmittel, wenigstens ein bisschen Aspirin …«

Seine Stimme erstarb.

Makala winkte John heftiger zu, um ihm zu signalisieren, still zu sein.

»Dr. Vance, hier ist wieder Makala. Ich habe dieses Mädchen behandelt, seit das alles angefangen hat. Sie ist ein zähes Kind. Hart im Nehmen. Wir können ihr das Leben retten.«

»Für wie lange?«, antwortete Vance mit kälterer Stimme. »Diabetes Typ 1. Vor 100 Jahren starben diese Patienten schon eine Woche, nachdem ihre Bauchspeicheldrüse die Funktion einstellte. Wir leben jetzt in einer anderen Welt, vielleicht noch über Jahre hinaus.«

Wieder eine Pause.

»Schwester Turner. Sie verstehen sich auf Triage genauso gut wie ich.«

»Triage?«, brüllte John. »Sie sprechen von meiner Tochter, Gott verdammt noch mal. Sie werden sie nicht zum Tode verurteilen!«

»Sir, es tut mir leid. Es tut mir aufrichtig leid.«

»Jetzt hören sie mir verdammt noch mal zu! Ich kann 100 gut ausgebildete Infanteristen mobilisieren. Gott ist mein Zeuge, wir werden in einer Stunde da sein und Sie werden mir das Insulin geben. Wenn es sein muss, sprenge ich die Hauptwasserleitung für Ihre verdammte Stadt in die Luft.«

Eine lange Pause.

»Ist Ihnen bewusst, was Sie da sagen?«, erwiderte Vance. »Würden Sie das tatsächlich tun?«

»Ja!«

»Das glaube ich nicht, John. Ich habe viel von Ihnen gehört. Sie sind nicht der Typ, unschuldige Menschen mit einer solchen Kurzschlusshandlung zum Tod zu verurteilen. Sollten Sie es dennoch versuchen, erwartet Sie die Asheville-Miliz an der Ausfahrt 53. Dieses Krankenhaus wird ebenfalls ständig von bewaffneten Truppen bewacht. Wenn sie die Wasserleitung sprengen, müssen Tausende von unschuldigen Menschen darunter leiden.

Es tut mir leid für Sie, Sir. Gott helfe uns, es tut mir leid für uns alle, und es tut mir sogar leid für diejenigen, die das alles hätten verhindern können und sich die Konsequenzen ihres Nichthandelns auf die Seele geladen haben …«

Seine Stimme brach und ging in ersticktes Schluchzen über.

»Wiederhören.«

Er legte auf.

»Nein!«

John packte das Telefon und riss die Leitung aus der Buchse. In ohnmächtiger Wut schleuderte er den Apparat gegen die Wand.

»John, bitte.«

Makala stand im Raum, Tränen strömten ihr über die Wangen.

»Verdammte Scheiße! Verdammt sei diese Nation! Verdammt sei *alles!*« Er warf sich auf seinen Stuhl und schluchzte.

»Komm, John, gehen wir nach Hause. Sie braucht uns dort.«

Er stand endlich auf. Judy stand im Gang bei der Schaltanlage. Sie hatte jedes Wort gehört und weinte lautlos. Tom stand neben ihr, bleich und abgezehrt, und schwieg. Er sah John an.

»John, ich bin bereit, für dich nach Asheville zu fahren und es zu holen«, sagte er leise.

Makala schüttelte den Kopf.

»Nein, Tom, wir gehen nach Hause. Kannst du während der nächsten paar Tage hier alles regeln?«

»Sicher.«

»Judy, stell bitte keine Anrufe zum Haus durch.«

Makala fuhr John nach Hause. Als sie den Kontrollposten passierten, wie immer bemannt von zwei Studenten, sagte John nichts, erwiderte keinen Gruß. Die Studenten starrten ihm mit großen Augen nach, als er und Makala vorbeifuhren, denn sie sahen, dass er weinte.

Jen stand draußen, als sie ankamen und Makala John beim Aussteigen half. Sie wusste Bescheid.

»Wie geht es ihr?«, fragte Makala.

»Sie pendelt zwischen Bewusstlosigkeit und Wachsein. Ihr Atem riecht fruchtig, wie du gesagt hast. Sie uriniert nicht mehr und ich kann sie nicht dazu bringen, Wasser zu trinken.«

»John.«

Makala ergriff seine Hände und hielt sie fest.

»Du musst jetzt zu ihr hineingehen. Du musst gefasst auftreten, als sei alles in Ordnung. Sie darf nicht spüren, dass du Angst hast. Wenn sie nach dem Insulin fragt, musst du sagen, dass es gleich ankommt. Sie darf nicht wissen, dass du dich fürchtest.«

Er nickte.

»Bist du bereit?«

»Ja.«

Er stieg die Stufen zum Eingang hinauf, öffnete die Haustür und hielt inne.

»Gegrüßet seiest du, Maria, voll der Gnade …«, begann er zu flüstern. Das Gebet verstummte, als er das Haus betrat.

Der Erker, dessen Fenster zum Bach hinausblickten, war in ein Krankenzimmer umgewandelt worden. Das Bett war dort aufgestellt und mit Büchern erhöht worden, damit Jennifer aus dem Fenster den Bach sehen und das Vogelfutterhäuschen beobachten konnte. Elizabeth hatte endlich ihren Schockzustand abgeschüttelt, als die Krise mit Jennifer begann, und Stunden damit verbracht, Tannenzapfen aufzubrechen und die kostbaren Kerne in das Futterhäuschen zu legen. Sie blieb immer an Jennifers Bett und las ihr vor.

Ginger, nur noch Haut und Knochen und kaum fähig zu gehen, war auf das Fußende des Bettes gekrochen.

Jennifer wandte sich ihm zu.

»Daddy?«

»Ich bin hier, Süße.«

Er kam zu ihr und setzte sich ans Bett. Sie hielt Rabs fest

umklammert, und auf der anderen Seite des Bettes saßen nun die drei Beanie Babys, die sie mitgenommen hatte, als sie ihr nun verlorenes Haus evakuierten … eines davon war der Patriotenbär, Johns Geschenk zu ihrem zwölften Geburtstag.

»Werde ich wieder gesund?«

»Natürlich, Süße, du wirst ganz bald wieder auf den Beinen sein. Makala und ich haben dein Insulin bestellt und es wird schnell geliefert werden.«

Er wagte nicht, Makala anzusehen, die in der Tür stand. Er befürchtete, in Tränen auszubrechen, sobald er ihrem Blick begegnete.

Jennifer wandte sich ab, ihr Gesicht bleich.

»Du lügst, Daddy. Du konntest mich nie anlügen.«

»Nein, Liebes, es ist wahr. Dir wird es bald besser gehen.«

Sie sagte nichts und sah ihn nur an.

»Soll ich dir etwas vorlesen, Liebes?«

Sie nickte und drehte ihren Kopf wieder weg.

Er stand auf und suchte das Bücherregal ab. Sein Blick fiel auf zwei Bücher, und sein Herz weitete sich schmerzhaft. Beide hatten offensichtlich Mary gehört, eines davon stammte aus ihrer frühen Kindheit. Er schlug beide auf. Auf dem Innendeckel des einen stand »Frohe Weihnachten, Liebes … 1976.« Im zweiten Buch stand in kindlicher Schrift mit einem Wachsstift »Mein Buch, Mary«.

Er legte das zweite Buch beiseite und ging zu Jennifers Bett zurück. Er schlug das erste auf und begann zu lesen. »Als Herr Bilbo Beutlin von Beutelsend …«

Und dann hörte er auf.

Nein, nicht dieses. Jennifer hatte die Filme gesehen, als sie in die Kinos gekommen waren, und war noch so klein gewesen, dass sie sie erschreckt hatten.

Er legte *Der Herr der Ringe* beiseite und nahm das zweite Buch. Es war Marys Lieblingsbuch als Kind gewesen und hatte Rabs, der nun in Jennifers Arm lag, seinen Namen gegeben. An dem Tag, an dem Jennifer geboren wurde, hatte er Rabs in ihr Kinderbett gelegt, und Mary war angesichts des schneeweißen Hasen aus einer Geschichte, die sie in ihrer Kindheit geliebt hatte, in Tränen ausgebrochen. Rabs, nun schmutzig grau nach so vielen Jahren des Kuschelns, Küssens und Streichelns, lag eng in Jennifers Arme geschmiegt.

»Die Abenteuer des Hasen Rabs …«, begann er. Er schluckte schwer, als er die erste Seite umblätterte. Er erinnerte sich an so viele Abende, an denen Mary Jennifer mit diesem wunderbaren alten Klassiker, den Mutter und Tochter so liebten, in den Schlaf gelesen hatte.

»Eines Tages, als Jennifer und ihr bester Freund Rabs nichts Besseres zu tun hatten …«

Der richtige Name im Buch war Kathy, aber Mary hatte immer Jennifers Namen benutzt, so wie ihre eigene Mutter ihren Namen benutzt hatte. Er sah zu Jen auf, die am Fußende des Bettes stand, unfähig zu sprechen. Sie konnte nur nicken. In diesem Moment spürte er eine intensive Liebe für sie und eine tiefe Anteilnahme, da auch sie so vieles verloren hatte.

Und er fuhr fort zu lesen.

Im Haus blieb es den ganzen Tag still, bis auf Johns Stimme, die leise vorlas und nur damit aufhörte, wenn Jennifer zwischendurch einschlief.

Die Schatten wurden länger und kühle Luft drang ein, aber er machte die Fenster nicht zu, denn das Rauschen des Bächleins beruhigte sie alle mit seinem sanften Murmeln.

Jennifer regte sich, als Makala versuchte, sie zum Trinken zu bewegen. Sie weigerte sich jedoch, also setzte sich Makala auf die andere Seite des Bettes und befeuchtete Jennifers Lippen mit einem nassen Handtuch.

»Daddy?«

Sie sah zu ihm auf.

»Ja, mein Liebes?«

»Erinnerst du dich an dein Versprechen?«

»Welches, mein Engel?«

»Lass mich ganz nah bei dir bleiben … und halte Rabs warm, und behalte ihn immer bei dir. Er liebt dich auch …«

»Natürlich, natürlich.« Hier verlor er endgültig seine Selbstbeherrschung. Weinend beugte er sich über sie, umarmte sie und küsste ihre Stirn. Sie versuchte, die Arme um ihn zu legen, konnte es aber nicht mehr. Als er ihre Hände in die seinen nahm, spürte er, wie kalt sie waren.

Er legte Rabs wieder in ihre Arme. Der weiche Kopf des viel geliebten Stoffhasen ruhte an ihrer Brust.

Makala saß noch immer auf der anderen Seite des Bettes und strich sanft über Jennifers Stirn. Elizabeth und Jen saßen weinend im Nebenzimmer. Jennifer war nicht mehr von Schweiß durchnässt und er wusste, was das zu bedeuten hatte. Makala ließ ihre Hand langsam zu Jennifers Halsschlagader wandern, fühlte den Puls und sah John an.

Er hob das Buch erneut. Es war fast zu Ende und er las weiter; mit einer Hand blätterte er die Seiten um, mit der anderen hielt er Jennifers Hand.

Er spürte, wie ihre Hand immer kälter wurde, und nun las er schnell und fast monoton und blätterte rascher die Seiten um, bis er auf der letzten angelangt war.

»Und so sah Rabs, in Jennifers Arme gekuschelt, zu, wie sie einschlief. ›Eines Tages wirst du erwachsen sein‹, flüsterte ihr Rabs zu, ›aber ich werde dich immer lieb haben. Und weit, weit weg von hier werden wir wieder zusammen spielen. Schlaf schön, Jennifer, und wir sehen uns morgen früh.‹«

»John«, flüsterte Makala.

Er konnte nichts sagen.

»John, sie ist fort.«

Er wusste es. Er hatte gespürt, wie sie davonglitt, bevor er die letzte Seite umgeblättert hatte.

Sie beerdigten sie im Garten, ihr Grab ganz nah am Erkerfenster; ganz nah bei ihm, wie er es versprochen hatte. In der Nacht saß Rabs auf dem Fensterbrett und hielt umsichtig Wache. John hatte einen Großteil des heutigen Tages draußen verbracht. Er saß einfach an ihrem Grab und hielt Rabs im Arm. Er sprach mit Jennifer, als säße sie wieder vor ihm, sein kleines, fünfjähriges Mädchen, und als sei Rabs' Kunstpelz noch nicht völlig abgewetzt. Ginger, die sich kaum noch bewegen konnte, lag an seiner Seite.

Die Abenddämmerung fiel allmählich, und Makala kam heraus und setzte sich neben ihn.

»Ich mache mir Sorgen um Elizabeth«, sagte sie. »Sie muss essen.«

»Es gibt nichts zu essen«, antwortete John, »nur die Rationen im College.«

»John, sie ist im dritten Monat. Eine kritische Phase, vielleicht der kritischste Monat von allen. Die Rationen bestehen fast ausschließlich aus Kohlehydraten. Sie braucht Protein, Fleisch. So viel, wie wir nur kriegen können.«

Makala schwieg und lehnte sich an seine Schulter, und er wusste, was sie damit sagen wollte.

Jetzt war es keine schwere Entscheidung mehr. Überhaupt nicht schwer. Er ging ins Haus und kam eine Minute später mit seiner Kaliber 22 wieder heraus. Rabs gab er Makala.

Ginger lag an Jennifers Grab, als hielte sie dort Wache.

Er kniete nieder und hob Ginger auf. Sie war nun so leicht.

»Komm mit«, flüsterte er. »Du kannst immer noch ein Leben retten, liebe Freundin. Und außerdem … Jennifer will wieder mit dir spielen.«

Wie liegt die Stadt so verloren, die einst voll Volkes war! Wie ist sie zur Witwe geworden? Sie, die einst groß unter den Völkern und eine Fürstin unter ihnen war, muss nun dienen.

KLAGELIEDER 1:1

KAPITEL ZWÖLF

Tag 365

Das Läuten des Telefons an seinem Bett weckte ihn. Licht strömte durch das Fenster, das Licht der Morgendämmerung. Er hörte den kleinen Ben im nächsten Zimmer weinen und Elizabeth versuchte, ihn zu beruhigen.

John hob den Hörer ab. Es war Judy; er hörte ihr aufmerksam zu und setzte sich auf.

»Ich komme, so schnell ich kann.«

Makala lag an ihn geschmiegt, noch im Halbschlaf.

»Komm, Liebling, steh auf.«

»Was?«

Sie öffnete die Augen und sah sich um.

»Es dämmert noch nicht einmal.«

»Aufstehen. Wir müssen in die Stadt – wir alle.«

Er zog die alte, steif gewordene Hose an, die neben dem Bett lag, rieb sich das Kinn und fragte sich, ob er sich rasieren sollte. Ein absurder Gedanke: Er hatte sich seit mehr als sechs Monaten nicht rasiert.

Vor einer Woche war es so warm gewesen, dass sie alle ein Bad hatten nehmen können. Er hatte ein mächtiges Feuer gemacht, Wasser zum Aufheizen aus dem Bach geholt und dann den ehemaligen Fischteich draußen damit gefüllt. Als die Mädchen und das Baby fertig waren, hatte das Wasser eine trübe, dunkelgraue Farbe, aber das kümmerte John nicht. Es war das erste zumindest lauwarme Bad seit dem Spätherbst.

Am Tag darauf hatten Makala und Jen am Bach nach altmodischer Manier Kleider gewaschen – auf einem flachen Stein und mit einem antiken Waschbrett, das sie aus dem Keller geholt hatten. An diesem Abend waren sie alle zu Fuß zum College gegangen, wo ein richtiges Frühlingsbankett sie erwartete. 140 der überlebenden Studenten waren anwesend, Pfarrer Abel hielt einen Gottesdienst in der Kapelle des verlorenen Sohnes, der Chor präsentierte ein Musikprogramm und anschließend eine vermeintliche Komödie in einem Akt über jemanden, der einen noch funktionierenden Fernseher fand … Letzteres tat weh, weil die Thematik doch ein bisschen zu schmerzhaft war, aber die Zuschauer waren höflich und lachten trotzdem.

Ben wurde natürlich von einem Mädchen zum anderen gereicht, und für einige von ihnen war das eine Art Vorübung. Der Herbst und der Winter hatten mehrere Schwangerschaften hervorgebracht, und Pfarrer Abel hatte einige etwas überstürzte Trauungen vollzogen.

Das Essen aus gekochtem Mais, gemischt mit Äpfeln und garniert mit Ackerglockenblumen und dem ersten Löwenzahn des Frühlings, war zumindest sättigend gewesen.

Nach dem Essen, der Musik und der Komödie hatte er sich mit Abel, Malady und den überlebenden Fakultätsmitgliedern getroffen, um zu beraten, ob sie wieder wenigstens ein paar Kurse anbieten sollten … aber das Gespräch war im Sand verlaufen. Es war Zeit, das erste Grünzeug zu ernten, die Jagdgruppen auszusenden und vielleicht, vielleicht das Turbinenprojekt am Staudamm zu Ende zu bringen, um endlich wieder elektrischen Strom zu erzeugen. Mit den Kursen konnte man auch bis zum Herbst warten.

Er ging ins Wohnzimmer, wo Elizabeth am Fenster stand und dem Sonnenaufgang zusah, während sie Ben an ihre Brust geschmiegt hielt und ihn stillte.

Sie ähnelte ihrer Mutter so sehr, als sie über die Schulter sah und John mit dem leuchtenden, madonnenhaften Gesicht, das alle jungen Mütter beim Stillen haben, zufrieden anlächelte.

»Guten Morgen, Dad.«

»Wie geht's ihm heute morgen?«

»Hungrig wie ein kleiner Wolf.«

»Zieh' dir bitte etwas Salonfähigeres an als diesen alten Bademantel, du kommst jetzt mit mir in die Stadt.«

»Warum?«

»Tu' es einfach. Weck Jen auf und bring sie auch in die Gänge.«

Er ging nach draußen. Die Luft war kühl, der Himmel klar. Die Bäume schlugen bereits wieder aus, obwohl weiter oben in den Bergen noch Winter herrschte und der Gipfel des Mount Mitchell immer noch schneegekrönt war.

Eigenartig. Heute vor einem Jahr. Genau ein Jahr.

Er ging ums Haus herum und entdeckte eine Tulpe, die soeben zu blühen begann. Er pflückte sie und legte sie auf Jennifers Grab.

»Guten Morgen, mein kleiner Engel«, flüsterte er und sah zurück zum Fenster, wo Rabs saß und beschützend herunterblickte.

Neben ihrem Grab war noch eins, ein kleineres. Nur sehr wenig war darin begraben worden, aber er hatte das Gefühl gehabt, Ginger für ihr Opfer zumindest diese Ehre erweisen zu müssen. Elizabeth hatte kurz nach Bens Geburt einen kleinen Keramikhund gefunden und als Grabstein für Ginger aufgestellt.

»Daddy, was ist los?«

Elizabeth kam heraus, Ben in den Armen.

»Steig bitte ins Auto.«

Der alte Edsel, der Wunderschlitten, lief immer noch; wenn auch zaudernd, da die Kolbenringe drohten, bald zu versagen. Er startete den Motor und schwarze Wolken quollen aus dem Auspuff. Ihr Benzinvorrat schwand allmählich.

Jen kam mit Makalas Hilfe heraus. Die beiden waren sich im Lauf des langen Winters sehr nahe gekommen – des Hungerwinters, wie diejenigen, die ihn überlebt hatten, ihn nun nannten. Jens Kraft ließ langsam nach. Obwohl sie vor einem Jahr noch stolz aufrecht gestanden hatte, gewann nun die Osteoporose langsam die Oberhand. In beiden Augen hatte sich Grauer Star entwickelt, aber sie konnte noch gut genug sehen, um zu lesen – ihre Trostquelle in den langen Wintermonaten am Kamin.

Das Feuerholz. Obwohl er versucht hatte, sich dagegen zu wehren, hatten die Studenten dafür gesorgt, dass es in seinem Haus nie daran mangelte ... sie hatten Elizabeth auch Extrarationen gegeben.

Jen stieg hinten neben Elizabeth ein und Makala setzte sich auf den Beifahrersitz. Er fuhr rückwärts aus der Einfahrt und steuerte auf die Stadt zu.

»Was zum Teufel ist los?«, fragte Jen etwas missmutig. »Hat jemand einen Bären erlegt?«

Genau das war vor drei Wochen geschehen und hatte zu einem spontanen Fest geführt, an dem die ganze Stadt teilnahm. Bärenragout, gemischt mit einem Teil des kostbaren Trockenmaises und der Trockenäpfel; genug, um 1000 satt zu machen.

Genau genommen war die Zahl der Überlebenden nun nicht 1000, sondern 960; zumindest nach dem Stand von gestern Nachmittag.

Der Hungerwinter hatte, wie Kellor damals prophezeit hatte, die meisten Überlebenden dahingerafft. Die monatelange Kälte; die zunehmende Vereinsamung, wenn bereits geschwächte Nachbarn starben; Kaminfeuer, die ausgingen, weil die Schwächeren keine Kraft mehr hatten, Holz hereinzutragen und die Flammen wieder anzufachen, sodass sie sich schließlich einfach zusammenrollten und einschliefen. Wieder war die Sterberate in die Höhe geschossen.

Erst gestern hatte Makala, nun Leiterin des Gesundheitswesens, während der Ratssitzung die grässliche Problematik der Beerdigungen angesprochen. Im Februar waren die Bemühungen, diese traurige, aber notwendige Arbeit zu erledigen, zusammengebrochen. Es waren einfach zu viele Tote, und zu wenige Überlebende hatten noch die Kraft, sie zu begraben. Schätzungen zufolge waren nun Hunderte von Häusern Leichenhallen, die ganze Familie darin tot. 100 Leichen oder mehr lagen unbeerdigt auf dem Friedhof und verwesten.

Sie hatten beschlossen, sie zu verbrennen. Für diese grausige Arbeit sollten alle, die dazu bereit waren, dreifache Rationen erhalten.

Auch dies war nun eine makabre Ironie. Da so viele gestorben waren, gab es nun doch genügend Nahrung, um die Überlebenden durch den Winter zu bringen.

John fuhr die Black Mountain Road entlang, die Straße, die so viele Jahre lang sein täglicher Weg zur Arbeit gewesen war. Es stand kein Wächter mehr am Tor, denn es gab nicht genügend Menschen, um es ständig zu bewachen und dennoch die Barrikaden und Außenposten zu bemannen. An der Kreuzung bei der Flat Creek Road musste er eine Abzweigung nehmen. Vor zwei Monaten hatte ein Schneesturm gewütet und Dutzende von Bäumen in der ganzen Stadt entwurzelt. Die nächste Straße war immer noch unbefahrbar. Niemand hatte die Kraft, die Bäume zu entfernen.

Die Soldaten des ersten Bataillons hatten zwar noch Kraft, aber er musste sie für andere Aufgaben einsetzen: als Bewacher der Bergpässe im Winter, als Wächter der Lebensmittelvorräte. Ihre Überlebensrate war am höchsten. Black Mountain hatte in genau einem Jahr an die 80 Prozent seiner Einwohner verloren und das College 60 Prozent, einschließlich der Gefallenen. Diese relative Stabilität lag zum Teil an der Zähigkeit und Ausdauer von Teenagern und Jugendlichen Anfang 20 und zum Teil an der Disziplin, die Washington Parker eingeführt hatte und die nun von Kevin Malady aufrechterhalten wurde. Auch das heroische Opfer des Präsidenten Hunt und seiner Frau hatte dazu beigetragen. Sie waren einen Monat nach der Schlacht freiwillig verhungert, um »ihren Kindern« eine weitere Mahlzeit zu ermöglichen.

Die Erinnerung an dieses selbstlose Ehepaar inspirierte die Jugendlichen und hielt sie zusammen.

Was den Zusammenhalt anging, hatte der Collegekaplan acht Trauungen vollziehen müssen. Ein paar Mädchen standen nun kurz vor der Niederkunft … zwei von ihnen hatten die Väter ihrer ungeborenen Kinder im Krieg verloren, genau wie Elizabeth.

John wich den Bäumen aus und fuhr zurück auf die Black Mountain Road in Richtung Stadtzentrum. Mehrere Häuser waren im Winter niedergebrannt und standen nur noch als ausgehöhlte Skelette. Andere schienen verlassen, sämtliche Bewohner tot. Die Vorgärten der wenigen Behausungen, die noch lebendige Besitzer beherbergten, waren mit den diesjährigen »Siegesgärten« bepflanzt worden. Es war keine einzige Rasenfläche mehr zu sehen.

Die Stadt war still, fast eine Geisterstadt, aber dennoch barg sie Überlebende, von denen die meisten nun in Richtung Stadtzentrum unterwegs waren. Manche rannten beinahe. Alle sahen aus wie die Überlebenden eines Vernichtungslagers: skelettartig abgemagert, die Kinder dürr und mit geschwollenen Bäuchen. Fast alle Männer trugen Bärte, und fast alle trugen Kleidung, die einige Nummern zu groß war.

John fuhr jetzt schneller und hielt sich in der Mitte der Straße, an deren Rändern sich Schutt und Trümmer, zerbrochene Äste von den Stürmen und verlassene Autos türmten, die schon am Tag eins liegen geblieben waren.

Als er um die Kurve zum Zentrum bog, sah er sie. Bei ihrem Anblick schrien Elizabeth, Jen und Makala so laut auf, dass Ben zu weinen begann.

John fuhr auf den Vorplatz des Verwaltungskomplexes und machte sich nicht einmal die Mühe, seine Parklücke zu finden. Hunderte hatten sich bereits versammelt, viele eilten noch heran.

Er stieg aus und sah sich die Szene an.

Ein Bradley-Schützenpanzer führte die Kolonne an, über ihm flatterte die Flagge der Vereinigten Staaten von Amerika von einer am Fahrzeug befestigten Stange.

Hinter dem Bradley erstreckte sich eine Kolonne, die mehrere Hundert Meter zurückreichte: Geländewagen der Armee, einige Dutzend Lastwagen, fünf Sattelschlepper, ein weiterer Bradley. Die meisten waren in Wüstentarnfarben gestrichen, und auf allen prangte die amerikanische Flagge.

»Da ist er!«, rief jemand und deutete auf John.

Der Ruf wurde von der Menge aufgenommen und alle wichen zu beiden Seiten zurück, als er langsam näher kam, die Augen voller Tränen, als er die Fahne betrachtete.

Ein Offizier stand vor dem führenden Fahrzeug, umringt von etwa zwölf Soldaten des ersten Bataillons der Mountain Rangers: Johns Soldaten, die eigentlich am Bergpass hätten Wache halten sollen. Sie redeten aufgeregt mit den regulären Soldaten, die sogar entsprechend uniformiert waren, genau wie John es in Erinnerung hatte: Alle trugen Kevlar-Helme, aber es gab die verschiedensten Uniformen, manche in Wüstentarnung, manche in grüner Standard-Tarnung, manche in städtischer Tarnung. Aber es waren seine »Kinder«, seine Soldaten, die wie die zähere der beiden Gruppen aussahen: sehnig, mit raubvogelartigen Gesichtern, die Augen dunkel und tief in den Höhlen, die Waffen locker und griffbereit. Die regulären Infanteristen schienen sie sogar ein wenig zu bewundern – insbesondere die Mädchen, die genauso zäh aussahen wie ihre männlichen Kameraden.

Nation Makers, die Erbauer einer Nation, dachte er. Es war der Titel eines Gemäldes von Howard Pyle, das er genau vor sich sah; aber die darauf porträtierten Soldaten waren nun seine ehemaligen Studenten. Abgerissen, halb verhungert, aber erfüllt von einer Entschlossenheit, die Amerika seit über 200 Jahren nicht mehr erlebt hatte.

Der Führungsoffizier neben dem Bradley, den John an den Sternen auf seinem Revers erkannte, trug sogar seine formelle Galauniform, als wollte er unbedingt aus allen anderen hervorstechen.

»Hier kommt Colonel Matherson!«, rief jemand. Als er sich näherte, nahmen die Soldaten seiner Miliz die Habtachtstellung ein und präsentierten ihre Gewehre. Zu seiner Verblüffung gingen jedoch auch die regulären Truppen in aller Aufrichtigkeit in Habtachtstellung und salutierten ihm.

Die Menge ringsum verstummte.

John verlangsamte seinen Schritt, blieb stehen und sah den Brigadier General an, während er Haltung annahm und salutierte.

»Colonel John Matherson«, sagte er.

Der General erwiderte den Militärgruß, grinste und trat mit ausgestreckter Hand vor. Er nahm Johns Hand und schüttelte sie.

»Ich kenne Sie, Matherson. Habe Ihre Vorlesungen in Carlisle gehört und Ihre Stabsfahrt nach Gettysburg mitgemacht. Ihr Vortrag über Lee als taktischen Befehlshaber der zweiten Schlacht von Manassas war brillant. Das war in den 90ern.«

Wildes Jubelgeschrei erhob sich aus der Menge, als hätte dieser einfache Händedruck sie wieder mit der alten Welt vereint. Die Menschen stürmten auf sie zu, die Soldaten wurden zu ihrer Verblüffung geküsst und umarmt. Mehr als einer von ihnen war offensichtlich etwas nervös, weil viele der Leute, die sie mit ihrer Zuneigung überschütteten, seit Monaten nicht mehr gebadet hatten. Nicht wenige Körper wimmelten von Läusen.

John lächelte und sah den General an. Das Gesicht kam ihm bekannt vor, aber er konnte sich nicht an den Namen erinnern. Schließlich las er das Namensschild. »Wright.«

John fragte sich, wie der General die versammelten Menschen wohl sah. Als Amerikaner? Oder als verhungerte, skelettartige Überlebende? Als die gleiche Art von Überlebenden, denen die Amerikaner seit 70 Jahren überall auf der Welt begegnet waren und großzügig Hilfe geleistet hatten – ohne zu ahnen, dass sie selbst eines Tages genauso aussehen würden?

»Diese Kolonne ist nach Asheville unterwegs. Ich habe den Befehl, dort als Militärgouverneur die Führung im westlichen North Carolina zu übernehmen, bis die Zivilregierung wieder eingesetzt werden kann. Ich wollte aber zuerst hierher kommen.«

Die jubelnde Menge hatte ihn nicht gehört, aber John schon.

»Sie bleiben also nicht hier?«

»Unser Hauptquartier wird in Asheville sein, also bleiben wir in der Gegend.«

Ein Sergeant, der oben auf dem Bradley stand, ergriff ein Mikrofon und schaltete es ein.

»Darf ich um Ihre Aufmerksamkeit bitten?«

Alle verstummten und sahen voll Ehrfurcht zu ihm auf. Dies war die erste elektronisch verstärkte Stimme, die sie seit einem Jahr hörten.

»Entschuldigen Sie mich«, sagte Wright und kletterte auf den Bradley. Der Sergeant streckte die Hand aus, um ihm hinaufzuhelfen.

»Ich bin General Wright. Ich bin Offizier der Armee der Vereinigten Staaten, und ich bin hier, um Sie wieder mit Ihrem Land zu vereinigen.«

Der Jubel hielt mehrere Minuten an. Makala kam an Johns Seite und umarmte ihn. Viele weinten, und dann, ganz spontan, stimmte eines der Mädchen in der Miliz, ein Mitglied des Collegechors, die Nationalhymne an.

»Oh, say can you see, by the dawn's early light ...«

Innerhalb von Sekunden fielen alle ein, und alle weinten beim Singen. Der General hatte den Kopf gesenkt, und die Tränen, die er sich aus den Augen wischte, waren echt.

»Ich habe den Auftrag, als Militärgouverneur die Führung im westlichen North Carolina zu übernehmen. Mein Hauptquartier wird spätestens bis zum Ende des heutigen Tages funktionsfähig sein.«

»Sie gehen also nicht wieder weg?«, rief jemand.

»Nein. Natürlich nicht. Jetzt bitte ich Sie alle, am Ende der Kolonne eine Schlange zu bilden. Jeder von Ihnen erhält drei Rationen Fertigmahlzeiten der Army.«

Erneut brandete Jubel auf.

»Wir haben Sanitäter und Ärzte bei uns, die sich bemühen werden, alle etwaigen ernsten Fälle sofort zu behandeln. Kinder, schwangere Frauen und stillende Mütter erhalten außerdem einen Dreimonatsvorrat Vitamine.«

Vitamine, dachte John. *Mein Gott, wie typisch amerikanisch – etwas Gutes aus einer kleinen Flasche.* Das hob seine Stimmung noch mehr als das Essen. Elizabeth hatte ihre Schwangerschaft mit knapper Not heil überstanden. Die Vitamine würden für sie und das Baby echte Lebensretter sein.

»Diese Kolonne wird in einer Stunde nach Asheville aufbrechen, aber ich schwöre Ihnen als Soldat der Vereinigten Staaten, dass wir Sie nicht im Stich lassen. Spätestens nächste Woche wird eine weitere Kolonne mit Lebensmitteln und Medikamenten hier eintreffen.«

Er gab dem Sergeanten das Mikrofon zurück, sprang

herunter und kam wieder zu John, während der Sergeant die Menschen zum Ende der Kolonne dirigierte. Die Soldaten halfen ihm dabei. John sah ihnen zu. Ein Sanitäter war bereits bei Elizabeth und musterte sie und das Baby. Allein durch diesen Anblick füllten sich Johns Augen erneut mit Tränen. Schon verteilten die Soldaten Kaugummi an die Kinder, die sofort begriffen, dass es hier Leckereien gab, und sich um die Fahrzeuge drängten.

Während die Menge vorbeiflutete, bat der General John, ein Stück mit ihm zu gehen.

»Wie schlimm war es hier?«

»Sehr schlimm«, sagte John.

»Dachte ich mir. Ich habe Ihre Grußkarte oben am Bergpass gesehen.«

John war plötzlich verlegen. Sie hatten die Leiche des Posse-Anführers den ganzen Winter hindurch dort oben hängen gelassen. Die Krähen hatten die Knochen innerhalb weniger Tage sauber abgepickt. Ein Teil des Skeletts baumelte immer noch da. Die Schlucht unterhalb des Passes, in die man Tausende von Leichen geworfen hatte, war wochenlang ein Festbankett für Aasfresser gewesen.

»Wir sind den Spuren ihrer Zerstörung von Statesville bis hierher gefolgt. Sie haben wirklich großartige Arbeit geleistet, als Sie sie niedermachten.

Ich habe auf beiden Seiten der Autobahn die Asche der Brände gesehen. Ihr Feuer hat die ganze Strecke bis nach Old Fort gebrannt – oder vielmehr, bis zu dem Schutthaufen, der einmal Old Fort war. Damit haben Sie sie in die Falle gelockt.«

John nickte.

»Ein guter Plan, Colonel.«

»Ab und zu lehrt uns die Geschichte doch etwas.«

»Wie viele Überlebende gibt es hier? Eine der ersten Aufgaben, die wir hier erledigen müssen, ist eine präzise Volkszählung, damit wir Rationskarten ausgeben können.«

»Ich habe bereits welche ausgegeben.«

Wright lächelte.

»Die, von denen ich spreche, gelten auf Bundesebene.«

»Natürlich«, nickte John und fragte sich, ob er in diesem Augenblick womöglich Widerstand spürte, weil er soeben die Macht der Kontrolle verloren hatte, nachdem er so viele schmerzvolle Monate darum gekämpft hatte, sein Städtchen am Leben zu erhalten.

»Wie viele haben hier überlebt?«

»Ungefähr 20 Prozent; vielleicht etwas weniger, wenn wir auch diejenigen mitzählen, die erst nach dem Ereignis hier eingewandert sind.«

Wright schüttelte den Kopf.

»Ist das ein schlechter Prozentsatz?«, fragte John nervös und fragte sich nun, ob er vielleicht versagt hatte.

»Ein schlechter Prozentsatz? Jesus Christus, das ist unglaublich. In manchen Orten im Mittleren Westen mit viel Ackerland und wenig Bevölkerung überlebten mehr als die Hälfte; aber an der Ostküste?«

Er seufzte.

»Hier im Osten ist es die reinste Wüste. Den Einschätzungen zufolge sind allerhöchstens zehn Prozent noch am Leben. Sie haben uns zum schlimmstmöglichen Zeitpunkt erwischt: im Vorfrühling. Die Nahrungsmittel gingen aus, bevor die Ernte eingebracht werden konnte, und auf vielen Feldern im Norden war noch nicht einmal ausgesät worden.«

Er sah in die Ferne.

»Man sagt, dass heute in New York nur noch höchstens 25.000 Menschen am Leben sind, und das sind entweder Wilde oder Leute, die sich versteckt halten und von Abfällen leben. Eine thermonukleare Bombe wäre menschenfreundlicher gewesen.

Im letzten Herbst ist dort die Cholera ausgebrochen, und die Regierung beschloss, die Stadt aufzugeben. Man hat sie einfach abgeriegelt und niemanden mehr hinein- oder herausgelassen. Ein Freund von mir war dort stationiert. Er sagte, es sei wie im finstersten Mittelalter gewesen.«

Er seufzte und rang sich ein Lächeln ab, als sei ihm bewusst geworden, dass er einfach drauflosgeredet und Dinge gesagt hatte, die am besten unerwähnt geblieben wären.

»Sie haben großartig gehandelt, Colonel Matherson, wirklich großartig. Wir sind auf der Straße einigen Flüchtlingen begegnet, die wütend waren, weil Sie sie nicht hereingelassen haben, aber ein alter Mann war dabei, ein Veteran, der gesagt hat, er bewundere euch, denn ihr habt zusammengehalten, während das restliche Land zur Hölle fuhr.«

John nickte, unfähig zu sprechen.

Wright schwieg, dann senkte er den Kopf und sprach flüsternd weiter.

»Es heißt, dass in Florida fast alle tot sind. Zu viele Menschen, zu wenig Ackerland.«

»Was ist mit den Orangenplantagen und der Rinderzucht dort?«

»Das ist alles zusammengebrochen. Die Leute schlachteten ein Rind für eine einzige Mahlzeit, und bei der Hitze dort war das übrige Fleisch schon am nächsten Morgen voller Fliegen und fing an, zu verwesen. Aber es wurde trotzdem gegessen, und Sie können sich ja ausmalen, was dann passierte.«

»Und die Küste? Die ganze Nahrung aus dem Meer?«

»So unglaublich es klingen mag: Piraten haben so gut wie alle Versuche zu angeln oder zu fischen vereitelt. Es ist wie im 17. Jahrhundert; die Küste wimmelt vor Piraten. Die Marine versucht jetzt, sie zur Strecke zu bringen. Ein paar kleinere Orte, vor allem in den Keys, konnten eine gute Verteidigung organisieren. Dort müssen sie ja nur eine einzige Straße bewachen und hatten bereits ihre eigene

Marine, um die Fischerboote im Auge zu behalten, also kamen sie relativ gut über die Runden. Allerdings hat ihnen der Orkan im letzten Herbst übel mitgespielt.«

»Ein Orkan?«

Er hatte fast vergessen, dass die Naturkatastrophen, die einst die ganze Nation erschüttert und massive Hilfsaktionen auf den Plan gerufen hatten, immer noch existierten. Wenn so etwas heute lediglich 160 Kilometer entfernt passierte, bekam hier niemand etwas davon mit.

»Ein Sturm von den Ausmaßen des berühmten Orkans Katrina zog direkt über Miami hinweg, und ein etwas kleinerer traf ein paar Monate später Tampa und Saint Petersburg.«

Er schwieg einen Moment und sah wieder in die Ferne.

»Diesmal kam allerdings keine Hilfe von außerhalb, so wie damals in New Orleans. Für diejenigen, die noch lebten, war es das Todesurteil.

Rechnen Sie die Hitze ohne Klimaanlagen hinzu. Kaum ein Haus dort unten wurde für ein Leben ohne Klimaanlage entworfen. 20 Prozent der Bevölkerung waren ältere Leute, die gleich in den ersten Tagen an Hitzschlag starben. Dort gibt es Orte, in denen hauptsächlich Rentner lebten, und die Straßen waren regelrecht gepflastert mit Leichen; genau wie in den Pestjahren im Mittelalter. Krankheiten explodierten geradezu in dem Klima, und dadurch kamen die meisten zu Tode, schon bevor das Verhungern begann … Lebensmittelvergiftungen, Hitzschlag, verseuchtes Wasser oder gar kein Wasser, Malaria, das West-Nil-Virus. Im Gebiet um Miami wüteten angeblich Typhus und die Ruhr. Es gab sogar Berichte über Beulenpest …« Er hielt inne.

»Sogar Kannibalismus, wie bei der Posse … aber auch bei vielen Leuten, die einfach vor Hunger durchdrehten. Kulte schossen wie Pilze aus dem Boden, fast wie bei den Azteken, mit Menschenopfern, um den Zorn der Erdgeister zu besänftigen. Andere praktizierten bizarre Perversionen des letzten Abendmahls und der kirchlichen Kommunion, aber diesmal mit der Grundidee, dass es Gottes Wille und damit in Ordnung sei, die Toten zu essen. Wieder andere waren einfach gefährliche Spinner.«

John seufzte. *Die Nation der chemischen Stimmungsaufheller auf Entzug,* dachte er und erinnerte sich an Kellors Warnung.

»Inzwischen sind die einzigen Überlebenden dort Barbarenhorden, und dazu vereinzelte, kleine Gemeinden mit guten Verteidigungseinrichtungen – so wie Ihre; und mit einem guten Anführer – so wie Sie.«

Irgendetwas an dem, was der General erzählte, erregte Johns Aufmerksamkeit. Warum sprach er fast ausschließlich über Florida?

John sah ihn an, und obwohl er es eigentlich nicht wollte, musste er einfach fragen.

»Sir, und Ihre Familie?«

Der General sah ihn mit feucht schimmernden Augen an.

»Ich war im Kommandostab in Zentralasien. Wie Sie wissen, befindet sich unsere Kommandozentrale hier in den Staaten in Tampa und Saint Petersburg. Ich wurde einen Monat vor dem Angriff in den Irak geschickt.«

Er seufzte.

»Meine Frau und meine drei Kinder, meine Schwiegertochter und meine beiden Enkel wohnten in Saint Petersburg. Ich habe seitdem nichts von ihnen gehört.«

»Das tut mir sehr leid, Sir.«

»Ja, jetzt tut es uns allen leid.«

John konnte nicht sprechen.

»Die ›Stimme Amerikas‹ hat davon nichts berichtet.«

Der General schüttelte den Kopf.

»Haben Sie etwa gedacht, wir würden die Wahrheit publik machen?«, seufzte er.

John war empört.

»Was ist denn dann die Wahrheit?«

»Die Wahrheit ist, dass man uns zu Brei geschlagen hat. Nur ein paar Bomben, und wir lagen am Boden. Wenn wir Glück haben, sind in den ehemaligen Vereinigten Staaten vielleicht noch 30 Millionen Menschen am Leben.«

»Was meinen Sie mit ›ehemaligen‹?«

Der General schüttelte den Kopf.

»Natürlich, das können Sie nicht wissen. Auch darüber sprechen wir nicht in der ›Stimme Amerikas‹. Den ganzen Südwesten müssen wir abschreiben, inklusive Texas; es sei denn, wir würden neue Führungspersönlichkeiten wie Sam Houston oder Davy Crockett aus dem Ärmel schütteln. Im Winter sind die Mexikaner dort einmarschiert. Sie behaupteten, es sei eine Schutzmaßnahme gegen die Chinesen.«

»Was?«

»Die Chinesen. O ja, sie haben uns höchstpersönlich Hilfe gebracht; jedenfalls den wenigen, die 60 Tage der Anarchie und der Krankheit überlebt hatten. Und nun stehen 500.000 von ihnen an der Westküste, von Kalifornien bis zum Bundesstaat Washington, den ganzen Weg bis hinauf zu den Rocky Mountains.«

»Chinesen?«

»Chinesische Soldaten. Natürlich sind sie nur hier, um uns zu helfen«, sagte Wright bitter. »Oh, sie unterstützen uns tatsächlich äußerst großzügig und helfen sogar beim Wiederaufbau, aber es gibt nicht den kleinsten Hinweis darauf, dass sie vorhaben, jemals wieder abzuziehen.«

»Also waren sie es?«

Der General zuckte die Achseln.

»Wahrscheinlich werden wir es nie wissen.«

»Wie ist das möglich?«

»John, es waren drei Raketen. Eine wurde von einem Frachtschiff im Golf von Mexiko abgefeuert und detonierte über Kansas, Utah und Ohio. Es war ein typisches Containerschiff, registriert in Liberia. Es hatte davor mindestens ein halbes Dutzend Häfen angelaufen, darunter den von Oman.

Wir nehmen an, dass die Waffen dort verladen wurden: eine Mittelstreckenrakete mit atomarem Sprengkopf in einem übergroßen Container. Das Schiff selbst explodierte übrigens unmittelbar nach dem Abschuss, keine Überlebenden; das passt ins Terroristenschema. Eine weitere Rakete wurde über Russland abgefeuert, von einem Containerschiff vor Island. Genau das gleiche Szenario: Das Schiff explodierte unmittelbar nach dem Abschuss. Warum über Russland und nicht über Mitteleuropa, wissen wir auch nicht. Vielleicht war das Steuerungssystem defekt; vielleicht blieben dadurch England und Teile Spaniens verschont. Der letzte Sprengkopf detonierte etwas tiefer, aber trotzdem hoch genug, um Japan und Korea auszuschalten.

Manche sagen, es war China, andere sprechen von Nordkorea, das jetzt übrigens nur noch ein glühender Trümmerhaufen ist. Wieder andere sagen, es waren Terroristenzellen, oder der Iran, der nun zum größten Teil auch ein glimmender Schrottplatz ist. Vielleicht waren sie es alle gemeinsam, vielleicht war es keiner von ihnen. Vielleicht ist das inzwischen sogar unwichtig, denn wer auch immer es war – er hat gewonnen.«

»Was soll das heißen, er hat gewonnen? Verdammt, die ›Stimme Amerikas‹ sagt andauernd, dass wir gewinnen.«

»Sicher, es gibt rund um die Welt viele Schrottplätze, die einst Städte waren und in denen wir jetzt um uns schlagen; vielleicht mit Recht, vielleicht blindlings. Aber ändert das irgendetwas an der Situation hier, bei uns?

Ich wurde aus dem Irak hierher zurückbeordert. Die ganze Navy ist ebenfalls hier – zumindest an der Ostküste. Fast unsere gesamten Streitkräfte aus Übersee sind jetzt hier stationiert, um die Ordnung wiederherzustellen, beim Wiederaufbau zu helfen, und um das, was noch übrig ist, zu verteidigen.

John, ich habe Baltimore und Washington, D.C., in der Nacht brennen sehen. Die Rauchsäulen waren aus 160

Kilometern Entfernung sichtbar.« Seine Stimme war monoton.

»Mein Gott, es war wie etwas aus der Bibel oder aus dem Mittelalter.«

Washington, die Hauptstadt. Zum ersten Mal seit Monaten dachte John an Bob Scales im Pentagon.

»Kennen Sie General Scales? Er war Kommandant der Militärakademie, als Sie dort waren.«

Wright nickte. »Manche dieser Schreibtischtäter hatten das Glück, in die Notunterkünfte der Regierung abkommandiert zu werden, und von denen kamen viele durch. Aber die anderen … Tja, wie gesagt, Washington selbst wurde quasi ins Mittelalter zurückversetzt. Ich habe keine Ahnung, was aus Ihrem Freund geworden ist. Es tut mir leid, aber wenn er nicht in die Bunker in Maryland oder West Virginia abkommandiert wurde, ist er höchstwahrscheinlich tot.«

Wright starrte erneut in die Ferne.

»Es gibt einen Kult, der in Teilen der drei Bundesstaaten in den Rocky Mountains die Macht an sich gerissen hat. Der Anführer behauptet, der Messias zu sein, und sagt, dass die Lichter wieder eingeschaltet werden, sobald die Welt gerettet ist. Er hat inzwischen einige 10.000 Anhänger.

Und die Posse, die Sie bekämpft haben … Eine ähnliche Gruppe mit 10.000 Mitgliedern herrscht über Pittsburgh und führt Raubzüge im Umkreis von 160 Kilometern durch. Wir bereiten uns darauf vor, sie zu vernichten, aber diese Aktion wird genauso schlimm werden wie das, was wir vor einigen Jahren im Irak erlebt haben … mein Gott, und dabei sind das unsere Landsleute. Ich habe vor drei Tagen acht meiner Leute verloren, als wir eins ihrer Nester in den Ruinen von High Point ausgehoben haben.

O ja, John, wir haben uns vielleicht gerächt; aber Amerika als Weltmacht? Sie haben gewonnen, wir sind am Ende. In dem Versuch, zu retten, was zu retten ist, haben wir uns weltweit von allen unseren Stützpunkten zurückgezogen. Für alle, die uns hassen, bedeutet das den Sieg – auch wenn wir ihre Länder inzwischen in Vergeltungsschlägen plattgewalzt haben. Ganz ehrlich gesagt, John: Wir werden vielleicht nie wissen, wer uns angegriffen hat.

Diesmal gab es keine Bomber, die mit roten Sonnen, Hakenkreuzen oder roten Sternen bemalt waren. Nur drei Raketen, abgefeuert von Containerschiffen im Ozean, die man danach in die Luft sprengte.

Mein Gott, wahrscheinlich gab es allein auf dem amerikanischen Kontinent 250 Millionen Tote. Mindestens so schlimm oder sogar schlimmer als alle unsere Albträume während des Kalten Krieges, inspiriert von Filmen wie *Dr. Seltsam, oder wie ich lernte, die Bombe zu lieben*. Wir waren angreifbar, so verdammt angreifbar, und niemand hat sich die Mühe gemacht, uns darauf vorzubereiten, oder so etwas von vornherein zu verhindern.

Das Ganze hat uns um 150 Jahre zurückgeworfen.«

»Nein, nicht nur 150 Jahre«, seufzte John. »Eher 500. Die Menschen, die 1860 gelebt haben, konnten in ihrer Zeit überleben. Sie hatten eine entsprechende Infrastruktur. Wir nicht. Es genügte, uns die Lichter auszuknipsen, das Wasser zu den Toilettenspülungen abzustellen, die Apotheken zu leeren und die Fernseher abzuschalten, sodass uns niemand mehr sagt, was wir tun sollen.«

Er schüttelte den Kopf.

»Wir waren wie die Schafe, bereit für die Schlachtbank.«

Der General zog ein Päckchen englischer Zigaretten der Marke Dunhill aus der Tasche.

Wright bot John eine an und dieser kämpfte heftig mit sich, doch dann erinnerte er sich an die letzte Zigarette, die er geraucht hatte.

»Ich hab's aufgegeben.«

»Ich nicht«, sagte der General und zündete sich eine an.

Er atmete den Rauch aus. Obwohl John den Duft höchst

verlockend fand, bat er nicht um eine Kippe. Er dachte an Jennifer, die deswegen immer an ihm herumgenörgelt hatte. *Nein, denk nicht daran,* ermahnte er sich.

»Die Kolonne muss weiter, John. Kommen Sie in ein paar Tagen nach Asheville, damit wir ausführlicher miteinander reden können?«

»Sicher. Haben Sie vor, Fahrzeuge zu beschlagnahmen?«

Wright sah ihn verwirrt und fragend an.

»Ach, nichts, nur ein kleines Problem, das ich vor sehr langer Zeit hatte. Übrigens: Wenn Sie dort ankommen, dann feuern Sie den Idioten, der jetzt dort die Zügel hält. Ich wette, Sie werden weder ihn noch seine engsten Vertrauten unterernährt vorfinden.«

Wright nickte.

»Und öffnen Sie um Gottes willen das dortige Krankenhaus wieder für die Allgemeinheit … ich wünschte, Sie wären sieben Monate früher gekommen …«

Er konnte nicht weitersprechen.

»Wen haben Sie verloren?«

»Meine Tochter.«

»Ich verstehe.«

John sah Wright in die Augen und erkannte, dass dieser Mann ihn in der Tat verstand; dass jener vielleicht sogar von einer noch größeren Tragödie betroffen war. Jennifer ruhte in Johns Garten, aber Wright würde höchstwahrscheinlich nie erfahren, was seiner Familie widerfahren war, und konnte sich darum nur das Schlimmste vorstellen. Noch eine Eigenschaft des verlorenen Amerika, begriff John. *Wir wussten immer, wo diejenigen waren, die wir liebten. Und wenn sie in einem weit entfernten Krieg fielen, gab unser Staat Millionen von Dollar aus, um wenigstens die sterblichen Überreste nach Hause zu bringen.* Nun gab es 200 Millionen Leichen und niemand hatte die Zeit, auch nur ihre Namen herauszufinden.

Wright wandte sich einen Moment lang von ihm ab.

»Ich lasse Ihnen einen Vorrat Militärrationen im Rathaus, damit Sie sie an die Notleidenden verteilen können, die im Augenblick nicht hier sind«, sagte er, als er John endlich wieder ansah.

»Danke.«

»Ich lasse Ihnen auch einen Mediziner und Medikamente da. Wir haben einige Antibiotika, Vitamine und natürlich auch Schmerzmittel. Er kann Krankenbesuche organisieren, sobald die Kolonne abgezogen ist.«

»Insulin?«, fragte John emotionslos.

»Nein, warum? Haben Sie etwa noch Diabetiker? Die sind doch längst tot.« Wright erstarrte vor Schreck. »Tut mir leid, John.«

Er konnte nur nicken.

Sie schüttelten sich die Hand und Wright wandte sich zum Gehen.

»General?«

Er sah zurück.

»Ist das nun real?«

»Wie bitte?«

»Ich meine, das alles hier. Was heute hier geschehen ist. Oder ist es nichts weiter als eine Eintagsfliege? Sie bleiben eine Weile, der Zusammenbruch geht weiter, alles geht zugrunde, und dann kommt das Ende. Wie in dem alten Sprichwort, ›Die Welt endet mit einem Winseln, nicht mit einem Knall‹.«

Wright zögerte.

»Ich weiß es nicht, mein Freund. All unsere sorgfältig ausgearbeiteten Pläne, unsere Träume? Ich weiß es nicht mehr.«

Der General drehte sich um und ging zum Panzer zurück. Der Motor sprang an, die Soldaten kehrten zu ihren Fahrzeugen zurück, deren Motoren ebenfalls angelassen wurden – bis auf den des letzten Sattelschleppers, aus dem noch Rationen verteilt wurden.

Die Kolonne setzte sich langsam in Bewegung und John betrachtete die flatternde Fahne, als der Bradley vorbeifuhr.

Instinktiv nahm er Haltung an und salutierte. Die Zivilisten legten sich die Hände auf die Brust, die Miliz präsentierte die Gewehre und viele Leute weinten vor Rührung.

50 Sterne, für jeden Bundesstaat einer, dachte John. *Werden wir je wieder so sein wie früher?* Und seine innere Stimme flüsterte ihm die schreckliche Antwort zu.

Er nahm Makalas Hand, sah zu ihr hinunter und lächelte sie an, um ihr Zuversicht zu geben; und sie lächelte zurück, um ihm Zuversicht zu geben. Beide spürten die Lüge im anderen.

»Sieh dir das nur an, Paps!«

Elizabeth zeigte ihm zwei Flaschen mit Vitaminen, und über ihrer Schulter hing eine Segeltuchtasche der Armee.

»Ein Soldat hat Ben geküsst und gesagt, er erinnert ihn an seinen eigenen Sohn. Der arme Kerl hat geheult und Ben immer wieder umarmt, und dann hat er mir ein Dutzend Rationen gegeben! Die sind in der Tasche. Sie haben mir sogar eine Fünf-Pfund-Dose Milchnahrung für Ben dazugegeben. Es ist vorbei, Paps, es ist wirklich vorbei!«

»Natürlich ist es vorbei, Liebes«, sagte er und lächelte. In ihrer Freude sah sie wieder aus wie ein Kind.

»Gehen wir nach Hause.«

Sie gingen zurück zum Auto und fuhren heim. Die Frauen gingen hinein und Elizabeth lachte glücklich.

Er ging ins Haus, holte Rabs und ging wieder nach draußen, um an Jennifers Grab zu sitzen.

Die Welt hatte sich für immer verändert. Das Amerika, das sie gekannt hatten, war unwiederbringlich verschwunden.

»Die Frage lautet nicht *ob,* sondern *wann.*«

General eugene habiger, usaf (a. d.),
ehemaliger Oberbefehlshaber,
u. s. strategisches Kommando
Mai 2002[1]

NACHWORT

Der elektromagnetische Impuls: ein Blitzschlag aus der Hölle

Der Fall der Berliner Mauer und der Zusammenbruch der Sowjetunion markierten einen Wendepunkt in meiner Karriere bei der Navy. Meine Boeing E-6, ein strategisches Kommando- und Kontrollflugzeug für Nuklearwaffen, wurde abberufen, denn es waren keine ständigen Aufklärungsflüge mehr nötig, um vor einem atomaren Angriff, einem »Blitz aus heiterem Himmel«, zu warnen. Ich hoffe, dass den zukünftigen Militäranthropologen, falls sie die »Jäger und Sammler«-Einheiten des Kalten Krieges erforschen, in meiner etwas unspektakulären Karriere zwei Dinge auffallen werden: Unter meinem Kommando ging weder ein einziges Flugzeug verloren noch gab es einen atomaren Holocaust.

Da ich in Los Alamos in New Mexico aufgewachsen bin, hat mich die Thematik des Atomkrieges schon früh fasziniert und meine gesamte berufliche Laufbahn bestimmt. Als Fähnrich nahm ich mit Begeisterung einen Posten auf dem Atomwaffenversuchsgelände in Nevada an. Beim Anblick einer atomar verseuchten Geisterstadt und des riesigen, vom SEDAN-Atomtest verursachten Kraters, dessen Umfang fast einen halben Kilometer maß und der tiefer war als die Länge eines Footballfeldes, wurde mir die enorme Zerstörungskraft nuklearer Waffen endgültig bewusst. Danach verbrachte ich einen Großteil meiner Zeit in der Bemühung, ein Gleichgewicht zwischen der täglichen Bereitschaft zur strategischen atomaren Kriegführung und der Angst vor den unausweichlichen Folgen herzustellen. Jede wie auch immer geartete Information zu diesem Thema, derer ich habhaft werden konnte, verschlang ich geradezu.

Ich habe Pat Franks klassischen apokalyptischen Roman *Alas, Babylon* gelesen, der 1959 geschrieben wurde, und fühlte mich von der menschlichen Fähigkeit, der Auslöschung zu trotzen und in einer Welt nach einem Atomangriff zu überleben, ermutigt. Die Erinnerung an die berühmte Szene aus dem Film *Dr. Seltsam, oder wie ich lernte, die Bombe zu lieben,* in der der Schauspieler Slim Pickens in der Rolle des Major T.J. »King Kong« die Bombe beim Abwurf wie ein Rodeo-Pferd reitet, entlockte mir jedes Mal, wenn ich den doppelt versiegelten Tresor mit den Nuklearcodes inspizierte, ein makabres Schmunzeln. Nach meiner Beförderung zum Captain las ich *Das letzte Ufer* von Neville Shute und fragte mich, ob ich den Mut des U-Boot Kapitäns Dwight Towers aufgebracht hätte, dem Ende der Zivilisation mit Würde ins Auge zu sehen.

Ich wünschte, ich hätte mich einfach zurücklehnen und das Buch *One Second After,* das mein Freund Bill Forstchen geschrieben hat, als fantasievollen Science-Fiction-Roman genießen können. Das konnte ich jedoch nicht. Stattdessen überwältigte mich bei der Lektüre eine Vielzahl tiefer Emotionen, weil die darin beschriebenen Ereignisse durchaus eintreten könnten.

Ein elektromagnetischer Impuls (abgekürzt EM-Impuls oder EMP) über den kontinentalen Vereinigten Staaten hätte für unser Land verheerende Konsequenzen. Die Zündung einer Atomwaffe produziert hochgradig radioaktive

Gammastrahlung, die sich kreisförmig vom Zentrum der Explosionen ausbreitet. Findet die Explosion in großer Höhe statt, höher als 40 Kilometer, dann treffen die auf die Erde gerichteten Gammastrahlen auf die Atmosphäre und interagieren mit den Luftmolekülen. Dadurch werden positiv geladene Ionen und Rückstoßelektronen erzeugt (letztere werden auch als Compton-Elektronen bezeichnet, so genannt nach dem Physiker, der 1927 für seine Entdeckung des Compton-Effekts den Nobelpreis erhielt). Die Gammastrahlen, die mit den Luftmolekülen interagieren, bewirken eine Trennung der positiv und negativ geladenen Partikel, wobei die Compton-Elektronen ausgestoßen werden, sodass nur die schwereren positiven Elektronen zurückbleiben. Das Magnetfeld der Erde interagiert ebenfalls mit den Compton-Elektronen und beschleunigt ihre Ladungen. Dadurch entsteht ein elektromagnetisches Feld, das augenblicklich zum elektromagnetischen Impuls wird.[2]

Zusätzlich produziert eine Atomexplosion in großer Höhe einen relativ langsamen, magnetodynamischen EMP, dessen Auswirkungen denen eines durch atmosphärische Störungen verursachten elektromagnetischen Sonnensturmes ähneln. Dabei wird Strom von niedriger Frequenz unter die Erde und in die Überland-Hochspannungsleitungen geleitet. Die durch einen EMP in sämtlichen elektrischen und elektronischen Geräten verursachten Schäden wurden sowohl durch mehrere Atomtests als auch durch EMP-Simulationen bewiesen.[3]

Der menschliche Körper kann diesen intensiven und unsichtbaren Energieimpuls nicht spüren und wird durch ihn auch nicht geschädigt. Ein EMP verursacht sowohl schnellere, schädlichere Stromschwankungen als auch viel weiter reichende Zerstörungen elektrischer und elektronischer Systeme als ein Blitzschlag. Die Zündung einer entsprechend konzipierten Atomwaffe über dem Bundesstaat Kansas könnte in nahezu den gesamten Vereinigten Staaten

Schäden anrichten. Unsere überaus technologisch orientierte Gesellschaft könnte durch das Versagen unserer vom Stromnetz abhängigen Infrastrukturen komplett zusammenbrechen. Durch unsere immer größer werdende Abhängigkeit von elektronischen Geräten und deren ständig zunehmende Benutzung wird unsere diesbezügliche Verwundbarkeit mit jedem Tag größer.

Newt Gingrich, ehemals Sprecher des Repräsentantenhauses, beschreibt die potenziell katastrophalen Konsequenzen eines EMP-Angriffs über den Vereinigten Staaten folgendermaßen: »Dieses Szenario ist keine bloße Spekulation, sondern basiert auf den übereinstimmenden Forschungsergebnissen neun angesehener Wissenschaftler, die den *Report of the Commission to Assess the Threat to the United States from Electromagnetic Pulse (EMP) Attack*[4] verfassten.«

Leider wurde dieser Bericht[5] am selben Tag herausgegeben wie der Bericht der Kommission des 11. September 2001, und unsere unmittelbare Aufmerksamkeit konzentrierte sich auf die Frage, warum wir den entsetzlichen Terrorangriff jenes Tages nicht hatten verhindern können. Während die Fernsehkommentatoren den sogenannten 9/11-Bericht studierten und zahlreiche Analysen dieses »Versagens der Vorstellungskraft« sendeten, wurden die eindringlichen Warnungen und Empfehlungen der EMP-Kommission weitgehend ignoriert und auf die lange Warteliste anderer Versäumnisse des Kongresses abgeschoben.

Warum sträuben wir uns so sehr, die reale Bedrohung eines EMP-Angriffs anzusprechen? Die Skeptiker verbergen sich nach wie vor hinter bürokratischem Geschwätz, indem sie etwa erklären: »Obwohl technisch machbar, ist ein EMP-Angriff höchst unwahrscheinlich«; oder »Uns liegen diesbezüglich keinerlei glaubwürdige Berichte der Spionageabwehr vor, und wir müssen unser Augenmerk auf aktuellere Situationen richten«; oder sie tun sie mit denselben vorgefertigten Argumenten ab, mit denen schon andere, vor dem Angriff des 11. September ausgesprochene Warnungen in den Wind geschlagen wurden.

Obwohl wir keine objektive Methode zur Analyse der relativen Risiken und Kosten großer Katastrophen besitzen, existieren glücklicherweise Bemühungen, Katastrophen wie Orkane, Flutwellen und regionale Stromausfälle möglichst zu verhindern, entsprechende Vorbereitungen zu treffen und den anschließenden Wiederaufbau zu gewährleisten. Die sorgfältige Arbeit der EMP-Kommission ermöglicht uns sowohl einen klaren Einblick in die Natur des Problems als auch mögliche Strategien der Prävention und Abmilderung. Die Lösung »ist durchführbar und liegt sowohl in unserer Macht als auch innerhalb unserer Möglichkeiten«.[6]

Einer der Beauftragten der EMP-Kommission, der bekannte Kernphysiker Dr. Lowell Wood, der sich seit 30 Jahren mit EMP-Waffen beschäftigt, beschreibt einen EMP bildlich als »eine kontinentale Zeitmaschine, die uns in das 19. Jahrhundert zurückversetzen könnte«. Als ihm gegenüber erwähnt wurde, dass die Technologie des 19. Jahrhunderts unsere augenblickliche Bevölkerungszahl nicht aufrechterhalten könnte, sagte er trocken: »Ja, ich weiß. Die Bevölkerungszahl wird so lange schrumpfen, bis die bestehende Technologie sie wieder versorgen kann.«[7] Landwirtschaftliches Fachwissen, Pferde und Maulesel wären Mangelware. Weil EMP-Waffen keinen Unterschied zwischen militärischen und zivilen Zielen machen, ist es von besonderer Wichtigkeit, unsere Stromnetzinfrastruktur gegen EMP abzuschirmen.

Wir sollten einen EMP-Angriff nicht wie einen Blitz aus dem heiteren Himmel des Kalten Krieges betrachten, sondern uns auf einen solchen »Blitzschlag aus der Hölle« gezielt vorbereiten. Wir sind gewarnt worden: Unsere Nation ist »für einen EMP-Angriff, der wichtige zivile und militärische Infrastrukturen beschädigen und zerstören könnte, höchst anfällig und wäre sogar fast gänzlich ungeschützt. Ein solcher Angriff hätte katastrophale Konsequenzen, die zum permanenten Zusammenbruch unserer Gesellschaft führen könnten«.[8] Eine Sekunde nach einem EMP-Angriff wird es zu spät sein, zwei einfache Fragen zu stellen: Was hätten wir tun sollen, um den Angriff zu verhindern? Und: Warum haben wir es nicht getan?

Captain Bill Sanders, U.S. Navy.

ENDNOTEN

1. Bill Keller, »Nuclear Nightmares«, New York Times Magazine, 26. Mai 2002. Aus einem Interview mit General Eugene Habiger, USAF (a. D.), über nukleare Terrorszenarien.

2. Gary L. Smith, Rede im US-Repräsentantenhaus, Unterkomitee der Militärforschung und Entwicklung, 16. Juli 1997.

3. Samuel Glasstone und Philip J. Dolan (Hrsg.), *The Effects of Nuclear Weapons* (3. Auflage), United States Verteidigungsministerium und Administration für Energieforschung und Entwicklung, 1977, S. 522.

4. Newt Gingrich, Rede, US-Senat, Komitee für Verfassungsschutz und Regierungsangelegenheiten, 15. November 2005.

5. *Report of the Commission to Assess the Threat to the United States from Electromagnetic Pulse (EMP) Attack*, Band 1, Exekutivbericht 2004, erhältlich im Internet: http://empcommission.org.

6. Ibd., 3.

7. Lowell Wood, Rede, US-Repräsentantenhaus, Komitee für Streitkräfte, 22. Juli 2004.

8. Roscoe G. Bartlett, Brief, 19. Oktober 2004.

Die in diesem Nachwort zum Ausdruck gebrachten Gedanken sind ausschließlich die des Autors und reflektieren weder die offizielle Haltung des Verteidigungsministeriums noch die der Regierung der Vereinigten Staaten von Amerika.

WILLIAM R. FORSTCHEN (1950 in New Jersey geboren) ist ein US-amerikanischer Historiker und Autor von mehr als 40 Büchern. Er ist Experte für Militär- und Wissenschaftsgeschichte und den Amerikanischen Bürgerkrieg. Weitere Interessen sind Luftfahrt und Archäologie (er nahm an mehreren Expeditionen in die Mongolei, nach Rumänien und Russland teil).
2009 erschien der Roman *One Second After*, der für zwölf Wochen die *New York Times*-Bestsellerliste anführte. Forstchen hatte dafür jahrelang analysiert, was in einer kleinen Stadt im Zuge eines EMP-Angriffs (Elektromagnetischer Impuls) tatsächlich passieren könnte.
Pillar to the Sky erschien 2014. Darin wird ein Space Elevator geschildert, ein gewaltiger Turm, der bis über die geostationäre Umlaufbahn hinausführt. Forstchen hat diesen Roman mit Beratung der NASA und des Goddard Space Flight Center geschrieben, denn ein solches Megaprojekt ist tatsächlich in Planung und soll die Raumtransporte, Amerikas wirtschaftliche und technologische Bedeutung und die umweltfreundliche Energiegewinnung revolutionieren.

Zuletzt erschienen in der Reihe FESTA ACTION:

Dalton Fury: *Auf zum Angriff*
Matthew Betley: *Overwatch – Jagd auf Logan West*
Marc Cameron: *Akt des Terrors*
Brad Thor: *Der Pfad des Mörders*
Ben Coes: *Auge um Auge*
Vince Flynn: *Pursuit of Honor – Codex der Ehre*
Matthew Reilly: *Der Große Zoo von China*
Vince Flynn: *Transfer of Power – Der Angriff*
Mark Greaney: *The Gray Man – Unter Beschuss*
John Gilstrap: *Keine Gnade*
Joshua Hood: *Clear by Fire – Suchen & vernichten*
Matthew Reilly: *Das Turnier*
Scott McEwen mit Thomas Koloniar: *Sniper Elite – Der Wolf*
Vince Flynn: *The Last Man – Die Exekution*
Vince Flynn: *Survivor – Die Abrechnung*
Matthew Betley: *Treueschwur*
Scott McEwen mit Thomas Koloniar: *Sniper Elite – Geisterschütze*
Ben Coes: *Ein Tag zum Töten*
John D. Heubusch: *Das Blut des Messias*
Vince Flynn: *The Third Option – Die Entscheidung*
Joel C. Rosenberg: *Der dritte Anschlag*
David Ricciardi: *Warning Light – Notlandung in Sirdschan*
Bram Connolly: *Voller Wut*
Stephen Hunter: *Dirty White Boys*
Vince Flynn: *Order to Kill – Tod auf Bestellung*
Jack Carr: *The Terminal List – Die Abschussliste*
Joel C. Rosenberg: *Die Geisel*
J. L. Bourne: *Tomorrow War – Die Chroniken von Max*
J. L. Bourne: *Tomorrow War – Die Chroniken von Max – Das 2. Buch*
Vince Flynn: *Separation of Power – Die Macht*
William Forstchen: *One Second After*